El sueño y la realidad

Historias de la emigración
del béisbol cubano
(1960-2018)

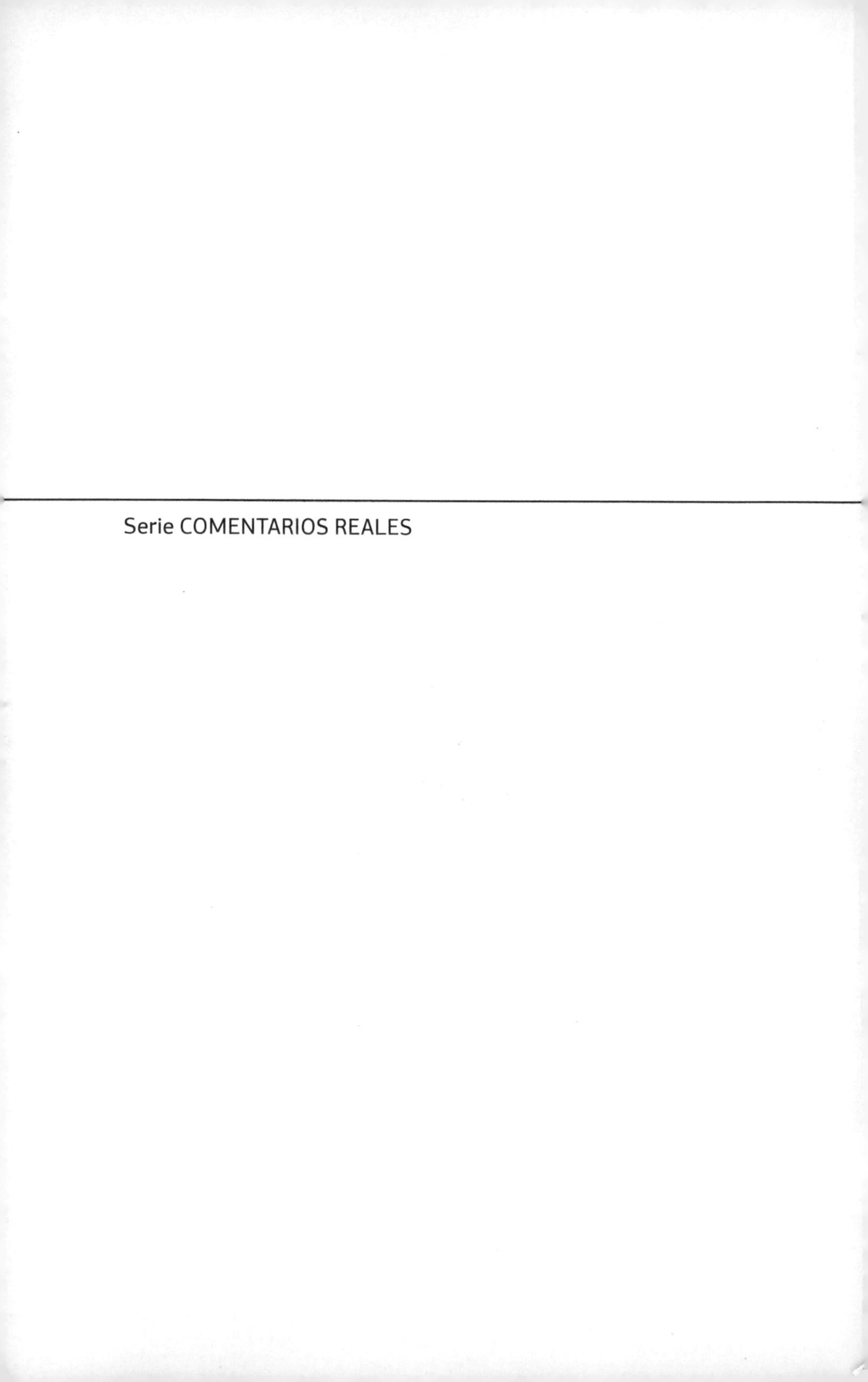
Serie COMENTARIOS REALES

El sueño y la realidad

Historias de la emigración del béisbol cubano (1960-2018)

FRANCYS ROMERO

RIALTA EDICIONES

COMENTARIOS REALES
Una serie de Rialta Ediciones en colaboración con El Estornudo
Coordinada por Carlos Manuel Álvarez

Fotografía de cubierta: Alejandro Taquechel

Primera edición: marzo de 2020

ISBN: 978-607-98518-6-6

Publicado bajo el sello Rialta Ediciones
Santiago de Querétaro
www.rialta-ed.com

A todos los jugadores del béisbol cubano en cualquier época,
donde quiera que estén.

Agradecimientos

Esta investigación demandó un elevado número de entrevistas y búsqueda de contactos que no hubieran sido posible sin la ayuda de miles y miles de personas, sin importar la época o la edad. Debo agradecer sobre todo a Yordano Carmona y Yuseff Díaz, los chicos de *Pelota Cubana*; a Pedro *Pico* Prado; a José Padilla; a Daniel De Malas y su página web *Swing Completo*; a Yasel Porto y su programa de televisión *Béisbol de siempre*; a Jorge Ebro de *El Nuevo Herald*; a Wilder Thorndike, Esdianis Puente, Ibrahim Rojas, Daimir Díaz el *Palmero* y todos los integrantes de la Peña Martín Dihigo; a Ernesto Martínez de la Federación Francesa de Béisbol; a Félix Luzón, Eulogio Vilanova, Duanys Hernández, Tony Oliva y Mario Zambrano; a Yirsandy Rodríguez, Aliet Arzola, Rolando Arrojo, William Arcaya y Juan Carlos Moreno; a Gonzalo *Cholly* Naranjo, Andrés Pascual, Julio Rojo Jr., Yadier Torres, Yadel Martí y Javier González el *Cienfueguero de Boston*; a William Plaza, José Miguel Pérez, Eduardo Cajuso, Edilberto Oropesa; a Roberto González Echevarría, Carlos Manuel Álvarez y Andy Luis Leal; a Pedro Echemendía Jr., Lerys Aguilera, Kleybert Rodríguez, Remigio Leal, Celio Martínez; a Roberto Sabin, José Larrinaga, Maikel Azcuy, Ángel Miguel Fernández, Enrry Pantoja; a Raisel Poll, Lázaro Najarro, Reinaldo Gutiérrez,

Raudel Lazo, Alien Mora y Josuan Hernández; a Ariel Echevarría, Armando Rivero, Yunesky Maya y Ángel Aguiar; a Félix Manuel y José Águila, *los Mellizos Cubanos de Argentina*, a Carlos Pérez y Mario Ibáñez; a Misael Valdés, Scott Eden, Randy Terry, Irait Chirino, Yasser Gómez y Leonel Mendoza; a Isbel Iglesias, Jairon González, Félix Pérez, Leonel Aguilar, Richard Guasch y Action Montreal Sport. A mi editor Gabriel López Santana, motor impulsor. A mi madre Xiomara García, artífice principal de mi formación y gestora de mi espíritu. A mi padre Juan Francis Romero, que implantó la pasión por el juego que nos llena de ilusión y vida. A mis abuelos Xiomara, Carmen, Orlando y Cristina, mis hermanos Juli, Indira, Sandra, Rocío, Sonny, Yunier y Miriam. A mis padrinos Aldo y Lourdes. A mi amor Lumey Contino y mi hijo Francys Lee.

La victoria tiene cien padres y la derrota es huérfana

Napoleón

Introducción

El béisbol y la emigración, los dos fenómenos que conforman el núcleo de este libro, ocupan una posición privilegiada dentro de la idiosincrasia de los nacidos en Cuba. El primero es el deporte nacional, una manifestación que toca, al menos de manera tangencial, la vida de todos los cubanos. Es, también, una de sus mayores pasiones. La emigración, por su parte, posee un papel mucho más triste y definitorio en la historia de la Isla: durante más de medio siglo, quedarse o irse de Cuba ha sido la decisión vital para la gran mayoría. En ese mismo lapso de tiempo, béisbol y emigración comenzaron una singular relación cuyo origen, evolución y posible desenlace ocupan las páginas de esta investigación. Recopilar, procesar y redactar los datos y las historias que conforman este libro fue posible debido a que esta relación no solo involucra a peloteros, *scouts*, inversionistas y traficantes, sino que es parte esencial de la historia de la diáspora cubana.

La tarde del 7 de mayo de 2016 arribé al Aeropuerto Internacional de Miami con 159 dólares en los bolsillos. Tenía veintinueve años. Entré a Estados Unidos con dos visas (una de trabajo y otra de turismo), pues, supuestamente, asistiría a dos congresos de periodismo y regresaría a mi país. Pero eso no sucedió. Entre mis pertenencias no había más que recuerdos de la infancia y par de libros de ficción (una edición de los cuentos de Salinger y una novela de Arthur Miller), otros de sabermetría y el manuscrito incompleto de un libro sobre la emigración del béisbol cubano. En mi viaje de ida sin regreso entendí que la mejor manera de afrontar en su totalidad mi investigación sobre emigrantes era emigrando. Yo abandonaba mi país por motivos claros, pero con muchas preguntas, y pensé que las respuestas esperaban en algún punto de ese libro inacabado.

Así fue como pude contrastar con mis propios ojos las dimensiones del sueño y la realidad. Como los peloteros que llegaron antes o después que yo, trabajé doble turno por el salario mínimo y dormí en el sofá de mi prima hermana. Y desde esa frágil posición en el mundo, comencé a escribir este libro. Aunque el verdadero inicio fuera mucho antes, cuando aún vivía en Cuba.

En agosto de 2014 la revista digital *OnCuba* había comenzado a publicar esporádicas notas firmadas por mí. Como no estudié Periodismo, ni era conocido en el gremio de los escritores deportivos, demoré casi un año en afianzarme dentro del selecto universo del béisbol en la Isla. Finalmente, en mayo de 2015, me ofrecieron cubrir una columna semanal sobre peloteros cubanos en el exterior. Así me fui adentrando en el estudio de la emigración, en parte, porque la bibliografía anterior se concentraba en la figura del éxito –los que llegaron a Grandes Ligas– o en alguna época particular. Con esta investigación persigo una idea diferente: un concepto del béisbol emigrado que analice la pluralidad de aristas dentro de esa simbiosis, entre todas la más esencial: la cara de la derrota. Es en la caída en picada y no en el maravilloso ascenso donde me parece encontrar la clave de este fenómeno.

La del béisbol cubano ha sido una de las historias de emigración más gigantescas asociadas al deporte en la historia contemporánea. Aunque el fenómeno de la emigración en el béisbol cubano no surge con el triunfo de la Revolución, después de 1959 cobra dimensiones hasta entonces desconocidas. Los beisbolistas de la década de los sesenta iniciaron un largo éxodo que, a diferencia de la primera mitad de siglo, sí los llevó a abandonar propiedades y familias, así como a romper con la nueva ideología política. El triunfo de la Revolución cubana en 1959 trajo una serie de transformaciones económicas, políticas y sociales que dividieron al deporte en profesional y amateur. En este contexto, desde los primeros años de la década del sesenta, la emigración se convirtió en una actitud y modo de vida para el pelotero cubano. Por ello, me propuse realizar una historización del béisbol emigrado de Cuba, iniciado en el implacable triunfo de la Revolución. Dos sistemas políticos antagónicos contrajeron un vínculo destructivo que se trasladó al juego. Dentro del proceso migratorio han existido las figuras de exilio, emigración, abandono, deportación y, últimamente, regreso.

La presente investigación busca explicar la emigración a través de la conversación con los protagonistas. La búsqueda del testimonio de primera mano por medio de entrevistas presenciales o mediante redes sociales, correos postales o electrónicos y llamadas telefónicas me ha parecido la mejor forma de atrapar la verdadera naturaleza de ese fenómeno. El libro está compuesto por seis capítulos que explican cómo las variables del éxodo fueron cambiando con el paso de las décadas. Les sigue un epílogo sobre las nuevas expresiones de la diáspora a partir de 2015: las deportaciones, el limbo y los regresos. Se anexa además un listado inédito de beisbolistas que emigraron entre 1960 y 2018, cuestión que más ha dilatado la publicación de este libro.

Recopilar de manera tan minuciosa todos estos datos implicó tiempo, sudor y mucha perspicacia. Ha sido, incluso, una ardua batalla contra la delicada memoria de los beisbolistas entrevistados, que han olvidado –o han querido olvidar– fechas de importancia para el listado. Al final también se superponen historias trascendentales de algunos jugadores que reflejan la cruda realidad por la que atravesaron. Espero que satisfagan la curiosidad de tantas personas alrededor del destino de los peloteros e impidan que muchos de estos nombres sean olvidados.

A través del indetenible avance del tiempo, la emigración del béisbol cubano ha levantado muchas interrogantes: ¿cuántos peloteros abandonaron Cuba a partir de 1960?, ¿cuándo se declaró amateur el béisbol?, ¿por qué salieron 42 jugadores entre 1971 y 1990, y más de 300 entre 2015 y 2016?, ¿cuáles fueron sus nombres y adónde llegaron?, ¿por qué muchos subieron a ese barco o avión con el traje de Detroit Tigers en la mente y terminaron como ayudantes de jardinería, instalando aires acondicionados o manejando camiones en la ruta Nebraska-Georgia?, ¿qué porciento del béisbol cubano emigrado llegó no a Grandes Ligas, sino a firmar un simple contrato profesional?, ¿en qué otros países jugaron estos peloteros y hasta dónde se extendió la red universal del béisbol cubano por el mundo?

Este libro intenta responder a esas preguntas y proponer nuevos cuestionamientos.

La ruptura (1960-1970)

El primer pelotero cubano que emigró después de haber jugado una Serie Nacional de Béisbol[1] se llamó Manuel Enrique Hernández Amorós. El periódico *Florida Star* publicó, en septiembre de 1962, que el estelar zurdo de diecisiete años acordaba un contrato con los Cleveland Indians.[2]

El nombre que apareció ese día en la página siete fue el de Manuel Enrique Hernández Gazmuri. Por alguna extraña y desconocida razón los apellidos de Hernández y Amorós fueron desapareciendo en lugar de Gazmuri. Meses antes, el zurdo había sido la gran estrella del pitcheo del nuevo béisbol cubano vistiendo el uniforme de Occidentales y liderando a los lanzadores con 6 victorias, 94 ponches y 76.2 innings.

La intensa mirada del lanzador negro sobresalía en la foto del *Florida Star* donde sostenía la camiseta de los Indios junto al coach de pitcheo Mel Harder. Lo que quizá

[1] La Serie Nacional de Béisbol, también conocida como Liga Cubana Amateur, fue implementada a raíz del triunfo de la Revolución y la posterior eliminación del profesionalismo. Se inició el 14 de enero de 1962. Ya en 2019 se habían disputado 59 ediciones de este campeonato de béisbol cubano.

[2] Cfr. «Cuban Refugee Signs with Indians».

no conocía el propio Harder es que Hernández Amorós desafió al régimen de Fidel Castro, un año después de que este aboliera el profesionalismo, y abandonó la Isla por medio de una embarcación marítima. Tampoco imaginaba que el mismo Castro había dicho en uno de sus discursos que los beisbolistas cubanos necesitaban aplausos y no dólares y el irreverente Gazmuri sentenció que él prefería los dólares.

—Rolando Pastor y Alfredo Street le escupieron la cara –me dijo Pedro *Pico* Prado, lanzador que emigró en 1968.

Pastor y Street fungían como lanzadores de la nueva era del béisbol en Cuba. Una era iniciada con la Revolución que derrocó a Fulgencio Batista en 1959. Dos años más tarde, el profesionalismo terminaba en Cuba, lo que provocó una ruptura en el equilibrio del juego, una lucha de contrarios que para siempre dividiría el béisbol cubano en emigrado y no emigrado. Gazmuri era solo el primero que jugaba en Cuba y decidía abandonar el país de una lista infinita que se extiende a cincuenta y ocho años. Estados Unidos y Cuba se dirigían hacia una relación marcada por la Guerra Fría, llena de escaramuzas y políticas incambiables.

En Estados Unidos fue más conocido como Manuel Gazmuri o Enrique Gazmuri. Dejó en Cuba a sus padres, su abuelo y una hermana de dos años. El Gobierno le entregó la casa confiscada a Sandalio Consuegra, alias *Potrerillo* (el hecho de que Consuegra fuese un exgrandesligas –Chicago White Sox y Washington Senators– fue usado como propaganda en la televisión y la radio). Pero Gazmuri no cumplió las expectativas al querer convertirse en profesional. Su estela de prospecto se apagó en 1965 y según algunos amigos se adentró en el mundo de las drogas, hasta su muerte en diciembre de 1991. Su última residencia estuvo en Nashua, Hillsborough, en el estado de New Hampshire.

Aunque entre 1959 y 1961, por la misma tendencia burguesa de los primeros años de la Revolución, persistió la práctica del profesionalismo en la Isla, el carácter del proceso político fue cambiando hasta que las relaciones entre Cuba, Estados Unidos y los jugadores profesionales se combinaron en una crisis.

Se recuerda como una época turbulenta, confusa, caracterizada por el miedo y la inseguridad. Los profesionales se incorporaban a sus organizaciones de Grandes Ligas y, a la vez, regresaban en invierno a su país. Antes de que comenzara la disfuncionalidad y la Isla dejara de ser la principal fuente de suministro del talento extranjero a Estados Unidos, Cuba había sido la vanguardia entre los latinos que llegaban al béisbol americano, historia que comenzó con Esteban Bellán en 1871. Cuando debutó Osvaldo Virgil, primer pelotero dominicano que llegó a Grandes Ligas en 1956, habían pasado 67 cubanos por la Gran Carpa. Para 1960 solo 7 venezolanos habían arribado a la Major League Baseball (MLB), mientras 88 cubanos ya habían pisado estos terrenos.

En abril de 1959, Bobby Maduro, dueño mayoritario de los Havana Sugar Kings, se reunió con Fidel Castro para hablar sobre el futuro del equipo, que pertenecía a la International League Triple-A, afiliado a los Cincinnati Reds. Castro garantizó la estadía de los Sugar en La Habana hasta que una serie de sucesos iniciaron el escepticismo en torno a la franquicia. El coach-jugador Frank Verdi y Leonardo Cárdenas fueron rozados por disparos hechos al aire durante las celebraciones por el 26 de julio, aniversario del asalto al cuartel Moncada en Santiago de Cuba. La atmósfera revolucionaria no armonizaba con el béisbol.

Irónicamente, los Sugar Kings se alzaron con la Pequeña Serie Mundial de ese año cuando derrotaron a Minneapolis Millers. A los partidos efectuados en La Habana asistieron los comandantes Fidel Castro, Camilo Cienfuegos, Che Guevara y el presidente Osvaldo Dorticós.

—Castro fue a todos los juegos. Era un gran fanático. Nos hicimos amigos -dijo Preston Gómez, mánager de los Sugar Kings, en un artículo de 1980 publicado por *The Minneapolis Star*.[3]

Aquel triunfo en el séptimo partido, la algarabía del público, la expresión de un sentimiento nacional, no serían más que un espejismo tiempo después. El béisbol quedaría en medio de una ruptura, el fin de ciclo de una época que en la memoria de todos trae incontables recuerdos que transitaron de la alegría a la nostalgia y de la nostalgia a la aflicción.

La Liga Profesional Cubana continuó hasta febrero de 1961, pero los Havana Sugar Kings fueron removidos de su sede en 1960. El secretario de Estado de Estados Unidos, Christian Herter, presionó al comisionado de Grandes Ligas, Ford Frick. Este pasó la voz de mando a Frank Shaughnessy, presidente de la International League, y los Sugar Kings se movieron a Estados Unidos, específicamente a la ciudad de Jersey. Con el traslado llegó la ulterior desaparición del equipo que en ocasiones no superaba los 2 000 aficionados por juego en su sede de Jersey.

[3] Cfr. David Israel: «Gomez Longed for New Life, Big Leagues».

Los procesos de nacionalización y expropiación se hicieron realidad en Cuba, y si alguna vez Fidel Castro y el Gobierno habían divisado la unión del béisbol profesional con el nuevo sistema, para 1961 esas esperanzas quedaron sepultadas. Estados Unidos y Cuba llegaron a su momento de ruptura parcial en 1960, lo que significó la pérdida económica de los sectores privados, y para enero de 1961 ya ambos países habían quebrado sus relaciones diplomáticas.

Castro, quien no fue presidente hasta 1976, pero gobernaba como primer ministro, realizó el lanzamiento inaugural de la campaña 1959-1960 de la Liga Profesional Cubana.[4] La desaparición se hizo progresiva en su totalidad, el ambiente político fue destruyendo el torneo. Inclusive existen reportes de partidos detenidos por decreto gubernamental, cuando los máximos líderes se dirigían a las masas.[5] El comisionado Frick alertó sobre estas cuestiones y, meses después, prohibió la participación de jugadores americanos en la última edición de la Liga Profesional Cubana de 1960-1961.

El béisbol se hallaba en medio de una batalla que tendría un final tormentoso. En enero de 1961, el ministro de Relaciones Exteriores, Raúl Roa García, aseguró a los peloteros que no tendrían problemas para viajar a Estados Unidos e incorporarse a sus equipos. Alrededor de 60 jugadores (20 de Grandes Ligas) obtuvieron sus visas.[6] No obstante,

[4] Cfr. Roberto González Echevarría: *The Pride of Havana: A History of Cuban Baseball*, p. 342.

[5] Cfr. ibídem, p. 350.

[6] Cfr. Lou Hernández: *The Rise of the Latin American Baseball Leagues, 1947-1961. Cuba, the Dominican Republic, Mexico, Nicaragua, Panama, Puerto Rico and Venezuela*, p. 179.

cuando finalizó la campaña de Grandes Ligas y su sistema de liga menor en 1961, Cuba no facilitó el regreso tal y como se había asegurado.

Tony Oliva, un legendario pelotero cubano, ocho veces All-Star y tres veces campeón de bateo en la Liga Americana, fue uno de los últimos que partió de Cuba en 1961, junto a otros 22 compañeros. Él recuerda cómo lo acogieron Camilo Pascual, Pedro Ramos y Zoilo Versalles tras su llegada a Minnesota.

—No hablaba inglés y estaba solo aquí, como un perro callejero –me dice vía telefónica desde Minnesota, donde aún reside.

Oliva salió de Cuba y arribó a Estados Unidos con un visado de seis meses. Su idea era jugar y regresar en invierno. El pinareño fue cortado del campo de entrenamiento de los Twins y no tenía forma de volver a su país. Tras un mes y medio, la misma organización de Minnesota volvió a contratarlo, gracias a Rigoberto *Minnie* Mendoza, quien habló con el gerente de Charlotte, Phil Howser, y le rogó por una oportunidad para Tony.

Oliva explotó en la liga Rookie. En septiembre de 1961, su visa caducó y no pudo regresar a Cuba.

—Nunca tuve la intención de quedarme aquí en Estados Unidos –aclara.

El tiempo, invariable, continuó su recorrido y la dureza de la distancia se convirtió en herida para Oliva. Él completó una carrera de 15 temporadas, siempre con Minnesota Twins, bateó 220 jonrones y promedió .304, pero detrás de toda la gloria quedó la cicatriz de no retornar al calor de una familia de nueve hermanos, abrazar a sus padres y ofrecer la mano a sus amigos.

—A mí me fue muy bien en la pelota, desde que llegué dando palos en cualquier liga, pero cuando se terminaba un juego y uno iba para su cuarto, la tristeza era infinita –confiesa.

Oliva no hablaba inglés, tenía muy pocos amigos. Las comunicaciones de los años sesenta tampoco lo favorecían: cuando enviaba una carta a su familia en Cuba, a veces demoraba hasta meses para tener noticias de vuelta.

Uno de los momentos más definitorios de la época fue la reunión en octubre de 1961, convocada por el alto mando en la Ciudad Deportiva de La Habana y conducida por el capitán del Ejército Rebelde Felipe Guerra Matos y José Llanusa, exjugador de baloncesto y primer dirigente que tuvo el INDER (Instituto Nacional de Deportes, Educación Física y Recreación). El objetivo era proponer a los peloteros profesionales quedarse en Cuba a desarrollar el béisbol. La naturaleza de la junta era básicamente la presentación de dos caminos: o se quedaban en Cuba o se iban y perdían sus propiedades.

—En la reunión hubo muchos peloteros de acuerdo con quedarse en Cuba –me aseveró Jorge Taylor, cuyo hermano, Tony Taylor, disputó 19 temporadas en Grandes Ligas entre 1958 y 1976.

Me encontré con Jorge una mañana de la primavera de 2018 en el Tamiami Park de la ciudad de Miami. Jorge no pudo salir de Cuba en 1961, como lo hiciera su hermano, porque no le llegó el visado. En 1962 finalmente pudo escapar de la Isla. Él y Tony nunca más regresaron a Cuba.

Los sueños vivían dentro del campo de béisbol. Era elegir entre el juego y el exilio. Así fue como el futuro de los Luis Tiant Jr., Camilo Pascual, Orestes Miñoso y más de 100 peloteros entre 1960 y 1962 se convirtió en exilio. Muchos no retornarían.

A partir de la reunión de octubre de 1961 se comprobaron las directrices del nuevo sistema en Cuba y su política en torno al béisbol, por lo que luego de la última temporada profesional, culminada en febrero de 1961, muchos no regresaron. En principio, el temor a lo desconocido fue haciéndose sistémico en los beisbolistas, y aun existiendo emigración en 1960, y luego en 1962 y 1963, el año 1961 significó el estallido del éxodo.

Tras la interrupción de las relaciones diplomáticas entre Cuba y Estados Unidos, los beisbolistas cubanos llevaron a cuestas el sufrimiento de no poder volver a su país. Otros se sintieron atrapados por el miedo que entrañaba el cambio político. El 19 de marzo de 1962 el Gobierno promovió la Resolución 83-A/62, firmada por José Llanusa, que abolía la práctica del deporte profesional en Cuba. «Ellos son una mala influencia, no porque sean contrarrevolucionarios sino porque no encajan dentro de la nueva actitud del deporte», dijo Llanusa, según lo recoge un artículo publicado en *The Daily Oklahoman* en 1964.[7]

Cinco días después de firmada la Resolución, el 24 de marzo de 1962, Mario Zambrano, un jardinero que pertenecía a la organización de Cincinnati Reds, salió de La Habana por el aeropuerto José Martí y nunca más volvió.

[7] Cfr. The New York Times: «Cuba Wants Reds to go Baseball».

Zambrano había contraído matrimonio con Aida González en octubre de 1961. Cuando su esposa no quiso abandonar el país porque no pretendía distanciarse de su familia, ambos se divorciaron. Zambrano continuó su vida de exiliado en Estados Unidos hasta el día de hoy.

—Fue un golpe devastador –me dice Zambrano, refiriéndose al fin del béisbol profesional en Cuba.

Lo encuentro una mañana de agosto en Miami Gardens, condado de Miami-Dade. Entramos a un tráiler contiguo a una casa en la que está parando. Él vive en Indiana desde hace más de treinta años y ahora viste un pulóver verde de sus Elefantes de Cienfuegos. Hacer memoria para un hombre de su edad (ochenta años) resulta un arduo ejercicio mental.

En el invierno de 1961, al regreso de su temporada en Estados Unidos, fue ubicado por las altas esferas de la Revolución en un puesto de instructor con el equipo de béisbol de Oriente. Allí trabajó junto a Oswaldo *Ozzie* Álvarez, quien había pasado por Grandes Ligas entre 1958 y 1959. Cobraban 325 pesos cubanos, lo cual distaba de los 225 dólares que ganaba cuando firmó su primer contrato profesional en 1958 con Cincinnati Reds.

—Mi hijo, si sales de este país, más nunca vuelvas –le aconsejó su madre.

Y eso hizo.

Al año siguiente partió de Cuba a cumplir su contrato profesional. Zambrano jugó con Raleigh Capitals en la Carolina League. Bateó .280, 15 extrabases y 35 impulsadas. Desde la Liga Mexicana, los Broncos de Reynosa le enviaron un contrato para jugar por 400 dólares al mes. Zambrano acusó recibo diciendo que no iría a México por ese salario.

Terminada su buena época como pelotero se dedicó a naufragar en ligas semiprofesionales hasta 1967. Continuó comunicándose con aquella mujer habanera de la que tuvo que divorciarse y que, muchos años más tarde, emigraría a España. Tras iniciar el proceso de la reunificación familiar en 1964, sus padres llegaron a Estados Unidos en 1971. Dejaron una casa que le construyeron a Zambrano en San Luis, antigua provincia de Oriente, actual Santiago de Cuba.

Por su mente nunca pasó la idea de quedarse en Cuba. El sueño de jugar béisbol a nivel profesional lo perseguía desde los catorce años. Los beisbolistas que elegían permanecer en Cuba no podían continuar sus carreras.

¿Por qué?

Una vez que un pelotero firmaba un contrato profesional se le prohibía rotundamente jugar a nivel amateur. Era un axioma de la época.

—Yo no podía jugar en Cuba. Era profesional –dice.

Zambrano exhibe el orgullo de su año de novato con los Elefantes de Cienfuegos, donde compartió vestidores con lanzadores de Grandes Ligas como Pedro Ramos o Camilo Pascual. El anillo del campeonato de 1960-1961 nunca se lo entregaron, estima que por la accidentada terminación de aquella campaña debido a las transformaciones que implementaba el nuevo Gobierno.

—Jugué toda la temporada de 1960-1961 no sé si por suerte o coincidencia, pero desde que llegué lo hice bateando –asegura el que compartía los jardines con Tony *el Haitiano* González y Román Mejías, dos grandesligas de renombre.

Con la voz afligida, entrecortada y cubierta de nostalgia me explica por qué no halló siquiera una razón para regresar a Cuba. El miedo a volver frenaba todo el sentimiento de añoranza que significaba visitar el lugar donde había nacido. El Gobierno cubano le envió telegramas diciéndole que era bienvenido, aunque desde la tarde que subió al avión Zambrano supo que no retornaría.

—Extrañé mucho que después de haberme establecido, al momento acabara todo. Fue una desilusión para mí –me dice, refiriéndose al fugaz éxito que experimentó en la Liga Profesional Cubana.

Entre 1960 y 1962, los beisbolistas cubanos intentaban salir del país por disímiles vías. Martín Rosell, infielder de liga menor de Cincinnati Reds, y Carlos Paula, pelotero negro que rompió la barrera racial con Washington Senators, fueron ayudados por el comandante Ramiro Valdés a salir por México, según asevera el periodista cubano Andrés Pascual.

Otro de los que utilizó la vía de México fue el lanzador Luis Tiant Jr. Quizá no exista mejor ejemplo de ruptura entre los innumerables casos de la época. Su triste exilio duró cuarenta y seis años hasta que regresó a Cuba en 2007. Cuando se subió al avión que lo llevaría rumbo a México el 25 de abril de 1961 nunca pasó por su cabeza que estaría más de cuatro décadas sin regresar al reparto Almendares, en las cercanías del barrio habanero de Miramar.

—Hice algunos intentos por visitar Cuba y no me dieron permiso ni aquí ni allá –me dice sentado en un pequeño carro de golf de cuatro gomas y dos asientos.

En la primavera de 2019 encontré a Tiant Jr. en las instalaciones del JetBlue Park, ubicado en Fort Myers, a cien millas de Miami, y que es el campamento de primavera de los Red Sox de Boston. El ganador de 229 juegos en Grandes Ligas se pasea con extrema calma en un pequeño carro de golf, masca su tabaco y aconseja a los jóvenes lanzadores de la organización.

Tiant Jr. no pudo pasar la luna de miel en Cuba tras casarse con María. Ese matrimonio ha durado cincuenta y siete años, ambos son cristianos y tienen tres hijos.

—Lloraba mucho en los inviernos –confiesa–. Hay que ser cubano para saber lo que uno pasó. No es hablar y decir dos o tres pendejadas.

Cuando todos los beisbolistas celebraban el final de la temporada, que significaba el retorno a sus lugares de origen, el pelotero cubano se ahogaba en la frialdad del invierno.

Entre 1964 y 1982, el apodado Tiante se consagró en el indescifrable arte de lanzar. Consiguió dos lideratos de efectividad y tres selecciones al All-Star. Él no cree que su rendimiento hubiera sido mejor de tener a sus padres en Estados Unidos.

—Eso es muy difícil de calcular. Mi padre ni mi madre iban a lanzar por mí –explica y luego suelta una escupitina–. Eso me dio más fuerza porque me concentraba en trabajar para traerlos.

Mientras conversamos se escucha el rumor del viento de la primavera y en el camino se cruzan beisbolistas de distintas edades y niveles. El chasquido de los *spikes* se altera con el sonido lejano pero estridente de las pelotas y los guantes.

Hay heridas que nunca cierran completamente y más si el sufrimiento es en silencio. Tiant Jr. sabe que los catorce años que pasaron antes de reencontrarse con su padre no volverán nunca. Cuando se montó al avión en 1961 creyó que estaría de vuelta al año siguiente.

—Ve a ver a tu papá, no creas en lo que la gente dice. Yo estuve diecisiete sin ver al mío –comenta, y las cuatro décadas transcurridas desde entonces lo llevan a equivocarse en el cálculo.

Nos despedimos. Justo a nuestro lado hay una pancarta de tela con la inscripción «Legendary», que muestra estampas de catorce célebres beisbolistas de los Red Sox. Tiant Jr. es el sexto de izquierda a derecha. En la foto realiza su original wind up, que muestra su número al bateador. El codo que impulsa su brazo yace levantado a la altura de los hombros y sus ojos buscan el home con la fiereza del hombre sin tiempo. Tiant Jr. se convirtió en el lanzador cubano con más victorias en las Mayores.

La misma senda de Tiant Jr. fue recorrida por más de un centenar de beisbolistas profesionales que se debatieron entre el adiós y el sueño de buscar o continuar el camino a Grandes Ligas.

José Arcia, infielder de Houston Colt .45s, que logró llegar a Grandes Ligas en 1968, firmó contrato en marzo de 1961, un mes antes del ataque de Bahía de Cochinos, y en principio no pudo salir de Cuba. A finales de ese año, Arcia escapó a Houston de manera que no ha podido ser precisada.[8] Allí trabajó por unos meses hasta llegada la primavera y se incorporó a los Colt en las menores.

Miguel Fornieles, lanzador derecho de Boston Red Sox, solo pudo pasar cinco dólares por la aduana a la hora de abandonar el país. El avezado pitcher escondió además 200 en los dedos de su guante de lanzar y burló a la guardia

[8] Cfr. Milton H. Jamail: *Venezuelan Bust, Baseball Boom*, p. 39.

aduanera.[9] Fornieles no pudo convencer a su esposa (de convicciones revolucionarias) de marcharse de Cuba y esta permaneció en la Isla junto a su hija Marina.

A Camilo Pascual le decomisaron las tres casas que poseía en La Habana. El Gobierno le permitió sacar a sus padres en 1964, junto a su hermana y su cuñada. Pascual nunca más regresaría después del año 1961.

—El Gobierno cubano quería que los jugadores de MLB regresaran, pero, ¿a qué?, ¿a buscar qué? –me dice Camilo Pascual a sus ochenta y cuatro años.

Me encontré a Pascual una mañana en la ciudad de Miami, en el terreno tres del Tamiami Park, y conversamos sobre aquella época tan difusa. El lanzador de 174 victorias en Grandes Ligas aún mantiene su figura, y recuerda con añoranza sus primeros tiempos de emigrado.

—Los primeros años tuve muchos deseos de regresar para ver cómo estaba mi tierra, pero después se me quitaron –comenta.

A otros jugadores se les hizo más difícil la tarea de reunirse nuevamente con su familia de Cuba. Humberto *Chico* Fernández, campocorto por ocho años en Grandes Ligas, intentó por más de un lustro traer a su familia, hasta que en 1970 sus padres y su hermano consiguieron llegar a Estados Unidos. El Gobierno cubano confiscó un apartamento que Fernández había comprado para sus padres en La Habana.[10]

[9] Cfr. Frank Russo y Gene Racz: *Bury my Heart at Cooperstown, Salacious, Sad and Surreal Deaths in the History of Baseball*, p. 124.

[10] Cfr. Bill Dow: «Chico Fernandez Paved Way with Tigers as Team's First Latino Position Player».

Tony Taylor, quien jugó 19 temporadas en Grandes Ligas y fue dos veces al Juego de las Estrellas, perdió un terreno que compró para hacer una fabricación y el dinero que poseía en el banco. Taylor salió de Cuba en 1961 y un año después lo hizo su hermano Jorge. Ambos nunca más regresaron.

—De Cuba no se podía sacar nada -dice Sonia Gutiérrez, esposa de Roberto Gutiérrez Herrera, cátcher de liga menor por 11 temporadas.

Roberto, más conocido como Musulungo Herrera, salió de Cuba en 1963 en un barco llamado el *Barco de la Medicina*. Me recibe en su residencia de Miami un sábado al mediodía y me cuenta su travesía. Para 1963 se hacía casi imposible el regreso de los peloteros a sus equipos en Estados Unidos.

—Fue una odisea para venir -afirma Roberto, quien jugó Triple-A con St. Louis Cardinals y fue uno de los mejores brazos de su tiempo.

Él debía procesar su viaje mediante la embajada de Suiza en Cuba. Asistió con asiduidad por varios meses esperando una respuesta. Había pasado la primavera y no se había reportado a su equipo. Hasta que Fidel Castro le dio la aprobación para procesar su caso.

—Él dijo que los peloteros no eran políticos -cuenta.

En el *Barco de la Medicina* venían más de 250 pasajeros y Roberto, a sus setenta y nueve años, no se olvida del día en que emigró. La embarcación formó parte de un convenio entre los gobiernos estadounidense y cubano. Transportaba medicinas hacia la Isla y luego retornaba a Estados Unidos con presos políticos y emigrantes que, como Roberto, pudieron expatriarse gracias al intercambio.

—Había muchas personas llorando.

Su esposa e hijo, además de sus padres, debieron quedarse en Cuba. En 1966, lograron reunirse de nuevo en Estados Unidos. Sonia y Roberto tuvieron otro hijo llamado Ricardo *Ricky* Gutiérrez, que estuvo once años en Grandes Ligas y ganó anillo de Serie Mundial con Boston Red Sox en 2004. En la sala de Roberto se divisa un afiche gigante donde aparece Ricky en el momento triunfal de Boston.

Sonia recuerda también el día que llegó a Estados Unidos. Era 1966. Aterrizó en la localidad miamense de Opalocka, gracias a un vuelo que pagó el gobierno de Lyndon Johnson como parte del programa Vuelos de la Libertad que sacó de Cuba a 300 000 personas consideradas disidentes, entre 1965 y 1973. El carro que dejó Roberto debió venderlo para sobrevivir tres años en Cuba y, en 1966, tuvieron que también dejar la casa en manos del Estado cubano. Ambos sobrepasan los cincuenta y siete años de matrimonio y Musulungo aún archiva en su memoria las tantas veces que su amigo y leyenda Stan Musial lo buscaba para calentar el brazo y facilitarle algunas lecciones de bateo.

—Un día en St. Petersburg me llevó al *clubhouse* de los Yankees para que saludara a Mickey Mantle y Roger Maris -me dice.

Después de 1967 prefirió continuar su carrera en México. Musulungo fue uno de los primeros trotamundos del béisbol cubano. Lo mismo actuó en Venezuela, República Dominicana, México que Panamá. El amor y la pasión que transmitía por el juego eran contagiosos. Por ejemplo, con los Leones del Caracas en Venezuela bateó .306 y 10 cuadrangulares entre 1967 y 1971.

Como jugador protestaba mucho. Lo expulsaron más de 16 veces en un lapso de 45 días en México. En una discusión uno de los umpires le dijo que el arbitraje era un oficio complicado. Sin embargo, Musulungo se dio la vuelta y le respondió: «Si me hago árbitro sería mejor que tú». Algo de premonición había en su respuesta, porque después de su retiro se convirtió en un importante umpire.

El 19 de noviembre de 1961 el primer ministro Fidel Castro pronunció un discurso en la Ciudad Deportiva de La Habana que aclaraba la política de Cuba ante el profesionalismo. A partir de ahí, se configuró el concepto del pelotero como mercancía, el pelotero que pertenecía a un dueño que decidía si jugaba en el invierno o no y que era cambiado de equipo sin que mediara su opinión:

Bien. ¿Y en qué consistían aquellos campeonatos? Pues un torneo en el que participaban algunos de los peloteros cubanos que habían adquirido fama, cuando los autorizaban a venir, más dos o tres docenas de peloteros norteamericanos que, como en esa temporada no estaban sirviendo a sus clubes, los enviaban a Cuba más de vacaciones que de otra cosa, a entrenarse aquí y a mantenerse en *training*, pero sin rendir el máximo esfuerzo como atleta.

Eso era lo que había en nuestra Patria con respecto a los peloteros.

Con respecto a otros tipos de atletas, había también negocios, aunque naturalmente con la pelota llegaba a sus extremos más graves.[11]

[11] Fidel Castro: «Discurso en la clausura de la plenaria nacional de los Consejos Voluntarios del INDER».

El pensamiento con respecto al profesionalismo era irreversible. El Gobierno declaró su guerra ante ese tipo de práctica que estaba supuestamente desalineada de los principios de la Revolución.

En diciembre de 1961 se suspendió un pequeño campeonato profesional, conocido como el PR-2, que había arrancado en la provincia de Pinar del Río bajo la supervisión del capitán del Ejército Rebelde Felipe Guerra Matos,[12] un adepto del béisbol profesional, quien organizó el breve circuito que no pasaría de 10 juegos. El mismo Matos fue destituido en 1960 cuando la Dirección Nacional de Deportes se convirtió en INDER. Las ideas de Matos entraban en conflicto con la deriva ideológica que tomaba el así llamado deporte revolucionario.

En el último intento profesional del PR-2 participaron jugadores como Héctor Martínez, que unos meses más tarde debutaría en Grandes Ligas con Kansas City Athletics, y Marcelino López, que luego lanzaría 8 temporadas en MLB entre 1963 y 1972.

La historia oficial del béisbol cubano omite el relato de una época donde se ejecutó una minuciosa persecución contra todo el que adoptara una postura favorable ante el profesionalismo. Al veloz lanzador Pedro *Pico* Prado, novato de los Sugar Kings, le enviaron un contrato desde México a través de los peloteros Asdrúbal Baró y Luis Zayas para que lo firmara y tuviera la posibilidad de salir de Cuba. Sin embargo, Baró y Zayas le entregaron el documento a José Llanusa, quien terminó suspendiendo a Prado del béisbol.

El nombre de Prado apareció en el róster de Industriales con vistas a la primera Serie Nacional de 1962-1963, primer

[12] Cfr. Andrés Pascual: «El último campeonato de béisbol profesional cubano».

campeonato amateur de la Liga Cubana o Serie Nacional, pero nunca tiró un solo lanzamiento. Prado fue proscrito y varias veces encarcelado hasta que logró salir del país en 1968.

—Es así. No estaba para que fuera pelotero profesional -me dice Prado, ahora instructor de pitcheo, en uno de los varios encuentros que sostuvimos. Sonríe sin que se distinga la diferencia entre la ironía y la tristeza, la agudeza de algún sufrimiento, o la simplicidad de la liberación.

La emigración en la década del sesenta destruyó un béisbol y construyó otro. Se inició un proceso infinito en la diáspora del cubano, no solo del pelotero, sino del deportista en general. El deporte nacional de Cuba perdió a muchos de sus ídolos. El amateurismo puso nuevos héroes en el lente del público. Más de 120 peloteros salieron de Cuba definitivamente en un lapso de tres años. Por el contrario, más de 30 de los que contaban con contrato profesional en Estados Unidos se quedaron en Cuba y eligieron otro camino. Abandonaron el sueño de llegar a Grandes Ligas. Entre ellos, destacan casos muy interesantes como el de Emilio Tellería o Arnaldo *Nachi* Suárez, prospectos que renunciaron a sus carreras para ayudar a la construcción de un nuevo béisbol.

Suárez pertenecía a St. Louis Cardinals y no volvió a jugar después de 1961. Por convicción propia comenzó a trabajar en Regla, municipio de La Habana, con categorías de niños hasta 1972.[13]

[13] Cfr. Thaimí Niubó Alemán: «Entrevista a Nachi Suárez».

Gonzalo *Cholly* Naranjo viajó hacia Cuba en septiembre de 1961 y no pudo regresar cuando se le descubrió que padecía apnea del sueño. Tenía trabajo asegurado en la organización de Houston, pero decidió quedarse en Cuba, donde contaba con ciertas comodidades.

—Cobraba un salario desde Cuba, pero el presidente Kennedy congeló las cuentas de los cubanos que vivían fuera de Estados Unidos -me dice una tarde sentado en la barbería de un amigo, localizada en Palm Avenue y la calle 9, en Hialeah. Naranjo porta una gorra de los Pittsburgh Pirates y me muestra fotos en las que conversa con su compañero de equipo Roberto Clemente.

—En Cuba tenía un Corvette y vivía sin problemas hasta el momento en que me congelaron la cuenta -agrega.

El Gobierno cubano activó la llamada «ley del vago», que castigaba con prisión al que no trabajase, por lo que tuvo que hacerse instructor de categorías infantiles en La Habana, hasta que regresó definitivamente a Estados Unidos en 1995.

—En Cuba me acusaban de gusano y cuando llegué aquí me acusaban de comunista -asevera.

Otros como Andrés Ayón, Asdrúbal Baró, Luis Zayas, Waldo Velo, Juan Delís y Máximo García fueron patrocinados por entidades del Gobierno cubano para que acudieran a la Liga Mexicana profesional sin desligarse del régimen, lo cual representaba una terrible contradicción.

El cambio que supuso la Revolución cubana trajo alegrías y tristezas, idas y venidas, regresos y exilios. Algunos que viajaron a Estados Unidos y regresaron. Otros que en Cuba se decepcionaron y emigraron. Fue una era de suspensiones, trabas, bloqueos, contratos interceptados, reuniones, discursos y proclamas. En la ruptura entre dos países se fraguó el cisma del béisbol cubano.

Forzado el desprendimiento, el béisbol cubano perdió a todas sus estrellas entre 1960 y 1970. Los terrenos de la Isla se vaciaron de ídolos y talentos. Los Oliva, Tiant Jr., Pascual, Cardenal, Casanova, Campaneris, Cárdenas, *Tani* Pérez, entre otros, se impusieron en Estados Unidos. Encandilaron los terrenos y escribieron un legado inmortal. Pero una vez que la emigración se detuvo en los setenta, ese vacío de estrellas cubanas se trasladó hacia Estados Unidos. Y entre 1978 y 1985 no asistió ningún cubano al Juego de las Estrellas en Grandes Ligas.

Las décadas frías. Garbey, mito de los ochenta (1971-1990)

La década de los setenta supuso un lógico estancamiento del béisbol cubano emigrado a nivel de ligas profesionales. La generación de los sesenta iba envejeciendo y no garantizaba una sucesión en el béisbol de Grandes Ligas. Desde Cuba, se tornaba harto difícil emigrar por las constantes restricciones del Gobierno revolucionario para salir de la Isla, mientras las relaciones con Estados Unidos se estropeaban cada vez más.

Cuando la Liga Cubana amateur (Serie Nacional de Béisbol) alcanzó la fuerza esperada por los dirigentes y la ideología política de la Revolución se propagó en todo el país, los abandonos y los viajes preparados comenzaron a escasear. Cuba se fortaleció en los torneos internacionales: por más de veinte años conquistó la mayoría de los trofeos. El principal anhelo para el beisbolista cubano formado dentro del sistema era integrar la selección nacional.

Se competía con una legión de estrellas en los Campeonatos del Mundo, Copas Intercontinentales, Juegos Centroamericanos y Panamericanos. Se cosecharon triunfos en 32 torneos de diversa tipología y se avivó un sentimiento nacional por el béisbol, que actuaba como propaganda en el contexto de las disímiles disputas políticas entre los dos países.

La emigración atravesó por un período de silencio extremo. En los setenta no abandonó el país siquiera un pelotero activo de la liga cubana. Entre 1971 y 1980 solo debutarían tres cubanos en Grandes Ligas: Oscar Zamora, Orlando González y Roberto Ramos. Ninguno de ellos había desarrollado su carrera en Cuba. El camagüeyano Zamora emigró con dieciséis años y debutó en 1974 a sus veintinueve años con Chicago Cubs. Orlando González se fue con sus padres el 8 de noviembre de 1961, antes de cumplir diez años, y jugó esporádicamente en tres equipos entre 1976 y 1980. Roberto *Bobby* Ramos, que emigró a los catorce años en 1969, alcanzó el máximo nivel de 1978 a 1984, como cátcher de reemplazo por seis campañas entre Montreal Expos y –en fugaz estadía– New York Yankees.

La década de 1971 a 1980 constituyó el punto más bajo en la historia de la diáspora cubana a causa de dos factores esenciales:

Se consolidaron ideológicamente los valores patrióticos y la lealtad ética al sistema. El equipo Cuba de béisbol obtuvo más de 150 victorias y 30 títulos en la arena internacional y la idea de invencibilidad ayudaba al éxito de la propaganda nacionalista.

Los posibles emigrantes estuvieron bloqueados por las constantes restricciones de viajar al exterior, como fueron los casos de Julio Rojo Jr. o Manuel Hurtado.

Hurtado, tercero en efectividad (1.80) de todos los tiempos en Series Nacionales, no hizo el grado con el equipo nacional hasta los veintinueve años. La policía política le pidió que convenciera a un pariente preso de conciencia (Eduardo Castillo) de cambiar su postura disidente.

Hurtado se negó y eso lo sepultó hasta casi el final de su carrera.[14]

El pitcher estrella Julio Rojo Jr. no corrió con la mejor suerte en el ambiente escéptico y temeroso de la época.

—No podemos llevarte al exterior, corremos el riesgo de que puedas quedarte –le dijeron a Julio Rojo Jr., quien impuso el récord de victorias para una campaña con 18 en la temporada de 1967-1968.

Rojo Jr. me recibe en su apartamento de la calle 37 y la avenida 22 en el North West de Miami. El edificio hace esquina con un McDonald's y al frente se encuentra un Presidente Supermarket. Subimos en ascensor hasta el noveno piso y, en medio del camino, Rojo Jr. le dice en modo de broma a uno de los trabajadores de la residencia: «Aún me vienen a entrevistar, viste, para que sepas quién fui yo».

Me acomodo en la sala y la primera foto que reluce es la de Julio con su padre: Julio Rojo Sr., un antiguo bateador de Ligas Negras en Estados Unidos, que además se desempeñó en Cuba con los Leopardos de Santa Clara y jugó en México y República Dominicana entre 1916 y 1938. En la instantánea, que reposa cerca de la ventana, se ve al padre dándole una especie de consejo al pequeño Julio.

—Mi padre murió en 1957, yo tenía quince años –me comenta.

Rojo Jr. se convirtió en una de las estrellas del pitcheo en Cuba, al punto de promediar 2.06 de efectividad en diez campañas con los equipos de La Habana. Sin embargo, nunca fue incluido en ninguna selección internacional porque estaba etiquetado como posible emigrante. El férreo

[14] Cfr. Marino Martínez: «Manuel Hurtado, una leyenda del béisbol cubano».

control ideológico que el Gobierno ejercía sobre las vidas de sus ciudadanos afectó en muchos casos las carreras de los peloteros dentro de Cuba, algo que, a lo largo de la historia, acentuó las ansias del éxodo y la decisión fundamentada de romper con el sistema.

—Los peloteros no podían mencionar el tema del béisbol profesional –me dice.

Desde 1964, el entonces presidente del INDER, José Llanusa, lo consideró contrario a las creencias revolucionarias. Rojo Jr. me dice que para integrar el equipo Cuba había que tener dos caras y la hipocresía nunca le ha funcionado. En 1972 decidió retirarse y fue ubicado como almacenero en el Instituto del Libro. Tenía treinta años y venía de ganar nueve partidos esa campaña, pero su precaria situación económica y la falta de perspectivas desbarataron sus ilusiones como pelotero.

—Corremos el riesgo de que puedas quedarte en el exterior, eso sería un desprestigio para la Revolución –cuenta que le dijo un comandante.

La Crisis del Mariel en 1980 fue el suceso más sustancial para la emigración del béisbol cubano entre 1971 y 1990. De los 42 peloteros cubanos que salieron en esos veinte años, excepto casos aislados, la mayoría (33) provino de la crisis migratoria de 1980. Aunque se reporta una cifra superior a los 30 en el Mariel, muchos de la lista superaban los treinta años, llevaban casi una década inactivos en Cuba y estaban suspendidos de por vida, supuestamente envueltos en escándalos de apuestas. Esos nombres, que permanecen en el escondite de la historia, nunca más fueron mencionados en Cuba ni en Estados Unidos.

El 20 de abril de 1980, Fidel Castro anunció que todos los cubanos que quisieran emigrar eran libres de abandonar el país por el puerto del Mariel, 53 km al oeste de La Habana. Diez días más tarde, Julio Rojo Jr. escuchaba el discurso del 1.º de mayo y nunca olvida las palabras claves pronunciadas por Castro, que me parafrasea imitando su voz:

—Hemos sabido que se están yendo mucha gente en algunas lanchas clandestinas. Abriré las puertas, el que no tenga una gota de sangre revolucionaria, que se vaya, no lo necesitamos.

Roberto *Bombón* Salazar, Rolando Gum, Rogelio Mediavilla, Bárbaro Garbey, Rojo Jr. y algunos más comenzaron a llamarse por teléfono para planear la salida.

En las horas de ajetreo y confusión, Rojo Jr. le dijo a su esposa, modelo del cabaret Tropicana, de la salida, y la esbelta mujer le respondió que era revolucionaria. Él no pudo llevarse a su hijo de dos años.

—Cuando Castro tiró el farol ese, nunca pensó que se fueran a ir tantas personas –asegura.

Más tarde, Rojo Jr. me relata su viaje a bordo del barco que, con un simbólico nombre, lo llevó hasta Estados Unidos: *Paradise*. Navegaban custodiados hasta rebasar las doce millas de aguas internacionales. Salió a las nueve de la mañana y llegó a las cinco de la tarde a Key West. Un copioso número de emigrantes del Mariel procedía de las cárceles cubanas. El ambiente que imperaba en el campamento era de criminalidad y peligro. Él era deportista. «Los deportistas para acá», dijo uno de los guardias y los condujeron hasta Fort Walton Beach.

Estuvo dos semanas en la base, pero su herman
dadana americana, lo sacó de allí. Tuvo llamadas
nos equipos de la Liga Mexicana, pero sintió c

Los domingos lanzaba en el Graceland de Miami, un torneo semiprofesional conocido como la Liga de los Elefantes. Le pagaban cien dólares por tirar los domingos y Julio puso marca de 13-0 con treinta y nueve años. Eso fue todo.

Algunos periódicos reportaron que 124 789 cubanos salieron en 1980 por la vía del Mariel. Según se estima, en un día podían llegar más de cien embarcaciones. El 8 de mayo de 1980, George de Lama, periodista del *Chicago Tribune*, publicó un breve artículo hablando de la existencia de 30 prospectos en el campamento de Fort Walton Beach, Florida.[15] George Zuraw, el *scout* de Cincinnati Reds que atendía el mercado latino, visitó el refugio de Fort Walton y vio cómo los cubanos practicaban en condiciones improvisadas.

En la Eglin Air Force Base el resto de los expatriados veía entrenar a los desarreglados peloteros cubanos. Zuraw declaró luego que en su hora de visita perdió dos guantes, una docena de pelotas y par de *spikes*. «En realidad, estoy feliz de que lo hayan tomado»,[16] expresó. El comisionado de Grandes Ligas, Bowie Kuhn, prohibió a las veintiséis organizaciones negociar con los refugiados hasta nuevo aviso. Marvin Miller, presidente del Sindicato de Jugadores, protestó ante la medida diciendo: «Debemos readaptar el eslogan: "la tierra de la libertad, excepto para el béisbol"».[17]

[15] Cfr. George de Lama: «Reds Looking at 30 Cubans inside Camp».

[16] Jerry Kirshenbaum: «Scorecard, Freedom».

[17] Ídem.

Mientras eso ocurría los peloteros alteraban la edad original que traían de Cuba, con la finalidad de impactar a los cazatalentos y alcanzar un valor añadido en caso de firmar profesionalmente. Sin embargo, muchas actas de nacimientos fueron encontradas y se comprobó que, por ejemplo, Julio Soto no tenía los veintiocho años que decía tener sino treinta y cuatro, y que Francisco *Guapería* Quintana, quien declaró tener veintiocho, en realidad rozaba los treinta y cinco.

La Serie Nacional producía talentos de indudable capacidad para llegar a las Grandes Ligas. Sin embargo, el desarrollo de una época brillante al interior de la Isla entre 1965 y 1980 vino acompañado de una zona oscura que transcurría tanto dentro como fuera de los terrenos: las apuestas ilegales y la venta de juegos. Los bajos salarios de los peloteros contribuyeron a que se reportaran cuatro escándalos de venta de juegos en la historia del béisbol revolucionario.

El primero salió a la luz en 1964. En el banquillo de los acusados estaban el zurdo y actual líder en ponches del campeonato hasta ese momento, Rolando Pastor, y Raúl *el Güiro* Ortega, jugador de cuadro.[18] En otro reporte de *The New York Times* se incluía, además, al bateador Francisco *Guapería* Quintana.[19] El mismo Pastor había lanzado una escupida a Hernández Amorós (o Gazmuri) a inicios de la Revolución y era uno de los lanzadores de confianza del régimen. Sin embargo, años más tarde, el estelar zurdo se veía envuelto en el escándalo de los partidos arreglados y

[18] Cfr. Associated Press: «Cuba Bans 3 Players for Fixing».

[19] Cfr. New York Times News Service: «Cuban Baseball Rocked by Gambling Scandal».

varios peloteros de su generación atestiguan que nunca más pudo regresar al béisbol. A finales de los sesenta, Pastor emigró a Estados Unidos, donde la suerte no le acompañó.

En 1972 se descubrió un nuevo grupo encabezado por el bateador Héctor Despaigne y el jugador de cuadro Leonardo Fariñas. Luego, un conjunto de peloteros que sobrepasó la treintena fue descubierto arreglando partidos entre 1977 y 1978; entre ellos se encontraban el experto bateador Julián Villar y los futuros refugiados del Mariel, Bárbaro Garbey, Roberto Salazar, Román Duquesne y Miguel Urra.

—Trabajé en la construcción junto a Garbey, Duquesne, Mediavilla y Urra –me dice Enrique Castrasana a través de una conversación telefónica.

El lanzador Castrasana enfrentó la suspensión y como castigo, junto a sus compañeros, fue destinado a trabajar arreglando líneas de tren. Emigró en los años noventa hacia España y unos años más tarde realizó el viaje definitivo hacia Estados Unidos.

El último escándalo de venta de juegos ocurrió en 1982 y conllevó la suspensión de por vida de diecisiete peloteros.

La desconexión entre el béisbol cubano y las Grandes Ligas, que se extendió por más de quince años, llegó a su fin con la Crisis del Mariel. Sin embargo, ninguno de los jugadores que arribaron en este éxodo calzaba con el prototipo que buscaban los *scouts*. Luego de enfrentar suspensiones de por vida en Cuba o alargados períodos de inactividad, y de verse desplazados de la sociedad, el pelotero cubano que emigró en 1980 buscaba una especie de segunda oportunidad que nunca encontró.

Solo Eduardo Cajuso, Roberto Salazar y Bárbaro Garbey lograron firmar con organizaciones de Grandes Ligas. En el caso de Julio Soto y Román Duquesne, al menos probaron un sorbo de lo que era jugar béisbol en Macon Peaches, liga independiente, donde fueron cortados antes del primer mes. Aislados entre el frío, la endeble comunicación y la ausencia de oportunidades, Duquesne y Soto no tenían dinero ni amigos.

—Nunca volvería atrás a Cuba. Preferiría morir -dijo Duquesne a Bruce Branch de *The Washington Post*.[20]

A finales de mayo, el comisionado Kuhn aprobó la firma de los refugiados cubanos y Eduardo Cajuso estaba entre los prospectos más interesantes.

—Tuve que hacer una cola de cinco horas esperando a que llamaran mi número para poder ingresar al campamento -comenta el *scout* cubano de Detroit Tigers, Orlando Peña.[21]

Peña, un exlanzador de 56 victorias en Grandes Ligas, había visto a Cajuso en el Mundial Juvenil de México en 1973 y dejó un mensaje a sus contactos: «Si Cajuso aparece en las listas de refugiados, avísenme».

Los beisbolistas entrenaban en condiciones miserables entre cercas y muros. Algunos no llevaban pulóver y desafiaban el agónico sol de la primavera, otros descansaban sentados encima de los ladrillos. El terreno verdeaba y aunque simulaba ser un campo de béisbol era todo menos eso. Se esmeraban por causar una grata impresión ante los *scouts*, en la ilusión frenética de sentirse realizados nuevamente.

[20] Bruce Branch: «2 Cuban Refugees cut by Peaches».

[21] John Feinstein: «Cuban Refugees Eye Chance to Play Major League Ball», p. 10.

—Estar aquí y tener esta oportunidad de solo practicar es como renacer. Siento como si tuviera quince años de nuevo, con este guante en mi mano y estos *spikes* en mis pies –dijo el veterano Julio Soto.[22]

Cuando Eduardo Cajuso fue contratado por Detroit Tigers se convirtió en el primer cubano que jugaba una Serie Nacional y acordaba con un equipo de Grandes Ligas desde Manuel Gazmuri en 1962. En la Clase-A de Detroit, Lakeland Tigers, Cajuso no pudo mantenerse por más de 23 partidos en los que bateó .180, 2 dobles y 9 impulsadas.

—Después de que me dieron el *released* con Detroit no lo intenté más. Me desencanté un poco –me dice Cajuso en una conversación telefónica desde su residencia en New Jersey–. Tenía muchos problemas con mi familia que se quedó en Cuba y eso repercutió mucho.

En Cuba se quedaron sus dos hijos y sus dos hermanos. Tras su liberación, Cajuso se dedicó a jugar la liga semiprofesional del Graceland en Miami y trabajó en una compañía de correo. Actualmente es coach de equipos de sóftbol. Es una persona muy expresiva y emocional.

—La vida no me ha sido fácil –dice y rompe a llorar.

Cajuso fue uno de los mejores torpederos defensivos de su época en Cuba y reconoce que si no avanzó más en su carrera fue por la débil ofensiva.

—No hay mucho que poner sobre mí, pero pon ahí lo que tú más o menos creas. Nosotros estamos ignorados por la historia –me dice.

Habla emocionado y de prisa, recuerda a todos sus compañeros y cree que la época del béisbol en los setenta y ochenta tenía más calidad que la presente. Cajuso me

[22] Ídem.

agradece por haberlo llamado y termina entre lágrimas, con la garganta anudada.

—Son lágrimas de felicidad, gracias por acordarte de mí -dice.

Rogelio Mediavilla vino cuando el Mariel y no pudo hacerse profesional. Tenía treinta años, seis de ellos como cátcher en la liga cubana. Cuando llegó a Estados Unidos no contaba con familia. Entonces contactó por vía telefónica a unos vecinos que vivían detrás de su casa en La Habana y fue así como logró salir de la Base Eglin hacia el estado de Rhode Island.

—Nos dejaban salir fuera del refugio y nos metíamos todo el día en el terreno de pelota -me dice Mediavilla vía telefónica desde Rhode Island-. Fueron muchos *scouts* a vernos.

A Mediavilla le llegó el ansiado golpe de suerte al mismo tiempo que una circunstancia desafortunada. Cuando obtuvo su permiso para marcharse del campamento, el comisionado Kuhn levantó la prohibición de firmar a los refugiados y Mediavilla se enteró de la contratación de sus compañeros leyendo los periódicos de Rhode Island.

Estuvo seis días en el refugio. Salir temprano, en comparación con las estancias de hasta tres y cuatro meses, era una ventaja, que a la vez impidió que continuara su carrera. En Rhode Island no existía tradición de béisbol. Mediavilla integró el equipo de la universidad local y pese al trato especial recibido por parte del mánager y los jugadores no logró hacerse profesional, oculto a los ojos de los *scouts* en la costa este y el frío del norte.

Por otra parte, algunos *scouts* y ejecutivos de equipos de Grandes Ligas marcharon a los refugios, ávidos de ver peloteros cubanos. Muchos, influidos por lo que representaba el talento de la Isla, pensaron encontrar a los futuros Oliva, Tiant Jr. o Campaneris. Tanto *scouts* como peloteros atravesaron un proceso similar: imaginaron obtener más, pero el pelotero cubano promedio que arribó a Estados Unidos lo hizo en estado anacrónico. Bajo de talento, suspendido en Cuba y veterano, el pelotero cubano del Mariel buscaba una oportunidad de sobrevivir, ya fuera en el béisbol o en un trabajo decente.

El *scout* número uno de Baltimore Orioles se emocionó al leer sobre la ola masiva de emigrantes y pensó que entre más de 100 000 personas debía existir algún talento. Los familiares de un beisbolista telefonearon a la oficina de los Orioles en Clase-A, asentada en Miami. El pelotero, quien no tenía un centavo en los bolsillos, asistió al estadio como espectador un día. Le pusieron una gorra de los Orioles y le compraron par de *hot dogs*. El hombre estaba dispuesto a volver para audicionarse ante los entrenadores del equipo, pero nunca se presentó. Tampoco nunca se pudo conocer el nombre.[23]

Esperanzadas, las organizaciones imaginaron el desembarco de alguna estrella élite del béisbol cubano en las costas de la Florida. No sucedió, no esta vez. «Los peloteros cubanos están en contra del profesionalismo en el béisbol, y como revolucionario, yo también lo estoy», dijo Agustín Marquetti, una de las estrellas de Cuba en aquel entonces.[24]

Cuarenta y dos peloteros cubanos emigraron a Estados Unidos entre 1971 y 1990, la mitad de ellos llegaron

[23] Cfr. Bill Brubaker: «Orioles Still Have Hopes of Harvesting a Crop of New Cuban Talent».

[24] Ídem.

semirretirados a apostar la última carta o en edades tempranas, como el caso de los Grandes Ligas Rafael Palmeiro, Eli Marrero o el prospecto Caleb Martínez.

La treintena que tomó la ruta del Mariel ayudó a mantener el sueño de las Grandes Ligas vivo. Este sentimiento se representa como pocos en la figura de Bárbaro Garbey, ganador de la Serie Mundial de 1984 con Detroit Tigers.

—En aquella época era mucho más difícil que ahora –me dice Garbey.

Si para un pelotero cubano era imposible llegar a Grandes Ligas, esa imposibilidad se acrecentaba en el caso de Bárbaro Garbey. Suspendido en 1978 por arreglar juegos en Cuba, entre 1978 y 1980 intentaría buscar una visa hacia Estados Unidos que las autoridades cubanas siempre negaron. Firmó un contrato de 2 500 dólares con Detroit como refugiado del Mariel y tuvo que ir superando a contracorriente la plataforma de niveles en ligas menores.

—En mi organización solo éramos siete latinos –agrega.

En 1980, Garbey inició su recorrido por ligas menores bateando .364 de average con Lakeland (Clase-A). En 1981 produjo para .286, con Birmingham, Doble-A, y al año siguiente .298, con 32 dobles y 17 jonrones en la misma sucursal. En ese mismo año obtuvo un ascenso a Triple-A y luego de batear un hit en 12 turnos se echó a llorar al finalizar un partido.

—Fue una experiencia bastante dura, pero me pude reponer de eso.

En 1983 bateó (Evansville, Triple-A) .321, 21 dobles y 14 jonrones. Garbey fue superando cada escalón sin conocer el idioma, en ciudades donde lo afectaba el frío, lejos de sus dos hijas y su esposa. La naturaleza de Bárbaro lo impulsaba a entrenar y entrenar sin volver la vista atrás.

Ese mismo año, el comisionado Kuhn supo de su pasado envuelto en apuestas. Garbey declaró que lo hizo por una cuestión de supervivencia.

—Tuve que hacer el doble de lo que hacía un jugador americano.

No tenía compañeros de cuarto que hablaran español. Se dedicó al ajuste de su vida, el idioma y la alimentación. Por si fuera poco, el 28 de junio de ese 1983 se vio envuelto en un incidente de agresión a un aficionado que lo ofendió tras una jugada en la tercera base.

—Tu esposa y tus hijas deben estar hambrientas por tu culpa después de haber fallado esa, Garbey –cuenta que le dijo el fanático.

«Los Tigres fueron muy comprensivos. Ellos pagaron todas las cuentas del médico», dijo Armando Díaz, agente de Garbey a *The New York Times* en 1984.[25] El cubano asistió a consultas de un psiquiatra. Por mucho tiempo le costó desprenderse de todo lo que había dejado atrás. Esa liberación llegaría en 1984 con el debut en Grandes Ligas, donde disputó 110 partidos, bateó para .287, con 23 extrabases, y ganó con un Detroit guiado por Sparky Anderson la Serie Mundial.

—El día que ganamos el campeonato sentí realizado el sueño. No solo ganar, lo hice como novato.

Garbey demostraría que se podía renacer de las cenizas y que el sueño del profesionalismo no era un imposible. Le fue difícil llegar, pero lo consiguió. El último pelotero refugiado que salió del campamento, en este caso Indiantown, Gap, Pensilvania, fue el primero que llegó. El primer héroe prohibido que jugaba en Cuba y llegaba a Grandes

[25] Joe Lapointe: «A Cuban with Clout», p. C4.

Ligas. Se convirtió en una especie de mito oculto en la Isla y se personificó como el consuelo de los que lo intentaron y fallaron.

Salvo la experiencia del Mariel en 1980, la emigración del béisbol cubano vivió dos décadas de nulo flujo migratorio. Fueron veinte años de un pasivo éxodo que significó la recesión y la casi desaparición del jugador cubano de ligas profesionales. La utopía deportiva de la que se vive o se escucha se arrimó a la mente del pelotero refugiado de 1980, y aunque en vano, ayudó a oxigenar la soledad, la distancia del destierro y la tristeza.

El principio de la crisis, los abandonos (1991-2000)

El entorno político y socioeconómico de los años noventa activó la emigración del béisbol cubano, que se encontraba en letargo desde 1961. A partir de 1993, emigrarían por año al menos 10 beisbolistas formados en Cuba. En la tabla 1 cuento además a los peloteros que emigraron a muy corta edad y que, sin haberse formado en la estructura deportiva cubana, llegaron a competir por lo menos en un nivel semiprofesional. De estos 133 jugadores emigrados de Cuba, que intentaron jugar en algún tipo de béisbol remunerado, 107 se forjaron dentro del sistema deportivo al interior de la Isla. Emigraron por diversas vías: legal, ilegal, por aire o mar.

TABLA 1. Relación de peloteros emigrados por año en la década del noventa

AÑOS	PELOTEROS	AÑOS	PELOTEROS
1991	2	1996	15
1992	6	1997	16
1993	10	1998	16
1994	14	1999	21
1995	14	2000	19

En la etapa de 1991 al año 2000, el pueblo cubano experimentó las consecuencias negativas de una profunda crisis económica, que estuvo consustancialmente unida a la caída del campo socialista y fue eufemísticamente llamada Período Especial por el gobierno de Fidel Castro. En 1994, la llamada Crisis de los Balseros fue la corrida migratoria más relevante desde el Mariel. La investigadora Holly Ackerman calcula al menos 9 250 muertes de entre los que trataron de atravesar con embarcaciones artesanales las noventa millas del estrecho de la Florida.[26] El béisbol fue una expresión más de esa época de penurias, miserias constantes y desencanto.

Era el verano de 1991 y durante una serie amistosa entre Cuba y Estados Unidos en Millington, Tennessee, un lanzador habanero de veintisiete años llamado René Arocha se convirtió en el primer cubano que abandonaba una delegación oficial del béisbol en tierras extranjeras. Posando para las cámaras en un traje negro y una corbata de listas, la amplia sonrisa de Arocha se inmortalizó en casi todos los periódicos norteamericanos.

El 10 de julio, Arocha salió sin oposición alguna a través de las puertas del Aeropuerto Internacional de Miami. Era el pionero buscado desde hacía mucho tiempo; aquel que rompía la barrera edificada sobre la base de una estructura de mitos: una ligera desconfianza en el futuro y un miedo impuesto –por el Gobierno cubano– a lo externo visto como peligroso.

[26] Cfr. Holly Ackerman & Juan M. Clark: *The Cuban Balseros: Voyage of Uncertainty*.

—Estuve aquí antes y admiré la libertad de este país –declaró Arocha ante la prensa–. Pero es el béisbol lo que me trajo aquí –agregó quien meses después revirtió la sentencia explicando que los deseos de ser libre pesaron más que los sueños del jugador.[27]

Su esposa, Evelisy Alonso Esquivel, de veinte años, quedaba atrás en Cuba junto a una hija de ocho que Arocha tuvo en otro matrimonio. El otrora lanzador de Industriales caminó por la terminal hasta una de las salidas donde se encontró con un amigo y luego partieron en el auto donde los esperaba el padre de Arocha, quien había emigrado por el Mariel en 1980, y el exlanzador y amigo Manuel Hurtado.

—Yo vivía para mi esposo. Pero René ama el béisbol más de lo que ama su país –dijo la esposa en Cuba.[28]

El diario *Granma*, publicación oficial del Partido Comunista de Cuba y primero en alcance nacional, divulgó una nota con este sugerente título: «Traicionó a la Patria el pelotero René Arocha, seducido por la mafia de Miami».[29] A la vez que la prensa oficial cubana atribuía la salida de Arocha a la influencia de una mafia inexistente, este salía del aeropuerto por sus propios medios y sin la ayuda de nadie.

Mientras el lanzador entrenaba bajo la tutela de Manuel Hurtado, expitcher de Series Nacionales con 110 victorias, y de su agente Gus Domínguez, la operación de su contrato profesional demoró más de lo pensado.

[27] Jorge Milian: «Cuban Defector Ready to Make Big-League Pitch», p. 11.

[28] Associated Press: «Memories of Defector Still Live», p. 3C.

[29] Carlos M. Álvarez: «René Arocha: Stay on Top of the Ball».

—Pensé que las puertas estarían abiertas cuando tomé mi decisión, no creí que existiera este tipo de problemas -dijo Arocha semanas después.[30]

Según me cuenta Domínguez, uno de los agentes que junto a Joe Cubas representó a la mayoría de los beisbolistas cubanos en la década de los noventa, él estuvo con Arocha hasta 1995. Le consiguió un contrato en la Liga Profesional de Puerto Rico con los Lobos de Arecibo. Ahí, sin demostrar su mejor estado de forma (estuvo inactivo seis meses), Arocha colocó marca de 3-3 y 3.50 de efectividad en 43 innings. La organización de St. Louis Cardinals había ganado los derechos en una lotería especial y lo firmaron por 109 000 dólares.

La imagen icónica de Arocha como el primer cubano que abandonaba una delegación en pleno viaje lo afianzó como uno de los mayores héroes en la historia del béisbol cubano emigrado. En la Isla, Arocha se convirtió en referente obligado de las conversaciones beisboleras. Alguien lo había logrado. Con la irónica facilidad y sin tener que zafarse de los altos federativos y sus cómplices de la Seguridad del Estado, que vigilaban a cada miembro de cada delegación, Arocha brincó sobre la inimaginable muralla de lo imposible el 11 de julio de 1991.

En 1992, al ser asignado a Louisville Redbirds, sucursal de Triple-A de los Cardinals, demostró ser ese lanzador que estudia minuciosamente a los rivales y devora innings a partir de la exacta localización de sus envíos. Impresionó con balance de 12-7, 2.70 de efectividad, y se ganó el nombramiento de Pitcher del Año de los Redbirds, empatado en victorias y con la tercera mejor efectividad de la liga.

[30] Jorge Milian: «Cuban Pitcher who Defected has a Second Thoughts», p. 8.

Aquella demostración sentó las bases de su debut en Grandes Ligas, ocurrido en 1993. En ese mismo año se ganaría una plaza en la rotación de St. Louis Cardinals. Completó 29 aperturas balanceadas en 11-8 y 3.78 de efectividad. Sus otras 3 temporadas no dejaron el mismo éxito, pero Arocha corroboró la calidad del béisbol en Cuba porque sin ser el mejor lanzador pudo probarse en el nivel más alto del béisbol y lograr su ansiada libertad.

—Como un prisionero escapando de la celda; nadie me vio –expresó Arocha sobre el momento de la huida. Es, en efecto, un hombre escurridizo y discreto.

Intenté disímiles vías para contactar a Arocha, pero se hizo imposible capturarlo, como a las pelotas que vuelan más allá del muro. Permanece en su residencia del Southwest de Miami, evitando todo tipo de entrevista y los reflectores de cámaras televisivas. Se aburrió de contar la misma historia una y otra vez, y quizá se sintió utilizado por la prensa que luego de su retiro dejó de llamarlo. Arocha ya no era la figura de antes y el mundo siempre necesita héroes actualizados. Dejó una marca de 18-17, 4.11 de efectividad en 4 temporadas en MLB. Tras lanzar en 1998 con la sucursal de Triple-A de Houston Astros, terminó su carrera a los treinta y cuatro años.

El rumor y la posterior tormenta provocada por el abandono de Arocha se extendieron por todo el medio beisbolero cubano. El condicionamiento del «ahora o nunca» o el «esta es tu única oportunidad» se impregnó en la mente de cada beisbolista de la selección cubana cuando viajaba a eventos internacionales.

En 1992 tres peloteros del equipo Industriales que participaban en una Copa de Clubes Campeones vieron la posibilidad de quedarse en territorio mexicano y solicitar asilo político al pasar las fronteras de Estados Unidos: Iván Álvarez (22), Osmany Estrada (23) y Alexis Cabreja (23) abandonaron la concentración que se hallaba en Mérida, Yucatán.

—Iván Álvarez se quedó en el mismo campeonato, pero él sí terminó el torneo. Alexis y yo nos fuimos después del primer juego –me dice Osmany Estrada, vía telefónica.

No eran prospectos de élite sino peloteros de experiencia y cierto oficio. Cabreja participó en el Mundial Juvenil de 1986 en Windsor, Canadá, y resultó elegido como uno de los mejores del torneo. A su regreso, estrechó la mano de Fidel Castro en La Habana y en la campaña 1986-1987 fue elegido Novato del Año jugando para Industriales.

Sin embargo, no alcanzó el mismo nivel en el béisbol profesional. Ambos, Cabreja y Estrada, viajaron desde México a la frontera de Estados Unidos, de ahí hasta Los Angeles y de California a West Palm Beach, Florida. Con bonos de 10 000 dólares, Texas Rangers los eligió en el draft de 1993, a Estrada en la ronda 12 y a Cabreja en la 14. Eso, junto al salario de 850 dólares de ligas menores, representaba más que todo lo que ganarían durante una vida en Cuba.

Cabreja no jugó más allá de 1997 y Estrada marchó a la Liga Profesional de Taiwán en 1998, cuando no pudo triunfar en el nivel Triple-A de los Rangers. En Asia consiguió 3 Guantes de Oro, 2 anillos de campeonato jugando para Taipéi Gida y 1 título de bateo (.362) en 2000. Fue nombrado el Más Valioso de esa misma postemporada.

Para el año 1993, el patrón de abandonos se mantendría. Osvaldo Fernández Guerra, lanzador zurdo de la capital, eligió bajarse del Team Cuba en Curazao, territorio autónomo de los Países Bajos. Junto a él estaba el bateador zurdo Luis Álvarez Estrada. Algunos como Rafael Rodríguez (32), pitcher nudillista de la provincia de Matanzas, llegó a las costas de Miami en una balsa. El zurdo Alberto Castillo escapó de la concentración en el Campeonato Juvenil de Canadá ese mismo año.

El 10 de julio de 1993, en la XVII Universiada Mundial celebrada en Buffalo, segunda ciudad más grande del estado de New York, un atrevido y joven lanzador zurdo de veintiún años, Edilberto Oropesa, saltó una cerca superior a diez metros en pleno día y se subió al carro de su primo, Leo Landín.

—¿Cómo hacemos? -preguntó Oropesa del lado de acá de la cerca en la parte trasera de home.

—Cuando termine el juego inventamos algo -le respondió su primo.

—No, no, no, yo estoy desesperado. No puedo esperar tres horas a que acabe el juego. Yo me voy ahora mismo.

Oropesa se sintió asaeteado por la adrenalina y la desesperación. A la una de la tarde, comenzó a escalar la valla, alcanzó el tope en cuestión de segundos, se tiró desde la altura y cayó al otro lado junto a algunos fanáticos que gritaban o miraban sorprendidos.

—Me mandé a correr y el carro arrancó al instante -me dice Oropesa una tarde soleada en Ferguson Senior High School, Miami. Allí conversamos en el *clubhouse* de un terreno de béisbol y enfrente entrenan los muchachos de la secundaria. Oropesa es actualmente entrenador de pitcheo en ligas menores con Arizona Diamondbacks y cada invierno regresa de la temporada regular y ayuda a su hijo Eddie Jr., quien es coach en el equipo de la escuela.

El lanzador zurdo inició su carrera profesional en una liga independiente durante 1993 y hubiera firmado en el draft con Cincinnati Reds, pero estos ofrecieron muy poco dinero, por lo que decidió esperar al año siguiente.

—Pensé que no jugaría más pelota –dice.

Oropesa trabajó con su primo en chapistería de carros entre octubre de 1993 y junio de 1994. Estuvo como empacador un día en un supermercado Sedanos.

—Todavía el cheque está ahí.

La incertidumbre de Oropesa pasaba por el estado de su familia en Cuba. Necesitaba el dinero para sacar de la Isla a su esposa Rita y a su hijo recién nacido. En 1994, Los Angeles Dodgers lo eligieron en la ronda 14 del draft y le pagaron un bono de 25 000 dólares. Empezó a mandar dinero a su domicilio del Central España, municipio de Perico, en la provincia de Matanzas. Luego de múltiples intentos fallidos, en los que perdió el dinero que enviaba para que salieran del país, Oropesa se reencontró con Rita y conoció a su hijo tres años después del abandono en 1993.

En 1994 emprendió su accionar en ligas menores y, pese a no lanzar para efectividad superior a 3.47, nunca obtuvo el ascenso. Tampoco fue promovido por San Francisco Giants, con quienes tiró entre 1997 y 2000 en las menores, tras irse a lanzar a Taiwán sin el consentimiento de la organización. Después de una larga batalla de nueve años se ganó el puesto en el cuerpo de bullpen de Philadelphia Phillies para 2001.

—Cuando me dieron la noticia empecé a llorar –confiesa.

El 2 de abril de 2001, debutó en las Grandes Ligas ante su familia en el Pro Player Stadium de Miami, frente a los Florida Marlins. Retiró al bateador que le asignaron y cuando fue sustituido llegó llorando al dogout.

Pasó a Arizona Diamondbacks entre 2002 y 2003. El matancero se convirtió en el primer lanzador que ganó un juego de Grandes Ligas en la inauguración del Petco Park de San Diego. Su peculiar forma de soltar la pelota y los múltiples ángulos de salida, le llevaron a ganar 8 partidos en el mejor béisbol del mundo.

Uno de los jugadores de la selección cubana que vio a Oropesa saltar la cerca aquel 10 de julio de 1993 fue el campocorto habanero Reynaldo Ordoñez. Dos días más tarde, Ordoñez buscó la manera de salir contactando a Lázaro Megret, director de *marketing* de una radio en Miami. Este recogió al futuro tres veces Guante de Oro en un Cadillac a las afueras de la villa que pertenecía a la Universidad de Buffalo.[31]

Los abandonos seguirían aumentando, primero por la crisis económica que atravesaba la Isla y luego porque los viajes internacionales no cesarían. Para el pelotero cubano integrar una nómina al extranjero era lo mismo que para el apostador ganarse la lotería.

El 6 de julio de 1994, los lanzadores Hansel Izquierdo y Michael Tejera aprovecharon la oportunidad, cuando el equipo Cuba juvenil hizo una atractiva escala en el Aeropuerto Internacional de Miami.

En agosto de 1994 estalló la Crisis de los Balseros en Cuba. El gobierno de Fidel Castro ordenó a las autoridades guardafronteras no interferir en la salida ilegal de balseros. El creciente desacuerdo del pueblo con la situación económica del país y una serie de secuestros de lanchas,

[31] Cfr. Miguel Garcilazo: «A Gift from Cuba».

hundimientos y asedios a embajadas como las de Bélgica y Alemania, pusieron en un callejón sin salida al Gobierno. Entre agosto y septiembre, salieron más de 30 000 cubanos, hasta que la administración de Clinton y Castro pactaron un acuerdo de emigración legal.[32]

Uno de esos era Joaquín Serra Jr., que nació el 5 de septiembre de 1975 en Regla, municipio de La Habana. Con apenas dieciocho años apostó su vida lanzándose al mar en una balsa de ínfimas condiciones. Como todos los jóvenes cubanos que practican desde pequeños, su carrera en el béisbol tomó seriedad a los dieciséis. Debutó en la Liga de Desarrollo (una especie de ligas menores) para talentos con la sucursal de los Leones de Industriales, equipo más ganador de la historia del béisbol en Cuba. Allí estuvo bajo el mando de Agustín Marquetti y fue desarrollando sus potencialidades de infielder hasta que el 12 de agosto de 1994 se desligó de toda idea racional y transitó la desconocida y desordenada ruta del mar entre la vida y la muerte, horas después de que Castro abriese las puertas a los balseros.

—Ese mismo día se dio a conocer la preselección de Industriales –me dice el expresivo Serra Jr. vía telefónica. Es el tipo de persona habladora que te puede dar tres respuestas abarcadoras ante una sola pregunta.

Mientras Serra Jr. bajaba por la carretera con la balsa oculta en un camión, un amigo del equipo municipal de Regla le gritó de un lado a otro de la calle:

—¡Oye!, ¿te enteraste de que caíste en la preselección de Industriales?

—Ah sí, sí, sí, coño, qué bueno –le respondió Serra Jr.

[32] Cfr. Abraham Zamorano: «Cuatro travesías extraordinarias de cubanos a EE. UU.».

En aquel momento Serra Jr. no le dedicó un pensamiento al béisbol. El tema principal era su vida. Si su vida se salvaba, quizá el béisbol también. Si naufragaba en el mar, el béisbol se apagaba como las luces del estadio.

En las cercanías de la Habana del Este y en lo que arribaba a la costa por el pueblo pesquero de Cojímar, el camión continuó su marcha y Serra Jr. distinguió a otro amigo, Javier Sainz, que le preguntó:

—¿Para dónde tú vas?

—Me voy en balsa -dijo el joven.

—¿Cómo que te vas en balsa? -el incrédulo amigo pensó que era una broma.

—¡Que me voy en balsa, compadre, me voy! -gritó Serra Jr.

La balsa se confeccionó con dos cámaras de goma y un fondo pulido no muy resistente. A los lados se forró con sacos de harina y era más pequeña que muchos autos, inferior a diez metros de largo. Recorrieron Cojímar encima de un camión donde reposaba la balsa y pasaron por la zona costera del pueblo. Mientras me habla, Serra Jr. recuerda aleatoriamente lugares como el Puente, el Castillito o la Poceta de los Curas, que lindaba entre una fábrica de caramelos y el estadio de béisbol del pueblo. Su padre, de mismo nombre, trató de impedir el viaje pues temía por la vida de su único hijo. Serra Jr. cree que, de haberlo acompañado en el camión, su padre posiblemente hubiera explotado las cámaras de los neumáticos que hacían flotar a la balsa para impedir el viaje.

—Tuve que dejar a mi papá -me cuenta.

El padre no aguantó la desilusión de separarse de su hijo y un mes más tarde zarpó en otra balsa artesanal. Fue capturado en el mar por las autoridades norteamericanas y enviado a la Base Naval de Guantánamo. Un año después, en septiembre de 1995, se abrazó de nuevo con su hijo en la otra orilla.

Entre las ocho y las nueve de la noche, Serra Jr., su primo hermano, el marido de su prima (Rubén) y un vecino apodado el Pipi se lanzaron desde la Poceta de los Curas buscando llegar a Estados Unidos. El Pipi (nunca recordó su nombre por más veces que se lo pedí), de unos cuarenta y cinco años, regresó a Cuba al año en un bote comprado con otro amigo.

Serra Jr. y su primo hermano procedían de una familia de pescadores con profundo conocimiento de navegación. Agua flotando en botellas plásticas de Coca Cola y huevos hervidos eran sus únicas provisiones. Durante cinco noches batallaron contra el mar revuelto de agosto en plena temporada de huracanes. Remaban de noche con el agua hasta la cintura. Las quemaduras, que surgen de la sal, la humedad y el sol, sobrepasaban el primer grado principalmente en zonas de las manos y los glúteos. La balsa iba a ritmo de hundirse.

—Había un santo con nosotros -me dice.

Un tiburón más grande que la balsa los acompañó por veinticuatro horas, las veinticuatro horas más tenebrosas en la vida del Pipi, quien sufrió un ostensible ataque de pánico. Sin embargo, Serra Jr. y su primo, marineros de compostura, reconocieron que el tiburón no tenía intenciones de atacar porque utilizaba la sombra de la balsa como resguardo, algo que suelen hacer las hembras en período de gestación.

—Eso no hace nada, eso es película. El tiburón no te ataca cuando estás fuera del agua, eso solo pasa en las películas de Spielberg.

De acuerdo con las historias transmitidas del abuelo al padre y del padre al hijo, Serra Jr. sí conocía casos de tiburones blancos que atacan de abajo hacia arriba, pero por suerte nunca apareció uno por el camino.

En medio de la travesía encontraron tres balsas abandonadas: las dos primeras tenían la etiqueta «rescatados». Sin embargo, la última que se toparon a la deriva les dejó la sospecha de que los pasajeros no lo habían logrado. Tomaron los remos de la balsa abandonada y continuaron la marcha.

Las noches en el mar eran solitarias e hipotérmicas. Primaba el silencio absoluto, la luz de la luna y los pensamientos sobre la muerte. Al quinto día y con la balsa semihundida, un helicóptero de la marina americana los localizó a las once de la mañana. Lanzaron desde el aire bolsas selladas con botellas de agua, alimentos y bengalas incandescentes.

El 17 de agosto de 1994, a las tres de la madrugada y a dieciséis millas de Cayo Hueso, los recogió un barco. Mientras sufrían de hipotermia fueron trasladados a una central de inmigración y luego reubicados en una iglesia de refugiados en Miami.

Joaquín Serra Jr. necesitó asistencia médica porque no podía caminar debido a quemaduras de segundo grado. René Arocha lo ayudó a sobrevivir en los primeros tiempos después de su llegada. La organización de Baltimore Orioles se interesó en sus herramientas y lo firmó por un bono de 20 000 dólares, en la ronda 26 del draft de 1995, algo que nunca imaginó.

—Nunca pensé jugar béisbol profesional ni fue mi propósito, más bien era salir de la necesidad –comenta Serra Jr.

Cuando el agente que lo representó, Gus Domínguez, encontró a Serra Jr., este se hallaba viviendo prácticamente en la calle. De llegar a Grandes Ligas su accidentada historia hubiera figurado en las portadas de los periódicos, ese desgarrador reporte con el que todo escritor sueña romper el día. Eso no importa para Serra Jr. Él tuvo su pequeña gloria personal el día que sobrevivió después de cinco noches de trauma y desesperanza. Una exigua línea ofensiva de .141/.198/.141, sin extrabases en 29 partidos, es lo que queda en los libros de su corto peregrinar por ligas menores. No haber triunfado, asegura, nunca le quitará el sueño.

Fracasar en el béisbol profesional no fue una herida para él. No se reencarnó en resentimiento ni frustración. El sueño del béisbol quedó en las mismas profundidades del océano contra el que combatió durante más de cien horas.

Osvaldo Fernández, tercer lanzador de la rotación del equipo Cuba, abandonó la selección nacional que participaba en una serie de cuatro partidos ante Estados Unidos en Millington, Tennessee. El holguinero, que lanzó en la final de los Juegos Olímpicos de Barcelona 1992, estaba entre los mejores abridores del país a sus veintinueve años. En Cuba tomaron represalias con su familia. Su hermana fue expulsada de su trabajo de maestra y a su esposa le confiscaron el Moskvitch que había comprado Fernández con su propio dinero.[33] Fernández firmó por 3 años y 3,2 millones de dólares con San Francisco Giants.

En septiembre, otro pitcher, Liván Hernández, abandonó el equipo Cuba, esta vez en Monterrey, México. Al igual

[33] Cfr. Jorge Morejón: «La familia es lo primero».

que Fernández, Liván fue representado por el agente Joe Cubas y ya en enero de 1996 pactaba con Florida Marlins por 4,5 millones de dólares, más 2,5 millones en incentivos de rendimiento.

Liván se encargó de confirmar la calidad del béisbol cubano al ser nombrado Jugador Más Valioso de los Marlins tanto en la final de la Liga Nacional ante Atlanta Braves, como en la Serie Mundial frente a Cleveland Indians. En esas dos series acumuló 4 victorias sin la sombra de un revés. Este detalle no pasó inadvertido en el mercado de firmas y ayudó a los cubanos a ser más valorados. El último pitcher cubano que había lanzado en una Serie Mundial había sido Luis Tiant Jr. en 1975. La ausencia de un lanzador cubano en el clásico de otoño duró veintisiete años.

Otros beisbolistas de menor renombre también decidieron escapar de Cuba. Esos fueron los casos de Vladimir Núñez, que acordó por 1,75 millones de dólares con Arizona Diamondbacks, y Larry Rodríguez, por 1,3 millones de dólares, después dejar atrás otro equipo nacional en octubre de 1995, durante un torneo en Venezuela.

—Salí de Cuba el 7 de abril de 1995, vía legal –me aclara a través de Facebook el lanzador Ariel Prieto. La organización de Oakland Athletics se aseguró los servicios del veloz tirador en el draft amateur de 1996, con un bono de 1 millón de dólares.

Para 1996, de los 25 beisbolistas que emigraron de Cuba siguiendo los pasos de René Arocha, al menos 23 de ellos habían firmado un contrato profesional.

En el preludio de los Juegos Olímpicos de Atlanta 96, Rolando Arrojo, quien era considerado uno de los tres mejores lanzadores de Cuba, decidió abandonar la delegación en Albany, capital del estado de New York. Arrojo tenía treinta y un años y aunque sabía que estaba emigrando con la etiqueta de veterano, quería probar su suerte después de oír las historias de triunfo de sus antiguos compañeros. Por la madrugada tocaron a su puerta, le dijeron que era el momento y se montó a un auto que lo llevó hacia Miami.

—Me fue difícil dejar a mis compañeros en la competencia, pero una fuerza mayor me empujó: mi familia -me escribe Arrojo en un email.

La meta primaria del pelotero cubano no era el anillo de Serie Mundial o ser un jugador estrella. La insustituible posibilidad económica que brindaba un contrato profesional era una oportunidad que muy pocos dejarían escapar, más sin conocer cuál sería el futuro en Cuba luego del retiro. El móvil económico de la emigración del béisbol cubano ponía al Gobierno de la Isla en lógica disparidad ante el profesionalismo.

—Emigrar y dejar a tu equipo, tu pueblo y tu familia es muy difícil, pero uno mira hacia adelante y hay un béisbol de mucha más calidad y todos queremos probarnos, unos se deciden y otros no, los aplaudo a todos -me explica.

Arrojo estaba también representado por el magnate de los peloteros cubanos de la época, Joe Cubas, quien le consiguió un contrato de 7 millones de dólares con Tampa Bay Devil Rays.

—Tuve que entrenar bien duro en Costa Rica y esperar seis meses por la residencia. Tampa me firmó enseguida, fueron todos los equipos a verme y elegimos Tampa -me dice.

En 1997, una llamada telefónica suya a sus compañeros del equipo Villa Clara provocó la suspensión del mánager Pedro Jova, los jugadores Eduardo Paret, Jorge Luis Toca, Osmany García, Ángel López, Jorge Díaz y los entrenadores

Orlando Chinea y Luis Enrique González. Luego de que las autoridades del INDER tuvieron conocimiento de la llamada, todos los implicados fueron suspendidos por participar en el intercambio con un «traidor a la Patria».

—Nunca hablé con Jova ni con Paret, hablé con algunos y nunca les mencioné nada sobre mí ni sobre este país, solo saludar porque eran y son mis amigos.

Eran tiempos oscuros de persecución y cacería de brujas. El Gobierno no quería contacto alguno entre los peloteros que permanecían en Cuba y los considerados traidores a la Patria. Esta llamada disolvió al equipo Villa Clara que fuera tricampeón entre 1993 y 1995. Los que tenían dudas sobre su futuro, decidieron escapar luego de este incidente; los que permanecieron en Cuba (Eduardo Paret y Pedro Jova), perdieron varios años por sanción y a su regreso nadie nunca les pidió perdón.

En el mismo verano de 1996, unos días más tarde del sonado abandono de Arrojo, dos muchachos de la categoría 15-16 años salían de la concentración en Fairview Heights, una pequeña ciudad de St. Clair County en Illinois. Sus nombres: Yalian Serrano y Osmani Fernández.

Serrano había viajado al exterior desde que tenía diez años: 1991 (México y Japón) y 1994 (Brasil), y no pensó en continuar desaprovechando la oportunidad. Llamó a un amigo en Miami, este contactó a su padre y su tío, y ambos fueron a recogerlo en auto.

—Sentí alegría, nerviosismo y tristeza -me dice un mediodía en el restaurant Texas Roadhouse, en la 91 y West Flagler, Fontainebleau, Miami. El excátcher me extendió la invitación y ahí nos encontramos el viernes 17 de agosto de 2018. Ya pasaron veintidós años de su abandono en Illinois, pero él archiva todos los detalles de la noche que cambió su vida.

Me espera sentado en una mesa con una laptop abierta. Lleva un pantalón negro, una elegante camisa azul y una corbata con listas amarillas. Ahora tiene treinta y ocho años, ya no es aquel adolescente que se subió a un auto el 4 de agosto de 1996 con solo quince años.

Serrano llamó a sus familiares en Miami desde una cabina pública de monedas para que fueran a recogerlo hasta Illinois. Su tío Paulo y su padre Jorge Luis Santos le aseguraron, por medio de un amigo, que todo se resolvería. Santos no quiso darle el apellido a Yalian cuando nació, pero ya las relaciones en ese entonces habían mejorado.

Dos días más tarde, mientras el receptor calentaba antes de un partido, vio a su papá del lado de allá de la cerca. Sabía que el momento se aproximaba y sentía tristeza por dejar a su madre en Cuba y a su padrastro, Osmany, a quien reconoce como verdadero padre.

Salió por la puerta de la residencia universitaria donde se alojaban los peloteros. Su compañero, Víctor Ramos, lo acompañaba. Los jefes del equipo lo dejaron salir para que viera a sus familiares. Él quería abandonar el equipo una vez terminara el torneo, pero su tío Paulo le reveló que no estaba ahí para verlo jugar el campeonato ni hacer turismo. Le explicó que si pensaba quedarse en Estados Unidos tenía que decidirse en ese instante. Cuando Paulo le comentó eso a Yalian, este se volteó y le dijo a su amigo Ramos: «Oye, te quiero, hermano, nos vemos», y se subió al auto.

—En mi mente yo iba a hablar con mi tío y al momento iba a regresar. No tenía pensado quedarme en ese minuto –me revela.

La meta era salir del estado de Illinois. Pernoctaron en un motel y a la noche siguiente estaban en Miami. Serrano era un receptor de prominente inteligencia para el juego. Él recuerda los constantes lavados de cerebro que hacían los gobernantes cubanos y jefes de delegación, cómo usaban a los muchachos de categorías menores para hacer propaganda política. Desde 1991, en su primer viaje a México se le abrió la mente, me dice. Lo hipnotizaron los aeropuertos y los altos edificios, la civilización. Le molestaba que todos los padres de sus rivales en las competencias del exterior viajaban a ver a sus hijos y que su madre no podía hacer lo mismo. En los restaurantes, él y sus compañeros llenaban los platos de pollo y bistec ante la mirada sorprendida de las personas. Al finalizar los torneos pedían a sus adversarios zapatos, *spikes* y guantes.

—Pensábamos en los restaurantes que todo se iba a acabar –me dice.

Tras su llegada a Miami, el agente Joe Cubas le prometió castillos en el aire. Decide hacerlos agentes libres a él y a Osmani Fernández, alias *el Capurro*, mejor pitcher del equipo, que abandonó la selección días después de Serrano. Cubas elige llevarlos a la agencia libre y no realizar la búsqueda de un contrato vía draft. No le generaba las mismas ganancias. Los jóvenes de dieciséis años estuvieron un año en República Dominicana. Establecieron sus residencias en Costa Rica y Serrano firmó por un bono de 10 000 dólares con Tampa Bay. Consigo lleva las tarjetas de los jugadores de aquel año 1999, en Princeton Devil Rays, sucursal de nivel Rookie de Tampa. Envuelta en el más severo cuidado, me muestra su tarjeta. Está realizando un swing. Además, tiene las de Josh Hamilton y Carl Crawford, quienes pertenecían al mismo conjunto de Serrano y llegaron al estrellato años más tarde.

Serrano y Osmani Fernández, *el Capurro*, firmaron con Tampa Bay Devil Rays bajo la asesoría de Joe Cubas, quien falló en la misión de ayudarlos a elegir un futuro correcto dentro del béisbol. Su carrera se estancó cuando Tampa lo dejó libre. Luego de varios intentos de reactivarla, dejaría el béisbol en el año 2001, y se convirtió en pastor de una iglesia.

—Pasé 14 años sin ver a mi mamá y mi papá Osmany -me dice.

Su dolor más agudo no pasa siquiera por el destino que tomó su carrera, sino por el de su compañero Osmani Fernández, mejor pitcher de Cuba con dieciséis años, que fue afectado por las decisiones del agente Joe Cubas. Este lo dejó a la deriva en Costa Rica, pese a firmar papeles de responsabilidad legal por el lanzador menor de edad.

—Cubas dejó botado al Capurro en Costa Rica. Lo mío era ver si llegaba, el Capurro tenía potencial de Grandes Ligas -me explica Serrano.

El 15 de agosto de ese mismo año 1996, el infielder Ramón Valdivia dejó el equipo Cuba B durante una estadía en Guatemala, según me confirma él mismo, vía chat. Hizo los arreglos pertinentes para ser representado por Joe Cubas, pero luego de treinta días en la organización de Tampa Bay fue liberado y nunca más jugó.

Unos días más tarde, exactamente el 5 de octubre, tres peloteros del equipo Industriales, Jesús Ametller, William Ortega y Roberto Colina, salieron silenciosamente de un hotel en Villahermosa, capital del estado de Tabasco, México. De la puerta principal del hotel atravesaron un mercado de frutas y ahí los esperaba Joe Cubas.

Se montaron en un Chevrolet que los llevó desde Chiapas hasta México D.F. durante 16 horas.

—El problema de ese viaje fue que un día antes de salir de Cuba suspenden al *Duque* Hernández –relata Jesús Ametller, quien me recibió en el Doral, Miami, una tarde de 2017 mientras entrenaba niños en una academia de béisbol.

En el viaje a México la Seguridad del Estado llevaba encubiertos, estima Ametller, alrededor de cuatro periodistas. En aquella competencia Cuba perdió a cinco peloteros. Sumado a los abandonos de Ametller, Colina y Ortega, el receptor Michel Hernández se había largado primero. También escapó el infielder habanero Vladimir Hernández, reportado con veintitrés años y quien no pasó del nivel Clase-A avanzada con Montreal Expos. La búsqueda sin fin del sueño americano recién comenzaba en la historia de la emigración. Ametller no tenía muchas alternativas. Ganaba 115 pesos cubanos al mes, un equivalente a 5 dólares en aquella época.

Orlando *el Duque* Hernández estaba en la nómina para ir a México, pero Ametller recuerda cómo, en la última sesión de entrenamiento en Cuba, la policía política sacó al lanzador del entrenamiento y a la noche se publicó la noticia de la suspensión de por vida. Incriminado por tener relaciones con su hermano Liván, Orlando no tuvo otro remedio que intentar su salida de Cuba más de siete veces en un año.

La odisea culminó cuando el de treinta y dos años (se reportó veintiocho a su llegada) llegó a Bahamas junto a otros siete viajeros entre los que se hallaba el receptor Alberto Hernández. Sin contar con la velocidad de Arrojo, el Duque sabía cómo lanzar respaldado en sus lanzamientos secundarios y acordó un contrato de 6,6 millones de dólares por cuatro años con New York Yankees.

En algún momento el presidente Castro lo llamó «mercachifle», lo que vendría a ser un «vendido» o mercenario del deporte.[34] Hernández superó problemas de alteración de la edad -él declaró 28 años, otros le reconocían 32- y pasó a ser el ejemplo de triunfo del beisbolista cubano en la década de los noventa. Obtuvo tres anillos de Serie Mundial con los Yankees, y sobresalió en postemporada con 8 victorias y apenas una derrota entre 1998 y 2000.

Esto lo convirtió en un símbolo mayor. En cada esquina y calle de Cuba se comentaban las hazañas del Duque, los niños imitaban su estética al lanzar y los aficionados buscaban la forma de ver los partidos de MLB ilegalmente (mediante las conocidas antenas parabólicas). Muchos ni siquiera imaginaron que ese personaje tan cercano y popular pudiera, con la más relativa facilidad, sobreponerse a ocho salidas ilegales y desafiar, a la misma vez, el templo del Yankee Stadium y a la Seguridad del Estado cubano.

En la calle se inventaban historias sobre él. El Duque fue la cara del triunfo del béisbol emigrado cubano.

Aún conserva el récord de mejor promedio de ponches por cada nueve entradas en Series Mundiales (11.30 K/9) por encima de colosos como Bob Gibson, Sandy Koufax o John Smoltz. En 2005 consiguió otro anillo de Serie Mundial con Chicago White Sox. Allí no permitió carreras en 4 innings y los aficionados aún recuerdan una salida ante Boston Red Sox en la Serie de Campeonato de la liga donde entró al box con bases llenas sin outs y no permitió carrera ante un repleto Fenway Park.

La emigración y los abandonos prosiguieron en 1998, 1999 y 2000. Otros que salían por vías legales, veteranos

[34] Cfr. Milton H. Jamail: *Full Count Inside Cuban Baseball*, p. 92.

retirados por la fuerza en Cuba como Remigio Leal, se realizaban jugando en el béisbol de Europa.

Una expedición de peloteros de Villa Clara desafió la ruta del mar en 1998 con Jorge Luis Toca a la cabeza y otros como Osmani García, Alain Hernández, Maikel Jova, Jorge Díaz Olano, Ángel López y el entrenador de pitcheo Orlando Chinea.

En 1999, un equipo de Grandes Ligas visitaba la Isla para un juego oficial por vez primera en 29 años: el Tope Bilateral Cuba-Baltimore Orioles que tuvo la asistencia de Fidel Castro en el estadio Latinoamericano. Sin embargo, la emigración mantenía su pulso acelerado. El receptor juvenil Brayan Peña dejó el equipo Cuba en Venezuela con dieciséis años y firmó al año siguiente por 1,2 millones de dólares en la franquicia de Atlanta Braves.

El veloz derecho pinareño Danys Báez abandonó la delegación de Cuba en los Juegos Panamericanos de Winnipeg 1999 y llegó a un acuerdo de 14,5 millones de dólares con Cleveland Indians. También salieron por embarcaciones marítimas peloteros de Series Nacionales como Julio Villalón, Nataniel Reynoso, Miguel Pérez, Alexis Hernández y Juan Carlos Bruzón, quienes quizá nunca integrarían un equipo nacional en toda su carrera e intercambiaron prosperidad económica, realización personal y dinero que jamás imaginaron tener, por abandonar la tierra que los vio nacer.

En septiembre de 2000, el equipo Cuba perdía su intocable hegemonía en los Juegos Olímpicos de Sidney, Australia, al caer en la final ante Ben Sheets y Estados Unidos. Un mes antes, dos jugadores del equipo Cuba juvenil que participaba en Edmonton, Canadá, escaparon en el Mundial de la categoría. El receptor William Plaza, de diecisiete años, salió de su dormitorio y se montó a un auto en chancletas.

—Le di mi cadena a Riquimbili[35] y él se quedó llorando –me dijo Plaza en una conversación telefónica.

El auto en el que iba lo condujo hasta una casa donde se encontraba el pitcher de dieciocho años y compañero de equipo Yolexandry Reina.

—Nos montamos en un tren rumbo a Toronto y nos tuvimos que tirar antes de que llegara a la estación para evitar que nos encontrara la policía –dice Plaza.

Vivió en Moravia, un barrio de San José, capital de Costa Rica. El pago de la casa estaba a cargo de Joe Cubas. Atravesó una odisea legal para firmar y pasó mucho tiempo hasta descubrir que la desilusión por el juego superaba aquella idea grandiosa de ser profesional. Acordó por un bono de 40 000 dólares con New York Yankees y no pasó de Clase-A.

—Estaba decepcionado después de cuatro años. Ya nada era igual –me dice Plaza en una larga conversación telefónica.

Según cuentan algunas historias, Reina abandonó el equipo en medio de un partido. Uno de sus compañeros conectó cuadrangular. Todos se congregaron en home y una vez llegados al *clubhouse* ya Reina no estaba allí. «Na, na, na, ¿Reina? Na, na, na», cuenta que bromeaba Yunel Escobar en el autobús, días antes del abandono de Plaza. Las bromas continuaron hasta que Víctor Mesa, el mánager del equipo en aquel momento, dijo: «Ya está bueno. El tema de Reina se acabó aquí».

[35] Se refiere a su compañero de equipo Yuniesky Betancourt, quien luego de salir de Cuba en 2003, haría carrera en Grandes Ligas.

Los órganos de prensa del Gobierno cubano no hacían referencia a los abandonos, solo se les mencionaba por alusión indirecta: «traidores», «vendidos» o «ingratos». Con el tiempo, estos nombres nunca más serían escritos en los diarios o comentados en la televisión. Varios años tendrían que pasar para que en la Isla se transmitiera un partido de Grandes Ligas o se informara sobre ese béisbol. Cuba habitaba un mundo aparte. La esencia del silencio residía en un aspecto único e ideológico: hablar sobre emigración generaba emigración.

Desde el primer paso dado por René Arocha se abrieron las compuertas del éxodo, sobre todo motivado por la situación económica y social que imperaba en el país. El imaginario inocente y adormecido del pelotero se trasformó en la década del noventa. El éxodo de los beisbolistas fue convirtiéndose en parte de una cultura año tras año. Los problemas económicos del Período Especial trajeron la tendencia del abandono y laceraron los paradigmas y creencias de antaño. En las calles se murmuraban los nombres de héroes prohibidos. El Tope Bilateral Cuba-Baltimore trajo a escena un acercamiento fugaz entre el mundo profesional y amateur. Aunque en la superficie no se visualizaba la crisis, en el interior de la estructura algo se había roto.

La continuación (2001-2010)

La década de 2001 a 2010 significó un extraño ciclo en la emigración del béisbol cubano. De los 255 peloteros que salieron del país a buscar el futuro en alguna otra parte, 233 recibieron formación deportiva en la Isla, aunque fuera por un breve lapso. Sucedió además que, llegado 2008, la cifra de peloteros emigrados había superado la de la década anterior (133): 155 habían dejado el país cuando faltaban dos años para cerrar el decenio.

La creciente idea del abandono se fue expandiendo y adquirió una sólida concreción en la época. Dejar el país para probar suerte dejó de ser, para los peloteros de primer nivel, algo sui géneris, como en los noventa. Estos años conforman el puente hacia la explosión de la emigración ocurrida en 2015. La Federación Cubana de Béisbol (FCB), el INDER y el Gobierno cubano no implementaron nuevas medidas de coacción para evitar las salidas. No renovaron, además, el maltrecho sistema de oportunidades y el pelotero exteriorizó su desencanto.

Quizá las autoridades castristas pensaron que la situación no era caótica cuando solo 8 jugadores de los 128 salidos hasta 2007 pertenecían al equipo nacional; pero en la base del béisbol cubano se gestaba silenciosamente algo similar a una explosión. Esos 8 peloteros que pertenecían al equipo nacional eran: José Contreras, Maels Rodríguez, Alay Soler, Yobal Dueñas, Kendrys Morales, Michel Abreu, Bárbaro Cañizares y Alexei Ramírez.

Una de las razones por las que esa crisis no se percibía con total claridad tuvo que ver con que Cuba aún conseguía éxitos en la arena internacional. Luego del doloroso revés de los Juegos Olímpicos de Sidney 2000 frente a Estados Unidos, se proclamaron campeones en la Copa Mundial de Taiwán (2001), la Copa Intercontinental en La Habana (2002), los Juegos Panamericanos de Santo Domingo (2003) y los Juegos Olímpicos de Atenas (2004).

Llegó después el rutilante éxito del I Clásico Mundial de Béisbol en 2006, el torneo donde por primera vez la selección cubana se enfrentaba a peloteros de primer orden de Grandes Ligas. Se obtuvo un sorprendente subcampeonato que tenía un claro sabor a victoria. Este primer Clásico hizo renacer a Cuba. El aura de la nacionalidad envolvió a Cuba en aquel mes de marzo de 2006. Se había desafiado al profesionalismo y, en su regreso a La Habana, los peloteros fueron agasajados por Fidel Castro en la Ciudad Deportiva. Los integrantes del equipo fueron premiados con 11 000 dólares cada uno, premio que no fue divulgado por la prensa. Ni siquiera un pelotero abandonó el equipo en suelo americano durante 2006, pese a las constantes presiones y búsquedas de los agentes y *scouts*.

El éxito del Clásico Mundial en 2006 pudo influir en la disminución de las salidas: solo 13 jugadores salidos ese año, de ellos 11 formados en Cuba. Además, ayudó a fortalecer el ideologema gubernamental que proclamaba la superioridad del modelo deportivo amateur sobre el profesionalismo.

Sin embargo, para 2007 el número de salidas se incrementó nuevamente (20). Entre 2008 y 2010, salieron de Cuba 123 peloteros, apenas 10 menos que en el período 1991-2000.

En adición, los últimos años de la década fueron testigos de la marcha de algunos consagrados en Cuba como Yadel Martí (uno de los héroes del Clásico), Juan Carlos Moreno, Deynis Suárez, Yunesky Maya, Leslie Anderson o Aroldis Chapman. Los talentos que entre 2000 y 2008 se suponía serían la sucesión tampoco esperaban por llegar a serlo. De allí que partieran Gary Gálvez, Yuniesky Betancourt, Yunel Escobar, Yamel Guevara, Juan Miranda, José Iglesias, Noel Argüelles, Adeiny Hechavarría, Adalberto Ibarra, Yadil Mujica, Raudel Lazo, Roenis Elías y Onelki García, entre otros.

La época de 2001 a 2010 no entrañó fracaso ni preocupación alguna para la Federación Cubana. Los éxitos en la arena internacional encubrían el éxodo y la diáspora no se convirtió en un proceso uniforme. Escapaban beisbolistas aislados, pero el talento primario se mantenía en la Isla.

Uno de los abandonos que más dolió en la Isla durante la década fue el de José Ariel Contreras. El gigante de más de seis pies era considerado un emblema del béisbol en Cuba. El comandante Fidel Castro lo comparó incluso con uno de los héroes más trascendentales de la historia de Cuba, el líder independentista Antonio Maceo, y apodó a Contreras como al héroe: el Titán de Bronce. Sin embargo, la analogía entre Contreras y Maceo, un general de tres guerras en el siglo XIX, desapareció cuando el pitcher decidió emprender su camino hacia el profesionalismo. La noticia conmovió a todo el país en una especie de *shock* nacional. La idea que se barajaba era: «Si Contreras abandonó, cualquiera puede hacerlo».

En la Isla siempre se apostaba al próximo pelotero que no regresaría. Contreras nunca entró en dichas predicciones. Los medios le habían construido una imagen de hombre de pueblo, humilde, que nunca fallaría y que agradece todo a la Revolución.

En octubre de 2002, Contreras y el entrenador Miguel Valdés abandonaron el equipo Cuba en Saltillo, México. Desde allí, el estandarte pinareño viajó a Monterrey, luego voló a Tijuana y después de un mes escondido pasó la frontera hacia Estados Unidos por San Diego, California, hasta llegar a Miami.

En muy poco tiempo, para diciembre del mismo año y bajo la supervisión del agente Jaime Torres, Contreras alcanzó la agencia libre tras establecer su residencia en Nicaragua.[36] El astro firmó con New York Yankees, que le extendió una irrechazable oferta de 32 millones de dólares por cuatro años.

Aunque soy de los que se inclina a pensar que Contreras llegó a Grandes Ligas cuando la línea de su carrera descendía, aun así sacó un anillo de Serie Mundial en 2005 con Chicago White Sox. Cosechó 78 triunfos en su paso por las Mayores y mantuvo una racha inverosímil de 17 victorias al hilo entre finales de 2005 y julio de 2006.

Las trabas, presiones de todo tipo y medidas disciplinarias por parte del Gobierno sobre los peloteros continuaron en el período 2001-2010. El pitcher zurdo de Industriales

[36] Cfr. Associated Press: «Contreras Granted Free Agency».

Rolando Viera fue suspendido del béisbol después de conocerse que había ganado una visa hacia Estados Unidos, a través del sistema de lotería.[37] Posteriormente a su salida, captó la atención de Boston Red Sox, quienes lo eligieron en la séptima ronda del draft de 2001 y con los que firmó un contrato de 175 000 dólares.

Lo mismo ocurrió con otros prospectos como el caso de Yosvany Almario. Él hubiera debutado a los 19 años en la Liga Cubana con los Vaqueros de La Habana, pero se filtró el rumor de que sus padres saldrían de Cuba mediante la lotería de visas. Era 1999. Almario bateó .330 de average y 7 jonrones en un torneo (Serie Provincial) previo a la temporada de ese año.

—Será el próximo Romelio Martínez –dijo un entrenador que trabajaba con los Vaqueros de La Habana, según me cuenta el mismo Almario en un encuentro que sostuvimos la primavera de 2017 en el Tropical Park de Miami, un amplio parque lleno de terrenos de sóftbol y cajas de bateo.

A veinte metros de distancia, me sorprendió su figura. Pensé que aún jugaba béisbol porque, pese a tener 37 años, el físico era sólido y rocoso, espalda ancha, complexión de dureza y ni siquiera unas libras de más.

Romelio Martínez, el slugger con quien alguna vez lo compararon, fue un robusto bateador de 370 jonrones en 15 años, ídolo y gloria de la provincia Habana, ubicado cuarto en la lista de cuadrangulares de todos los tiempos en Cuba.

Sin embargo, Almario no jugó ni la temporada de 1999 ni la de 2000. El mánager Rigoberto Blanco le notificó que su participación era imposible porque intentaba irse del país. Sus padres se marcharon en febrero de 2001 gracias a

[37] Cfr. Ed Reed: «Cuban Pitcher´s Long Road Goes through Lee».

la lotería y Almario esperó hasta agosto de ese mismo año para subirse al avión.

—Fue un día de los más tristes de mi vida -me cuenta.

Su mirada casi siempre presagia una risa, menos cuando recuerda esos pasajes. Clava sus ojos en un punto fijo como si el momento regresara.

—Cuando el avión alzó el vuelo comencé a recordar las calles de mi pueblo.

Almario se integró al sistema del béisbol universitario en Estados Unidos y quebró los topes en jonrones (15), average (.481), impulsadas (54) y bases robadas (26) con Miami Dade College. Antes de llegar el draft, Florida Marlins le ofreció firmar por 30 000 dólares, pero no aceptó, tal vez pensando que estaría situado en una buena posición de cara al sorteo. Eso no funcionó y resultó elegido en la ronda 18 del draft en 2004 por New York Yankees. Firmó por un bajo bono de 17 500 dólares.

En Charleston (Clase-A) bateó .316 con 18 extrabases en 45 partidos, pero no jugaba lo suficiente. Primero alineaban a los prospectos que pactaban por bonos más elevados. Almario recuerda una noche de 3 hits, entre ellos un cuadrangular para decidir el choque, y al otro día no encontrar su nombre en el lineup.

—Tenía un coach que me bajaba la autoestima todos los días -me dice en el mismo instante que llueve a cántaros y tenemos que refugiarnos en su auto.

Se convenció de que la vida del pelotero en ligas menores era más difícil que trabajar dentro de una factoría. Los extensos viajes en autobús, las rentas entre varios compañeros, los coachs y la gerencia que no ayudaban al desarrollo. El mánager de Charleston, Bill Mosiello, le explicaba que el lineup lo hacían desde la oficina. Tras ser asignado a Clase-A avanzada, Tampa Yankees, discutió fuertemente con el coach de bateo y la enemistad le costó la liberación, mientras dejaba atrás un promedio de .313 en 2 temporadas.

—La inexperiencia me jugó una mala pasada. Debí hacer lo que él quería que hiciera, subía de liga y él se quedaba -agrega como lamentándose.

Le prometieron que iniciaría en Doble-A en 2006, pero en diciembre de 2005 recibió la inolvidable llamada del *released*. No recuerda el nombre del coach, pero sí la explicación que le dieron: «Necesitamos gente más joven». Almario solo tenía 25 años.

Se quedó solo. Su agente Gustavo Domínguez le dio la espalda. Estuvo por su cuenta y emprendió el camino de las ligas independientes donde bateó más de .300 entre 2007 y 2010. Ninguna organización de Grandes Ligas lo contrató.

—Si no tienes un representante que te pueda ayudar, no firmas de nuevo -me dice.

La carrera de Almario se diluyó como la llovizna que cae en la misma tarde que lo entrevisto. Su voz entrecortada se intensifica en un tono triste. Él debió llegar más lejos y ahora, después de tanto tiempo, entiende mejor el devenir.

—Me frustré. No logré mi sueño.

Almario entra a un terreno vacío de béisbol y no puede pasar siquiera diez minutos dentro. El sentimiento que lo persigue es de frustración. Entre sus recuerdos más alegres, se halla el de un partido en St. George Roadrunners, equipo de la Liga Independiente, Golden Baseball League. Una tarde se le escapó el bate hacia la grada, este cayó en las manos de un niño y Almario fue hasta la sección de tercera a recogerlo. El público lo abucheó por sustraerle el bate al pequeño. Al siguiente lanzamiento, pegó doblete al lanzador y cuando llegó a segunda base pidió tiempo al umpire, volvió al mismo puesto y regaló el bate al mismo niño. Sin embargo, sus ilusiones de llegar a un nivel más alto desaparecieron al tiempo que el equipo de St. George, Utah, donde jugaba, quebró, según Almario, porque el dueño tenía prohibido vender cervezas en un pueblo de mormones.

—Es bastante difícil para toda persona que tiene que abandonar su país –me dice Maels Rodríguez, el supersónico de más de 100 millas por hora que salió de Cuba el 25 de octubre de 2003.

Nos vemos un lunes en la noche. El lugar es el Tropical Park del Southwest de Miami. Maels fue el rey del ponche en Cuba por más de un lustro, era miembro habitual del equipo Cuba, sostenía una recta que rozaba las 100 millas por hora y había lanzado un juego perfecto en la Serie Nacional de 1999. Todavía juega asiduamente entre semana y de noche en una liga de sóftbol. Es su manera de mantenerse cerca del mundo que cierta vez lo motivó. Lo espero en el estadio, luego de varias llamadas en las que hemos concretado el encuentro, pero a su llegada los amigos vociferan su nombre y casi no lo dejan llegar hasta donde estoy.

Seis meses antes de abandonar la Isla, Maels sufrió una lesión en el hombro derecho que había sido tratada en La Habana. Nunca creyó que el problema tendría la gravedad que luego presentó. Su primera molestia llegó en la Copa de las Américas, en México, el mismo torneo en que abandonó José Contreras y en donde Maels me confiesa haberlo intentado infructuosamente, junto a dos peloteros más.

Se le diagnosticó una hernia discal y después de la rehabilitación de quince días volvió a lanzar en la Copa Intercontinental de La Habana, 2002. Su brazo no tuvo descanso en esa temporada. Debido al sobreuso en exceso de innings, sentía que no lograba dominar los lanzamientos. De cualquier manera, continuaba luchando contra su brazo en un esfuerzo desmedido, hasta que una noche, estando en los entrenamientos del equipo Cuba a cuatro días de comenzar el Mundial de Béisbol, fue sancionado junto al infielder pinareño Yobal Dueñas.

—Salimos a un restaurant y regresamos a las nueve de la noche -me dice. Esa misma noche convocaron una reunión dirigida por el INDER y fueron suspendidos por la dirección del equipo nacional con Higinio Vélez a la cabeza. Supuestamente los jugadores de provincias no podían salir de la concentración en La Habana.

—Creo que ellos sabían de mi intento de salida y estaban buscando un motivo para dejarme -aclara.

Meses más tarde realizó la peligrosa travesía hacia México en un bote grande con diez pasajeros. Todos pensaban que el destino era Estados Unidos y cuando los lancheros dijeron que se dirigían a México, el miedo se propagó entre los presentes. Luego de llegar a México, su familia (su mujer y su hermano de solo dieciséis años) viajó en avión hasta Estados Unidos, pero él y Yobal Dueñas tuvieron que partir hacia El Salvador en busca de la agencia libre. Una separación que Maels recuerda más traumática que el viaje mismo.

Las treinta organizaciones de Grandes Ligas fueron a verlo a El Salvador, país donde radicó ocho meses para obtener la residencia. Como mínimo, Rodríguez era considerado un abridor número dos o cerrador en las Mayores.

—Fue duro ver cómo algo que se te hacía tan fácil, en ese momento costaba tanto trabajo –me cuenta y de súbito comienza a llover. Algunos espectadores de la liga, desde las gradas, aseguran que es una nube pasajera. Maels y yo continuamos conversando debajo de un árbol no muy frondoso por el que se filtran algunas gotas frías.

—Fue una desilusión inmensa porque uno estaba acostumbrado a calentar el brazo con noventa millas y de repente no poder siquiera tirar noventa con el mayor esfuerzo, imagínate –me dice Rodríguez, de quien incluso se llegó a comentar que podía firmar un contrato superior a los 40 millones de dólares.

La ruta continuó y desde El Salvador se marcharon hasta República Dominicana donde no realizó ninguna presentación.

—En Dominicana estuvimos [él y Yobal Dueñas] cerca de un mes escondidos. Todo el mundo cayéndonos atrás –me dice sin querer abundar en detalles.

Transitaron el conocido canal de la Mona para llegar a Puerto Rico, pero el bote se les hundió. Naufragaron a doce millas de la costa hasta que los rescataron y en tierras boricuas se acogieron a la Ley de Ajuste Cubano.

—Llegué a tocar las noventa y dos millas, pero era demasiado forzado –relata.

En Cuba quedó abierto y sin solución el misterio de Maels Rodríguez, un lanzador que todos imaginaron llegaba a Grandes Ligas en lo que dura un suspiro y ni siquiera debutó en ligas menores. Más que por el dinero que no consiguió, la frustración principal de Rodríguez fue no poder salvar su carrera, porque en ese momento solo contaba con veinticuatro años.

Tras llegar a Estados Unidos, Arizona Diamondbacks lo eligió en la ronda 22 del draft en 2005. Le pagaron un bono de 50 000 dólares, pero Rodríguez no pudo lanzar en las menores. Luchó. En Arizona esperaban su recuperación, sin embargo, el brazo continuaba sin responder y pidió el *released* en marzo de 2006.

—Tenías que sentirte muy mal para pedir ese *released* -le digo.

—No podía tirar -me responde.

Los Yankees intentaron firmarlo luego por un millón de dólares en bonos y su agente (Barry Praver) se rehusó a concretar el pacto. Otras organizaciones como Baltimore Orioles,[38] Pittsburgh Pirates o New York Mets también quisieron contratarlo.

Se sometió a tres operaciones de hombro entre 2006 y 2010. Al principio no tenía seguro médico y fue pagando la operación de su bolsillo -costaba alrededor de 30 000 dólares-, más la rehabilitación, paralelamente a los subsidios de su casa. Reconoce que quizá en Cuba se hubiera regenerado, trabajando con los terapistas y sin la presión de tener parte de la familia lejos, firmar y pagar un techo.

El único lanzador con un juego perfecto en la historia del béisbol cubano dice que si pensara en lo que pudo haber sido y no fue, no podría vivir en paz. Prefirió irse del béisbol para evitar frustrarse más. Ahora dedica parte de su tiempo a entrenar y ayudar a jóvenes talentos en el encriptado arte de lanzar.

—No quería cogerle odio al béisbol -me confiesa finalmente.

El camino del Maels Rodríguez emigrado fue más triste que cruel. Nos abrazamos y yo me despido. Él entra al

[38] Cfr. Roch Kubatko: «M. Rodriguez Gets Offer».

terreno, se amarra sus *spikes*, toma un bate de aluminio, tira par de swings al aire, conversa con todos, sonríe.

En los años 2003 y 2004 se mantuvo la tendencia migratoria, en su mayoría por vías ilegales. Los beisbolistas continuaron arriesgando sus vidas en la ruta del mar. El lanzador de La Habana Roberto Sotolongo me explica cómo estuvo en una embarcación con otros cuatro peloteros, perdido en el mar después de que el motor del barco se quemara.

—Estuvimos a la deriva siete días en el mar –me dice por teléfono desde Pensilvania, lugar en el que reside actualmente.

En la travesía lo acompañaban el lanzador Alay Soler y los jugadores Walter Frías y Reine Páez. El rescate llegó gracias a un barco pesquero que los llevó a República Dominicana. Él y Soler firmaron contratos profesionales: Soler arregló un pacto de 2,8 millones de dólares con New York Mets y Sotolongo consiguió un bono de 250 000 dólares con Chicago Cubs. Frías y Páez se quedaron en Dominicana por casi dos años, según me confirma el camagüeyano Frías.

Casi todos están de acuerdo en que Sotolongo –nacido en 1982, originario del poblado de Aguacate, ochenta kilómetros al este de La Habana– era un lanzador prospecto. Intentó salir de Cuba, alrededor de cuatro veces fallidas. Nunca hablaba con sus padres sobre los escapes. Su casa se situaba en un lugar céntrico del pueblo y sabía que al frente lo vigilaban algunos guardias.

Llegó la noche definitiva de noviembre de 2003, la última con su familia. Sus padres sabían que él lo intentaría nuevamente. La madre lloraba en la cocina y el padre le dio un beso porque sentía que esta vez era la última. No sabe si fue coincidencia o karma que la única oportunidad de una salida de la que sus padres supieron resultó ser la definitiva.

En un cañaveral se conectó con la persona que lo llevaría hacia la costa de Villa Clara, hacia el litoral del centro de Cuba, a unas doscientas millas de su casa. Una vez llegados a la costa, él, Soler, Frías y Páez remaron alrededor de quince millas desde el litoral hasta llegar a un cayo de donde zarparon finalmente.

Le pregunto qué sintió ese día.

Llora.

Interrumpe sus palabras con lágrimas. Se le ahoga la voz. No puede hablar. Uno desconoce a veces cómo acompañar en el dolor. No pronuncio ninguna palabra. No encuentro qué decir desde el otro lado de la línea.

En el barco fueron asesorados por dos pescadores que sabían andar en el mar. La embarcación estuvo siete días a la deriva en alguna coordenada entre Bahamas y Cuba, sin localización exacta ni brújula.

—Nos pusimos dichosos -dice.

En medio de la aterradora oscuridad, los encontró un barco pesquero que los llevó hacia Santo Domingo.

Permaneció por más de un año en Dominicana, donde recuerda que lo trataron con tanto afecto que terminó haciéndose ciudadano de ese país. Él buscaba un objetivo que compensara aquellas horas de incertidumbre en el mar y la distancia insensible que lo separaba de su familia: firmar con una organización de Grandes Ligas y llegar a Estados Unidos.

Varios equipos comenzaron a interesarse por los servicios de Sotolongo. La gerencia de New York Yankees y su jefe de *scouts*, José Rijo, lo visitaban con asiduidad. Sotolongo estaba lanzando entre 90 y 96 millas en los *tryouts*. El proceso de la residencia en un tercer país se demoraba tanto que sucedió algo inesperado: Contreras no triunfó en la postemporada con los Yankees, como todos pensaban. Los captadores de talento se volvieron escépticos ante el beisbolista cubano.

—Lo de Contreras perjudicó de alguna manera el mercado –aclara.

Atravesó lesiones. Luego, la franquicia de New York Mets ofreció 3 millones de dólares, pero en un *showcase* Sotolongo se lastimó una costilla y esto malogró el trato.

—Ellos se aguantaron después de esa lesión –asevera.

Finalmente, los Chicago Cubs le dieron un bono de 250 000 dólares en 2004.

Su hijo nació mientras lanzaba para los Cubs en las menores la temporada de 2006. Sotolongo no se encontró a sí mismo ni dentro ni fuera del terreno durante esa campaña, de hecho, no ganó un solo partido entre Clase-A y Doble-A (0-6, 5.79 de efectividad).

—No solté de mi mente el béisbol de Cuba y eso me afectó. Me faltó humildad –dice.

Confrontó al director de los Cubs en las menores.

—El entrenamiento era tan fuerte que yo no lo podía imaginar –confiesa.

Casi terminando la primavera de 2007, cuando había cambiado la totalidad de su errática actitud, lo llamaron a la oficina. Los Cubs estaban liberando a Sotolongo con 23 años. Él estaba cambiando, pero los Cubs no tenían más tiempo y espacio para Sotolongo en su sistema de fincas.

El sufrimiento siempre trabaja en formas misteriosas y, con todo el dolor que le embargaba, comenzó un viaje necesario por otras partes del mundo. Estuvo en la Liga Invernal de Colombia (Caimanes de Barranquilla) y se coronó campeón en 2008. Viajó hacia Canadá y jugó ligas independientes (Victoria Seals y York Revolution) en 2009. Los Mineros de Nueva Rosita lo acogieron en México en 2010. Con lo que ganaba económicamente lanzando en estas ligas de bajo perfil mantenía a su familia sin problemas.

En 2011, durante un juego en la Liga Profesional de Panamá, con los Panamá Metro y su compatriota cubano, el legendario ex segunda base de los equipos Industriales, Rey Vicente Anglada, como mánager, en una liga de 15 000 aficionados por juego y con Sotolongo en su mejor forma (3-0, 1.56 de efectividad), llegó lo que él mismo nombró como «una señal del destino».

—Dios habló a mi corazón -dice.

Mientras caminaba una noche hacia el *clubhouse* Sotolongo miró al público y entendió que su lugar en el juego había terminado. La voluntad del señor le habló y sintió la necesidad de acogerse a su camino para ayudar a todos los que habían sufrido como él.

Hoy es pastor de una iglesia en Pensilvania.

Recuerda con dolor como en uno de sus fallidos intentos de salida, y en las afueras de una cárcel de Camagüey (Santa Cruz del Sur), un coronel le dijo bien bajo al oído:

—Tú podrás ganar setenta juegos en este país que no irás nunca al equipo Cuba. Te van a fichar.

Sotolongo vio cómo el coronel tenía los ojos humedecidos mientras le hablaba en un parqueo, aislados del mundo. Indirectamente, advirtió una contraseña en las palabras de ese hombre. Le estaba diciendo que se fuera de Cuba.

—Más que nada, estábamos cargando con el dolor de un país.

Sotolongo se hizo un hombre de Dios y se permitió la sanación. No existe odio ni rencor en su alma. Lleva la angustia de no haber llegado a Grandes Ligas como un pasaje lateral dentro de una avenida de alamedas verdes llenas de esperanza.

Para 2004 salieron más de 30 peloteros en un mismo año por vez primera desde 1980. Con la diferencia de que en 1980 la mitad ya estaban retirados o suspendidos. Los 37 emigrados en 2004 venían de jugar la Liga Cubana y se encontraban en plenitud de forma. Tales eran los casos del principal prospecto cubano del lustro 2000-2005, Kendrys Morales, de Yunel Escobar, Michel Abreu, Francisley Bueno y Yamel Guevara.

—El 4 de febrero partimos Serguey Linares, Ramiro Chamizo y yo -me dice Isbel Iglesias, vía chat. Ni Iglesias ni Chamizo lograron firmar contratos asociados a MLB y Linares no duró más de dos años en las menores con Pittsburgh Pirates.

—Esa odisea no se puede olvidar así de fácil -comenta Yosandy Ibáñez, veloz lanzador que escapó en abril de 2004 junto a Bárbaro Cañizares, Leonel Mendoza y Michel Abreu.

Antes de ese abril de 2004, a Ibáñez y al también lanzador Maikel Neninger los habían atrapado en una salida durante 2001.

—Nos suspendieron, y luego de eso volvimos a intentarlo, pero cometimos un gran error y nos atraparon con pasaportes falsos por el aeropuerto de Santiago de Cuba -me dice Neninger vía email.

Tanto él como Ibáñez estuvieron casi dos años presos, incluso Neninger cree que dedicaron un capítulo de una serie de detectives en Cuba a ellos, solo que no ha podido encontrar el material para confirmarlo. Tenían en común tres cosas: nacieron en La Habana, eran lanzadores y querían marcharse del país.

—Ahí adentro de la prisión tuvimos que unirnos, se formó una hermandad para toda la vida -agrega Neninger y me dice que su historia no es muy conocida porque ellos no llegaron a Grandes Ligas, reflexión más que exacta.

En 2004 ambos consiguieron la fuga definitiva. Ibáñez llegó hasta Doble-A con San Francisco Giants y los Angeles Angels of Anaheim, además lanzó entre 2008 y 2014 en Puerto Rico, Panamá, Nicaragua y Colombia. Por su parte, Neninger no firmó con ninguna organización de Grandes Ligas y se trepó al montículo por breve espacio en Costa Rica y Nicaragua.

El 21 de abril de 2004 salieron de Cuba el matancero Yennier Sardiñas, los receptores Alexis Fonseca y Alexander Díaz, el lanzador Edisbel Benítez y Yunesky Sánchez. El mismo Sardiñas me relata sobre su primer intento de escape. Se estropeó luego de estar escondido veintiocho días en La Herradura, localidad del Mariel, cincuenta y tres kilómetros al oeste de la capital. En su pueblo lo daban por muerto o en Estados Unidos. Cuando Sardiñas volvió, le pegaron tres puñaladas en una pelea.

—Al final, lo sobrepasé todo, terminando de sanar se dio el viaje y firmé con Texas por 1 000 dólares de bono -me confiesa-. No pasé el *spring training* y me dejaron libre con veinticinco años.

Sardiñas fue atrapado por la desilusión y como mismo abandonó Cuba luego abandonó el béisbol.

El 14 de febrero de 2005 a las 7:35 de la tarde noche, un grupo integrado por Juan Miranda, Donell Linares, Smaily

Borges, Omar Llapur y Ayalen Ortiz prendió sus velas a los dioses y zarpó de Cuba en un barco con destino a Estados Unidos. En la travesía faltó poco para que perdieran la vida. Naufragaron a la deriva y encallaron en Manzanillo, Monte Cristi, costa norte de República Dominicana.

En el barco viajaban ocho personas y Ortiz fue el único de los cinco jugadores que no firmó. Miranda incluso llegó a Grandes Ligas con New York Yankees. Alrededor de seis meses estuvo en la academia de Atlanta Braves en Santo Domingo, pero sus documentos demoraron una eternidad y la franquicia desistió de sus intereses.

—Regresé a Santiago de los Caballeros y resolví para jugar en Colombia -me dice Ortiz.

Seis años. Seis años completos tardó en volver a jugar. El ex Industriales y Metropolitanos se aventuró en la Liga Profesional de Colombia con los Caimanes de Barranquilla, donde cobraba 1 800 dólares al mes, y oxigenó sus anhelos en el terreno de béisbol. Después de 2012, Ortiz dejó de jugar y actualmente entrena niños en una academia de República Dominicana.

El I Clásico Mundial de Béisbol en 2006 representó un éxito para el sistema amateur de béisbol que defendía el régimen cubano y también ayudó al convencimiento de algunos jugadores que dudaban en pasar al profesionalismo. Ese torneo demostró que contaban con la calidad para firmar contratos de Grandes Ligas.

Ese fue el caso del utility pinareño de 26 años Alexei Ramírez, quien voló legalmente hacia República Dominicana el 6 de septiembre de 2007, y en solo dos meses acordó un contrato con Chicago White Sox por 4,75 millones de dólares. Alexei estaba casado con una estudiante de medicina dominicana, que había realizado su carrera en Cuba, con la que tenía dos hijos: Alexei y Alexa.

—No me considero un desertor. Tomé este paso para estar con mi familia -dijo Ramírez, nacido en el seno de una familia pobre en San Cristóbal, Pinar del Río.[39]

El Misil Cubano, sobrenombre acuñado por el mánager venezolano Ozzie Guillén, impactó en el mismo 2008 con .290 de average, 21 jonrones y 77 impulsadas. La sobresaliente temporada lo llevó a ser considerado entre los mejores novatos del año en la Liga Americana, segundo detrás de Evan Longoria y un peldaño por encima de Jacoby Ellsbury. Se estableció en Grandes Ligas y en 2011 firmó otro contrato, esta vez de 32,5 millones de dólares.

De todos los beisbolistas cubanos que participaron en el I Clásico Mundial de Béisbol, Ramírez fue el primero en tocar el profesionalismo. El 23 % del equipo de 2006 salió de Cuba en años posteriores, cifra que aumentó en los próximos dos Clásicos: 37 % de la nómina en 2009 y el 43 % de los integrantes en 2013.

La emigración se disparó entre 2008 y 2010. El 48 % de los peloteros salidos en esa década abandonó la Isla en los tres últimos años. En 2008, Cuba perdió en la final de los Juegos Olímpicos de Beijing un disputado partido ante Corea del Sur y en el II Clásico, en 2009, quedó fuera de la ronda final tras caer ante Japón en la segunda fase.

Los viajes continuaron tanto en lanchas modernas, botes o embarcaciones de baja calidad. El 22 de diciembre de 2008, Yadel Martí y Yasser Gómez se subieron a una embarcación con otras nueve personas en la costa norte de

[39] Jonathan M. Katz: «Cuban Star Eyes MLB while Waiting in Dominican Rep.», p. B4.

La Habana. Pasaron la frontera de México a Estados Unidos el 8 de enero de 2009. Martí estuvo entre los tres mejores lanzadores del I Clásico Mundial (2006) junto a Daizuke Matsuzaka y Chan Ho Park.

—En 2007, después de mi derrota contra Estados Unidos [en un torneo internacional], Higinio [Vélez] me dijo que debía darles paso a las figuras jóvenes -me dice Yadel durante una visita que realicé a su residencia en Homestead, Miami-. Si no hubiera sido por eso, nunca me hubiera ido de Cuba.

Martí es un hombre religioso y sabe por qué Dios hace lo que hace. Los problemas con su agente Jaime Torres comenzaron en República Dominicana cuando en una presentación ante veintinueve organizaciones de Grandes Ligas -solo faltaba Cincinnati Reds- Los Angeles Dodgers le ofrecieron 700 000 dólares con 29 años, y Torres no aceptó la oferta.

Perdida la oportunidad y tras un año entero en República Dominicana, Milwaukee puso 475 000 dólares sobre la mesa y Torres estropeó otro convenio. Los rechazos de ofertas le afectaba más y más el valor a Martí, quien terminó firmando por 60 000 dólares en julio de 2010 con Oakland Athletics.

—Todo se derrumbó cuando a Félix Pérez lo sanciona MLB por un año -me dice William Arcaya, exreceptor por 4 temporadas en Cuba con Isla de la Juventud.

Arcaya era representado en Dominicana por Tomás Eladio Collado Báez, un millonario deportado de Estados Unidos por narcotráfico y dueño de un *dealer* de carros Cepica Motors. Él había alterado la edad de Félix Pérez, reduciéndola en cuatro años (de 1984 a 1988), al punto de que New York Yankees ofreció un contrato de 3,5 millones de dólares que fue invalidado. Pérez fue suspendido 12 meses por la oficina del Comisionado de MLB y su departamento de investigación (DOI).

Collado Báez no sabía mucho de béisbol. Era más un enconado negociante. Tenía en su poder un nutrido grupo de cubanos encabezados por Pérez, Arcaya, Coleyanco Rancol, Alexei Gil, Ángel Argüelles, Yosmany Guerra y Juan Carlos Moreno.

El impaciente Arcaya memoriza al detalle las llamadas hechas por Collado Báez. Primero sacó a Moreno y a Guerra. «Recojan y váyanse», les decía.

—Él tenía a todos *mochados*.[40] Se dio cuenta de que no funcionó con Félix Pérez y de que tampoco funcionaría con los demás –agrega Arcaya.

—Yo me fui de Dominicana en una moto acuática –me dice Félix Pérez, un domingo mientras conversamos en el terreno de béisbol número 3 del Tamiami Park en Miami.

Prefirió arriesgar la vida en un *jet-ski* durante cinco horas y a través de las mortíferas olas del canal de la Mona que vagabundear un año a la intemperie en República Dominicana. Pérez se deshidrató en el camino, la vez que más cerca estuvo de la muerte.

—Esperaba contar la historia del *jet-ski* cuando llegara a Grandes Ligas para que tuviera más impacto –asevera el bateador zurdo que firmó un contrato de 550 000 dólares con Cincinnati Reds en Estados Unidos, tiempo después de cumplirse la sanción de un año.

Sin embargo, Cincinnati no lo ascendió pese a mostrar su ofensiva en Triple-A y Pérez ha cabalgado por el mundo

[40] Se dice cuando la edad de un pelotero ha sido alterada.

obteniendo fama, premios y logros personales en Venezuela, Dominicana, México y recientemente Japón.

El caso de Pérez es la prueba fiel de que el principal objetivo del beisbolista cubano iba transformándose con el devenir del tiempo. Si fallabas en el camino a Grandes Ligas, tu carrera no estaba terminada, como sí sucedía una década atrás. Ahora podían triunfar en otras ligas, lo mismo del Caribe que de Europa o Asia, pues la infraestructura del béisbol ha aumentado. El sueldo de un pelotero en Triple-A no pasa de los 3 000 dólares, mientras que, en México, el salario promedio para un importado o extranjero supera los 6 000.

Desde su inicio en la década del sesenta, la emigración del beisbolista cubano siempre ha girado entre extremos antagónicos: la fama y el olvido, el éxito y el fracaso, la suerte y el infortunio, que se sintetizan en dos planos: el sueño y la realidad. No comprobé por mí mismo la intensidad de estas oposiciones y su incidencia en el destino de los peloteros hasta encontrarme con José Miguel Pérez un domingo en un terreno de béisbol cerca de la avenida Brickell, distrito de la ciudad de Miami.

El 23 de octubre de 2009 salió desde Batabanó, poblado al sur de La Habana, junto a otros cinco peloteros entre los que recuerda a Henry Abad, Lester Benavides y Frangel Lafargue.

Pérez, que mide más de seis pies, era uno de los mejores prospectos del país y debutó en Cuba a los diecisiete años con los Elefantes de Cienfuegos. Jugó por 6 temporadas allí, antes de fraguar su salida del país. La primera oportunidad se malogró en un intento fallido por Camagüey, a inicios del año 2009. Era ídolo en su pueblo, Aguada de Pasajeros, a cincuenta y cuatro kilómetros de la ciudad de Cienfuegos, en el centro de Cuba.

—La segunda vez que lo intenté me preparé mejor. Llevé caramelos, Red Bull, y pan –relata sentado en un banco y de espaldas al terreno.

Pérez arrancó el metal de los *spikes* y los utilizó para la nueva expedición.

—Mi inversionista era el Duque –se refiere a Orlando Hernández.

Pérez estuvo en Dominicana junto a Ronnier Mustelier: la principal atracción del grupo. El Duque nunca falló en los pagos, ni carecían de alimentación. Se hizo un *showcase* gigante. El fornido infielder impresionó, pero aquello fue en vano, no funcionaba porque no tenían la documentación legal para firmar un contrato.

—El *showcase* se hizo para Mustelier y nos metieron a nosotros –dice–. El Duque estaba invirtiendo, pero de repente se cansó.

Pérez recuerda la llamada de Hernández indicando que podían hacer lo que quisieran que ya él se retiraba de la inversión. Entonces huyó de Boca Chica a la capital Santo Domingo, en parte porque tenía deudas que sabía le eran imposibles de pagar. Se asentó junto a Joan Chaviano, cátcher de Isla de la Juventud, en la residencia del pitcher de Camagüey Ricardo Estévez. Colocaba una manta en el piso y allí dormía.

—Estuve comiendo una vez al día durante cinco meses –me dice Pérez, integrante del equipo Cuba juvenil que viajó a Taiwán en 2004. En aquella selección estaba su amigo y compañero en Cienfuegos José Dariel Abreu, futuro All-Star en Grandes Ligas.

—Un día Ricardito [Estévez] estaba sin dinero y no pudimos comer. Allí fue donde nosotros empezamos a conocer a Dios –me dice–. Esa es la parte esencial de la historia.

Cada domingo asistían asiduamente a la iglesia, le agradecían al Señor cuando comían, porque, según Pérez, gracias a Él comían. Luego de un tiempo, los recogió el cubano Rudy Santín, conocido empresario e inversionista radicado en República Dominicana, que decidió debutar en el negocio tras laborar como director de *scouting* en Latinoamérica con los Rays y *scout* para Yankees y Giants.

—Santín era *scout* y empezó en ese negocio siendo agente mío y de Román Hernández –me dice.

Pero la historia tampoco funcionó con Santín, quien había sido despedido en 2005 por los Rays: negociaba a espaldas de los muchachos y nunca concretaba ninguna solución sin antes beneficiarse. Ya para ese entonces, Estévez y Chaviano estaban en Estados Unidos. Ambos consiguieron contratos, el primero con Chicago Cubs y el otro en la liga independiente American Association con Laredo Lemurs, en donde fue liberado antes del debut.

Pérez me explica que oraba a Dios, le pedía tener un *tryout* o presentación en que todas las organizaciones de MLB lo fueran a ver únicamente a él y que todo lo que pasara en ese momento pasara alrededor de él. Y eso se dio. Me dice que Dios le dio el evento, en 13 turnos pegó 12 hits. Todos hablaban. Él atrapaba rollings y bateaba. Pero luego nada fructificó. Se fracturó el pie en un deslizamiento poco después y decidió dejar el béisbol. Sobrevivió entrenando muchachos en una academia y el 16 de agosto de 2016 arribó a Estados Unidos, luego de una intensa travesía de dos días en un barco pesquero hasta Puerto Rico.

—Nunca tuve el viento a mi favor.

Le pregunto si no ha pensado, ya que está en Estados Unidos y hay varias ligas independientes, volver a prepararse, ser el de antes e intentar jugar. Me responde en menos de cinco segundos que la pasión ya no existe.

—Ya yo no voy a jugar más béisbol.

La diáspora del béisbol cubano entre 2001 y 2010 fue el punto de partida del actual arribo masivo de peloteros cubanos a la estructura de Grandes Ligas y la consecuente crisis del deporte en la Isla. Las autoridades admitían las salidas y luego enmudecían; tapaban la situación de los abandonos: lo mismo de un equipo nacional, provincial que juvenil. Soluciones externas tampoco se avizoraban: las negociaciones con MLB yacían en la inmovilidad absoluta y no se divisaba ninguna luz al final de túnel para contrarrestar el éxodo.

La estructura del béisbol se mantenía porque las 255 salidas de beisbolistas en diversas edades no eran suficiente para hacer implosionar el sistema. La liga comenzó a perder jugadores, por vez primera de una manera ostensible, pero la base del talento en Cuba, un país de más de 11 millones de habitantes, mantenía la producción constante de prospectos con valiosas herramientas; algo que llevó el cubano en la sangre antes de 1961, cuando fue la principal fuente de talento latina en Grandes Ligas. La Liga Cubana (Serie Nacional) descendió el nivel en una escala apreciable, pero todavía no en las proporciones catastróficas que fueron perceptibles a partir de 2015.

La cara feliz de las huidas la protagonizaron jugadores de la selección nacional. En julio de 2009, el lanzallamas Aroldis Chapman escapó de la concentración en Rotterdam,

Holanda. El zurdo estaba más que analizado por los *scouts* de Grandes Ligas que lo vieron sobrepasar las 100 millas en el II Clásico Mundial de Béisbol, en marzo del mismo año.

Champan escapó pocas horas más tarde de su llegada a Rotterdam. Sin ninguna oposición de la Seguridad cubana en el hotel, salió con un paquete de cigarros y su pasaporte. Le dijo a su compañero de cuarto, Vladimir García, que saldría afuera a fumarse un cigarrillo.[41] Después de la escapada, estableció su residencia en el principado de Andorra y entrenó en Barcelona mientras se arreglaba su situación legal. A finales de septiembre recibió la agencia libre, cambió de agente y puso su firma en un contrato de 30,25 millones de dólares con Cincinnati Reds, en enero de 2010, antes de cumplir los veintiún años.

En un contexto muy distante al de Chapman se desarrolló la salida de Yunesky Maya. Uno zurdo y el otro derecho, Chapman y Maya eran los principales brazos de Cuba en el Clásico de 2009 y abandonaron el país en el mismo año.

—Estuve en una prisión de Pinar del Río siete días -me dice Maya, que firmó en 2010 un contrato de 6,5 millones de dólares con Washington Nationals.

Los oficiales de la Seguridad del Estado le dijeron que su hijo Kevin, de dos años en aquel entonces, estaba enfermo en el hospital. Usaron aquella mentira para que Maya hablara de los traficantes de personas que lo habían contactado. Al cabo de treinta días salió por la provincia de Las Tunas, en el oriente del archipiélago.

—Por poco me muero en la travesía -me dice Maya, cuya emocionante historia merecerá un perfil aparte en este libro.

[41] Cfr. Peter C. Bjarkman: *Cuba's Baseball Defectors*, p. 90.

El período 2001-2010 demostró la continuidad de los ciclos migratorios anteriores. Se incrementó el volumen de las huidas en una época donde la diplomacia entre Cuba y Estados Unidos no tuvo el más mínimo contacto. De los 255 beisbolistas que se marcharon por los múltiples caminos, al menos 191 (76 %) consiguieron firmar un contrato profesional o presentarse en alguna liga independiente. Fue un período de triunfos para la selección amateur de Cuba en el torneo olímpico de Atenas (2004) y el subcampeonato del I Clásico Mundial (2006). Sin embargo, pasado el vértigo, la explosión de la crisis se vislumbraba en el horizonte.

La explosión (2011-2018)

La mañana del martes 16 de octubre de 2012 ocurrió la más inesperada de las sorpresas para los cubanos cuando la *Gaceta Oficial de la República*,[42] en una edición ordinaria, publicó una serie de medidas que modificaban la ley migratoria que regía en el país desde la década del setenta. Recuerdo leer con estupefacción aquellas páginas de la *Gaceta* ante la paralela sorpresa de todos mis amigos y familiares. En las calles se comentaba sobre la transformación que rompía con más de cincuenta años de barreras y restricciones para viajar.

La reforma migratoria fue uno de los cambios más significativos de todos los tomados en el ciclo presidencial de Raúl Castro, hermano de Fidel, quien había llegado al poder de manera interina en 2006.[43] El decreto le puso fin al permiso de salida, más conocido como «tarjeta o carta blanca», que necesitaba cualquier cubano para viajar y que el Gobierno debía aprobar; además, eliminó la

[42] Cfr. *Gaceta Oficial de la República de Cuba.*

[43] Cfr. Abraham Jiménez Enoa: «8 cosas que Raúl Castro hizo en sus 12 años como presidente de Cuba y a las que su hermano Fidel se negó durante casi medio siglo».

obligatoriedad de la requerida carta de invitación. Esto posibilitó la apertura de un éxodo ordenado y legal.

Fueron siete años de una década caracterizada por la multiplicidad de acontecimientos en el plano deportivo: el regreso de Cuba a la Serie del Caribe tras una ausencia de cincuenta y cuatro años; el incremento de los salarios e incentivos para los deportistas en la Isla; la firma de contratos profesionales en Japón, Canadá, Italia, Colombia, Panamá y México, donde el INDER devengaba entre el 10 % y el 20 % de las ganancias; la reunión en La Habana de MLB y Cuba; el juego de Tampa Bay Rays en marzo unido a la visita de Barack Obama; y el pacto del 19 de diciembre de 2018 entre MLB y la Federación Cubana de Béisbol.

Después de tantos años donde no ocurría nada ni existía contacto alguno con el exterior, Cuba transformó sus conceptos de los años sesenta, cuando se combatía el profesionalismo con sables y espadas. Corrieron nuevos aires: para unos no era más que el cambio esperado, para otros todo esto llegaba muy tarde.

La interacción de Cuba con el mundo y la apertura migratoria provocaron que el flujo migratorio hacia las Grandes Ligas aumentara: el 52,8 % de los peloteros salidos desde 1960 emigrarían entre 2011 y 2018. La reforma migratoria resulta, de esta forma, el hecho más determinante de la década en lo relacionado con la emigración del béisbol, por delante de la reunión de MLB en La Habana y del partido Cuba *versus* Tampa Bay, que fueron consustanciales al restablecimiento de las relaciones diplomáticas entre Cuba y Estados Unidos. Mientras todo esto ocurría, el beisbolista compraba su pasaporte y salía libremente, en caso de ser menor de edad junto a sus padres, hacia países que no le exigían visa a Cuba, entre los que se contaban Ecuador, Guyana y Haití. Significativamente, el 48,3 % de los peloteros emigrados (598 en total) desde 1960 salieron de Cuba después del 14 de enero de 2013, día en que la reforma migratoria entró en vigor. Aunque no todos los peloteros emigraron por vías legales, la reforma fue el principal detonante de la explosión. En la tabla 2 se presenta el cuadro de salidas por año.

TABLA 2. Salidas en la década

AÑOS	SALIDAS	AÑOS	SALIDAS
2011	32	2015	202 (año récord)
2012	22	2016	125
2013	51	2017	73
2014	71	2018	76

Los patrones de la década anterior se mantuvieron entre 2011 y 2012 hasta que la explosión generada en 2013 llegó a su punto caótico en 2015.

—Tenía pensado regresar a Cuba y salir en una lancha con mi papá -me dijo Gerardo Concepción una mañana, mientras entrenaba en el Tamiami Park de la ciudad de Miami.

En 2016, el zurdo habanero debutó en Grandes Ligas con Chicago Cubs, una tarde noche en la que el mánager Joe Maddon lo llamó a lanzar en Wrigley Field. El Conce, como le dicen sus amigos más cercanos, fue liberado en mayo de 2017, y aunque sabe que quizá no regrese a MLB, eso no le quita la alegría. Suele hacer bromas todo el tiempo y, antes que los demás alcancen a hacerlo, él mismo las acompaña de risas.

—El segundo día del torneo salí caminando del hotel donde estábamos –agrega sobre lo ocurrido en el verano de 2011.

Concepción se encontraba con el equipo Cuba en el Torneo Interpuertos de Rotterdam, Holanda. Aunque solo tenía 19 años, ya sabía que sus probabilidades de conseguir un contrato profesional eran altas. Venía de ser el Novato del Año en Cuba. Entonces acordó con una persona que lo hospedó en una casa por un mes, tiempo que estuvo ilegal en Holanda. De allí viajó a Bélgica, donde paró diez días; después, una semana en Francia y ocho meses en República Dominicana. El viaje no acabó allí. De Dominicana se movió hacia Haití, Panamá, Colombia, para terminar tramitando la residencia en tierras mexicanas.

Concepción firmó en enero de 2012 por un bono de 6 millones de dólares. Tuvo que cerrar sus cuentas de Facebook e Instagram porque conocidos y familiares empezaron a pedirle grandes cantidades de dinero con insistencia.

Nunca se vio a sí mismo con un futuro dentro de Cuba. Una de esas tardes, luego de haber abandonado a la delegación y antes de que el torneo que le había servido para huir terminase, decidió salir a un bulevar en Rotterdam y despejar la vista en alguna tienda cuando, de repente, avizoró a unos metros a varios integrantes del equipo Cuba. Concepción echó a correr aterrado por el miedo de que lo atraparan y lo regresaran a Cuba. Nunca más salió de la casa en todo el mes, hasta que partió a Bélgica.

En el mismo verano, exactamente entre junio y julio, se orquestó la odisea de Yoenis Céspedes. Fue el año en que la Comisión Nacional del Béisbol en Cuba planificó tres viajes (Holanda, Canadá y Venezuela) a torneos en el exterior para motivar a los peloteros, antes del Mundial de Panamá que se disputaría entre el 1.° y el 15 de octubre. Céspedes terminó de decepcionarse cuando le comunicaron que estaría en el viaje de menor caché: el que lo llevaría a los Juegos del ALBA (torneo multideportivo de vida efímera en el que participaban los países firmantes de la alianza castro-chavista para el continente), en Venezuela.

La Potencia, como era conocido Yoenis, no se presentó a los entrenamientos.[44] Velozmente comenzaron a esparcirse los rumores sobre su posible partida. En efecto, Céspedes había rentado una casa en la costa, desde la que pensaba salir, pero las autoridades apresaron a su madre Estela Milanés, exlanzadora de sóftbol del equipo Cuba, cuando ambos se dirigían a ese punto de salida. Céspedes viajaba en otro auto y vio como arrestaban a su madre.

Dos días más tarde, mientras se encontraba en la ciudad de Granma esperando otra oportunidad para huir, el jardinero atropelló accidentalmente a un ciclista, que murió horas después en el hospital de un ataque al corazón. Las autoridades eximieron a Céspedes de toda culpa y, a los siete días del suceso, el jardinero escapaba de Cuba en un bote que lo trasladó a República Dominicana. En enero de 2012, Oakland Athletics le ofreció un contrato de 36 millones de dólares que lo convirtió en el cubano mejor pagado hasta ese entonces. Todo el desenlace ocurrió en menos de seis meses. Céspedes alguna que otra vez dijo que nunca se iría de Cuba.[45]

---

[44] Cfr. «Sorpresas en el equipo cubano de béisbol para los Juegos del ALBA».

[45] Cfr. Susan Slusser y Demian Bulwa: «The Amazing Saga of Yoenis Céspedes».

Humberto Rivera Mazón tenía veintiocho años cuando lo contactaron para salir de Cuba. Alternaba entre la receptoría y los jardines en el equipo de la provincia de Pinar del Río. Aún no se establecía en el béisbol de la Isla, pero tomó la decisión de separarse de su madre y su país en busca de un sueño que le dibujaron otras mentes.

Le dijeron que llegando a República Dominicana tendría una casa con piscina, una taquilla repleta de tipos de zapatos y algunos lujos que nunca pensó tener en Cuba.

Un nublado domingo de febrero de 2018, nos conocemos en casa de unos amigos de Rivera, en la residencia de Lake Worth, condado de Palm Beach. Su físico intacto mantiene la figura robusta de cuando era pelotero en Cuba. Por alguna extraña razón, no ha perdido la forma atlética. Derrocha optimismo y no abandona el sueño de jugar béisbol en algún confín del mundo después de siete años. Una liga independiente al norte de Estados Unidos le convendría, también podría viajar a las múltiples ligas del Caribe o a la ya más lejana Europa.

—Aquello fue todo una mentira -me dice, refiriéndose a la partida de Cuba el 2 de mayo de 2011.

Rivera es fuerte de carácter, pero casi todos los compañeros que tuvo y con los que hablé concuerdan en que su naturaleza es cándida y noble. La contraparte de Rivera fue Víctor Jiménez, el hombre que invirtió para sacarlo de Cuba. Rivera había comprometido el 50 % de las ganancias de un posible contrato.

Después de un tiempo juntos, Rivera incluso dormía en casa de Jiménez y no en el hotel prometido. Una tarde discutieron. El pelotero dijo al inversor que había hecho su trabajo sacando de quince a veinte pelotas en *tryouts* y que este no cumplía con su parte, no lograba ningún acuerdo.

Jiménez secuestró el acta de nacimiento y el pasaporte de Rivera, una práctica muy común para evitar que el pelotero se marche con un inversionista rival. Con los documentos en pérdida, el apodado Guajiro perdió diversas oportunidades de firmar con equipos interesados en sus servicios como Atlanta Braves y Chicago Cubs. Tres meses trabajó en el campamento de los Braves y esa es la pequeña satisfacción que apacigua un tanto el sufrimiento concentrado. La firma no llegó porque nunca llegaron los documentos. Llamó a corte a Jiménez, pero nada se resolvió.

En mayo de 2015, activó el plan B del pelotero cubano que fracasa en Dominicana, y se subió a una embarcación de doce personas. Con él iba otro pelotero, Reinier González, de Las Tunas, además de Gretel, la mujer del lanzador Pablo Millán Fernández, que había firmado un contrato de 8 millones de dólares con los Angeles Dodgers. La lancha, que surcaría el canal de la Mona hasta Puerto Rico, se rompió, por lo que Rivera y sus acompañantes tuvieron que regresar a costas dominicanas. Tres días después, el viaje se concretó y, en medio de una tempestad de diez horas, llegó a Aguadilla y se acogió a la Ley de Ajuste Cubano.

Si Rivera pudiera controlar el tiempo, nunca hubiera salido de Cuba. Siete años sin ver a su madre y sin lograr el sueño que anhelaba no compensan el intento.

—Siempre me ilusioné y creí que podía. Lo tuve en la mano y nunca se me dio.

Una vez en Estados Unidos estuvo un tiempo en Ohio, luego se mudó a West Palm Beach, donde vivió por ocho meses en la casa del tío de un amigo. Dormía en un sofá. Entró al país sin *parole* y no obtuvo el documento de *social security* hasta casi un año después. Realizó una presentación en Tampa, pero dice que no fue ningún *scout*. Tenía treinta y dos años en aquel momento, ahora roza los treinta y cinco. Trabajó en una compañía de demolición y ahora maneja un camión. Para Rivera, obsesionado con el juego, confesar que ha trabajado en algún sitio lejos del béisbol es causa de vergüenza.

Solo una temporada en cualquier liga independiente o del Caribe, sea Nicaragua, Colombia o México, aplacaría todos los años de sufrimiento, decepción y espera. Obtuvo la agencia libre en febrero de 2016. Le escribieron dos equipos: San Francisco Giants y Philadelphia Phillies. No tenía quien le tradujera la correspondencia.

—Sé que me hace falta jugar béisbol. No me conformo ni nada me hace feliz si no juego béisbol -me dice.

A partir del año 2000, cuando la emigración del beisbolista cubano pasó a ser cada vez más constante y abierta, República Dominicana se presentó como el paraíso de enriquecimiento para los intermediarios: encargados de tramitar contratos, hacer presentaciones y buscar una firma profesional. Allí el negocio del béisbol mueve el dinero por millones. Cada una de las treinta organizaciones cuenta con academias donde tienen su espacio de inversión y, además, pululan los terrenos (solo en San Pedro de Macorís hay más de cien). También existe un ambiente delictivo marcado por la desidia, las pistolas -no precisamente las que cuentan millas-, el tráfico ilegal de personas y la policía corrupta. En ese lugar, donde podías hacerte profesional o terminar trabajando en la construcción por 57 dólares semanales, muchos peloteros vieron cómo sus carreras se apagaban: tuvieron que enfrentar la deportación, quedarse en una especie de limbo residiendo en Dominicana o regresar a Cuba con las manos vacías y un perfil indolente de fracaso. Por su importancia y peculiaridad, estas tres figuras migratorias –la deportación, el limbo y el regreso– cuentan con un apartado en este libro.

En Dominicana, el negocio del béisbol profesional está marcado por una extensa red de contrabando. A continuación, tipifico la tríada de personajes que articulan la columna vertebral de este negocio de extracción de peloteros:

- El buscón: es el encargado de contactar al pelotero en Cuba. Un intermediario. Trabaja en relación directa con los lancheros y operadores de embarcaciones que sacan a los beisbolistas y obtienen una cuantiosa suma en la misión. Estos lancheros se arriesgan a ser atrapados en Cuba y enfrentar una extensa condena en prisión. Buscones como Manuel Azcona se dedican a sacar peloteros de Cuba y venderlos al inversionista más interesado.
- El inversionista: corre con todos los gastos de un pelotero cuando lo patrocina. Paga la salida de Cuba, el entrenamiento, la casa, la alimentación, el preparador físico, el gimnasio y algún extra personal para el jugador si se estima que firmará por millones –quizá mujeres, discotecas, dinero para enviar a Cuba–. Invariablemente, el inversor te hace firmar un papel en el que devenga un 30 %, a veces incluso hasta un 40 % o 50 %, de las ganancias del futuro contrato. Este impuesto se ha incrementado con el pasar de los años. Los inversionistas retienen los pasaportes o documentos legales de los beisbolistas a los que se ligan para evitar un posible cambio a un inversionista rival.
- El agente: puede estar camuflado como inversionista y normalmente se lleva el 5 % legal del contrato entre el

> pelotero y la organización con la que acuerda. Muchas veces negocia a espaldas del jugador, rechaza ofertas que tal vez el pelotero nunca más reciba, mientras espera por la en ocasiones improbable tajada millonaria.

Algunos de estos personajes se han visto envueltos en la producción de esteroides y su venta ilícita; otros, en las falsificaciones de registros de nacimientos de peloteros dominicanos, cubanos y venezolanos (lo que ocurre desde la década de los ochenta), y los acuerdos con *scouts* de organizaciones de MLB que participan del negocio y acuerdan ilegalmente el beneficio de una firma millonaria.

Según cálculos que realicé, una vez comprobado el monto personal cobrado por cada jugador salido entre 2008 y 2017, los beisbolistas cubanos en su conjunto ganaron un total aproximado de 817 millones de dólares mediante su primera firma con organizaciones de MLB. Sumé desde el monto más bajo –digamos un contrato de liga menor de 10 000 dólares– hasta los pactos millonarios de Rusney Castillo o Yasmany Tomás. Si aplicamos el 30 % como término promedio (muchas veces el inversionista se apropió hasta del 60 %), los contrabandistas e inversionistas han obtenido alrededor de 245 millones de dólares en menos de una década.

—Aquí en Dominicana hay jugadores que comprometieron un 50 % y hasta un 70 % –me dijo una fuente que prefirió no revelar su identidad, evocando casos como los del infielder Malcom Núñez.

Reinier Roibal, lanzador de Santiago de Cuba salido en 2009, acordó por 425 000 dólares con San Francisco Giants. Un año más tarde tuvo que pagar 170 000 a sus contrabandistas, incluyendo los porcentajes de Bart Hernández, su agente. Roibal se vio relacionado con cárteles de drogas y grupos de contrabando. Su vida no estuvo precisamente en una zona de confort.

—La partida de Cuba fue un poco difícil, pero prefiero no dar detalles -me dice Roibal vía chat.

Jorge Padrón, jardinero de Pinar del Río, salió el mismo año que Roibal y tuvo que entregar 140 000 dólares de su contrato de 325 000 con Boston Red Sox. Eso pagaba por la operación de contrabando, incluyendo las ganancias de Bart Hernández y Julio César Estrada.

—Es complicado alcanzar un contrato. La mayoría de nosotros salimos de Cuba engañados, pensando que es fácil, que cualquiera lo puede lograr, pero la realidad es otra bien distinta -comenta Mario Ibáñez, exlanzador de Santiago de Cuba.

Ibáñez partió de Cuba en 2013 hacia Dominicana y tras participar en varios *showcases* decidió no continuar intentando pasar al profesionalismo. Tiempo después se marchó en una lancha hacia Estados Unidos y actualmente trabaja en una fábrica de vasos en la ciudad de Miami.

La emigración del béisbol cubano se fue expandiendo a la vez que un sistema de contrabando que la MLB no controla ni regula. En la década de los noventa destacan entre los intermediarios más notables los Joe Cubas, Gus Domínguez o Joe Kehoskie, pero cuando el éxodo se incrementó, tanto en República Dominicana como en México, Costa Rica y otros países surgieron innumerables buscones, agentes e inversionistas ligados al contrabando y ávidos por ingresar a una estructura de negocios millonaria.

La figura del inversionista se ha hecho popular dentro de la emigración del béisbol cubano en Dominicana y otros países del Caribe donde va a parar la diáspora de este deporte.

—Hay demasiada informalidad como para llamarlos inversionistas –me dijo en uno de tantos encuentros en la ciudad de Miami el agente venezolano Félix Luzón, quien es CEO de la agencia de representación 9 Stars Sports Management.

Son oportunistas más que todo. Existen situaciones delictivas que la MLB conoce y no puede intervenir, pero sí regular. Este gremio se ha ido incluso a la huelga y provocado el caos en el sistema de firmas internacionales. La última tuvo lugar tras la amenaza de instauración de un draft en el nuevo Convenio de Acuerdos Colectivos entre MLB y el Sindicato de Jugadores.

Los mismos inversionistas poseen nexos con entidades migratorias corruptas en Cuba. Un beisbolista del equipo nacional como Luis Robert, ahora prospecto de Chicago White Sox, pudo salir legalmente del país porque sus inversionistas pagaron 60 000 dólares de «desbloqueo» a un oficial de inmigración en Cuba, cuyo alias era *el Poeta*, según le confirmó una fuente a este libro. Peloteros de interés nacional como Urmaris Guerra (45 000) y Alfredo Rodríguez (35 000) fueron desbloqueados y pudieron viajar legalmente desde Cuba.

—Si llegas [a República Dominicana] con 5 o más Series Nacionales te quitan el 35 % del contrato, pero si lo haces con menos de 23 años de edad es el 40 %. Hay algunos cubanos aquí que tienen comprometido un 45 % y hasta un 50 % –me dijo un jugador cubano que prefirió mantener su nombre en el anonimato para no perjudicar su carrera–. Eso en el caso de los inversionistas. Los agentes, por su parte, no pueden pedir más del 5 %, porque de lo contrario pueden ser penalizados y perder su certificado de agente.

La clave que permite la continuidad de esta serie de prácticas es que ninguno de estos funcionarios está regulado por MLB. Muchos agentes, pese a no estar certificados, han firmado jugadores.

Desde 2012, los acuerdos de liga menor no están registrados en el convenio colectivo del Sindicato de Jugadores, el cual solo ampara contratos de Ligas Mayores dentro del roster de cuarenta. MLB no busca tener una jurisdicción legal ni espacio para enfrentar una problemática que no está reflejada en sus convenios.

—El gran culpable de todo este proceso infinito es la Major League Baseball -agrega Luzón sin titubeos.

En el invierno de 2018, exactamente el 28 de noviembre, fui contactado por Eddie Domínguez, un policía retirado de Boston que en 2008 trabajó para el Departamento de Investigaciones (DOI, por sus siglas en inglés) de MLB. Domínguez emigró de Cuba en 1966 con solo nueve años de edad. Se unió a los servicios del DOI junto a otros exagentes de élite con la intención de limpiar los asuntos oscuros del juego en casos como el de Biogénesis y los esteroides o el tráfico humano.

Eddie me llamó por teléfono y sostuvimos una conversación de casi una hora. Estaba trabajando en compañía de Andrew Glazer en la serie *Dirty Money*, de Netflix, que se ocupa en uno de sus capítulos de la temática del tráfico humano de peloteros cubanos y necesitaba hacerme algunas consultas. Convine en ayudarlos y Domínguez me envió como agradecimiento una copia de su más reciente libro, *Baseball Cop: The Dark Side of America's National Pastime.*

«Querido hermano, espero que le guste el libro. Un abrazo. Eddie Domínguez», escribió en la dedicatoria.

La lectura de esa obra me convenció de que Major League Baseball y sus leyes erróneas dan cabida a todo un sistema oscuro de traficantes, agentes, inversionistas, buscones, lancheros y personal de inmigración corrupto. Domínguez fue cesado de 245 Park Avenue en 2014 como también sucedió con varios de sus compañeros. Las incómodas investigaciones del DOI estaban tomando un camino que perjudicaba la integridad de MLB.

En 2012, había abierto un expediente para investigar el caso de Yasiel Puig, extorsionado por traficantes. Sin embargo, Dan Halem, jefe de la Oficinal Legal, ordenó cerrarlo aduciendo que ya Puig era agente libre. A finales de 2013, fue entrevistado por el agente del FBI Héctor Ortiz sobre el tráfico humano de beisbolistas. Se lo informó a sus jefes, que a la vez corrieron la voz hasta Rob Manfred y Dan Halem, que le asignaron al abogado Patrick Houlihan. Domínguez creía resueltamente, según fuentes y reportes acumulados, que los equipos de MLB estaban conspirando con los traficantes para sacar a jugadores específicos de Cuba.[46]

Luego del caso de Dayán Viciedo, en 2012, el expolicía no volvió a recibir la autorización de Manfred para investigar completamente un caso de tráfico humano de beisbolistas. Él mismo investigó la oscura nube del caso Viciedo, quien firmó con Chicago White Sox por una suma de 10 millones de dólares. Tiempo después, mientras descansaba en su casa un sábado, Domínguez recibió una llamada del, para aquel entonces, mánager general de Boston Red Sox,

[46] Cfr. Eddie Dominguez: *Baseball Cop: The Dark Side of America's National Pastime*, p. 104.

Theo Epstein, preguntándole por qué Viciedo no aceptaba la oferta de Boston, si ellos estaban ofreciendo más dinero que White Sox.

«Chicago White Sox pasó dinero previo a los traficantes para que estos comprometieran al jugador con ellos», explica el autor. Domínguez dice estar cien por ciento seguro de que las organizaciones de MLB conspiraron en el tráfico ilegal. El expolicía de Boston lideró varias investigaciones sobre peloteros cubanos que la oficina del Comisionado se encargó de silenciar, según relata en varios pasajes de su libro.

En el juicio de Bart Hernández, sentenciado el 2 de noviembre de 2017 a casi cuatro años de cárcel por extorsión y tráfico ilegal, la jueza del distrito Kathleen Williams aclaró, contrario a la doctrina que defendían los abogados de Hernández, que: «Este caso no es sobre el amor al juego. Este caso es sobre el dinero».[47] Para Domínguez esta frase, además, describe con certeza en lo que se ha convertido MLB.

Nunca la intención de este proceso fue culpabilizar a MLB ni hablar sobre las leyes incorrectas que proporcionan cientos y cientos de elementos delictivos y corruptos. Domínguez fue llamado a corte para probar la relación de Bart Hernández con Amin Latouf, quien sigue fugitivo entre Haití y República Dominicana, y que se dedicaba a emitir visas para peloteros cubanos en las oficinas de inmigración de Haití.

Daniel Rashbaum, uno de los abogados de Bart Hernández, se acercó a Domínguez el mismo día de la sentencia final y le agradeció por haber sido el único entre todos los testigos que apuntó a la causa subyacente.

[47] Ibídem, p. 113.

Dentro del espectro tenebroso de un negocio sistémico del que MLB hace oídos sordos, se decide la suerte de los beisbolistas emigrados cubanos: en la disyuntiva de, por un lado, la falta de oportunidades dentro de su mismo país y, por el otro, un escenario externo en el que estás por tu cuenta y no hay nadie para cubrirte.

Los inversionistas continúan sacando el jugo a los contratos que logran los beisbolistas. Cuando algún jugador cae en el limbo y no tiene el talento, eligen abandonarlo. Los contrabandistas del infielder matancero José Miguel Fernández, según investigaciones que hice, perdieron la inversión realizada. Sacar a Fernández de Cuba y ponerle todas las condiciones en República Dominicana costó más de 250 000 dólares. Se pensaba que el segunda base acordaría por 25 o 30 millones de dólares. Pero el mercado y las herramientas del matancero descendieron por igual, y solo pudo firmar por 200 000 con Los Angeles Dodgers, en enero de 2017. Perder la inversión realizada entra dentro de los cálculos. Con uno entre diez que firme por algunos millones, el lucroso negociante que maneja varios jugadores cubre las pérdidas y obtiene ganancias.

—Eso allá es una mafia -me dice José Luis Moulin, lanzador que emigró a Dominicana en 2014 y llegó a Estados Unidos en 2016 sin contrato alguno, acogiéndose a las leyes migratorias como un cubano más.

Las esperanzas se basan, para Moulin, en salir hacia Estados Unidos cuanto antes, cambiar de representación una vez puedan y tratar de mostrar su talento y capacidad. Algunos personajes de este negocio le preguntan al pelotero por la cifra estimada que desea para su contrato. Más allá de eso, lo que el agente pueda conseguir es su completa ganancia.

—Hay veces que a uno le ofrecen y los agentes no dicen por querer ganar más. Los agentes siempre quieren ganar más y esconden cosas a los mismos inversionistas. Y también ocurre que la gente se frustra un poco al ver pasar el tiempo y que no hacen nada. Por otra parte, a veces ocurre que no creen en la calidad de uno, aunque la mayor causa es porque los agentes buscan más de lo que te ofrecen, no te dicen nada y te engañan –me dice Jorge Hernández, lanzador derecho que firmó contrato de liga menor con Boston Red Sox en 2017 y obtuvo una invitación a los entrenamientos de primavera.

En Venezuela, también ocurrieron estafas y mentiras. El destino puso a Edy Gustavo Frailes Issac en el camino del jardinero y jugador de cuadro Ariel Hechevarría. El talentoso habanero salió de Cuba en 2016 y acordó ser representado por Frailes sin imaginar que esto le causaría una pérdida significativa de dinero y tiempo. Frailes se presentó en la Academia donde entrenaba el cubano en Venezuela y acordó representarlo bajo la supervisión de los entrenadores Jonathan y Jackson Melián.

Hechevarría salió de Cuba con 22 años. Realizó una presentación en la que se encontraban las treinta organizaciones de Grandes Ligas. San Francisco Giants ofreció un bono de 180 000 dólares. Rechazado. Detroit Tigers luego puso un millón sobre la mesa. Rechazado. Dijeron que era muy poco dinero, según le comentaba el mismo Frailes al pelotero cubano. Texas Rangers y Chicago White Sox también ofrecieron.

Ajeno al mundo, Hechevarría firmó con los Navegantes del Magallanes de la Liga Profesional de Venezuela y, de un contrato de 12 000 dólares, solo llegaron a sus bolsillos 3 600.

—Yo no tenía cuenta bancaria pues aún no me llegaba la residencia y el Magallanes depositó el dinero en una cuenta de ellos –me dice Hechevarría–. Cansado de dos años de buen rendimiento sin lograr conseguir un trato, decidí romper con él.

En el momento en que el cubano decidió romper sus relaciones con el agente y reclamarle su cédula de residencia uruguaya, inscripción de nacimiento y carnet de salud, Frailes se dio a la fuga.

—Se desapareció para retenerme –explica.

Hechevarría tuvo que rehacer nuevamente todos sus documentos y empezar de cero.

En la primavera de 2017 colaboré con el reportero y escritor Scott Eden en una historia titulada «Los prospectos perdidos de Cuba», publicada en el portal de ESPN durante junio de ese año.[48] Eden y la productora Pia Malbran me visitaron una mañana de febrero. Ambos me preguntaron algunas interioridades sobre la historia que estaban desarrollando y yo accedí amablemente, incluso les entregué los números de peloteros salidos entre 2014 y 2016.

En la historia de ESPN se describe la entrada de los peloteros cubanos desde Haití hacia Dominicana a través de la frontera por Dajabón. En este punto, destaca el caso de Darys Bartolomé, slugger de treinta años nacido en la provincia de Camagüey, que se aventuró a emigrar en 2014. Los contrabandistas enviaron el dinero para el pasaporte y Bartolomé se subió en un vuelo a Puerto Príncipe y desde allí fue conducido a la frontera.

[48] Scott Eden: «The Lost Prospects of Cuba».

En la parte delantera del auto viajaba un funcionario de las Fuerzas Armadas de Haití. En cada garita de seguridad ellos tenían el paso libre.

El tráfico de peloteros está respaldado por un consorcio único entre policías y militares de ambos países. Es de esta manera que las agencias libres se pueden tramitar con tanta facilidad en Haití. Gracias a estas «facilidades» los hermanos Gurriel tuvieron lista su agencia libre en solo treinta días y José Abreu pudo firmar con Chicago White Sox tres meses después de salir de Cuba. La mayoría de los peloteros salidos a partir de 2015 –alrededor de un 80 %– llegó vía aérea a tierras haitianas y se transportaban a Dominicana ilegalmente. Según le corroboraron algunas fuentes a Eden, los trámites para una residencia tienen un precio inicial de 6 000 dólares que puede aumentar según la calidad y las posibilidades de firmar de un beisbolista. Se estima que la agencia libre de Rusney Castillo en 2014 costó alrededor de 60 000 dólares.

El promedio de edad de los peloteros salidos fue descendiendo a medida que pasaban los años (figura 1). En la década de 2001 a 2010 la mayoría de los emigrados acumulaban como promedio 3 o 4 temporadas en Cuba.

A partir de 2014, la pendiente de edad de los peloteros emigrados inició su caída hasta alcanzar el punto más bajo en 2016 y 2017, cuando casi todo un equipo de muchachos sub-15 dijo adiós a su tierra abordando vuelos que finalmente los llevaban hasta República Dominicana. El *modus operandi* de los buscadores de talento en Cuba cambió su focalización. Ya no eran necesarios costosos y arriesgados viajes en lanchas, cuando podías sacar a los peloteros de la Isla mediante un procedimiento más barato, seguro y eficiente.

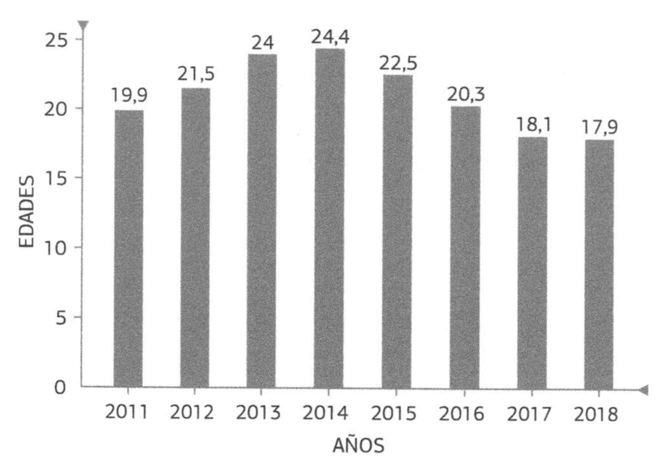

FIGURA 1. Promedio de edad de los peloteros emigrados por año.

Como se hace imposible realizar el viaje directamente a Dominicana, el trayecto que se diseñó contenía una triple escala: La Habana-Panamá-Guyana-Curazao-Haití. Para entrar a Guyana volaban en Copa Airlines y desde Curazao abordaban en una aerolínea llamada Insel que no solicitaba visado para tomar un vuelo hacia Haití. Entonces, ¿cómo entraba el pelotero cubano si Haití exige visa?

—Se le pagaba al funcionario de inmigración de Haití y así entraban -me dice una fuente muy cercana al negocio que prefirió no revelar su nombre.

Los contrabandistas de peloteros acordaban el pago a los aduaneros y personal de inmigración en el aeropuerto y de esta sencilla manera más del 70 % de los beisbolistas cubanos salidos de Cuba después de 2014 culminaron la ruta.

El 3 de octubre de 2015, el prometedor jardinero de 19 años Enrry Félix Pantoja salió de Cuba sin otra compañía. Su vuelo hizo una breve escala en Panamá y continuó hacia Haití.

—Llegué a Haití el mismo 3 de octubre y el día 4 crucé para República Dominicana.

Pantoja firmó un contrato de liga menor con Oakland Athletics por 650 000 dólares en febrero de 2017.

En un primer momento, los traficantes usaron la vía de Ecuador o Trinidad y Tobago. Yoan Moncada, infielder de Cienfuegos que firmó por 31,5 millones de dólares con Boston Red Sox, partió desde Ecuador, país que no exigía visado, hacia Guatemala, donde sus representantes Josefa y David Hastings le ayudaron a establecer la obligatoria residencia en un tercer país.[49]

Sin embargo, la inusitada y silenciosa ruta La Habana-Panamá-Guyana-Curazao-Haití dejó de funcionar cuando el Gobierno de Curazao prohibió en 2017 los vuelos de Insel Air hacia Haití debido al mal estado técnico de sus aeronaves. El hecho trascendió a tal punto que Estados Unidos prohibió a sus funcionarios en Curazao volar con dicha aerolínea.

Según cálculos que realicé, de los 598 jugadores emigrados después de 2013, a partir de la apertura migratoria, un 74 % de las salidas fueron legales, un 22 % ilegales y solo un 4 % correspondió a abandonos de equipos nacionales en el exterior. La maquinaria del tráfico de peloteros fue inclinándose por la tendencia de la vía legal. Lo que inició como una moda pronto se hizo costumbre para una industria que levantó una red de sobornos entre las autoridades migratorias de Haití.

El hecho de que el beisbolista emigrara legalmente de Cuba hacia México, República Dominicana, Venezuela o Costa Rica no cambiaba en gran medida su situación.

[49] Eli Saslow: «¿Estás seguro que estás preparado para todo esto?».

Muchos de ellos continuaron siendo sobornados, chantajeados, abandonados, vendidos como mercancía o dejados en la calle. El que pudo firmar un contrato profesional también reconoce la ayuda que le brindaron aquellas personas como el inversionista y el agente. El que fracasó no te hablará bien de su experiencia. Eso sí, desde la apertura migratoria en 2013, el 74 % de los peloteros emigrados no tuvo que arriesgar sus vidas en el mar. En la tabla 3 se muestra la relación de abandonos, salidas legales y salidas ilegales para todo el periodo estudiado.

La apertura migratoria y el leve aumento de los índices de conectividad fueron quizá las grandes causas de este cambio de paradigma. Adiós a la era de la desinformación. El pelotero despertó del aislamiento en que se hallaba confinado desde los años sesenta. Un simple perfil desde Cuba en Facebook ya podía poner en contacto al pelotero con algún buscón, agente o inversionista, sin ser necesario que saliera a algún torneo. Cuando las autoridades cubanas implementaron medidas para contrarrestar la crisis, ya era demasiado tarde.

La aprobación de la política de contratos en el exterior y los aumentos de salarios a los peloteros se presentaron como las medidas más relevantes con que el Gobierno cubano intentó frenar en 2014 este éxodo masivo. Eufemísticamente, la oficialidad cubana llamaba «política de contratos» a lo que no era otra cosa que inserción y regreso de los beisbolistas cubanos al tan vilipendiado sistema del deporte profesional. La agencia Cuba Deportes S.A., entidad perteneciente al INDER, gestionaba las operaciones y se agenciaba un porcentaje de ganancias que podía ir desde el 10 % hasta el 20 %. Frederich Cepeda

TABLA 3. Abandono, salida legal e ilegal a partir de 1991

AÑO	ABANDONO	SALIDA ILEGAL	SALIDA LEGAL
1991	2	0	0
1992	3	1	2
1993	5	3	2
1994	2	9	3
1995	4	2	8
1996	9	2	4
1997	3	3	10
1998	0	6	10
1999	2	5	14
2000	4	5	10
2001	0	3	4
2002	1	3	8
2003	0	9	12
2004	0	29	7
2005	0	13	7
2006	1	2	10
2007	0	5	15
2008	3	14	9
2009	1	48	9
2010	1	24	12
2011	1	17	12
2012	1	9	12
2013	3	30	18
2014	0	36	34
2015	4	32	175
2016	10	17	95
2017	4	9	57
2018	1	7	56
TOTAL	**65**	**343**	**615**

firmó un contrato de 1,5 millones de dólares en la Liga Profesional de Japón con los Gigantes de Yomiuri. Luego se le unió Alfredo Despaigne, cuando los Chiba Lotte Mariners le extendieron una oferta de 4,2 millones de dólares.[50] En 2016, Fukuoka SoftBanks firmó nuevamente al jardinero granmense por más de 10 millones de dólares.

Otra de las medidas, el aumento de los salarios, entró en vigencia también en 2014. Según lo estipulado, los atletas campeones olímpicos recibirían 460 dólares al mes y, en el caso del béisbol, se pusieron en funcionamiento una serie de incentivos económicos con el fin de motivar al beisbolista de alto rendimiento.[51] Quien participara en el 70 % de los juegos en la Serie Nacional recibiría un bono de 5 000 pesos cubanos, un equivalente a 200 dólares. El mismo premio obtendría el abridor que superara los 120 innings y ganara 10 desafíos, al igual que los relevistas con más de 32 salidas y 10 salvados. Se activaron premios de 1 000 pesos (40 dólares) para el líder de bateo, jonrones, carreras impulsadas, anotadas, bases robadas, el novato del año y el jugador más valioso, así como para el lanzador más ganador, el líder en salvados, innings, ponches y el que encabezara el promedio de ganados y perdidos. Más allá de los montos insuficientes, estos incentivos a peloteros en los últimos años han sido otorgados en medio de la irregularidad. Nada más en 2017, los peloteros del equipo los Gallos de

[50] Cfr. Associated Press: «Cuban Outfielder Despaigne Re-Signs with Chiba Lotte».

[51] Cfr. Leticia Martínez: «En vigor normas jurídicas sobre los ingresos de atletas, entrenadores y especialistas del deporte».

Sancti Spíritus acumulaban ocho meses de retraso en sus salarios.[52]

Esta serie de medidas desesperadas para frenar la emigración, pese a significar un avance para quienes optaban por quedarse en el país, llegó al menos con diez años de retraso y no tuvieron incidencia alguna en el flujo de la emigración del béisbol. En el transcurso de esta investigación, intenté contactar con altos federativos del béisbol en Cuba. Ni Higinio Vélez, presidente de la Federación Cubana de Béisbol, ni Heriberto Suárez, antiguo comisionado, destituido en 2017, quisieron atender a mis solicitudes de entrevista. Tampoco quiso responder a mis preguntas Antonio Castro, hijo de Fidel Castro, quien se desempeña como embajador de la Confederación Mundial de Béisbol y Sóftbol (WBSC, por sus siglas en inglés).

El regreso de Cuba al profesionalismo contradijo cincuenta años de una política enclaustrada y ajena al mundo. Aun así, los contratos en el exterior no supusieron la solución deseada. En 2015, luego de una temporada en Japón, Yulieski Gurriel abandonó la representación cubana, luego de finalizar la Serie del Caribe, y renunció a un contrato de 3 millones de dólares con Yokohama Bay Stars, en donde había jugado un año antes, para intentar la aventura ligamayorista. El lanzador Héctor Mendoza no continuó en Japón tampoco y viajó hacia Dominicana en busca de una firma con alguna franquicia de MLB. El 20 de agosto de 2016, similar destino escogió el jardinero José Adolis García de los Yomiuri Giants, quien aprovechó para abandonar una escala en Francia del vuelo que lo regresaba a Cuba desde tierras asiáticas.

[52] Cfr. Mayli Estévez: «Las razones del éxodo de deportistas cubanos».

La Serie Nacional de Béisbol no fue precisamente un templo de motivación y, según me confirmaron algunos jugadores, los pagos por incentivos llegaban con retraso. Otra causa de la elevada tasa migratoria vino aparejada en 2013 a la descontinuación de las Copas Intercontinentales y Copas del Mundo de la IBAF (la Federación Internacional de Béisbol se unió con el Softball y formaron la WBSC). Los viajes al exterior eran la principal dosis de motivación del cubano en su liga y estos decrecieron con respecto a un lustro atrás. Escasearon los torneos de antaño. La selección nacional solo podía llevar 24 jugadores (o 30 en caso de un Clásico Mundial) a un torneo internacional. El talento joven del béisbol en Cuba nos dice que existían más de 100 jugadores con nivel por encima del promedio. Es decir, que invariablemente solo se estaba motivando al 25 % de su talento.

El resto fue emigración.

El 15 de diciembre de 2015 asistí a la conferencia de prensa de Major League Baseball y el Sindicato de Jugadores (MLBPA) en el Hotel Nacional de La Habana. Era una tarde calurosa y también histórica porque se realizaba el primer acercamiento real entre Cuba y Estados Unidos desde que se rompieran todos los nexos en 1961-1962. Una hora antes de comenzar la conferencia llegué al hotel junto a Andy Luis Leal y Yodeni Masó, periodista de Cubavisión Internacional. Gracias a Masó pudimos entrar simulando ser camarógrafos de la Televisión Cubana. Como en aquel momento trabajaba para *OnCuba*, un medio independiente al que se le negaban los accesos, no tenía credencial de prensa para un evento donde solo participaban los medios oficiales cubanos acreditados, es decir, los que formaban parte del aparato propagandístico estatal.

Llegamos antes que todos y pudimos conversar con Miguel Cabrera, Clayton Kershaw, Jon Jay y Yasiel Puig. Convencí a Alexei Ramírez para una pequeña entrevista de cinco minutos. De lejos, pude ver a Nelson Cruz, José Abreu y Brayan Peña. La delegación de peloteros cubanos y latinos de MLB venía en gesto de reconciliación y acercamiento luego de concretarse el restablecimiento de las relaciones políticas entre Cuba y Estados Unidos un año antes.

Aunque yo no pertenecía a la prensa oficial, pude constatar la cobertura de bajo perfil que se le dio a la reunión y al periplo de actividades posteriores que cumplimentó la delegación. Apenas se reseñó la estancia de los jugadores que regresaban luego de haber abandonado el país –Peña (1999), Ramírez (2007), Puig (2012) y Abreu (2013)– para buscar el sueño de las Grandes Ligas. En medio de la ambigüedad, el régimen cubano les abría las puertas del país a esta delegación, como parte de una movida política marcada por intereses mayores, pero los medios oficiales trataban de silenciar convenientemente el impacto real de la visita y apenas mencionaban los nombres de las estrellas que volvían.

La reunión entre Cuba y MLB dio inicio a las cuatro de la tarde. Dan Halem, vicepresidente y asesor legal de MLB; Joe Torre, vicepresidente ejecutivo; Tony Clark, presidente del Sindicato de Jugadores, y Dave Winfield, asistente especial del presidente del Sindicato de Jugadores, comparecieron ante los periodistas de diversas nacionalidades en un salón abarrotado. En la primera fila a la izquierda se encontraban los peloteros. En la misma locación, aunque a la derecha, se hallaban Antonio Castro, Higinio Vélez y Heriberto Suárez, funcionarios representantes de la parte cubana.

Halem fue lo más realista posible en sus palabras. Dijo que era una meta para MLB una participación segura y legal de los cubanos y que, pese a las dificultades, esperaban negociar un acuerdo. Días más tarde, el presidente Barack Obama pidió al Congreso de Estados Unidos que levantara el embargo económico y financiero que impide a los dos países establecer vínculos comerciales y de negocios, sin el cual los beisbolistas cubanos podrían ser contratados por MLB sin renunciar a su residencia. Las directrices de la política de Obama se alineaban con las ansias de expansión del nuevo comisionado de MLB, Rob Manfred. El comisionado solicitó una licencia especial a la Oficina de Control de Bienes Extranjeros (OFAC), perteneciente al Departamento del Tesoro, y recibió una negativa por respuesta.[53]

La reunión entre MLB y Cuba en diciembre de 2015 fue más bien un gesto simbólico que no se materializó bajo ningún acuerdo. MLB no obtuvo el apoyo de su Gobierno y Cuba prosiguió intentando alternativas ineficaces para retener a su talento ávido de progreso económico y deportivo.

El 22 de marzo de 2016, se escenificó el partido entre Cuba y Tampa Bay Rays, en el estadio Latinoamericano de La Habana. Con la presencia de los mandatarios Barack Obama, quien realizaba la primera visita oficial de un presidente norteamericano a Cuba en más de cincuenta años, y Raúl Castro, el hermano de Fidel Castro, que había tomado las riendas del país. Luis Tiant Jr. lanzó la pelota inaugural mientras se liberaban palomas. Entre los integrantes de los Rays, el jardinero

[53] Cfr. Ben Strauss: «Major League Baseball Wants to Let Cuban Players Sign Directly with Teams».

Dayron Varona se convertía en el primer cubano perteneciente a un equipo de MLB que disputaba un juego oficial en la Isla luego de la prohibición del profesionalismo.

Varona, que había salido con su madre en una embarcación el 23 de noviembre de 2013 del oriente de Cuba hacia Haití, realizaba en ese momento el sueño de todas las estrellas del exilio que anhelaron regresar al Latino y jugar algún día en su tierra y frente a su pueblo. Ese 22 de marzo, ni mis compañeros ni yo pudimos entrar al estadio, ni siquiera de camarógrafos encubiertos esta vez. Las entradas por invitación se distribuían entre los miembros de las organizaciones políticas del régimen. Casi dos años después, me encontré con Varona en su residencia de Pompano Beach, Miami. Me relató las interioridades de su travesía y regreso a Cuba. Ese relato ocupa un apartado en esta investigación.

Cuando los peloteros de Tampa y Cuba fueron a saludar a los presidentes, llegado el turno de Varona, este estrechó su mano con la de Obama, quien le dijo: «Welcome home».

La explosión de la emigración del béisbol cubano sobrevino en 2015, cuando 202 peloteros abandonaron la Isla. Un año antes, se habían marchado 73, perfecto anuncio de la crisis, pues desde 1961 no se superaba la cifra de los 60 «abandonos» en un año. El 4 de enero de 2016 publiqué un artículo en la revista *OnCuba* titulado «2015: récord de migración del béisbol cubano».[54] Ese trabajo contenía una lista de 150 beisbolistas y, un mes después, tras el sonado abandono de los hermanos Gurriel en República Dominicana, fue citado

[54] Cfr. Francys Romero: «2015: récord de migración del béisbol cubano».

por Ben Strauss en *The New York Times*.[55] No obstante, esa lista de 150 fue alimentándose y creciendo, fui encontrando más y más nombres de beisbolistas emigrados. Tal es así que en 2018 aún continuaba recopilando fichas de peloteros que habían abandonado en ese año.

Para que se tenga una idea de la magnitud de la explosión del año 2015, entre 1971 y 2000, un total de 175 beisbolistas se marchó de Cuba, una cifra que fue superada por el año 2015, cuando 202 peloteros abandonaron la Isla. Este número devastador superaba a casi tres décadas de éxodo, con dos crisis migratorias (1980 y 1994) de por medio.

En este sentido, no resulta una casualidad que los dos años de mayor éxodo –2015 y 2016– en la historia del béisbol cubano también fueron en los que se gestó una nueva crisis migratoria en Centroamérica y más de 80 000 cubanos arribaron a Estados Unidos por diferentes vías. El éxodo en masa de todo un país se aceleró por el temor fundado a que se terminaran los beneficios asociados a la Ley de Ajuste Cubano, por las condiciones de vida del país y las facilidades de la apertura migratoria de 2013. El béisbol no fue la excepción de la época.

En doce meses, la diáspora de 2015 reunió más emigración que cuatro décadas anteriores y, en el segmento de 2011 a 2018, se duplicaron todos los registros (figura 2).

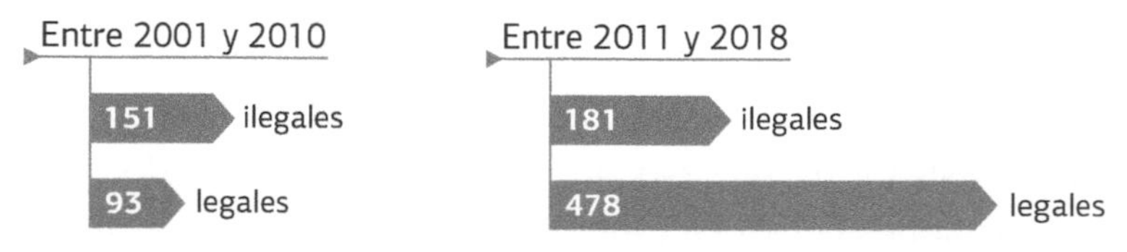

FIGURA 2. Salidas legales e ilegales en la década.

[55] Cfr. Ben Strauss: «Star Brothers Are Apparently the Latest to Defect from Cuba».

Un solo año representó el 16,4 % del éxodo total en 58 años de emigración y, además, equivalió al 31,0 % de los 652 jugadores que se marcharon entre 2011 y 2018. En la figura 3 se muestra el comportamiento de peloteros emigrados por décadas.

A través de la cómoda vía de los vuelos comerciales, sin que quiera decir que terminaron las salidas mediante embarcaciones como el caso de los prospectos Norge Luis Ruiz y Cionel Pérez, comenzarían a escapar legalmente beisbolistas valorados en el mercado internacional. Entre estos se encontraban los prospectos Yusniel Díaz y Omar Estévez, quienes firmaron contratos millonarios con Los Angeles Dodgers de 15,5 y 6 millones de dólares respectivamente.

Más de 15 jóvenes talentosos firmaron contratos millonarios en esa etapa: Vladimir Gutiérrez (4,75), Randy Arozarena (1,25), Jorge Oña (7), Ronald Bolaño (2,25), Yanio Luis Pérez (1,1), Alfredo Rodríguez (7), Cionel Pérez (2), Norge Luis Ruiz (2), Yordan Álvarez (2), Eddy Martínez (3), Yaisel Sierra (30), Johan Oviedo (1,9), Michel Báez (3), Adrián

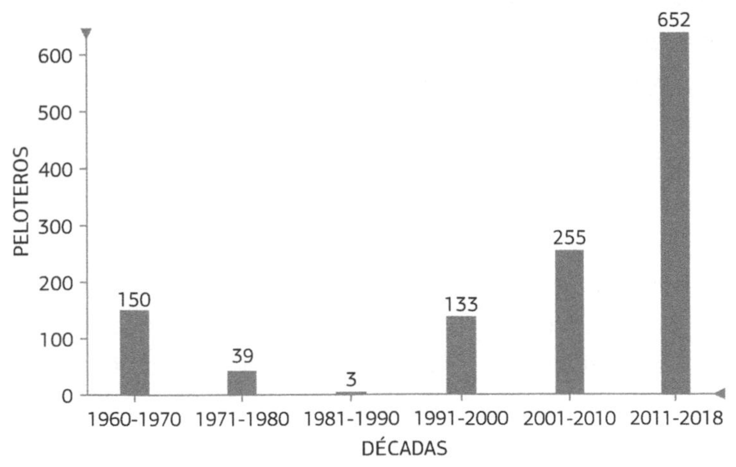

FIGURA 3. Peloteros emigrados por década.

Morejón (11), Aníbal Sierra (1,5), Lázaro Armenteros (3), Jonathan Machado (2,35) y Elián Rodríguez (1,9). A este grupo se suma el de más de una veintena que al menos consiguió una firma entre los 10 000 dólares y el millón.

De los 202 jugadores salidos en 2015, 52 de ellos han logrado firmar con alguna organización de Grandes Ligas, lo que significa el 25,9 % del total, mientras un 14,6 % ha jugado en ligas como México, Venezuela, Panamá, Colombia, Italia o España.

Para 2016 se mantuvo la cifra de salidas por encima del centenar. Por lo que, si calculamos los que lo hicieron entre 2014 y 2018, obtendríamos el 44,1 % (547 jugadores) del total emigrado desde que comenzó esta historia en 1960.

Sin embargo, a partir de 2012, el índice de contratación de cubanos con organizaciones de Grandes Ligas fue decreciendo, debido también a que la proporción de emigrados iba en aumento. Si sumamos el porcentaje de peloteros firmados, que al menos llegaron a ligas menores, y los que han jugado en otras ligas que no pertenecen a MLB, observamos que el porciento fue decayendo hasta colocarse por debajo del 40 luego de 2015 (tabla 4).

El documental *Cuba: Island of Baseball*, presentado en diciembre de 2016 por la cadena televisiva MLB Network, muestra un ángulo inexacto en la emigración del béisbol cubano, pues se considera como único destino del éxodo a las Grandes Ligas. Los beisbolistas cubanos no siempre tuvieron esa perspectiva en sus mentes. El sistema del béisbol cubano y su liga eran, a lo sumo, cualitativamente un béisbol de nivel Doble-A. Con la existencia de otras ligas en América y Europa de un nivel inferior al de Cuba, los jugadores subestimados o de menor talento de la Isla eligieron otros países para su realización profesional

TABLA 4. Porciento de firmas de peloteros emigrados a partir de 2010

AÑOS	FIRMADOS CON EQUIPOS DE MLB	FIRMADOS POR EQUIPOS DE MLB + OTRAS LIGAS
2011	51,8 %	62,0 %
2012	55,0 %	70,0 %
2013	43,4 %	62,2 %
2014	28,9 %	46,8 %
2015	25,9 %	40,3 %
2016	27,1 %	35,6 %
2017	23,7 %	29,3 %

* Números hasta octubre de 2018.

y mejora económica. De esta manera, la Liga Cubana perdía cada temporada beisbolistas que, si bien no pertenecían a la élite, sí sustentaban la base de un béisbol que poco a poco atracó en la crisis estructural, de calidad y resultados.

Entre los ejemplos más sonados tenemos los de Remigio Leal, lanzador que estuvo por más de 20 temporadas en ligas de España, Italia o Francia, hasta cumplir los 54 años de edad; Laidel Chapellí, jardinero de Camagüey, que emigró ya veterano y completó el resto de su carrera en Italia; y Ernesto Martínez, receptor de Holguín que emigró en 2006 hacia Francia, y diez años después él y su hijo Ernesto Jr. se convirtieron en la primera pareja de padre-hijo en jugar una instancia de Clásico Mundial de Béisbol, en este caso el Clasificatorio de Panamá, 2016, con la selección de Francia.

Enorbel Márquez, pitcher zurdo de Santiago de Cuba, marchó hacia Alemania, donde se consagró como el mejor brazo de los últimos quince años. Comenzó lanzando en el béisbol de Italia (que remunera con entre 3 000 y 7 000 dólares mensuales en dependencia del jugador) y más tarde se convirtió en el primer abridor de la selección alemana de béisbol.

En el continente americano también han triunfado algunos sin necesariamente alcanzar un contrato con organizaciones de Grandes Ligas. Es el vivo ejemplo de lo anterior el lanzador Jorge Martínez, de Matanzas, que ha incursionado en ligas invernales de Puerto Rico, Venezuela y República Dominicana; o Luis Yadier Fonseca, de Isla de la Juventud, con más de una década en el béisbol de México y campeón de la Serie del Caribe 2014 con Naranjeros de Hermosillo.

La expansión del béisbol cubano por América y Europa dio amplitud y prestigio al talento de la Mayor de las Antillas en el mundo. Rei Martínez y Maikel Azcuy representaron a Gran Bretaña en el Clasificatorio al Clásico Mundial de Béisbol de 2016 en New York. Entre las memorias más fulgurantes de Martínez, un lanzador lateral que emigró de Cuba a los catorce años en 2007, se encuentra un ponche propinado a Ike Davis, en el choque que enfrentó a su equipo e Israel, en el citado evento.

—Llegué a Inglaterra pues mi mamá vive aquí y me trajo cuando tenía quince años. Mi pasión por el béisbol continuó porque encontré un equipo cerca llamado Bracknell Blazer -me dice Rei Martínez.

El pinareño Maikel Azcuy salió de Cuba en 2005 y doce años después era el líder en jonrones e impulsadas en el béisbol de Inglaterra, donde la compensación económica es inferior a la apasionada lealtad por el juego.

—Aquí en Bélgica fue donde empecé a jugar en serio de nuevo para llenar el vacío que nos deja Cuba -me comenta vía chat Elio Fundora, quien, junto a José Luis Larrinaga, Leonel Reina y Nguyen Boulet se han desempeñado en el casi virgen béisbol de ese país europeo.

Fausto Álvarez emigró hacia Holanda en 2005 en búsqueda de progreso económico y sin proponerse la meta debutó con Amsterdam Pirates en 2007, donde dejó números de ensueño. Con .365 de average y 12 jonrones se convirtió en el primer cubano y latino elegido Jugador Más Valioso desde el surgimiento de la Dutch Major League Baseball en 1953.

Otros han jugado en Australia (Jandy Sena), Rusia (Yosvani Fonseca y Raudelín Legrá), Suiza (Yonimiler Martínez y Jesús Martínez) o Polonia (Hasely Medina); en la selección de Portugal (Jorge Castañeda), Brasil (Irait Chirino, Ernesto Noris y Juan Carlos Muñiz) o el equipo de Israel (Alejandro Eskenazi). A pesar de que estas ligas y selecciones dejan escasa compensación económica, el pelotero cubano se abría hacia otros horizontes y, en una especie de segunda oportunidad, veía resurgir su carrera a pesar de la lejanía.

—Ellos no querían marcharse de Cuba –me dice una fuente cercana a la familia de los Gurriel, refiriéndose tanto al padre Lourdes como a la madre Olga Lidia. Esto significaba romper una estructura de vida de más de cincuenta años y una fidelidad pública a la Revolución cubana. Lourdes Gurriel, el héroe del Mundial de Parma en 1988 con un jonrón a Jim Abbott y uno de los protegidos del régimen, jamás hubiera emigrado de Cuba si a sus hijos no les hubiera desvelado el sueño de llegar a Grandes Ligas.

El 8 de febrero de 2016, los hermanos Yulieski y Lourdes Gurriel Jr. abandonaron el equipo Cuba en la Serie del Caribe en República Dominicana. En octubre de 2015, entrevisté a Lourdes Jr. en el estadio Sandino de Villa Clara y me comentó de sus ansias por jugar en Grandes Ligas.

Ellos esperaron porque MLB y Cuba arreglaran el antagonismo, pero como la situación no parecía aclararse decidieron abandonar.

La generación de Gurriel padre, Omar Linares, Víctor Mesa, Antonio Pacheco y demás estrellas de los noventa, tuvo como asignatura pendiente el examen en MLB. Fue un sueño postergado que se diluyó en nostalgia. Pero el sueño postergado de los padres no podría ser el de los hijos, sobre todo en la era donde los paradigmas y doctrinas se derrumbaban en la sociedad cubana.

Yulieski Gurriel y Lourdes Gurriel Jr., Víctor Mesa y Víctor Mesa Jr., Miguel Vargas, Osniel Madera, Bárbaro Urquiola, Héctor Olivera, Lisbán Correa o Lionar Kindelán miraron en la dirección contraria a sus padres y fueron a la búsqueda del uniforme profesional. Familias protegidas por un historial de lealtad al régimen, como la de Gurriel, terminaron emigrando.

Pese a la apertura migratoria, continuaron siendo frecuentes los abandonos en equipos Cuba que salían a competencias en el exterior. Corría el año 2013 cuando Odrisamer Despaigne hizo escala en Francia con el equipo Cuba que se encaminaba a un torneo en Holanda y decidió quedarse. El inicialista de los Tigres de Ciego de Ávila, Yozzen Cuesta, lo hizo en Canadá, en el torneo World Baseball Challenge, donde participaba con su equipo, que se había titulado campeón de Cuba. Misael Siverio, lanzador zurdo, lo imitó abandonando la selección nacional en un Tope Bilateral ante Estados Unidos en Des Moines, Iowa.

En 2015 les siguieron el lanzador pinareño Vladimir Gutiérrez y el infielder Dainer Moreira, quienes abandonaron su puesto en la Serie del Caribe 2015, en Puerto Rico.

En el verano de ese mismo año, Yadiel Hernández aprovechó otro Tope Bilateral y salió del hotel donde se alojaba en North Carolina. En ese evento también abandonó el infielder Luis Yander La O.

El año 2016 trajo el citado abandono de los hermanos Gurriel en República Dominicana. Cuatro meses más tarde, exactamente el 23 de junio, el jardinero Lázaro Ramírez también dejó otra selección de Cuba, esta vez en New Jersey, mientras participaba en el torneo de la Liga Canadiense de Béisbol (Canadian-American Association). Era día de compras. Ramírez entró en una tienda, tenía las coordenadas del auto que lo estaría esperando afuera.

—Me salí de la tienda. Caminé hacia el *parking* y me monté en el auto que me esperaba. Ahí sí ya me puse bien nervioso –me confiesa el hábil bateador.

—Recibimos unas llamadas donde nos informaron que estaban interesados en que fuéramos para República Dominicana –me dijo el lanzador derecho Richard Guasch.

Él y su compañero Oscar Marten tenían dudas al principio, pero desde Cuba decidieron marcharse si saltaba la oportunidad.

—Luego de que dimos el sí nos empezaron a mandar mucho dinero y nos dijeron que nos quedáramos en el Panamericano Juvenil de Monterrey, México.

La operación ocurrió en octubre de 2016. Ambos pasaron cinco angustiosos meses sin dedicarse al béisbol entre viajes por Centroamérica, atravesando países como Guatemala, El Salvador y Panamá. Guasch firmó en 2018 con Oakland Athletics por un bono de 125 000 dólares.

La moratoria de la Ley de Ajuste en enero de 2017 ni siquiera frenó los abandonos. Luego de esto, el lanzador derecho Luis Manuel Castro fue el primer pelotero cubano que se escapó de un equipo Cuba en Estados Unidos, en otra edición del torneo Can-Am.

Yorkislandy Álvarez y Pablo González siguieron a Castro, dejando a un lado el equipo juvenil que participaba en julio de ese año en un torneo en Montreal, provincia de Quebec, Canadá. González fue contactado por su teléfono celular, en la voz del lado de allá hablaba un hombre que se apodaba a sí mismo Padrino. Ambos tenían cuarenta y ocho horas para meditar la decisión de dejarlo todo atrás. En la medianoche abandonaron la residencia y se subieron a una camioneta. Al día siguiente las autoridades cubanas recogieron todos los teléfonos de los restantes beisbolistas menores de dieciocho años: se evitaba el contacto con el exterior, la localización vía redes sociales.

Los abandonos durante viajes al exterior fueron reduciéndose entre 2013 y 2018. El beisbolista prefería tomar una salida legal y segura, que, en todo caso, le permitiera regresar a su tierra en un corto período de tiempo, a diferencia de los que abandonan una delegación oficial y tienen que esperar ocho años para volver.

La emigración del béisbol cubano entre 2011 y 2018 (652 peloteros) destruyó cualquier esperanza de una posible recuperación del deporte nacional al interior de la Isla. Cuba perdió sus tres encuentros en la segunda fase del IV Clásico Mundial de Béisbol 2017, con una selección alternativa que ni siquiera consideró integrar a los cubanos que jugaban en ligas sin ningún vínculo con MLB. La calidad de la Serie Nacional o Liga Cubana se desvaneció. La estructura de resultados mantuvo su crisis para 2018. El núcleo del béisbol, peloteros entre 16 y 22 años, se desfasó y los equipos nacionales fueron envejeciendo como resultado del éxodo.

Julio Pablo Martínez, jardinero cubano de veintiún años, viajó a Canadá en 2017 bajo el patrocinio de Cuba Deportes, la marca de arreglos y tratados del INDER con sus deportistas. Estuvo jugando con las Aigles de Trois-Rivieres en la Liga Can-Am (Canadian American-Association). Le pregunté sobre la cantidad de agentes-*scouts*-inversores o busca-peloteros que habían intentado contactarle para que se desligase del béisbol cubano y me dijo:

—Muchos.

Entonces, le pedí que me escribiera una cifra aproximada y comentó:

—De 15 a 20.

—¿Por qué vías han contactado contigo: Facebook, teléfono, etc.? –insistí.

—Por todas –respondió.

Corre el mes de julio de 2017 y Julio Pablo es uno de los pocos talentos que no ha elegido romper con el béisbol oficial en Cuba. Aunque cuenta con el talento para estar allí, no lo eligen para integrar el equipo de Cuba al IV Clásico Mundial de Béisbol. Ahora su pensamiento se debate en un dilema común y eterno. Un dilema histórico, del cual es solo cómplice el tiempo: «¿Cuándo será mi momento?».

El 13 de agosto abandonó la concentración de su equipo Trois-Rivieres en New York, en acuerdo con un grupo de agentes e inversionistas que lo buscaron sin descanso. En una foto se puede apreciar a Julio Pablo estrechando la mano de un individuo más alto que él y con unas gafas negras. En la mano derecha llevaba un reloj más grande de lo normal, tenía la cabeza rasurada y usaba un pulóver de color claro. Frente a ellos y escuchando la conversación estaba una camioneta roja. Julio Pablo no mira al hombre a los ojos. Lleva una gorra gris y una mochila azul que dice CUBA en la parte trasera. Temeroso e inseguro, mira a un punto fijo.

Casi un año más tarde en República Dominicana, sostiene una camiseta de Texas Rangers junto a Mike Daly, asistente del *general manager* de la franquicia. Daly viste un traje azul con una corbata de tenues líneas rojas y sonríe. Sus alineados y blancos dientes relucen a la distancia. En la mesa hay una botella de agua y dos copas de cristal. Delante se aprecia una inscripción con los nombres de Daly y Julio Pablo divididos por una gorra azul y roja con el logo de los Rangers que se resume a una T. El cubano acaba de firmar por una suma de 2,8 millones de dólares. No sonríe. No muestra sus dientes. Mira a un punto fijo.

La explosión migratoria de 2011 a 2018 fue consecuencia directa de las transformaciones políticas y sociales del país. El flujo acelerado de esta época hizo posible que 30 cubanos jugaran en Grandes Ligas durante 2016 por vez primera desde 1967. Las contradicciones entre el régimen y Estados Unidos continuaron sin resolverse, pese al primer acercamiento real en más de cincuenta años. Las estrategias de las autoridades deportivas cubanas para retener el talento no funcionaron como se esperaba y para la diáspora inició una época de salidas por vías legales, condicionadas por la apertura migratoria de 2013. El incremento de las salidas estuvo en correspondencia con un paraíso de contrabando y negocios que no solo hizo bajar el porcentaje de beisbolistas firmando contratos profesionales, sino que también provocó las deportaciones y los regresos a casa de más de una treintena de jugadores. Este éxodo en desbandada también proporcionó a muchos beisbolistas creer que tenían el talento y la edad para firmar contratos de Grandes Ligas y la realidad demostró que eran expectativas muy elevadas y que, tarde o temprano, solo un reducido grupo de 25 % a 35 % podría cumplir el objetivo. La explosión del éxodo destruyó la estructura del béisbol cubano desde la base, lo que fue dejando el deporte nacional de la Isla en un estado cada vez más crítico.

Deportaciones, limbo y regresos

Deportaciones

El 1.º de julio de 2016 el lanzador cubano Raisel Poll dormía en el residencial Villa España, ubicado en la autopista San Isidro de la ciudad de Santo Domingo, República Dominicana, cuando de súbito un ajetreo interrumpió su sueño. Eran las cinco de la mañana. Faltaba una hora para que Poll se levantara como siempre, tomara su mochila y saliera a entrenar. Vivía en la cuarta planta de un residencial que no tenía piscina. Saltó de la cama, se asomó por la ventana y vio que tocaban a su puerta. Identificó a varios policías -más de cuatro- y personal de emigración, incluido un fiscal. No abrió. Tumbaron la puerta, sacaron sus pistolas y se posicionaron dentro.

—Estaban buscando a Lazarito Armenteros y Jonathan Machado. Andaban buscando dinero -me dijo Poll vía Facebook. Hemos estado comunicándonos por más de dos años entre Internet, mensajes de texto y llamadas telefónicas.

No pasó mucho tiempo para que la policía y los elementos de migración aplicaran el proceder delictivo que es característico en estos casos, según he conocido a lo largo de mi investigación. Propusieron un pacto a Poll: si accedía a decirles dónde se encontraban Armenteros y Machado no sería deportado a Cuba.

—Les dije que no conocía a ningún Armenteros.

Esa misma noche faltaban solo veinticuatro horas para que Lázaro Armenteros oficializara su contrato de 3 millones de dólares con Oakland Athletics. Machado ya tenía un preacuerdo con St. Louis Cardinals superior a los 2 millones de dólares. La familia de Machado se encontraba en la segunda planta y fue avisada y evacuada minutos antes del arribo policial que buscaba extorsionar a los peloteros y obtener dinero a cambio. Los beisbolistas están en Dominicana sin permiso legal bajo el consentimiento de la misma policía, si no se paga el soborno se les deporta hacia Cuba.

—Faltó muy poco para que atraparan a Machado y Armenteros –me dijo el padre de un muchacho que buscaba contrato en Dominicana por aquella época.

Los policías, que persiguen como fieras los refugios de los peloteros cubanos, pensaron que Poll había firmado con algún equipo de Grandes Ligas horas antes de la operación. Se disponían a extorsionarlo, pero se equivocaron de persona. Ellos buscaban a Armenteros y Machado, quienes se encontraban en el mismo residencial dos plantas más abajo porque pertenecían al mismo inversionista y entrenador. El infortunio hizo que el capturado fuera Poll en el cuarto piso.

Los asaltantes le solicitaron 100 000 dólares para evitar la deportación. Pagar la cantidad era la más infame de las utopías para el cubano que ni siquiera llegaba a 300 dólares en su dinero de bolsillo. Sin embargo, su inversionista sí podía pagar ese dinero, pero no lo hizo. No creía que Poll contara con el talento para sacar un jugoso contrato y obtener la recompensa a cambio.

Actualmente Poll se encuentra en Cuba. Es agente libre y tiene residencia haitiana. Acaba de cumplir los treinta años y lleva cuatro años sin lanzar, la actividad que tanto le apasiona y que mejor sabe hacer en su vida.

Mientras, le pregunto si el inversionista que lo representaba intentó ayudarlo o defenderlo en aquella larga noche.

—Ese no hizo nada por mí –confiesa.

El dominicano Javier Rodríguez era el entrenador de Poll y de un amplio grupo de jóvenes cubanos que pasaron por sus manos. Clasifica como uno de los expertos en el negocio de firmar peloteros cubanos. «Es de esos que montan un escenario de película a los *scouts* de Grandes Ligas», me dice una persona de confianza que ha vivido por tres años en Dominicana. Sacó más de lo que se imaginaba de contratos como el de Alexander Guerrero (28 millones de dólares), Héctor Olivera (62,5 millones de dólares) y Yasmany Tomás (68,5 millones de dólares).

El inversionista se llama Jaime Alexis Meran Ramos, más conocido como Jaime Ramos. Ellos tenían en su poder a Alfredo Rodríguez, Jorge Oña, Adriel Labrada, Yusniel Díaz y Michel Báez, entre otros. Ramos es un empresario reconocido de República Dominicana, con participación en la vida política como dirigente del Partido de la Liberación Dominicana (PLD). Aparece en las noticias como «manejador de peloteros» (no solo negocia con cubanos, también ha representado al ahora cátcher dominicano de New York Yankees Gary Sánchez).

La noche de los sucesos, luego de aclarada la confusión, Poll recuerda a uno de los policías lamentándose de no capturar a Armenteros:

—Coño, vinimos hasta acá por gusto y nos dijeron que si cogíamos a este pelotero nos iban a dar cuarto.[56]

Poll no quiso revelar nada sobre Armenteros. Le invadió un código de honor que no estaba dispuesto a incumplir. Le mostraron fotos de Javier Rodríguez y le preguntaron por el paradero del entrenador y también se negó a decirles la verdad.

Ese intento de soborno no fue el primero ni el último. Un año antes, en 2015, el grupo de Rodríguez y Ramos fue interceptado por la policía mientras viajaban en un auto hacia el entrenamiento. Allí estaban el mismo Poll, Omar Estévez, Alfredo Rodríguez y Adriel Labrada. También en un autobús iban Yusniel Díaz, Jorge Oña y los padres de ambos. Se los llevaron a la Central de la Policía y exigieron un rescate de entre 100 000 y 120 000 dólares, el cual fue pagado. Estévez firmó por 6 millones de dólares, Rodríguez y Oña por 7, Díaz acordó por 15,5 y Labrada regresó a Cuba por su cuenta.

Rodríguez y Ramos alimentan, entrenan y protegen a sus peloteros, son muy celosos en la actividad, pero se niegan a pagar sobornos que luego no les generarán ganancias.

—Ellos no hicieron mucho hincapié en mí porque estaba lesionado en ese tiempo –dice Poll.

Aquella madrugada se convirtió rápidamente en mañana. Poll fue llevado al Palacio de la Policía y estuvo detenido allí por tres horas, según recuerda. Le volvieron a preguntar quién era su jefe, dónde estaban los otros peloteros cubanos. Mantenía su respuesta fija. Luego lo enviaron al Centro de Detención de Haina, una cárcel que pertenece a la Dirección General de Migración (DGM) y la Policía

[56] Cuarto significa 'dinero' en República Dominicana.

Nacional, al este de Santo Domingo. El centro es concebido, en teoría, con el propósito de procesar a los extranjeros en casos de repatriación, pero igualmente ha sido una penitenciaría donde se cometen maltratos, extorsiones y violaciones de derechos humanos contra inmigrantes haitianos. Hacia esa nebulosa sin definición se dirigía Raisel Poll, un zurdo de veintiséis años que había salido de Cuba el 9 de abril de 2015.

—Ahí estuve una semana -me explica.

En la prisión no recibió ningún maltrato y compartió celda con haitianos, indios, un nepalí y un colombiano. Esa semana jamás saldrá de la mente de Poll.

—Un viernes 8 de julio fueron a mi celda en Haina y me dijeron que me alistara.

Salieron en una camioneta y llegaron hasta la central de Inmigración, donde le entregaron su pasaporte cubano y su residencia haitiana, además de dos teléfonos que poseía. De allí marcharon al Aeropuerto Internacional de Las Américas, el más importante de la capital, y alrededor de las 10 de la mañana el pelotero era expulsado de República Dominicana. La odisea de preguntas sin fin no terminaba. Cuando arribó al Aeropuerto Internacional José Martí en La Habana, fue escoltado por un funcionario de la Seguridad del Estado cubana hacia una oficina. Era la una de la tarde del 8 de julio de 2016. Le preguntaron cómo había salido de Cuba. Dijo que se lo había pagado todo de su bolsillo. Le preguntaron con quién estaba en República Dominicana. Aclaró que tenía una novia que lo había ayudado a cruzar la frontera y, una vez en Dominicana, se buscó un inversionista. Por último, las autoridades le recalcaron que si intentaba salir en lancha del país sería apresado.

Salió del aeropuerto. Se pasó dos días en casa de unas amistades en La Habana. La noche del 10 de julio se subió a un bus y tomó las ocho horas que dividen a la capital de su provincia Ciego de Ávila, 431 km al este. Durmió dentro del bus. Intentó calmar el desengaño y la pena por la deportación inesperada. En la terminal alquiló un carro por 20 dólares y media hora más tarde, a las cuatro de la mañana, entraba a su municipio Primero de Enero, al nordeste de Ciego de Ávila. El nombre oficial de su pueblo recuerda la fecha del triunfo de la Revolución cubana, pero es más conocido por Violeta, metonimia del central azucarero fundado en 1916. Las luces del central fueron apagándose como todos los sueños que se apagan y se resumen a la sombra.

—Cuando mi familia me vio nos pusimos a llorar. Me preguntaban qué había pasado.

El nombre de Raisel Poll apareció de primero en una lista de diez peloteros extorsionados en un artículo publicado por la página web *ESPN* el 6 de julio de 2016.[57] El fenómeno de las deportaciones, el limbo migratorio y los regresos comenzaron a ser tendencia naciente desde que se incrementaron los índices de emigración de beisbolistas a partir de 2011.

La misma noche que sufrió Poll la han sufrido otros. En abril de 2016 la policía extorsionó al zurdo de Pinar del Río Julio Alfredo Martínez y le pidieron un rescate de 30 000 dólares para evitar la deportación hacia Cuba. En la temporada 2015-2016, Martínez había lanzado con los Leones

[57] Cfr. Dionisio Soldevilla: «Cargos criminales por tráfico humano en caso de Lazarito Armenteros».

del Escogido de la prestigiosa Liga Invernal Dominicana. Su acuerdo con alguna organización de Grandes Ligas era inminente hasta que llegó, quizá, la hora más grave de su vida.

—Es la historia más triste que se pueda conocer -me dijo vía Facebook Arturo Lara, un infielder que estuvo muy cerca de Martínez y firmó contrato de liga menor con Texas Rangers.

La lista de peloteros deportados se abrió a partir de 2015 con los lanzadores Julio Raizán Montesinos, David Mesa, Eddy Abel García, Jorge Despaigne y el infielder Yuset Amador. A ellos se unieron el campocorto Yoel Mestre, el jardinero Alejandro Gastón y los también lanzadores Lázaro Águila, Alain Tamayo y Carlos Juan Viera. El inicialista Edwin Vassel fue atrapado en territorio de Colombia con documentos falsos y deportado a Cuba en 2017.

—Todo iba bien y de momento las cosas se nos fueron de las manos. Yo estaba durmiendo y cuando desperté la casa estaba rodeada de policías -me dice el derecho tunero Carlos Juan Viera, deportado en 2015.

Luego de allanar la morada donde estaba Viera, los policías le pidieron su teléfono y le exigieron que se sentara tranquilo en un sofá. Recuerda que tanto a él como a su compañero Alain Tamayo no les preguntaron directamente por alguna suma de dinero. Infiere que hicieron la demanda a los inversionistas que los representaban. Después de ser deportado hacia Cuba, Viera debió financiarse el pasaje de regreso por sí mismo tras estar casi cuatro meses en la Isla. Tamayo también regresó a Dominicana en 2016.

—Estuve dos años en República Dominicana y decidí irme a Estados Unidos por cosas que pasan en ese negocio.

Uno nunca se entera de lo que hacen contigo, por eso muchos hemos fracasado –me relata por chat Alejandro Gastón, de veintitrés años.

Gastón salió de Cuba el 17 de diciembre de 2013 en una embarcación marítima junto a Yoasniel Emilio Pérez, Pedro Luis Márquez, Raysel Plutín y Yoan López, quien firmó con Arizona Diamondbacks un contrato de 8,27 millones de dólares. El peligroso viaje duró tres días en altamar. Luego de vivir dos años en República Dominicana comprobó que su inversionista le mentía constantemente. Le decía que los documentos legales estaban procesándose y no veía ningún avance. Piensa esos dos años como parte de su vida tirada por la borda. Decidió embarcarse cerca de La Romana, al suroeste de Dominicana, con rumbo a Puerto Rico. Junto a Jorge Despaigne, lanzador de Isla de la Juventud, terminaron atrapados en el mar junto a otros treinta y nueve pasajeros y debieron regresar.

El 25 de noviembre de 2015, ambos peloteros enfrentaron la deportación después de estar recluidos en prisión veintidós días. Los sacaron de la cárcel esposados y fueron directamente al aeropuerto.

—Toda mi ropa se me quedó en Dominicana. Imagínate cómo llegue a Cuba: destrozado –me dice.

Cuando Gastón arribó al aeropuerto de La Habana, nadie lo esperaba.

Su próximo dilema era sobre jugar en la Liga Cubana. Se presentó en la Comisión Nacional de su provincia Cienfuegos para reinsertarse. Sin embargo, la aprobación debía venir desde la jefatura del béisbol en La Habana. Gastón llamaba casi todos los días a la capital y nunca obtenía una respuesta sobre su caso. Luego se enteró de que los peloteros que salen de la Isla por vía ilegal están sujetos a una sanción de doce meses para ser readmitidos en el sistema deportivo del país.

No quiso seguir desperdiciando el tiempo. Se casó con una ciudadana de Bolivia, y allá reside actualmente en la ciudad de Santa Cruz de la Sierra. Desgraciadamente es un país sudamericano sin tradición de béisbol. Gastón tiene muchas fotos en su portal de Facebook bañándose en una piscina, abordando en un aeropuerto, en una discoteca con sus amigos y, la mayoría, en poses románticas con su novia. Ninguna instantánea hace alusión al béisbol.

Limbo

Juan Carlos Moreno es de los peloteros cubanos que vivió la experiencia migratoria a partir de una figura que no consistió ni en la deportación ni en el regreso por decisión propia. Tanto él como muchos otros quedaron en medio del camino en un limbo migratorio sin solución, sobre la base de lo que se intentaba ser y finalmente no fue. Emigró de Cuba en 2008, cuando tenía treinta y dos años, pero técnicamente solo le faltaban cuatro meses para cumplir los treinta y tres. Incluso el más ingenuo del medio conoce que esa no es una edad que llame la atención de ningún *scout* en República Dominicana. Tenía a su favor el haber participado por más de quince años en campeonatos internacionales con el equipo Cuba, quizá era el único punto a favor de un viaje que lo puso en el límite inesperado de diez años sin ver a su familia.

—Los he visto por cámara de video a través de la aplicación IMO. Solo por ahí –me dice en un mensaje de audio en el que se nota una voz cansada y solitaria.

Moreno nació en 1975 en Nueva Gerona, Isla de la Juventud, y ya ha cumplido los cuarenta y tres años. Las probabilidades de ser profesional el día que escapó de Cuba en una embarcación marítima ilegal con su compañero de equipo Félix Pérez eran intensamente bajas. Este porcentaje decreció aún más cuando el azar lo puso en manos de dos inversionistas. Tomás Eladio Collado Báez y Juan de Lemus-transformaron su acta de nacimiento. Colocaron en el acta, y sin el consentimiento de Moreno, que este había nacido en 1976 en lugar de en 1975.

—Por lo menos en mi caso yo les dije que no lo hicieran porque mi fecha de nacimiento aparecía registrada cuando participé en el I Clásico Mundial de Béisbol -explica.

Hicieron la torpe movida sin consultarle y los documentos no coincidieron con los que se enviaron para agencia libre de MLB y el desbloqueo del jugador.

Para el elegante campocorto que lució su talento durante 15 temporadas en Cuba, dejando .288 de average y 104 jonrones, la vida siempre fue el béisbol. Su padre, Carlos Pascual Moreno Ramos, de sesenta y cinco años, le enseñó los primeros movimientos en un juego que conoció con tres años. Nunca tuvo otra motivación ni objetivo en su vida que no fuera estar dentro de un terreno. Antes de ser campocorto pasó por la receptoría y la segunda base. Asistió al Campeonato Mundial Juvenil de Detroit en Estados Unidos con diecisiete años.

El Juan Carlos Moreno de la década de los noventa era un beisbolista rebosante de orgullo que representaba a Cuba en eventos internacionales y, según dice, nunca tuvo en mente el abandono. Estuvo en más de veinte países entre 1993 y 2007. Italia, Nicaragua, Holanda, México, Colombia, Panamá, Australia o Venezuela fueron algunos de esos destinos. Pero tras integrar el equipo Cuba al I Clásico Mundial de Béisbol en 2006 y asistir a un torneo en Venezuela en 2007, se filtraron rumores de que Moreno no estaría más en los planes de la Comisión Nacional.

—Escuché los comentarios y en el transcurso de ese año intenté la salida tres veces –relata.

Cuando Félix Pérez, su compañero de viaje, fue sancionado un año por Major League Baseball debido a cuatro años de alteración en el acta de nacimiento, Collado Báez y De Lemus, que cambiaron la edad de casi todo el grupo, supieron que la inversión estaba perdida. Llamaron por teléfono a cada uno y les pidieron que tomaran sus cosas y se fueran del residencial Villa Olga, en Santiago de los Caballeros.

—Les dije que allá arriba hay un Dios y lo ve todo –me cuenta Moreno.

Moreno atravesó la peor depresión de su vida. Atrás en Cuba quedaban su familia y sus dos hijos: un varón y una hembra a la cual no conoce porque nació mientras ya residía en Dominicana. Tras ese mes de julio de 2009 no tuvo cómo continuar ligado al béisbol activo. Sin más opciones, comenzó a trabajar en distintas academias entrenando niños por un salario que no alcanzaba para enviar una pensión a sus hijos. Actualmente cobra 8 000 pesos dominicanos, un equivalente a 163 dólares mensuales.

Ante la ausencia de documentos legales, el mejor torpedero que pasó por la Isla de la Juventud y uno de los mejores de Cuba en la década de los noventa permanece atrapado en un limbo migratorio infinito y abusivo. Cuando repara en que ha perdido diez años de su vida alejado de su familia me dice que, si regresara el tiempo atrás, nunca habría subido a aquella lancha en 2008.

El limbo migratorio de los beisbolistas cubanos, principalmente en República Dominicana, ha continuado su crecimiento. Muchos se casaron, otros no contemplaron siquiera la opción del regreso –en la mayoría de los casos incluso carecían de la documentación legal para tramitar el viaje de vuelta–. Cada día se aleja más para ellos el objetivo de llegar al profesionalismo. En parte, porque un jugador que lleva más de tres años sin conseguir una firma es etiquetado de fracaso por los *scouts* y demás evaluadores.

Muchos ya se rindieron, lo mismo por poco talento, edad o mala representación. Se quedaron sin el apadrinamiento necesario y han tenido que iniciar una vida de supervivencia en un país desconocido. Son los casos de Yoasniel Emilio Pérez, Lester Benavides, Yasmani Bell, Ayalen Ortiz, Israel Soto, Ángel Argüelles, Darys Bartolomé, Darian González, Víctor Muñoz, Alexis Rodríguez, Enrique Bicet, Jorge Luis Bravo, Yosvani Hurtado, Gabriel Pierre Jr., Dael Mejías, Daniel Aguilera, Urmaris Guerra, Rangel Rodríguez y Adrián Moreno.

Yosvani Bell vive en Dominicana desde que emigró en 2008. El excátcher que jugó un breve tiempo en los Industriales salió de Cuba con la ilusión de una firma y, más temprano que tarde, se convenció de que no lo conseguiría. Se casó con una ciudadana dominicana y decidió hacer su vida en ese país luego de abandonar su sueño.

—No tuve suerte ni fui del agrado de los *scouts* –me aclara Bell.

Lidiar con el desfase entre realidad y sueño es un dilema de la vida. En esa dualidad vive el corpulento inicialista Randy Terry Echemendía, entre regresar o mantenerse en República Dominicana, país al que llegó en 2015 y donde ha cumplido tres años en el intento fallido de lograr el contrato profesional que imaginó.

Terry lleva tres años alejado de su familia. Fue durante 4 temporadas el cuarto bate de los Huracanes de Mayabeque en la Liga Cubana. El 1.º de septiembre de 2015 se subió en un vuelo comercial que lo llevó hasta Ecuador. Tres meses después se trasladó hacia Haití, donde estuvo seis días, y el 26 de noviembre llegó a República Dominicana.

Todavía no se decide a regresar. La idea de volver derrotado a Cuba aparece en su vida como la peor de las pesadillas. Terry tendría un puesto asegurado con el uniforme de Mayabeque, con quienes bateó .322, 9 jonrones y 41 impulsadas en 2013.

—Todavía no me he decidido a irme. Todavía no lo he pensado bien –me dice Terry vía chat en enero de 2018–. Es difícil, es difícil. Salir sin nada y virar sin nada.

Su voz se quiebra cuando conversa sobre el limbo migratorio en el que se halla encapsulado. Terry entiende que cumplir el sueño no está relacionado exclusivamente con el talento, sino con los contactos de las personas que representen al jugador.

—El tiempo está pasando y ya no tengo veinticuatro, ahora tengo veintiséis y llevo dos años sin jugar pelota –agrega.

Terry sabe que ya no firmará un contrato, que el mercado busca talentos menores de veinte años y que su oportunidad pasó en algún momento que ni él mismo advirtió. Lleva más de seis meses sin entrenar.

—Sinceramente no me he ido de aquí porque es de madre regresar sin nada. ¿Dos años perdidos? Eso es triste.

El 12 de enero de 2017, el presidente de Estados Unidos, Barack Obama, puso fin a la política de «pies secos, pies mojados». Su interrupción aumentó el número de peloteros cubanos varados en República Dominicana o cualquier otro lugar de Centroamérica. En los próximos años se incrementará la tendencia de los que no pudieron firmar un contrato profesional. Hasta 2017, el beisbolista cubano se acogió a soluciones extras para evitar el limbo, como surcar el peligroso canal de la Mona o entrar por algún punto de la frontera de México. El cese de una política que favoreció por más de treinta años el éxodo masivo hacia Estados Unidos puso en la encrucijada del limbo al beisbolista: luego del fracaso ahora aparecía una nueva opción más allá de quedarse en medio del camino o acogerse a la ley: el regreso a casa.

Regresos

El regreso del pelotero cubano es la derrota multiplicada. Representa un camino cerrado y un deseo incumplido, donde la solución que esquiva el limbo migratorio ha sido el penoso retorno. Este fenómeno se inició en 2016 y entre los factores que lo provocan se encuentran el abandono de los inversionistas, el poco interés por el jugador en el mercado y la lucha contra los resultados de una funesta representación. Casi un centenar de peloteros (95) que salieron de Cuba entre 2013 y 2017 han comprado el pasaje de vuelta y se han reincorporado a la Liga Cubana.

Desde el punto de vista de las autoridades del béisbol cubano, no existió ninguna oposición ante la reinserción, con la excepción de que si la salida de Cuba era ilegal el pelotero debía cumplir un año de suspensión. Gracias a la apertura migratoria, la mayoría de los beisbolistas salieron de manera legal de Cuba y regresaron por el mismo aeropuerto que una vez abordaron, con el sueño del profesionalismo vulnerado. La flexibilidad por parte del Estado cubano se debió a la extrema necesidad de reincorporar jugadores que devolvieran a la vida a un torneo en crisis por el mismo éxodo. El régimen cubano no ha puesto objeciones, lo cual demuestra el cambio de una política que en los años noventa o a principios de los dos mil les hubiera negado a los peloteros siquiera pisar un terreno de haber regresado. Cuando la Federación Cubana de Béisbol avizoró el estado crítico de la liga rebajó la sanción de cuatro años a uno en los casos de salida ilegal, lo que hizo más favorable el regreso.

Uno de los que tuvo que esperar esos doce meses fue Leonis Figueredo.

—Aquí en Cuba vivo mejor que en Dominicana –me dice por chat el jardinero de Las Tunas.

Tenía veintitrés años cuando salió de Cuba ilegalmente en una embarcación. Corría el año 2015 y, tras un tiempo donde se sintió utilizado y sin perspectiva alguna de firma, se cansó de esperar. Su familia lo ayudó a pagar el pasaje de vuelta y, en 2017, reapareció en la Serie Nacional con los Leñadores de Las Tunas.

En agosto de 2015 el lanzador derecho de Santiago de Cuba, José Carlos Barbosa, en compañía de sus padres se montó en un vuelo comercial que lo llevó desde La Habana a Lima, Perú. Desde allí abordaron a Ecuador, lugar donde estuvo 36 horas, luego Guayana tres días, hasta que arribó a Haití y entró ilegal por la frontera con República Dominicana. Nada funcionó para él tampoco.

—El pasaje lo costeamos nosotros –me dice Barbosa, quien ya cumple 2 temporadas en Cuba desde su retorno–. Fueron casi unos 800 dólares de pasaje. Mis padres y yo salimos de Dominicana y como estuvimos ilegales tuvimos que pagar una multa en el aeropuerto de 6 000 pesos dominicanos, un equivalente a 120 dólares.

Otros que retornaron como Rafael Viñales, Misael Villa o Lázaro Hernández han encontrado la oportunidad de continuar sus carreras en Cuba.

—Salí en enero de 2015 y regresé en noviembre de ese mismo año –me dice Viñales, a principios de 2018, mientras representa a Cuba en la Serie del Caribe de Guadalajara–. Regresé porque noté que los equipos se habían alejado un poco y no quise estar perdiendo tiempo.

Viñales ha tenido temporadas de 15 jonrones y 80 impulsadas con los Leñadores de Las Tunas. Lázaro Hernández, por su parte, bateó por encima de los .300 de average en la campaña 2017-2018 con los Cazadores de Artemisa. Buscaba su oportunidad profesional en República Dominicana, pero me dice que necesitó lo que muchos llaman la sexta herramienta del pelotero: la suerte.

—Me ha faltado un poco de suerte, pero Dios sabe lo que hace –me comentó el 29 de enero de 2017, meses antes de regresar a Cuba.

Uno de los ejemplos más sugerentes de regreso a casa fue el de Royd Hernández, lanzador derecho de Matanzas que abandonó Cuba en 2013 y estuvo entre España y República Dominicana.

—Sobre el porqué no firmé tienes que preguntarle a Rudy Santín, el que era mi agente –me dice.

Hernández supo que no era uno de los elegidos y no forzó su inclusión en el mundo profesional. En 2017 regresó a su provincia con los Cocodrilos de Matanzas, dejando balance de 8-4, 1.68 de efectividad, líder del campeonato. En julio de 2018 participó con el equipo nacional de Cuba en el torneo de béisbol de Rotterdam, Holanda.

El 15 de diciembre de 2016, el receptor habanero Oscar Valdés regresaba a Cuba un año y medio después de estar en Dominicana, donde comprometió un 30 % de su contrato para volver con las manos vacías. Pese al tiempo perdido, lo más importante para Valdés era continuar en el béisbol. Tiene veinticinco años y se desenvuelve en varias posiciones como la receptoría y los jardines. Después de ser «reaceptado» en las filas de Industriales, tuvo la oportunidad de jugar en 2017 y conectar su primer jonrón en Series Nacionales, en el Estadio del Cerro, el Latinoamericano, ante la presencia de su madre.

—Voy a luchar hasta que no se pueda más –me escribió Valdés en enero de 2017, sin imaginar que poco después llegaría su pequeño momento de gloria.

Este fenómeno no es más que la última manifestación del éxodo del béisbol cubano. Más de 50 peloteros de los 87 que volvieron desde 2013 han aparecido en la Liga Cubana de béisbol, motivados a mantener vivas sus carreras, que corrieron el riesgo de atracar en el limbo.

El pelotero cubano con el que más tuve contacto en la experiencia del regreso fue Lázaro Najarro. Siempre que le escribía estaba dispuesto a conversar sin complejos. Varios meses de comunicación a través de las redes sociales me llevaron a documentar su experiencia.

Con veinte años retornó a Cuba en un auténtico ejercicio de decepción. No tenía un discurso preparado para sus padres. No sabía qué decirles. ¿Por qué falló todo?

En un video de despedida publicado en su cuenta de Instagram el 14 de diciembre de 2017, cuando se encontraba a punto de regresar a Cuba desde Montevideo, Najarro ni siquiera habla. Realiza gestos hacia un público que no sabe si lo ve, mientras el piloto anuncia la partida desde el avión y pide a los pasajeros que se abrochen los cinturones.

En marzo de 2017, Najarro decidió salir de Cuba con la aspiración de conseguir un contrato profesional y convertirse en una estrella. Venía de participar en el Campeonato Mundial sub-18 de Osaka en 2015, donde representó a Cuba con el número 31.

La ruta de aquel marzo confuso fue Cuba-Guyana-Brasil-Uruguay, cuatro países para llegar a uno. Desde mayo se estableció en Uruguay, mientras los inversionistas representaban a Lázaro y otros cuatro peloteros (Ariel Yera, Danny Luaces, Andy Quesada y Karel Paz) desde República Dominicana. El experimento no funcionó.

Los días que se sentía triste posteaba en redes sociales mensajes motivacionales para sí mismo.

Publicaba cosas al estilo de: «En mi mesa va a comer el que pasó hambre conmigo» o «Las metas son sueños con fecha de entrega». Publicó, además, una foto de su mamá, que vive en Cienfuegos. Una mulata fuerte y robusta como él, de mirada rocosa. En su mano izquierda sostiene un pequeño reloj simbólico y las manecillas se mueven asociadas a la distancia que lo separa de su hijo.

El grupo de peloteros en Uruguay nunca realizó un *showcase* o presentaciones ante *scouts* en la estadía que sobrepasó los seis meses.

—No sé, nos trajeron para acá, nosotros no sabíamos nada de esto –me dijo.

Najarro entrenaba en Uruguay, un país de cultura futbolística que no sabía nada de béisbol. En el fondo de cada foto se perciben porterías de futbol y no bases de béisbol ni montículos de lanzador.

A veces sorprendía en una *selfie* con un gato y posteaba en inglés: «I love cats».

—Esa gente ha quedado mal, hemos pasado hasta hambre y ellos no se han inmutado.

Solamente en una ocasión envió a su familia 100 dólares.

Atravesó problemas en el brazo y los inversionistas no informaron a ningún médico para que recibiera tratamiento. Entrenaba adolorido y hacía sus rutinas en terrenos de hierba seca, explanadas de árboles. De tiempo en tiempo, algún amigo le comentaba en su portal de Facebook que no perdiera la fe, que algún día lo iba a lograr.

Mientras esos mensajes abundaban, Lázaro soltaba su brazo en rectas de 88 a 90 millas, pero sentía dolor y algo no andaba bien. A Montevideo no fue nadie, ni un *scout*, ni un indicio de expectativa. Nadie que representara el escape de una realidad tan indeseada.

Los días de Lázaro en Uruguay eran días largos mezclados entre la frustración y la ilusión. «¿Tal vez alguien venga a vernos?», habrá pensado.

—En una palabra: ¿qué sientes regresando a Cuba sin el objetivo cumplido? –le pregunté.

—Decepción –respondió.

Hubo días en que se alimentaba correctamente, pero otros solo tenía para comprar arroz y ensalada en algún mercado hasta que enviaran la mensualidad. La decisión de regresar a Cuba se formó cuando explotó uno de los cordales de su boca.

Le empezó a doler de repente, Lázaro escribió a los jefes en Dominicana que le enviaran dinero para comprar analgésicos y antiinflamatorios para la muela y a ellos no les importó mucho ese problema. El zurdo detonó y no precisamente en el box. Comunicó a los inversionistas que quería regresar a Cuba.

Dos días antes de volver, Lázaro necesitaba avisar a su novia para que lo recogiera en el aeropuerto. Me pidió de favor que llamara a Cuba y le dijera que se conectara en Facebook.

Se subió al avión con las mismas manos vacías con las que se montó una vez y regresó con el miedo añadido de enfrentar a su mamá. Más que a su misma madre, tuvo que confrontar la idea y el hecho de que el regreso era el fracaso. Najarro no quiso explicar a su madre por teléfono el porqué del retorno.

—Allá en Cuba le digo la verdad, con un ambiente que esté más a mi favor -me dijo.

Lázaro y los cuatro beisbolistas que conformaban el grupo en Montevideo habitaban en un alquiler. Uno de sus días más felices en Uruguay ocurrió en una playa, donde él y otros dos muchachos bebieron cervezas en la arena. Tituló a una de esas fotos: «Momento de amistad».

«Todo no es trabajo, los días libres existen y para algo son», escribió en otra de las fotos.

Una mujer de nacionalidad uruguaya los acompañaba. Eso me llamó la atención. Le pregunté quién era: «A esa mujer la conocimos en el gimnasio. Siempre nos trató súper bien».

—Trató de llevar lo mejor posible el estar lejos de su familia, pero en el último tiempo cayó mucho anímicamente -me dijo Ana Fernández, la uruguaya que junto a su esposo estuvo muy cerca de Najarro y le abrió las puertas de su casa–. Su sueño se apagaba.

Ese día en la playa Najarro lo recuerda como uno de los mejores en Montevideo.

—Fue la primera vez que enviaron algo de dinero los inversionistas.

Según me cuenta, tiene más miedo de enfrentar a su madre, a sus amigos y a quienes le recordarán que fracasó, que al mismo servicio militar obligatorio en Cuba.

Es muy temprano por esta vez para decir que Lázaro se dio por vencido. Él cree que intentará salir de Cuba algún día nuevamente para terminar lo que alguna vez empezó.

—¿Por qué crees que los otros cuatro muchachos se quedan en Uruguay? -le pregunté.

—Ellos todavía mantienen la fuerza. La misma que yo una vez tuve.

Epílogo

El increíble final y el nuevo comienzo

Un filósofo griego alguna vez lo aclaró: «Todo muere». El martes 18 de diciembre entró una llamada a mi teléfono que anunciaba algo increíble, aun cuando confirmaba mis propias investigaciones de los últimos tiempos sobre un posible acercamiento entre Cuba y Major League Baseball (MLB). Eran las 4:32 de la tarde.

—Habrá un acuerdo pronto -dijo la fuente, que nunca me había fallado en varios reportes sobre firmas de cubanos en Grandes Ligas.

No hice más que preguntar cómo, por qué y cuándo. Para un cubano siempre es difícil creer en las promesas de cambio verdadero, no hemos experimentado muchos desde hace unos sesenta años. Sin embargo, mi fuente era absolutamente confiable, así que no iba a perder la oportunidad de revelar una historia tan emocionante como esta, en especial, para alguien como yo, que, luego de cuatro años y más de seiscientas entrevistas, tiene la oportunidad de publicar un libro sobre la migración del béisbol cubano.

Mi fuente, cercana a varios ejecutivos y organizaciones de Grandes Ligas, se unía a otras voces que desde Cuba me notificaron sobre una reunión secreta en noviembre de

2018 entre Higinio Vélez y la prensa oficial de la Isla. Allí Higinio también adelantaba que vendrían «cambios», pero con el secretismo de las «cosas que para lograrlas han de andar ocultas». El rumor empezó a correr... hasta el martes 18 a las 4:32 de la tarde.

Escribí mi reporte y a las tres horas de publicado ya poseía más de 400 retweets y 800 likes en la red social Twitter. Varios colegas me escribieron sorprendidos, diciéndome que era una conclusión más que apurada, tomada a la ligera. Me escribieron agentes, inversionistas desde República Dominicana y peloteros cubanos desde el limbo (sin obtener aún la agencia libre) exigiéndome respuestas que no poseía más allá del reporte. Pocos daban crédito.

Era señal de que mi estudio sobre la emigración del béisbol cubano, junto con el propio fenómeno que examina, estaba llegando a su final, y yo mismo se lo estaba anunciando al mundo.

Exactamente veinticuatro horas después de mi tweet, Cuba y MLB oficializaron en respectivas notas de prensa un histórico acuerdo que rompía las claves y contradicciones de los últimos cincuenta y ocho años.

Los beisbolistas con veinticinco años y seis Series Nacionales a sus espaldas podían firmar contratos con equipos de MLB sin renunciar a su residencia en la Isla. Era el cuarto acuerdo que realizaba MLB con ligas extranjeras, en la estela de Japón, Corea y Taiwán.

Rob Manfred, comisionado de MLB, y Tony Clark, presidente del Sindicato de Jugadores, validaron el nuevo pacto. Por ridículo que suene, hubo que esperar cincuenta y ocho años para llegar a este punto.

El acuerdo representaba el cierre anhelado por ambas partes a la desbandada de atletas cubanos (que supera los

400 desde 2013). A algunos nos dejaba insatisfechos porque tanto Cuba como MLB pudieron haber hecho mucho más desde hace mucho tiempo.

Asimismo, el «nuevo trato» con la Federación Cubana podía ser visto como una solución desesperada por parte de MLB a muchas acusaciones de agencias federales sobre la participación –o al menos el consentimiento– de algunos ejecutivos beisboleros en el tráfico humano ligado al éxodo de peloteros cubanos hacia Estados Unidos.

La proliferación de agentes corruptos, inversionistas, buscones, lancheros, *scouts* que negocian firmas ilegales, *general managers* envueltos en sucias estratagemas para contratar prospectos, así como de redes de tráfico humano que causan muertes y escándalos, no ha sido más que la consecuencia de un enorme sistema fallido que hasta ahora amparaban los estatutos de MLB.

Y MLB estaba buscando un compromiso a toda costa para sacarse de una vez y por todas esa espina atravesada en su millonaria garganta.

Por otro lado, el acuerdo significaba en cierto modo una fuga hacia el pasado, porque Cuba volvía definitivamente al punto de partida del profesionalismo (abolido en 1962) y a la disciplina de MLB, una entidad millonaria que absorbe todo a su alrededor como un monstruo de siete cabezas.

La Federación Cubana necesitaba detener la debacle de los últimos siete años. Una hemorragia de talento por cualquier vía: legal, ilegal; tierra, aire o mar. La fuga de toda una generación negada a vegetar dentro un sistema que ofrecía ínfimas oportunidades económicas y escasa superación deportiva.

Fue el triunfo de ambos en sus diferentes crisis.

Al conversar con varios beisbolistas de diferentes épocas, algunos (mayormente de la década del sesenta) se mostraron dolidos por el acuerdo. Otros como Yasiel Puig, José Abreu o Leonys Martín expresaron su alivio por el fin de los peligros y las decepciones.

En el final de la noche del histórico 19 de noviembre de 2018, pude entrever un punto casi mágico tras este largo y alucinante viaje. Las generaciones de los Pascual y Tiant Jr., Arocha, Duque Hernández, Contreras, Kendrys, Maya, Abreu o Puig proporcionaron indirecta pero decisivamente este enorme cambio.

Cuando reparé en ese razonamiento no existió nada más exacto y trasparente en todas mis pesquisas sobre la migración del béisbol cubano. La ecuación en mi mente era nítida. El sueño de tocar ese terreno de Grandes Ligas produjo el éxodo. El éxodo trastocó la realidad. Esa realidad llevó a que Cuba abandonara su intransigencia y que MLB fuera investigada, presionada y obligada a cerrar un pacto en su propio beneficio. El beneficio de ambos fue el restablecimiento del orden natural de las cosas.

Sin embargo, cuando a veces se ve aparecer el final de la historia, esto puede significar que es solo el comienzo. Luego de varios meses de rumores sobre la cancelación del histórico acuerdo, John Bolton, el entonces asesor de Seguridad Nacional de la Casa Blanca, publicó el 7 de abril en su cuenta de Twitter: «Cuba quiere usar a los jugadores de béisbol como peones económicos, vender sus derechos a Major League Baseball». El 8 de abril la administración del presidente Donald Trump anuló el convenio al declarar que la Federación Cubana de Béisbol (FCB) no es un organismo independiente del Gobierno cubano. La política de Estados Unidos mantuvo su rumbo histórico de no negociar con

Cuba. Entre enero y marzo de 2019, el éxodo de peloteros había sido mínimo. Entre ese 8 de abril y el mes de octubre más de 55 jugadores abandonaron Cuba por varias vías.

La historia continúa. El éxodo del béisbol cubano volverá a expandir sus compuertas. Cuba quedó inerme ante la cancelación de un acuerdo que por cuatro meses fue la esperanza de todos: de los jugadores, de los fanáticos entusiasmados por ver a sus estrellas ir y regresar. La maquinaria del tráfico de jugadores volvió a engrasar sus cilindros ocultos.

Fue solo eso, un sueño.

Anexos

Anexo 1
Historias de la emigración del béisbol cubano

El relato de supervivencia de William Arcaya

Entre julio y septiembre de 2009, Jesús William Arcaya Batista durmió dentro de un Toyota Corolla 1987. Un año antes había llegado a República Dominicana cargado de ilusiones que se resumían en la idea de firmar un contrato profesional, hasta que una serie de factores desvanecieron el propósito y tuvo que comenzar a sobrevivir austeramente. El carro ni siquiera funcionaba, el aire acondicionado no servía y en las noches cuando arreciaba la lluvia estaba obligado a subir las ventanillas.

—Yo duermo en un carro si es preciso –le había dicho a su amigo Odalys, *el Pollo*, quien lo acogía y le había cedido el auto.

En las noches de insomnio descubrió la batalla contra el tiempo y se encaraba en vano, como el peleador que busca alargar los *rounds*, pero sabe *a priori* que será derrotado.

—Trataba de llegar lo más tarde posible –me dice.

No sabía cómo acomodarse dentro del carro, pero a las seis de la mañana tenía que salir de allí debido al calor. Arcaya pasó la etapa más difícil de su vida ahí adentro. No pedía absolutamente nada a su amigo. Fue rara la vez que en casi noventa días se alimentó con un plato de comida. Comía siempre lo mismo: pan con atún, pan con jamón y queso, refresco. Pan con atún, pan con jamón y queso, refresco. Galleta con refresco, comida enlatada y pan y refresco. Pan con salchicha, refresco, atún, queso y galletas.

Conservaba el cepillo de dientes, la pasta y el jabón en una pequeña bolsa que trasladaba con él hacia el carro. No tenía mucha ropa tampoco, pero la llevaba consigo. Su amigo Odalys le ayudó lo más que pudo, pero tenía una familia que sostener.

—Lo que yo pasé ahí no tiene nombre -asegura.

En la noche, antes de dormir, se sentaba en el patio trasero de su amigo, andaba con el teléfono hasta poco después de la medianoche y terminaba rezando, mientras el cansancio de todo un día entrenando niños en una academia se posaba en sus hombros.

El 16 de febrero de 2018 escribí a William Arcaya vía Facebook. Necesitaba, para los fines de esta investigación, conocer el año exacto de su salida de Cuba. Me respondió al día siguiente como la persona expresiva que es, con palabras y recuentos sobre su historia e invitándome a verlo jugar béisbol. Acepté la invitación y fui hasta su encuentro, un domingo en la Liga Nica del Tamiami. Es un torneo local que ya superó las tres décadas de existencia y es organizado por el nicaragüense Lester Avilés. En la Liga Nica, como se conoce, han jugado casi todos los peloteros cubanos que se han retirado y residen en Miami. Algunos profesionales activos asisten para mantenerse en forma, pero predominan las nóminas con atletas que vieron pasar sus mejores años.

Arcaya es uno de ellos, de los que se apasionan por más de tres horas los domingos y alimentan la aflicción de lo que pudo haber sido y no fue. Terminan bebiendo cervezas, fumando cigarrillos o tabaco y realizan parrilladas a la sombra.

Llego en la mañana y me voy arrimando poco a poco al terreno. El partido está pactado para las 10:00 a.m. Veo a Arcaya por la banda de tercera base corriendo un largo *sprint* antes de comenzar el encuentro. Su equipo se llama La Isla, en honor a la Isla de la Juventud, de donde es originario. El equipo lo integran varios beisbolistas que jugaron en la Liga Cubana como Ángel Miguel Fernández, Denis Stewart, Ángel Tamayo o José Luis Moulin. También están otros que participaron en categorías inferiores. El único profesional del grupo es Félix Pérez, quien ha brillado por varios años en la Liga Profesional de Venezuela con los Leones del Caracas.

Arcaya lleva un pantalón blanco ajustado por un cinto negro. Su número es el 13. La camisa tiene unas listas verdes a los lados, casi imperceptibles. El receptor me reconoce y, prácticamente sin comprobar que soy el mismo muchacho que le escribió la noche anterior, nos saludamos con un abrazo, como si nos conociéramos de siempre. Su espíritu inquieto roza lo hiperactivo. En otro tiempo, dice, era más inmaduro, agrio y reseco. Ahora se percibe un toque de candidez en su personalidad. Aunque tiene treinta y cuatro años, mantiene sus facultades físicas intactas. Su abdomen está definido, sus brazos se ven fuertes, alcanza velocidad en las bases. Puede lanzar sentado desde home hacia segunda con sorprendente exactitud. El espectador promedio al verlo piensa: «Este alguna vez fue pelotero».

el viaje. Su madre Irma Batista era la única persona que lo sabía. Le suplicó que cuidara a su hermana Yailyn.

Meses atrás, había visto a dos compañeros de equipo, Félix Pérez y Juan Carlos Moreno, conspirando una salida en mayo de ese mismo año.

—Yo sé que ustedes andan en algo. No me dejen fuera -le dijo Arcaya a Pérez, que es como su hermano de crianza.

Pérez y Moreno abandonaron el país una semana después delante de las narices de Arcaya, cosa que nunca olvida. En cada encuentro que hemos tenido, él termina por recordarme que Pérez y Moreno lo dejaron fuera de aquel viaje.

Tras cuatro meses de espera llegó su momento de abandonar Cuba, con veinticuatro años. Era el único pelotero en el barco esa noche. Partieron de la desembocadura del río Nueva Gerona, y tenían que cubrir una travesía de diecisiete horas hasta México. En la lancha iban tres pilotos, traficantes de personas. Arcaya vomitaba por el movimiento constante de las olas y el barco.

—El camino fue criminal.

Las veintiséis personas sentadas como animales de carga corrían el riesgo de salirse por el frente o los laterales debido a la alta velocidad. Él iba en la parte derecha sujetado de una pequeña barandilla y aguantando a su hermana. Eso duró diecisiete horas. Desde la una de la madrugada del 7 de septiembre hasta las diez de la noche. Aparte de la preocupación evidente por la vida, a Jesús William le azotaba otro pensamiento que también tenía que ver con proteger su vida: ni él ni su hermana tenían quien les pagara el viaje cuando llegaran a México.

—¿Al pelotero quién le va a pagar? -preguntó uno de los lancheros cumplidas las once horas de viaje en lo que el barco entraba al Canal de Yucatán.

—Yo no tengo quien me pague. Me monté aquí de pura casualidad -explicó el irreverente Arcaya.

En medio del drama y de las miradas atónitas de los demás pasajeros, uno de los traficantes de personas encendió el teléfono y casualmente tenía el número del pelotero Félix Pérez, que llevaba cuatro meses en República Dominicana. En altamar le preguntó a Pérez si conocía a William Arcaya. Pérez le respondió que sí. El hombre le preguntó si era buen pelotero. Pérez le dijo que era un receptor de elevada calidad. El lanchero le propuso a Pérez gestionar con su representante y ver si compraba los servicios de Arcaya, pagaba el pasaje del barco e intentaba sacarle el doble de la inversión tratando de firmarlo con alguna organización de Grandes Ligas en República Dominicana.

Ya en Cancún, Arcaya no quería dejar sola a su hermana Yailyn. Estaba recluido hasta que pagara el pasaje en una casa de seguridad y ella en un pequeño hotel a menos de cien metros. Según cree William, Félix Pérez estuvo una semana tratando de convencer a su inversionista Manuel Azcona, hasta que finalmente accedió a enviar 13 000 dólares (10 000 por Arcaya y 3 000 por la hermana). El dinero fue enviado mediante una transacción bancaria.

—En la casa de seguridad estaban los que no pagaban.

Estuvo siete días en esa casa, que se llama eufemísticamente de seguridad, pero no era más que un aislamiento preventivo semejante a una prisión. La fortuna lo acompañó. Si no hubo tiros, raptos, violencia o secuestros, fue porque apareció ese dinero que lo comprometía a irse hacia Dominicana. Exactamente lo que Arcaya quería: sobrevivir dentro de un terreno de béisbol, el oficio que mejor dominaba en su vida.

El 20 de septiembre de 2008 se marchó del hotel de Cancún, del cual no recuerda el nombre. Le pido que haga memoria sobre el lugar. Habla de la espectacular vista al mar, la calidad del hotel y la magnificencia de una bandera mexicana que ondeaba y se veía desde cualquier punto. Forcejea con su mente, hace varias muecas que arrugan su cara, frunce el ceño, pero sigue sin recordar.

—El día 20 vinieron con un pasaporte costarricense -relata.

Azcona y sus secuaces hicieron el pasaporte en Dominicana: primero lo compraron de una persona fallecida y luego le engancharon la foto de Arcaya. Su nombre era falso, su fecha de nacimiento era falsa y los números que aparecían en el documento eran falsos. Arcaya tampoco archiva el nombre real del fallecido por el que se hizo pasar, aunque sí recuerda que tenía un nombre compuesto. Lo único verdadero era la foto de William, quien, por añadidura, tuvo que aprenderse una serie de datos sobre la geografía de Costa Rica, la moneda y el himno para traspasar la aduana.

En el Aeropuerto Internacional de Cancún, Arcaya y un enviado de Azcona llamado Juan de Lemus se montaron en el mismo avión, hicieron una escala en Panamá y de allí emprendieron el vuelo hacia el Aeropuerto Internacional del Cibao, en Santiago de los Caballeros, República Dominicana. A las tres de la tarde, su nuevo dueño, Manuel Azcona, lo esperaba junto a sus amigos Félix Pérez y Coleyanco Rancol, compañeros del equipo Isla de la Juventud en Cuba.

—Con el dolor de mi corazón tuve que dejarla en México -dice cuando le pregunto por su hermana Yailyn, la cual llegó tiempo después a Estados Unidos a través de la frontera mexicana.

Ella se quedó con el novio y los caminos se dividieron hasta que volvieron a verse en 2012, cuatro años más tarde.

—Yo iba a la aventura, no sabía exactamente dónde iba a caer.

Nunca olvida que a la salida del Aeropuerto Internacional del Cibao se montaron en un Mercedes Benz blanco, la marca favorita de Azcona. Inmediatamente fueron a un restaurante, Arcaya venía hambriento del viaje.

La mañana del 25 de junio de 2018 me encuentro con Arcaya en su residencia de la 4301 Northwest en las proximidades del Tamiami Canal. Es un complejo de cuatro plantas pintado de amarillo claro y azul oscuro. Caminamos un pasillo y salimos a la piscina del condominio. Todo se encuentra en absoluto silencio. La corriente del canal, ubicado en la parte sur del estado, fluye de oeste a este. En los márgenes del río crecen varios árboles que aportan viento y sonido al día. Los alrededores son bien silvestres: lo mismo puedes encontrarte un cocodrilo, un pato que un mapache.

Nos sentamos en dos sillas grises y viejas.

—Entre septiembre de 2008 y julio de 2009 estuvimos en un residencial llamado Villa Olga -me dice.

Un amplio grupo de peloteros ocupaba sus días entre el entrenamiento y el residencial. Allí estaban Félix Pérez, Coleyanco Rancol, Alexei Gil, Ángel Argüelles, Yosmany Guerra, Juan Carlos Moreno y William Arcaya. Todos venían de jugar en la Serie Nacional cubana. Nunca pasaban hambre. No tuvieron necesidades de ningún tipo en esa época. Un día de rutina en Santiago de los Caballeros pasaba por levantarse a las siete de la mañana, desayunar, prepararse y vestirse de pelotero, venía el taxista a las ocho.

—Eso sí, nos tenían como unos reyes.

El taxi recorría los veinte minutos de camino hasta el terreno que era el Programa 14/30 de Tony Peña y Denio González, ex Grandes Ligas y reconocidos entrenadores dominicanos. Terminaban de entrenar alrededor de las 12:30 p. m. Regresaban a Villa Olga, se duchaban, una dulce señora llamada Luisa les tenía la mesa servida. En las noches bebían algún trago de ron o cerveza. Les pagaban 2 000 pesos dominicanos todas las semanas, lo que equivalía a 57 dólares en aquella época. Eso sí, Arcaya no podía darse el lujo de enviar dinero a su madre en Cuba, excepto una vez que su progenitora necesitó 140 dólares y él habló con los inversionistas para que se lo prestaran sin contar el pago.

—Teníamos todas las atenciones, las atenciones que lleva un pelotero que se está preparando para firmar.

Manuel Azcona, uno de los buscones más hábiles en el negocio, vendió a William Arcaya a otro inversionista de nombre Tomás Eladio Collado Báez. Según Arcaya, era dueño de un *dealer* de carros llamado Cefica Motors y se comentaba que había sido millonario y enfrentó la deportación de Estados Unidos a República Dominicana por narcotráfico. El mismo día que Arcaya arribó a República Dominicana, Manuel Azcona lo tenía vendido. Ese era su negocio. Compraba peloteros a los lancheros y se los revendía a algún inversionista hambriento, excepto algunos que sí representaba como fue el caso de Juan Miguel Miranda, que firmó con New York Yankees. Lo cierto es que Collado Báez tenía que pagar la renta, alimentación, entrenamiento y algún capricho a siete beisbolistas entre los que se hallaba William Arcaya.

—Estaba listo para firmar -me dice con tranquilidad mientras se reclina en la silla.

Él no era de los que sacaban veinte pelotas en una práctica de bateo, ni de entregarlo todo en los entrenamientos. Se considera un pelotero de juego. Cuando pasó el primer mes se convenció de que podía lograrlo. Cree que tocó su mejor nivel. A veces lanzaba en 1,72 s hacia la segunda base para atrapar a algún corredor que pretendía robarse la almohadilla. Aún se dice que el récord de un receptor cubano en República Dominicana en tiro a segunda lo tiene Arcaya.

El sábado 2 de enero de 2009, en el terreno de Luis Polonia, hizo un *tryout* a los New York Mets y le ofrecieron 300 000 dólares. Ellos estaban interesados en llevarlo a su Academia en Bocachica y esperar a que llegara la agencia libre de Arcaya.

—Si me das un millón te lo doy, pero 300 000 no -dijo Collado Báez a los *scouts*.

El tiempo pasó. El grupo continuó haciendo presentaciones y entrenando. Arcaya no olvida una tarde en el Programa 14/30 que jugaron contra prospectos firmados, que pertenecían a la academia de los Houston Astros.

—Los lanzadores no se bajaban de 94 millas aquel día -cuenta.

Arcaya pegó un doblete contra la cerca y llegó a tercera base después de un lanzamiento desviado. Reconoce con la picardía que le caracteriza que el lanzador estaba ubicado de frente. Sus movimientos eran algo lentos. Pensó en robarse el home. De pronto, y sin meditarlo mucho como era propio de su carácter, se mandó hacia home, se deslizó por entre las piernas del cátcher y llegó quieto. Uno de los *scouts* de Houston también se interesó por el rebelde jugador, aunque el Willy estima que la oferta era más baja aún.

No hizo más *tryouts*. Los entrenamientos se mantenían y él iba alcanzando un nivel que era superior al que presentó en Cuba.

—Yo pensaba que él iba a firmar -me dice Joan Chaviano.

El también receptor abandonó Cuba en 2009 y estuvo en República Dominicana. Antes él y Arcaya habían sido compañeros de equipo en la Isla de la Juventud, donde sostenían una sana competencia por el puesto de receptor.

—Tenía todas las herramientas de un pelotero -agrega.

Aunque también me advierte que, de haber sido menos inmaduro, Arcaya hubiera logrado el doble de lo que consiguió en el béisbol. Él no quiere decir nada negativo sobre su amigo, pero le insisto en que me explique la naturaleza errante de William.

—No había cerebro ni para un derrame. Un asesino viviente -abrevia Chaviano, aunque me aclara que detrás de su espíritu salvaje se encuentra un hombre de lealtad.

Los compañeros de equipo en la Isla de la Juventud tienen innumerables anécdotas sobre Arcaya, quien era apodado el Cundo porque se rapaba la cabeza como el personaje de unas aventuras que trasmitían por la televisión en Cuba. Una tarde noche, luego de un partido, Arcaya se subió al autobús de regreso a casa y a una milla del estadio pidió al chofer que lo dejara frente a un puente. Atravesaba la peor racha ofensiva de su vida, un solo hit en 40 turnos al bate. Se bajó y se lanzó de una altura de ocho metros. Muchos concuerdan en que estuvo a punto de perder su vida, incluso fue sancionado por el resto de la temporada.

—Era limpiándome de la mala suerte -me explica Arcaya.

La mala suerte le persiguió por el resto de sus días en República Dominicana. En septiembre de 2018 me entrevisto por última vez con Arcaya. Me abre las puertas de su edificio, entro hasta su casa. Todos los muebles están desordenados porque piensa mudarse a un apartamento en poco tiempo. Saludo a su amigo Denis Stewart, padrino de Kasey, la hija de Arcaya que ya casi cumple dos años. En la cocina me encuentro a su esposa Glennis y también la saludo.

Diez minutos más tarde, nos vamos hasta la piscina con Kasey y Stewart. Mientras realizo las últimas preguntas, su amigo cuida a la niña en el borde de la piscina. Lleva colgado dos flotadores en cada uno de sus pequeños brazos y se lanza al agua sin miedo. Kasey es eléctrica. No para de correr, gritar, habla sola. Sube dos peldaños de una escalera que se encuentra enfrente de la piscina y se cae. Arcaya me mira y me pregunta: «¿A quién habrá salido?».

Se avecina una larga conversación, llena de recuerdos negros. Trae una nevera con dieciocho cervezas Modelo y una caja verde de cigarros Marlboro. Ya casi cae la noche. Miro hacia el canal y veo a un mapache nadando de una orilla a otra.

—Todo se derrumba cuando a Félix [Pérez] lo sanciona la MLB -me indica como si fuera la clave de la historia, una sanción que se extendió a 12 meses sin poder firmar con alguna franquicia de Grandes Ligas.

Tomás Eladio Collado Báez comenzó a expulsar peloteros del residencial Villa Olga. Los New York Yankees habían ofrecido 3,5 millones de dólares por el jardinero, pero en las actas de nacimiento se descubrió que Pérez tenía veintitrés años y no diecinueve. El acto de «mochar peloteros» -quitarles edad para alcanzar más valor en el mercado- es una treta antiquísima en el mercado internacional. Collado

Báez creyó ganar ventaja con esto y tomarlo en su beneficio. Firmando a Félix por 3,5 millones de dólares justificaba toda la inversión realizada.

—Nunca lo consultaron con nosotros –me dice Arcaya, quien llegó a República Dominicana con veinticuatro años y aparecía registrado con veinte–. Nos quitaron años a todos.

El futuro de Arcaya se desvaneció por este detalle. Collado Báez sabía que, si falsificar fechas de nacimiento no había funcionado con Pérez, también sería en vano con los demás. Los primeros que recibieron la llamada fueron Yosmany Guerra y Juan Carlos Moreno. Arcaya imita las voces de la llamada:

—Yosmany, ¿el Sopa está ahí al lado tuyo?

—Sí.

—Los dos, recojan las cosas y váyanse de la casa.

Otros, como Alexei Gil, no esperaron a que los expulsasen, se fueron antes hacia la capital. El turno de Arcaya estaba llegando. Un día antes, Collado Báez llamó insistentemente a Félix Pérez, su niño mimado, para que recogiera las maletas y abandonara el residencial. Pérez no contestaba el teléfono y el inversionista llamó a Arcaya. A las cuatro de la mañana, Félix llegó y recogió sus pertenencias. A las siete de ese mismo día, llegó el momento de Arcaya. Collado Báez llamó, le preguntó si Félix se había ido, y cuando Arcaya le dijo que sí, este le ripostó con un: «Y ahora recoge las cosas tú y vete».

Parecía la entrada en una engañosa ciénaga de arenas movedizas. Entonces Arcaya buscó a alguien que se interesara por su talento, pero Collado Báez no quiso entregar sus documentos.

—Puede que encuentres alguien realmente interesado en ayudarte, pero el inversionista anterior va a querer mediar en las negociaciones -explica Arcaya- y como se tejen las fauces del negocio nadie quiere meter las manos por ti.

A partir de julio de 2009, comenzó la verdadera novela de su vida, no la de firmar un contrato o pensar en el béisbol, sino la de sobrevivir en un país extraño en la soledad más inesperada. Jesús William se fue a casa de una novia que tenía llamada Ariela. La relación duró diez meses y terminó con Arcaya en la calle. Se encontró con Odalys, *el Pollo*, un amigo que había conocido poco tiempo antes y que le advirtió que no tenía cama para él. Arcaya le preguntó si podía utilizar la parte trasera de su auto. Odalys le facilitó unas sábanas y allí estuvo casi tres meses. Arcaya alternaba entrenamientos días y tardes bajo un sol intenso en una academia de béisbol. Además, entrenaba a los muchachos y cobraba 1 000 pesos a la semana, el equivalente a 20 dólares.

—¿Con eso no podías vivir en Dominicana? -le pregunto.

—Tú estás loco -responde-. Estando yo botado en Dominicana en mi cumpleaños veintiséis, Manuel Azcona me regaló 1 500 pesos dominicanos (equivalente a 100 dólares). Y me cayeron superbién porque yo no tenía ni qué comer.

Mientras habla de eso, Arcaya mastica una galleta de sal. Él sabe que Azcona no es de mal corazón. Me dice que ese es su negocio.

Arcaya no recuerda cuánto tiempo exactamente estuvo durmiendo dentro del Toyota Corolla 1987, pero con toda seguridad sabe que fueron más de sesenta días. Mientras relata la historia se lleva las manos a la cabeza, se le humedecen los ojos y toma una pausa. A las seis de la mañana siempre se despertaba. No sabe si era el calor o la incomodidad de dormir en la parte trasera del auto, pero no lograba dormir más.

—Yo no sabía ni cómo ponerme.

Guardaba la pasta y el cepillo de dientes dentro de una bolsa que escondía en la guantera del auto. Ya no entrenaba ni buscaba un contrato, no tenía fuerzas ni nadie que lo ayudara.

Se movía en una modesta moto. Los fines de semana andaba y desandaba las calles de Santiago de los Caballeros. Así conoció, el 31 de marzo de 2010, a su futura esposa, Irlene María de León, a quien todos llaman Glennis.

—Salí una mañana a trabajar y, caminando con una amiga, él se me acercó –me dice Glennis, quien lleva cinco minutos oyendo nuestra conversación y se mantiene vigilando a la traviesa Kasey–. Estaba muy flaco.

Después de una insistencia de semanas, comenzó el noviazgo entre ambos. Arcaya empezó a dormir en una cama, comer caliente y no pasar necesidades de primer orden. Me dice que Glennis le ofreció lo poco que tenía. Dejó la academia de béisbol porque se sentía explotado. Se cambió a la construcción, donde cobraba 57 dólares semanales.

El viento sopló a su favor con la llegada de su madre a Estados Unidos. Ambas, la madre y Yailyn, aquella muchacha que se quedó en México y que se hizo residente de Estados Unidos con el paso del tiempo, pagaron los 3 000 dólares que le costaban montarse en una lancha para llegar a Puerto Rico y pedir asilo político. El 4 de febrero de 2012 se subió a la embarcación que lo sacaría de República Dominicana. Él había soñado salir en un avión como beisbolista profesional y no como el emigrante indocumentado que era.

—Pensé que no íbamos a vernos nunca más –me confiesa Glennis, quien luego llegaría a Estados Unidos tras consumarse el matrimonio entre ambos.

Dice Arcaya que siempre estará en deuda con Glennis por ofrecerle lo poco que tenía. «El agradecimiento es la memoria del corazón», asegura que esa es una de sus máximas.

La travesía por el canal de la Mona fue negra. Esa misma noche, se ahogaron sesenta y siete dominicanos en un bote de fabricación casera debido a las condiciones del tiempo. En el barco que salió de Higüey, municipio costero al este de la capital, solo iban diez pasajeros cubanos y ninguno era pelotero, excepto Arcaya. Pasaron por Isla de Mona y luego de diecisiete horas, atracaron en la isla deshabitada de Desecheo, a quince millas de Puerto Rico. El teléfono del Willy solo tenía una raya de batería cuando llamó al 911 para pedir rescate. A las dos horas aparecieron dos helicópteros. Tiraron bolsas de comida y se fueron. Esa noche durmió a la intemperie y al día siguiente fueron rescatados y trasladados al Centro de Detención de Aguadilla.

—Me hicieron cantar el himno para comprobar si era cubano.

Desde San Juan de Puerto Rico tomó un vuelo hasta Miami, donde reside desde el 7 de febrero de 2012. Nunca dejó de pensar en el béisbol. Recibió llamados para irse a la Liga Profesional de Nicaragua. Sin embargo, cuando su residencia estadounidense llegó a sus manos, ya tenía treinta años.

Después de trabajar en una compañía de mudanzas, en la construcción y manejando un camión, el sueño de Arcaya se desvaneció. Diez años más tarde, Arcaya sigue tirando a segunda base desde el suelo. No duerme el día antes de un juego de béisbol. La emoción controla el sueño.

En un partido de preparación, mientras intentaba su firma profesional, enfrentó a un zurdo de 98 millas en la Academia de los New York Mets. Corría el año 2009 en República Dominicana. El pitcher le pegó una recta que le fracturó instantáneamente dos dedos de la mano izquierda. El umpire pidió tiempo y le dijo que debía irse al hospital e inmovilizarse la mano. El rebelde pinero le aclaró que no saldría de home. Había muchas personas presenciando el choque. Recuerda como si fuera hoy a su amigo Félix Pérez corriendo en segunda base. Entró al cajón de bateo, presionó el bate con los tres dedos restantes de su mano izquierda y, ante una recta superior a las 95 millas, pegó una línea que se estrelló en el muro del jardín central. Al llegar a segunda base, pidió tiempo al umpire de home y dijo: «Ahora sí me voy».

El secreto del recogepelotas que llegó a Grandes Ligas

Me encuentro con Yunesky Maya en el terreno 4 del Tamiami Park, en la ciudad de Miami entre la calle 112 del Southwest y la 24 avenida. A lo lejos, se ve Maya como un solitario corredor de fondo, aunque en este caso lo hace en la grama primaveral de un campo de béisbol que sirve para prácticas de niños y partidos de ligas locales durante los fines de semana. No existe nadie más esa mañana. La llovizna amenaza con romper el entrenamiento del lanzador de treinta y seis años.

Maya entrena con unos tenis deportivos de color gris, su frente suda y las gotas recorren la barba en una mañana a treinta grados de temperatura. Quien lo conoce bien, sabe que casi nunca sonríe. Su pulóver es negro, el *short* rojo le sobrepasa las rodillas y en las esquinas se define por el símbolo de Air Jordan, un hombre con las piernas abiertas buscando el Olimpo con las manos. Es una imagen que me recuerda la propia emotividad de Maya, él busca la eternidad mientras su brazo le acompañe, que bien lo ha hecho en una surrealista carrera de lanzador que supera los quince años.

—¿Tú podrías cogerme unas pelotas? -me pregunta, pidiendo que haga de cátcher.

Le respondo que no tengo problemas, a menos que me rompa un dedo. La velocidad de un lanzamiento podría quebrarme y eso me retrasaría para escribir su historia.

—Es que no traje otro guante -se lamenta.

Maya superó mi agenda privada sobre la búsqueda de enigmas y se transformó en mito del béisbol cubano. Una historia de superación ilimitada entre la tormenta del ser y no ser. El utilero y recogedor de pelotas del estadio Capitán San Luis -con 18 años- en la provincia Pinar del Río, el mismo que una década más tarde llegó a Grandes Ligas, un 7 de septiembre de 2010, en Nationals Park con los Washington Nationals, frente a los New York Mets ante 13 835 aficionados. La lógica no existe donde habita el secreto, por eso Maya ahora ni siquiera piensa en la transición. Quizá mucho tiempo antes sí lo desveló esa evolución increíble. Ahora piensa en entrenar todos los días, mantener a su familia, realizar la rutina y volver al juego que lo rescató cuando se hallaba sin rumbo en la vida.

Conversamos sobre los diversos tipos de migración. Él llegó a Estados Unidos con un contrato millonario, yo con 159 dólares en el bolsillo. Hablamos del estrés del primer día, él fumaba aquellos cigarros Marlboro rojos; en cambio, yo elegí los verdes. Él estuvo en el cuarto de inmigración por una hora en el aeropuerto de Orlando, yo estuve once horas esperando salir del aeropuerto de Miami.

Nos sentamos en unas mesas protegidas por un techo frente al terreno. Él levanta su teléfono y comienza a llamar a amigos expeloteros. Primero a William Arcaya. Maya le pide que venga para hacer una sesión de bullpen, pero Arcaya se encuentra trabajando en ese momento. Luego llama a Manolito, un exlanzador de La Habana que jugó a nivel colegial en Estados Unidos, luego de llegar en 1997 mediante la lotería de visas. Manuel Arencibia viene llegando en veinte minutos y finalmente llega. Se ponen a tirar pelotas. Inician a 10 pies de distancia hasta que progresivamente se alejan a unos 150 pies.

—Este es el salvador de todos –dice Maya mientras estira su brazo.

Arencibia entrenó en el pasado con lanzadores cubanos del calibre de Danys Báez, Alay Soler o el dominicano Frank Francisco, y ahora sirve de apoyo a Maya. Se conocen de hace tres o cuatro años, antes de irse Maya a la liga de Corea. Por ese día ese es todo el entrenamiento.

Al día siguiente regreso y se unen Armando Rivero y Pedro Echemendía Jr., *Sachy*. Ellos dos, junto a Maya, tienen algo en común: son agentes libres y están buscando contrato, lo mismo en ligas menores que con alguna organización de Grandes Ligas, Asia o México. El día se nubla y el cielo encapotado anuncia lluvia.

Comienzan a las diez de la mañana haciendo ejercicios de coordinación de pies. De ahí pasan a calentar el brazo y Maya me pide que lo asista. No tiene con quien calentar. Le pido de favor que lance suave. Me trae un guante y tomo una pelota pesada. No estaba preparado para eso. Me pongo la libreta de anotaciones en el bolsillo trasero de mi pantalón. Maya lanza más fuerte que hace un tiempo atrás, la operación de Tommy John a la que se sometió en 2016 ha rendido sus frutos. Mi mano se pone rojiza por la velocidad de los lanzamientos.

—Tremenda escopeta -grita desde lo lejos, alabando el estado de mi brazo.

Experimento cierto dolor en la región del bíceps, me percato de que ni siquiera calenté. Se acerca y prueba el sinker que se mueve a la izquierda.

—¿Se movió? -pregunta.

Yo le respondo que sí. Incursiona con el cutter (recta cortada), luego la curva y termina probando la recta. Siento que la mano me quema, que la fortaleza de los envíos traspasa el guante. Después de quince minutos, se incorpora Maikel Taylor, otro lanzador cubano y agente libre. Ahora los cuatro inician un circuito de señales, donde alternan cuclillas, saltos y carrera de velocidad, que se extiende más allá de la media hora.

—Escribe ahí que no es fácil la vida del pelotero -me dice Rivero.

De repente rompe a llover y nos protegemos bajo techo. Suena la alerta de truenos en el Tamiami y la lluvia finaliza el entrenamiento.

La jornada concluye y le prometo regresar mañana. Intentar decodificar el secreto que vive dentro de un pitcher de treinta años puede demorar más de lo pensado. Lo ayudo cargando su maleta de implementos hacia el maletero del auto. Hay más de tres guantes, seis pelotas, la escalera de coordinación, ligas para el brazo, unas pesas para fortalecer el hombro y dos *spikes*. Mientras voy corriendo hacia mi carro, Maya grita:

—Tremenda escopeta.

Los padres de Yunesky Maya se separaron seis meses después de su nacimiento en 1981. La situación era desesperanzadora. Su madre, Mayra Mendiluza González, encontró la suficiente fuerza y sabiduría para guiar a sus tres hijos: Yunesky, Madaymi y Duniesky, quienes no reunían diez años sumados los tres. Cuando Maya habla sobre aquella década de los ochenta, toma un respiro. Su madre Mayra debió cuidar, por si fuera poco, al abuelo con la cadera fracturada, una tía con los dos pies amputados debido a una enfermedad diabética y a su otra abuela que estaba ciega. Mayra trabajó en la industria del azúcar cortando caña y además ensartaba tabacos en la occidental Pinar del Río. Llegó a ser Vanguardia Nacional.

—La reina mía -dice melancólicamente Maya.

Existen dolores que a veces el tiempo no cura. La familia atravesó una época infernal de necesidades que, lejos de separarlos, los unió para siempre. Su padre tomó otro rumbo. Se casó, tuvo un hijo con otra mujer y no mantuvieron mucha comunicación. No intento preguntarle más porque la llaga puede ser profunda.

—Tiempos difíciles -resume en dos palabras mientras toma otra pesa y comienza a realizar repeticiones para fuerza de hombro y bíceps.

Sus compañeros Armando Rivero y Pedro Echemendía Jr. también se ejercitan y escuchan las respuestas del Pirro. Ellos no saben ese tipo de particularidades de la vida de Maya, pues los entrenamientos no son una sesión conversacional sobre el dolor familiar de cada cual, sino la búsqueda del presente, esperanza y charla motivacional mediante. Sin embargo, se mueven y escuchan la historia.

—Casi nunca había almuerzo -recuerda.

Maya atrapaba un pedazo de pan de la tienda, se tomaba una botella de agua con azúcar y así continuaba hasta la noche. En su infancia pasaba los días pescando con su hermano Duniesky y dos amigos en un arroyo cerca del barrio. La fortuna los abrazaba en algunas ocasiones: pescaban hasta cincuenta tilapias por día, las vendían y hacían negocios con las ganancias.

Mientras crecía, se convertía en un niño alegre de barrio, con una pequeña cuota de maldad y la costumbre de estar pendiente siempre de su familia. Ayudaba al abuelo en la búsqueda de piezas para fabricar hornillas eléctricas. No era muy callejero, aunque cuando cumplió los quince años le gustaba ir a las fiestas nocturnas. En la escuela no sacaba las mejores notas, pero tampoco era el peor estudiante.

Al terminar el sexto grado, Mayra lo ubicó en una escuela de técnico medio, donde se estudiaban determinados oficios. Él quería optar por el curso de gastronomía, pero lo perdió por no matricular a tiempo, y no quedó otra opción que iniciar en la fogonería. De allí pasó a un curso de carpintería y estuvo quince días aprendiendo a confeccionar calzados de madera.

—Desde niño quería ser pelotero. El sueño mío era integrar el equipo Pinar del Río y después el de Cuba.

Cuenta Maya que, una vez, en un campeonato de kárate en el que participaba con su provincia, quedó descalificado de la competencia por no asistir al pesaje.

—¿Dónde estabas? -pregunto.

—Me escapé al terreno de béisbol y me puse a ver un juego.

Sin la pretensión de estudiar una carrera universitaria, en medio de la desorientada y confusa adolescencia, buscaba la pasión, una pasión que definiera su vida. Esa fuerza externa que te impulsa y exige superar la circunstancia. Su vida iba camino a merodear en las calles, luchar el dinero diario haciendo techos de concreto, mercadear en la reventa de artículos o vivir de los negocios. Esa fuerza de la que hablo se concretó en un terreno verde, que emulaba una primavera artificial, y poseía cuatro bases, como estaciones del año. El santuario donde se respiraba, por igual, la desilusión y el sueño.

Maya comenzó a trabajar en el estadio Capitán San Luis de Pinar del Río en el año 1998. Eliseo Reyes, *Capitán San Luis*, se marchó con el Che Guevara a la guerrilla de Bolivia y murió allá en 1967. El estadio se inauguró dos años más tarde y tiene una capacidad de 8 000 aficionados. Maya se inició allí como trabajador, bajo el amparo de Alberto Hernández, *Nine*, quien ha fungido por más de cuarenta años como cargabates del equipo. Junto a William Saavedra y otro amigo que no duró mucho tiempo, tenía el compromiso de laborar allí cada vez que Pinar del Río jugara en casa. Le excitaba eso. Lo disfrutaba.

Le demostraron al Nine que eran muchachos honestos.

—Nunca se perdió una pelota -dice.

La pérdida de una pelota en su puesto de utilero no se perdonaba. Todos sabían que las pelotas podían revenderse en la calle por dos dólares, pero él nunca se arriesgó porque quería mantenerse en el terreno. Recuerda cómo no podían asistir a las charlas entre la dirección y los beisbolistas. Viajaron en una ocasión hacia la capital a una serie de postemporada contra los Leones de Industriales. Maya tenía el pelo largo y le decían Pepillo, quizá por la tez blanca y su estilo pintoresco de caminar.

Convivía con peloteros como Omar Linares, Pedro Luis Lazo, José Ariel Contreras, campeones olímpicos. Interactuaba con Yobal Dueñas, Juan Carlos Linares (hermano de

Omar), Faustino Corrales (22 ponches en un juego, récord en Cuba) o Jorge Fuentes, mánager más ganador del país con cinco campeonatos.

En un día normal esperaban que arribara el bus al estadio, sentados en unos bancos afuera. Se bajaban todos y subían, él y Saavedra, para bajar los maletines cargados de pelotas y bates. Era un utilero profesional que armaba y desarmaba andamios en prácticas de bateo y buscaba lo mismo agua que una pelota en lo más profundo del jardín central. El Nine era un cargabates con mucho carácter.

—No se podía perder nada -recalca.

Un día Maya vio que afuera del estadio un ladrón robaba los espejos al auto de Pedro Luis Lazo, lanzador más ganador en la historia de la Liga Cubana con 257 victorias.

—Lazo, Lazo -gritó Maya entrando al *dogout* en medio de un juego.

—Dime, Pepillo -dijo el espigado lanzador.

—Te están robando los espejos del carro.

En ese momento todos corrieron hacia la calle y un amigo de Lazo atrapó al ladrón en plena faena.

Lo más difícil que recuerda de su trabajo, además del bajo salario de ocho pesos por juego, que equivalía a diez dólares mensuales, era lidiar con el público mientras recogía pelotas. En la Liga Cubana, se obliga al público a devolver las pelotas. A veces se buscaba algún que otro problema con los aficionados cuando caía una pelota de foul en las gradas y tenía que pedírsela a los niños.

—Imagínate tú, ¿cómo le pedías una pelota a un niño?

Cuando Pinar del Río jugaba seis o siete subseries consecutivas en casa, Maya podía cobrar hasta 350 pesos en un mes, el equivalente a 14 dólares. Su trabajo en el estadio era una mezcla de sacrificio impensado y aprendizaje. La realización nace una vez que se imagina el sueño. Por eso Maya se personificaba, como todos los jóvenes, en el final de un juego que él debía decidir como bateador.

Le gustaba ser infielder, tomaba algún consejo mientras fildeaba o se ponía a practicar el swing cuando los peloteros terminaban la sesión de entrenamiento. La imaginación del recogepelotas florecía una primavera cualquiera debajo de la lluvia, esa fue la primera conversación de su alma con el juego. Ambos se entendieron en una fusión de elementos dispersos, antes de surgir el momento.

Después de aplicarse a la labor de utilero y recogepelotas, entre los años 1998 y 2000, en la meca del béisbol de Pinar del Río, el servicio militar sorprendió a Maya. Lo ubicaron en el poblado de Bahía Honda, municipio en la costa norte, a cien kilómetros de la capital provincial. Tenía que hacer guardias nocturnas y trabajar en la caña. Allí cada unidad militar tenía un equipo de béisbol. Maya pertenecía al central Harlem y en los juegos entre unidades empezó a mostrar aptitudes como bateador, hasta que entró en el roster del equipo para la Liga Azucarera, torneo donde jugaban los beisbolistas retirados. En los playoffs del campeonato bateó para 12-0 y el mánager del conjunto, Lázaro Gómez, quien dirigió Forestales en Series Nacionales antes de que desapareciera como equipo en 1992, le preguntó una tarde:

—Guardia, ¿tú sabes lanzar?

Maya no sabía ni pararse en el montículo. Tomó la pelota y los astros se alinearon. Ponchó a todos los bateadores que enfrentó.

—Tú no vas a batear más, tú eres pitcher -le dijo Gómez.

Una mañana en el Capitán San Luis, en medio de una reunión antes del entrenamiento donde se realizaba siempre el obligado debate político, cultural y deportivo en el que los peloteros tienen que conversar sobre la actualidad de la provincia, de súbito alguien lee en un periódico: «Yunesky Maya, mejor pitcher de la Liga Azucarera». Todos exclamaron: «Ese es el Pepillo».

Regresó a Pinar del Río y todos querían comprobar si era verdad la historia reciente. Le realizaron las pruebas en el mismo estadio donde un año antes recogía pelotas. Se trepó en el box y lanzó contra los peloteros para los que trabajaba tiempo atrás.

—No tenía zapatos -recuerda.

Como en casi todas las historias de subestimación, ningún entrenador midió la velocidad de los lanzamientos aquel día. Las rectas llegaban fuertes al cátcher y el irreverente joven de veintiún años dominó a bateadores de jerarquía nacional.

—Guajiro, ven acá -lo llamó Lázaro Madera, mánager del Pinar del Río B y exbateador reconocido (264 jonrones en la Liga Cubana). Madera conocía a la madre de Maya, los Mendiluza de La Coloma. El pitcher lo impresionó tanto que, mientras se acercaba, le dijo a un asistente:

—Oye, borra uno de la lista y anota al Guajiro.

Esa tarde Maya bajó por la calle del Reparto Capó con unos *spikes* marca Batos y un guante nuevo. El recogedor de pelotas del pueblo ahora dormía con los preciados *spikes* debajo de la cama.

—Eso para mí era oro -dice.

Tras dos campañas de aprendizaje y espera en Series Provinciales -y de integrar la reserva del primer equipo-, el anhelado ascenso llegaría. Su sueño se cumpliría cuando varios lanzadores pinareños emigraron y se abrió un espacio. Maya integró el equipo Pinar del Río en 2003. Su traje, el número 27; su edad, veintidós años. Luego de solo veinticuatro meses dentro del alto rendimiento, llegaba a la cúspide. La metamorfosis de recogepelotas a pitcher no quebró su humildad. El mito comenzaba a crecer y alimentarse por todas las gradas y parques de Cuba.

—Fue un cambio muy brusco en mi vida.

Yunesky Maya llegó a la Serie Nacional de Béisbol, Liga Cubana, con los Vegueros de Pinar del Río en la temporada 2003-2004. Ese primer año ganó dos partidos y no perdió en 10 entradas de actuación. El número 27 entró con la suerte del principiante a lanzar en dos choques que su equipo perdía por cinco o más carreras y terminó ganándolos.

—Mis dos primeros juegos los gané gracias al Lobo –recuerda a su compañero Donal Duarte.

Un detalle que convirtió a Maya de pitcher promedio a lanzador de primer nivel fue la insólita charla que tuvo una noche con José Manuel Cortina, uno de los mejores entrenadores de pitcheo en la historia del béisbol cubano. Cortina y otros entrenadores han guiado a un ingente número de tiradores pinareños al equipo Cuba, sin contar el grupo superior a diez tiradores que han conquistado las 100 victorias en el campeonato cubano.

—¿Cómo tú tiras la recta? –le preguntó José Manuel Cortina a Maya con una pelota en la mano.

Maya le indicó el agarre y explicó cómo soltaba la recta de cuatro costuras.

—No, no, no –dijo Cortina–, así tira el cátcher, el torpedero, los jardineros, ¿para qué?, para que la pelota no se mueva.

Así fue como le enseñó a tirar la recta de dos costuras para conseguir el efecto y sacar de paso a los bateadores.

—Ahí es donde empezó a despegar mi carrera –me asegura Maya.

Entrenaba solo en el Capitán San Luis luego de los partidos, desde los virajes a segunda base o a dónde tenía que correr en caso de un tiro a tercera, hasta lanzamientos nuevos que intentaba incorporar. La vida del pitcher, a veces, suele ser la más solitaria de todas, y Maya debía recuperar una sumatoria de años perdidos y todas las horas de entrenamiento que por su descubrimiento tardío nunca atravesó.

En su segunda temporada (2004-2005), Maya fue el pitcher más efectivo de Cuba con 1.61 en 89.2 innings sin permitir jonrones. Además, ganó 5 juegos y salvó 7. Integró el equipo Cuba a la Copa Mundial de 2005. Un año más tarde, realizó su conversión a abridor y entró en la historia del béisbol al convertirse en el primer lanzador cubano que ganaba en un Clásico Mundial de Béisbol.

Sucedió en el estadio Hiram Bithorn de Puerto Rico, en 2006. Maya lanzó dos innings ante Panamá y luego de sacar un out que forzaba el choque a extrainnings, el derecho derramó algunas lágrimas camino al *dogout*.

—Yo sentí que la tierra temblaba –dice sobre aquel momento.

Cuando Yulieski Gurriel capturó aquel fly, el joven salió del box emocionado y pensó en su mamá, su familia y la gente del barrio.

El equipo Cuba obtuvo el segundo lugar de ese torneo y Maya, como los demás peloteros cubanos, regresaron siendo héroes a la Isla. Una vez en La Habana y pese a perder ante Japón la final del Clásico, los peloteros se reunieron con Fidel Castro. El Gobierno cubano le pagó a cada jugador 11 000 dólares por la actuación en el Clásico. Castro reconoció a Maya. Levantó la mano del pinareño y dijo a viva voz que era un corajudo.

En Pinar del Río, el Gobierno le otorgó un apartamento por sus méritos deportivos a solo dos años de llegar al equipo Cuba. Su familia salió de la pobreza que había sufrido un lustro antes.

Diez días antes de que se iniciaran los Juegos Olímpicos de Beijing en 2008, Maya fue cortado del equipo por una serie de acontecimientos que tuvieron lugar en la gira por Corea. Primero, su compañero y amigo Yosvany Peraza ganó un concurso de jonrones cuyo premio era de 1 500 dólares y una cámara Canon, pero los dirigentes de la delegación impidieron que se le entregase el premio. Maya discutió con Antonio Castro (hijo de Fidel Castro, médico del equipo) y con el mánager Antonio Pacheco. Esto no hizo mucha gracia y en un partido de preparación donde ensayaba su cambio mostró cierto descontrol y fue sacado de la lista. Él, junto a otros cuatro peloteros, tuvo que tomar un vuelo de regreso a Cuba un día antes de comenzar las Olimpíadas.

—Fue algo bochornoso ese regreso -recuerda-. No pude ver ni siquiera un partido del equipo en Beijing, me daba taquicardia.

—¿Si eso no hubiera pasado tú estarías en Cuba todavía? -le pregunto.

—Nadie sabe, quizá, tal vez. Hay un porciento grande de que estuviera aún -responde.

No participar en los Juegos Olímpicos de Beijing 2008 estuvo entre las decepciones más resonantes de su carrera que aún no termina. El guerrero volvió a los entrenamientos entre la pesadumbre y la consternación. Tenía una declaración más sorprendente aún y la realizó ante el periodista Yimmy Castillo para la televisión cubana:

—Voy a ser el mejor pitcher de Cuba el próximo año -aseveró.

En la temporada 2008-2009, la madurez y el entendimiento se unieron al talento natural del Pirro y, en la pausa por el Juego de Estrellas, ya posteaba 9-1. Culminó esa campaña con 13-4, 2.22 de efectividad y arribó al II Clásico Mundial de Béisbol (2009) como mejor lanzador derecho del equipo junto al zurdo Aroldis Chapman.

—Todo el mundo pensaba que abriría un zurdo el juego contra Japón -me aclara, en relación al choque de muerte súbita entre Cuba y los japoneses.

Una vez más el misterio, la inseguridad y las malas decisiones influían en los resultados de Cuba.

—El juego era a las 6:05 p.m. y a las 3:30 p.m. no se sabía quién iba a pitchear.

Maya jugaba cartas en la habitación del hotel junto a Norge Luis Vera y su amigo Peraza. Tocó a la puerta Higinio Vélez, en condición de mánager, Tony Castro y un agente de la Seguridad. De repente dijeron:

—Quieren hablar contigo.

—¿Quién quiere hablar conmigo? -preguntó Maya.

—El comandante -respondió Vélez.

Maya tomó el teléfono con aparente nerviosismo y Fidel Castro le dijo:

—Yunesky Maya, usted sabe que tiene la responsabilidad de abrir este partido...

Supuestamente, el gobernante quería a Maya lanzando tres innings y luego dar entrada a un zurdo. Escenificada la batalla en el Petco Park de San Diego ante Hisashi Iwakuma, los dirigentes no contaban con los tres primeros innings en blanco lanzados por el pinareño. La connotación política que históricamente se le dio al béisbol en

Cuba desde 1959, produce compromiso y nervios equivocados. Los directores no querían arruinar los planes y a la llegada de Maya al *dogout* tras poner tres ceros en la pizarra, el director Vélez lo felicitó, pero le aclaró que había terminado su labor.

—¿Cómo? -preguntó confundido.

Nadie respondió. Seguían las instrucciones de Fidel Castro.

—Tremenda peste a mierda es lo que hay aquí -dijo tirando el guante contra los bancos.

Caminó hacia el interior del moderno *clubhouse*, uno que casi nunca estaba acostumbrado a ver. La presión del momento y la intempestiva noticia hicieron a Maya quitarse el uniforme y desabrocharse sus *spikes*. A la decepción de no estar en Beijing 2008 ahora se sumaba un nuevo sinsabor. Mientras tanto, el juego seguía desarrollándose y se sentía el bullicio del estadio desde el *clubhouse*. Era tanta la locura y la celeridad de sus pensamientos que fue por un cigarro, abrió las duchas para que el humo del agua caliente encubriese el cigarro y empezó a fumar. No entendía por qué debía abandonar el partido si estaba dominando a los japoneses. Se sentía abatido, desbordado.

De pronto, entró al baño Jorge Fuentes, jefe técnico del Cuba, pinareño que siempre trató a Maya como uno de sus elegidos. Fuentes, exmánager campeón de dos Juegos Olímpicos, Barcelona 1992 y Atlanta 1996, no se había enterado de lo que ocurría. Él fue el primer director que tuvo Maya en Pinar del Río cuando realizaba la transición de recoger pelotas a lanzador.

—¡Pirro! -gritó Fuentes a modo de regaño-. ¿Qué tú haces aquí?

—Ah, Jorge, ni me digas nada, que esta gente me quitaron.

—¿Cómo?

La cara de Fuentes lo decía todo. Era el tipo de situaciones que suelen ser frecuentes en un ambiente donde no existe un director que tome las decisiones por sí mismo. Uno podría escribir varios libros sobre el archivo de ridículas llamadas en torneos internacionales. A veces, se trata el béisbol como si fuera algo más que un juego.

Fuentes salvó la sustitución. Regresó. Al parecer había convencido a Higinio Vélez o realizaron alguna llamada. Maya debió botar el cigarro, acordonarse los *spikes*, despejar el mecanismo, ordenar en la psiquis lo que supone salir y entrar de un juego solo en tu mente; aunque si alguien estaba preparado para el cambio ese era Maya. Volvió al terreno, el *clubbie* (encargado de la limpieza del *clubhouse*) lo regañó por fumar allí dentro -dos años después Maya volvería a San Diego como lanzador de Grandes Ligas y le regalaría un cheque de 1 500 dólares.

Ese cuarto inning ante Japón sería el último con la camiseta de Cuba. Dos outs, corredores en primera y segunda base, un bateador de casi 400 jonrones en la Liga Profesional de Japón (Mishihiro Ogasawara) se enroló en una batalla de foul y adivinaciones contra Maya. Finalmente, le pegó una línea fuerte entre el jardín central y el izquierdo, Yoenis Céspedes cerró el guante antes de tiempo, la pelota cayó y Japón marcó dos anotaciones. Maya fue sustituido. Iba mirando el césped a su salida del box, camino a los vestidores del Petco Park. Cuba perdería esa noche 5-0 y terminaría su andadura en el II Clásico Mundial.

—Ahí pensaste en salir de Cuba definitivamente -le pregunto.

—Uno se traza muchos sueños. Primero era ser pelotero, luego llegar al equipo Pinar del Río, luego al Cuba y luego a Grandes Ligas.

Viajes mentales violentos y lejanos.

Una práctica de pitcheo en vivo precisa la conjunción de varios factores para que todo salga según lo previsto. Es viernes en la mañana y Maya necesita enfrentarse a bateadores en el terreno 3 del Tamiami Park, para esto lleva preparando el Live BP (práctica de bateo real) algunos días. Llama a William Arcaya. Necesita un cátcher y un bateador como mínimo. Contactan a Dariel Crespo, receptor liberado por los Twins de Minnesota en el entrenamiento extendido de primavera un mes atrás.

—El día está feo –me dice Maya.

Los hongos crecen en el pasto y las ardillas trepan los árboles. El mes de mayo ha traído lluvias constantes. El día es uno de esos donde es imposible pensar en que no lloverá: nubes oscuras y grises en el horizonte. El terreno es alquilado. Maya, Echemendía Jr. y Rivero entregan al encargado del campo veinte dólares cada uno, pero en medio de eso, rompe a llover y el señor les devuelve el dinero.

Tantos días de espera, coordinación, y la lluvia acaba los planes en cuestión de minutos. Arcaya comienza a relatar historias de cuando estuvo en Dominicana. Otros miran sus teléfonos y algunos rostros se sienten preocupados.

—Dime algo de esto –dice Rivero, quien no ha lanzado en seis meses después de su operación en el hombro derecho.

Maya debe irse antes de la 1:00 p.m. porque su hijo menor cumple dos años ese mismo día y quiere pasar tiempo con él.

La lluvia amaina y se animan las caras. Se ponen a calentar los brazos con estiramientos y pequeñas carreras de treinta metros. Maya me pide que encuentre a uno de los trabajadores del terreno que anda por ahí dando vueltas en un carro como los que se ven en los campos de golf. La oficina se halla justo frente al terreno 3. Hago la gestión y el hombre vuelve. Se le paga el efectivo y abre la puerta. Hay dos receptores, Arcaya y Crespo, y un bateador, Yosley Veitía. Todo está listo.

Rivero lanza de primero. Grabo con mi celular los treinta lanzamientos de su Live BP porque necesitan pasar vídeos a los agentes o equipos interesados. Me ubico detrás del lanzador en una zona de peligro. Maya a mi lado le alcanza las pelotas, pitcheo tras pitcheo.

—Ten cuidado –me dice, y eso me asusta aún más.

Crespo pega una línea que pasa cerca de mi cabeza. Es el turno de Maya. Hace los movimientos, prueba los pitcheos, desde la curva hasta el *cutter.* La faena parece cumplida. Luego tiran Echemendía Jr., Maikel Taylor y J.C. Sulbarán, de Curazao y con experiencia en ligas menores.

La lluvia inunda el terreno en quince minutos. Entramos en el pequeño *dogout* y la sensación es de felicidad porque, al menos, se aprovechó parte de la sesión.

Me acerco a Maya y continuamos con el momento de su partida de Cuba. Algunos podrían pensar que es una decisión pensada por años, pero en realidad es solo un pensamiento fugaz que se reitera.

—La primera vez que pensé salir de Cuba ciertamente fue la tarde que se me rompió la moto –dice.

Iba manejando su moto de dos velocidades por una de las calles principales de la ciudad y se explotó una bujía. Tuvo que caminar alrededor de doce cuadras hasta su casa empujando la moto con sus manos. Simultáneamente se iba rompiendo algo dentro de él mismo. Llegó a casa y allí decidió aceptar el primero de los tantos mensajes que le enviaron los encargados del tráfico ilegal de personas.

—Las personas en la calle decían: «Mira para eso, del equipo Cuba y los trabajos que pasan».

Para julio de 2009, Maya intentaba su primera fuga de Cuba con su hijo Kevin y su madre Mayra. En la costa norte de Pinar del Río fueron atrapados y apresados en el Politécnico de la provincia. Los contactos no llegaron con precisión y la lancha que venía a recogerlos se rompió en el mar.

Una semana en la prisión. Allí caminaba sin presión y los internos lo reconocían como el pitcher del equipo Cuba. Los agentes de la Seguridad del Estado cubano, con la intención de que hablara sobre los contactos, le comunicaron que su hijo Kevin, de dos años, estaba ingresado en el hospital.

El jefe de la Seguridad en Pinar del Río llamó a la prisión y pidió hablar con Maya:

—Te lo dije que te íbamos a atrapar –le comunicó por vía telefónica.

Al cabo de treinta días y después de un primer intento de salida ilegal frustrante, continuó buscando alternativas para salir de la Isla.

—¿Por qué decidiste no llevarte a tu hijo en la segunda oportunidad? –le pregunto.

—Pensé que, si me iba a joder, me jodía yo solo, y gracias a Dios no me lo llevé, porque no hubiese soportado lo que sucedió –me confiesa.

En agosto de 2009 partió hacia Las Tunas. Llegó en un auto alquilado. El viaje se extendió luego hasta Holguín. Lo recogieron allí dos personas de las cuales él no sabía nombre ni identidad. Vivió por una semana en una casa de campo adentro y oculta de la ciudad en las mejores condiciones hasta que lo montaron en una moto y lo dejaron en la orilla del mar una noche. Playa La Herradura.

—Estuve cinco días comiendo donuts -me dice-. Solo había donuts. La travesía fue dura. Fueron cinco días que estuve en el mar.

El barco de treinta y dos pies se quedó sin gasolina en una isla entre las Bahamas y Turcos y Caicos, llamada Grave Bay. Los lancheros salieron hasta Great Inagua, entre dos o tres millas de distancia para recargar combustible. Maya por poco muere de deshidratación.

—Tomé hasta orine.

No comió nada en un día, excepto caracoles. Bebía agua agitando las ramas de los árboles, el agua caía en el pulóver y exprimía el líquido hasta llevarlo a su boca.

En la embarcación viajaban dos muchachos, de los que no recuerda el nombre ni tuvo nunca más contacto con ellos. Uno de ellos era nadador y se lanzó hasta la pequeña isla para avisarles a los lancheros que Maya estaba en malas condiciones. Creyó que moría solo allí, pero a lo lejos vio al nadador volviendo:

—Cuando vi al nadador regresando fue como encontrarme a Dios. Sí lloré, sí, lloré mucho. Dicen que los hombres no lloran, pero sí lloré.

Los conductores volvieron con el barco lleno de combustible y manejaron hasta Turcos y Caicos por una hora y media. Desde allí fue trasportado con un pasaporte inventado hasta el aeropuerto del Cibao, en Santiago de los Caballeros. Recuperó fuerzas y en dos días ya se encontraba en Santo Domingo, en la Academia Born to Play.

—Conocí a Edgar Mercedes y estuve ahí hasta que me firmaron.

La firma del contrato millonario por el que arriesgó su vida demoró menos de un año. El 31 de julio de 2010, los Washington Nationals le otorgaron un contrato de 8 millones de dólares, según algunas publicaciones, pero en realidad a él solo llegaron 6,5.

—Yo no sé por qué salen los 8 millones esos, para mí que ese dinero se perdió -me dice con su picardía acostumbrada.

En aquella época se especulaba que su contrato llegaría a los 17 millones de dólares. En la demora de los trámites pasó seis meses en la Academia de los Mets. Su amigo José Contreras habló con White Sox, Philadelphia le ofreció 3 millones de dólares sin papeles, también Cincinnati se interesó. Pensó que no iba a firmar. Finalmente, Washington ganó la apuesta, a la semana de llegar sus papeles.

En el lado ciego de ese contrato se hallaba la separación de su hijo Kevin, su madre y el resto de la familia. El tiempo libre lo deprimía y solo el béisbol mejoraba el estado anímico. Por suerte, su hermana Madaymi, que reside en Dominicana desde 2006, lo sobreprotegió y siempre anduvo a su lado.

—Nostalgia. Mucha nostalgia.

El mundo desconocido. La noche que Yunesky Maya salió de Dominicana hacia el aeropuerto de Orlando no sabía nada de inglés, estaba muy nervioso. No tenía teléfono. No sabía nada. Seis horas demoró en el cuarto de emigración en Orlando y tras recoger su maleta vio a un señor americano que portaba un cartel con el nombre de Yunesky Maya.

Dos horas de viaje hacia Washington D. C., fumaba. Prendió el cigarro dentro del carro, el señor le preguntó qué le pasaba y él respondió que estaba muy nervioso. Llegó al *clubhouse* y el *clubbie* le dijo que se hospedara en el hotel. Acostumbrado a viajar con el equipo Cuba, él suponía que todo estaba arreglado. El *clubbie* lo llevó al hotel y lo soltó allí. Maya no sabía qué decir.

—Uno viene ciego.

Wilmer Difó y Pedro Severino lo ayudaron a alojarse. La barrera del idioma lo golpeaba constantemente. El último mes de 2010 fue promovido a Grandes Ligas y, a veces, Maya iba hasta el estadio caminando. Un día Ian Desmond paró su carro para llevarlo, y Maya le agradeció y mantuvo el camino. Su primera cuenta de teléfono por llamadas a Cuba fue de 1 670 dólares. No sabía cómo enfrentarse a lo desconocido, un mundo afuera sin esperas ni preámbulos, ese fue su bateador más complicado.

—Muchas cosas para estar en un *show* de ese nivel –explica.

Su cuerpo estaba listo, pero su cerebro aún no procesaba la dinámica del cambio inesperado. La noche antes de su debut en Grandes Ligas no durmió. Las leyes de lo imposible se rompieron aquella noche del 7 de septiembre de 2010, pasara lo que pasara luego, ese día derribó todos los muros que existían. Soportó cuatro carreras en las dos primeras entradas y luego lanzó tres innings en blanco. Su equipo terminaría una temporada perdedora con récord de 60-79.

—Yo creo que la posibilidad de que un recogepelotas llegue a Grandes Ligas es de cien a uno –me dice Raudel Lazo, un zurdo pinareño que llegó a Grandes Ligas en 2015 con los Miami Marlins.

Su carrera prosiguió en las menores y la gerencia no confió demasiado en el cubano. Los problemas culturales, lo más probable, influyeron, unido a un exiguo horizonte de oportunidad. No regresó a la velocidad que exhibió en Cuba, entre 92 y 94 millas, y hubo varios encuentros en los que el equipo no le respondió.

—Cuando a mí me subieron me sentía mejor en Triple-A que en Grandes Ligas. Yo estaba loco por que me bajaran. No convivía ahí. Era un mundo yo solo.

Maya tuvo problemas con Jayson Werth. En los entrenamientos de primavera de 2011, el pinareño entró al *clubhouse* una tarde, hablando por teléfono con su hermana, que enfrentaba una operación de riesgo, y como en los *clubhouses* no se puede hablar por regla, Werth se le enfrentó. Todo terminó en una pelea en el baño entre Nyjer Morgan y Maya contra Werth y Adam LaRoche.

El 30 de junio de ese año, Maya ganó su primer y único juego en Grandes Ligas ante los New York Mets como visitante. En 5.1 innings, lanzó 78 pitcheos, 52 strikes, 9 rodados y 5 fly outs sin permitir carreras. Al día siguiente, lo bajaron a Syracuse, sucursal de Triple-A.

¿Cuál es el secreto que vive dentro de Yunesky Maya? Eso me pregunto, mientras caminamos una mañana en busca de agua hacia un bebedero a una milla de distancia. En medio del camino, paramos frente a un campo de fútbol, observamos a los niños jugar, él pide unas empanadas de carne. El aire corre entre unos árboles frondosos.

Nos sentamos a una mesa a descansar después de una jornada donde lo he ayudado a entrenar. Saco mi teléfono, abro la aplicación de YouTube y busco ese último partido, inning y lanzamiento que tuvo en Grandes Ligas el 24 de mayo de 2013. Intento buscar la espiritualidad del momento en sus ojos. El video corre.

—Qué clase batazo -dice mientras ve el jonrón que le conectó Pablo Sandoval para dejar al campo a su equipo en la décima entrada.

Fue un cambio a 85 millas, flotante en la zona alta. Maya repite el video. Sus ojos buscan cómo cambiar la historia, entre la sinuosa curva del deseo incumplido.

Me entrega el teléfono y mira hacia el campo de fútbol.

—Increíble, ese fue mi último pitcheo en el *show*.

—Si tuvieras que cambiar algo de esa noche, ¿qué sería?

—Más preparación -dice al instante.

Ese día Maya se encontraba en el bullpen en zapatillas deportivas. Él no busca excusas porque hay que hacer el trabajo siempre, pero hubiera agradecido al menos un mensaje previo o algún consejo.

—Uno es soldado y guapo, me dije: Vamos a pelear -dice.

Ese mismo día a las 3:55 a.m. Maya había sido informado de que subía al equipo. Desde Syracuse debió tomar un vuelo a Chicago y de allí a San Francisco. Él y Fernando Abad eran subidos y los dos tenían vuelos distintos. ¿Quién entiende?

A las seis de la tarde arribó al AT&T Park, el estadio de los campeones mundiales en 2012. En su pensamiento la planificación decía que él no lanzaría esa noche, por el aparente cansancio del viaje. Los factores se unieron, se empató el partido en la novena y el teléfono sonó para que Maya saltara al box en la décima.

—Yo sentí como que querían eliminarme.

La relación entre Yunesky Maya y los Washington Nationals no contó con la química necesaria. Un día después del *walk off* de Sandoval, la gerencia de Washington sacó a Maya del roster de cuarenta.

A su regreso, no esperó el avión a Syracuse, se montó en su auto con su segunda esposa, Adianez Gómez, madre de su segundo y tercer hijos, y fue detenido por la policía en una interestatal. Le explicó al policía que no tenía la licencia, que estaba en una noche negra, que era beisbolista y había sido sacado del roster de cuarenta. El oficial entendió.

A partir de ahí, en 2014 pactó con Atlanta Braves. No fue subido pese a lanzar 3-3, 2.63 de efectividad en Gwinnett, Triple-A. Los Rockies de Colorado lo querían para que lanzara en las Mayores, pero la puerta se cerró. Los Braves vendieron el contrato a los Doosan Bears en la Liga Profesional de Corea por 175 000 dólares de los que Maya recibe 75 000. Emprendió un largo viaje con su segundo hijo, Kayler, y su esposa. Allí, en una noche mágica de Corea, lanzó un no hit no run y se convirtió en el segundo extranjero en la historia de la Liga en conseguirlo. En esa novena entrada, luego de dos bases por bolas, el mánager sale a preguntarle, por medio del traductor, cómo se siente. Maya le pregunta si sabe lo que está pasando, el mánager contesta que sí, y Maya le dice al traductor: «A mí hay que matarme aquí». Con un rectazo final, el pinareño logra la hazaña, se arrodilla en el suelo, y llora.

El 2 de febrero de 2016 firmaría contrato de liga menor con los Angeles Angels, después de ser elegido Pitcher del Año por segunda vez en la Liga Invernal de Dominicana con los Tigres del Licey. Asignando a Salt Lake Bees, Triple-A, y con 34 años, algo se rompió en su brazo lanzando una tarde. El *pitching coach* del equipo notó a Maya luchando contra el tiempo y esforzando su brazo lastimado.

—You got so much heart, you got heart, heart, heart -le repetía.

El corazón es solo un músculo, como el brazo. El 25 de mayo de 2016, Maya salió de la cirugía Tommy John, practicada por el doctor Orchand, con su brazo vendado y caminando por las calles de New York. Trece meses más tarde, volvió al juego. Si llegó al punto más alto de la montaña fue por no rendirse. El sueño de Maya no surgió para ser creído, nunca entendió lo que iba consiguiendo. De haberlo hecho, nada hubiera existido.

—Es algo que aún ni yo mismo me creo.

Ese último día corremos veinte minutos alrededor del Tamiami Park. Pasamos por la parte trasera del estadio Ricardo Silva, de la Florida International University. A lo lejos se divisa al gran Camilo Pascual golpeando pelotas de golf. Pasamos a saludarlo y continuamos la marcha. Luego, como de rutina, ayudo a Maya haciendo de cátcher. Hay que reconocer que he mejorado bastante. Nos despedimos con un abrazo. Maya sale en su BMW de 2011 y yo en mi Toyota Corola de 2002. A menos de una milla, él se arrima a la cuneta, pone el intermitente, mi carro le pasa. Maya me saluda con su mano derecha. En dirección contraria, veo cómo se aleja su carro por mi espejo retrovisor.

La confusión que cambió la vida de Ramón Tamayo

El 25 de julio de 2014, en medio de una oscuridad aterradora y una neblina incierta, Ramón Tamayo esperaba que una lancha lo sacara de Cuba con 34 años. Noche y viento en contra, no tuvo otra opción que nadar alrededor de mil metros hasta llegar a la embarcación en una mezcla de emboscada, nerviosismo y desesperación.

Nunca olvidará aquel día ni las horas que cambiaron su vida gracias a una surrealista confusión. En la embarcación viajaban Dany Hernández y Julio Amador, jugadores de bajo perfil que actuaban con los Elefantes de Cienfuegos, además de Orandy Abascal, cátcher de los Huracanes de Mayabeque, y su esposa Dasay Guerra. Los encargados de la recogida seguían órdenes expresas de completar la operación bajo los principios de imprecisión y celeridad. Por lo que en un momento tan determinante no interesan mucho los rostros ni los nombres: si algo falla todos van a la cárcel. Estos hicieron la pertinente llamada y le comunicaron al veterano que se presentara en una coordenada del litoral de Moa, provincia de Holguín, a cien kilómetros de su ciudad de origen, Bayamo. Tamayo, que es todo menos un hombre que vacile ante la presión, estuvo allí a la hora acordada. La lancha recorrió cuatro millas mar adentro y uno de los buscones le preguntó:

—¿Cuántas millas estás tirando, Tamayo?

—Yo no tiro millas, yo juego segunda y tercera base –respondió.

En ese instante se sintió un silencio tan grave y hondo como el mismo océano. El motor de la lancha paró y todos enmudecieron.

—¿Tú no eres Alain Tamayo, el pitcher que lanza 94 millas? –le preguntó uno de los buscones.

—No, yo soy Ramón Tamayo, infielder del equipo Granma –dijo.

Desde el año 2007, dos beisbolistas de apellido Tamayo compartían vestidores en el equipo Alazanes de Granma: Ramón y Alain. Alain, lanzador derecho de 6,1 pies y 87 kilos, tenía 23 años, y Ramón, jugador de cuadro de 5,7 pies, ya pasaba de los 33.

—¿Tú no eres de Granma? –vuelve a preguntar el señor a cargo de la recogida.

—Sí, yo soy de Granma.

—¿Cuántas Series Nacionales tú tienes?

—Yo tengo 11 Series Nacionales –respondió el veterano y aprovechó para resumir su perfil como jugador.

Mientras el tiempo pasaba en medio de una inusitada aclaración de identidad en altamar, los buscones de peloteros –esos que no examinan fisonomías ni apellidos y viven pendientes de los números y las cuentas– descubrieron que el error se personificaba en un veterano de treinta y cuatro años.

—¿Qué hacemos? –preguntaron a la jefatura.

—En ese momento temí por mi vida –me explica Ramón–. Si decidían arrojarme al mar yo no podía hacer nada. Ellos tenían armas.

La embarcación se detuvo por veinte minutos. Una operación de tráfico ilegal para sacar peloteros de Cuba conlleva un apreciable riesgo y gasto de dinero. De ser atrapados por los guardacostas, los buscones enfrentarían penas de entre quince y treinta años de cárcel por tráfico humano. En todo ese tiempo Tamayo temió por su vida y se visualizó como un objeto sin utilidad en el inmenso mar, una botella sin mensaje.

Los encargados de la lancha no iban preparados para este tipo de sorpresa. Por eso hicieron las llamadas pertinentes: les comunicaron a los jefes que el Tamayo equivocado estaba encima de la lancha. La misión había fracasado.

—Le dijeron que llevaban mucho tiempo interesados en sacarlo de Cuba por sus condiciones como lanzador, y de repente, él les dice que no era el Tamayo que buscaban –me dijo Orandy Abascal.

El crítico modo en que se presentó la realidad de aquella noche no sería solo exclusivo para Tamayo. Lo que no imaginaba el mismo Abascal, de veinticinco años, era tener que llegar a la embarcación nadando más de una milla con su esposa, Dasay Guerra, colgada de sus hombros porque no sabía nadar. Por momentos, el movimiento constante de las olas alejaba la lancha y lo que parecía veinte metros se triplicaba. Él nadaba con las manos y los pies, pero la fuerza añadida de su esposa le impedía llegar al barco. Trató de sumergirse de tres a cuatro metros intentando avanzar y tampoco funcionó. Dany Hernández, lanzador de los Elefantes de Cienfuegos que llegó primero a la lancha junto a Julio Amador, tomó una larga vara que se encontraba en el barco y la utilizó para rescatar a Abascal y su esposa. Hernández firmaría dos años y medio después –enero de 2017– un contrato de liga menor con los Pittsburgh Pirates por 30 000 dólares. Fue el único pelotero que pudo llegar al profesionalismo de los cuatro que viajaban esa noche.

Abascal quedó a la deriva en Santo Domingo, junto a su esposa, abandonados por los inversionistas y por uno de sus mejores amigos. Trabajaron por casi dos años sin documentos legales en una carnicería, luego él en una ponchera hasta que pudo reunir el dinero, con la ayuda de su familia en Estados Unidos, para poder pagar la embarcación hacia Puerto Rico y acogerse a la Ley de Ajuste Cubano.

Volviendo a la confusión... Alain Tamayo era once años menor que Ramón y lanzaba establemente entre las 93-95 millas, con topes de hasta 97. Su juventud y éxito emergente dentro de la Liga Cubana como pitcher de bullpen captó la atención entre los inversionistas en República Dominicana hasta que su nombre se confundió con el de Ramón Tamayo.

—Ellos completaron con otros jugadores, pero en realidad buscaban a Alain –me dice Ramón.

—¿Tenían algún parentesco? –le pregunto.

—No, ni siquiera vivíamos en la misma zona de Granma. Yo soy de Bayamo y Alain es de Río Cauto.

Tres años después, Tamayo me recibe en la casa de su primo Yoendri Escalona, en West Palm Beach. Días antes me había aclarado que su historia no la entendería en una conversación telefónica. El portal de la casa tiene dos asientos y en el medio una mesa de cristal con una planta encima.

Él vive en un condominio a diez minutos de distancia en auto desde donde estamos. Está rentado allí junto a su compañero de equipo Yosibel Castillo, quien emigró de Cuba en 2015.

La sencillez sobresale en Tamayo. Lleva una camiseta negra y un pantalón gris, mismo color de sus zapatos. No lleva cadenas ni tampoco pulseras en las manos. Se ha dejado el pelo largo, rebajado a los lados. Su cara es la misma de hace cinco años, pero su mirada es lúgubre. Entramos a la casa. Los rayos de luz entran por la ventana y las paredes amarillentas se iluminan. Nos sentamos en la sala. Hay un televisor en la esquina y una lámpara en el techo. Es la mañana de un domingo y rápidamente me doy cuenta de que su aspecto físico ha cambiado. Ahora sus bíceps aumentaron quizá más de cuatro pulgadas en cada brazo. En el estado en que se encuentra podría jugar béisbol aún, no ya con la velocidad de antes, pero sí con el desenfado y la inteligencia que lo caracterizan. Su método de observación dentro del terreno hizo que todos le apodaran el Travieso. La misma paciencia que presenta en su carácter le permitía examinar a los lanzadores y descifrarlos.

—Salí de Cuba a buscar la vida a lo que fuera.

Era un beisbolista que intentaba abrirse futuro con treinta y cuatro años porque en su alma confluían el miedo al arrepentimiento y la soledad. Por una parte, necesitaba probar que sí podía jugar a su edad y, por la otra, temía a la perspectiva de acabar su carrera en Cuba.

¿Por qué Tamayo quería jugar béisbol a los treinta y cuatro años? ¿Por qué Tamayo creía que podría lograr algo que le era imposible en Cuba?

Venía de dos intentos fallidos de salida del país. El primero ocurrió mientras corría el año 2013, en la ciudad de Puerto Padre, Las Tunas. Allí fue encarcelado tres días. En el segundo, a principios de 2014, fue cercado por la policía en la costa de Moa, Holguín, y debió cumplir veinte días en prisión.

Tras su arribo a República Dominicana no tuvo otra opción que explicar lo ocurrido a los inversionistas. Dejó claro que lo habían llamado a su casa y lo buscaron, es decir, alguien se equivocó de nombre. Una vez en ese país al Travieso se le aclararon dos cuestiones: primero, nunca firmaría un contrato de Grandes Ligas; segundo, no le gustaba Dominicana y debía salir de allí.

—Yo tenía conocimiento de cómo funcionaba el sistema con los peloteros allá y por eso decidí seguir para Estados Unidos.

Conocía la existencia de ligas en el Caribe como Colombia, Venezuela o Nicaragua. En ellas podría apurar sus últimos años en activo y regalarse la satisfacción de realizar una breve experiencia profesional.

Mientras viajaba hacia Samaná -región al norte de Dominicana, montañosa y de exuberantes playas-, Tamayo se concentraba en resolver el escabroso rompecabezas de su mente para llegar a Estados Unidos.

Los inversionistas le dieron la espalda. Él no representaba una ganancia, incluso se sentía señalado como el gestor de una confusión que generó una considerable pérdida monetaria. Jugó durante un fin de semana en una pequeña liga local, pero el único interés que generó Tamayo no fue otro que el de ser entrenador en una academia.

—Me iban a pagar por eso, pero no era mi objetivo quedarme en Dominicana.

El 19 de agosto de 2014 -ni siquiera se mantuvo dos meses en Dominicana- desembarcó por Aguadilla, Puerto Rico, después de surcar el peligrosísimo canal de la Mona que separa los dos países. A veces, pensaba en el riesgo de la deportación a Cuba luego de una travesía de dos días. A través de un canal de olas inmensas, Tamayo se refugió en el conocimiento marino de los lancheros a quienes pagó la suma de 3 000 dólares por el amenazante viaje. Entró por la playa de Aguadilla a las tres de la madrugada y esperó el amanecer para entregarse a la policía. Fue detenido por las autoridades. Allí explicó que era pelotero en Cuba y quería llegar a Estados Unidos. Lo buscaron por Internet y comprobaron que Tamayo había sido la segunda base de los Alazanes de Granma por once años.

Doce horas más tarde fue trasladado hacia el aeropuerto desde donde contactó a su primo en West Palm Beach y le informó que su vuelo iba destino a Orlando. Las autoridades de Puerto Rico le recordaron que podía quedarse a vivir allá, opción que desechó, y el 20 de agosto, poco después de ser confundido, correr el riesgo de ser arrojado al mar, así como exponer su vida en el canal de la Mona, Ramón Tamayo se dirigía en auto hacia West Palm Beach.

El sueño del béisbol continuó en la mente de Tamayo sin importar la edad. Él se sentía más joven que los treinta y cuatro años que arrastraba, aunque su destreza con el bate, sus conexiones aterradoras y su expediente de bateador por encima de los .300 en Cuba no le interesaran a nadie.

—Se notó mucho su ausencia porque él era un elemento inspirador en ese equipo -me dijo Adrián Moreno, torpedero que hacía pareja con Tamayo alrededor de la segunda base en Granma. Moreno emigró en 2015 y aún permanece en Dominicana esperando firmar un contrato profesional-. Siempre lo veías dándole apoyo a los más nuevos. Yo me sentí muy bien con esa generación porque aprendí mucho y en especial de él.

Derrotado por la realidad, Tamayo no tuvo tiempo de entrenar ni de pensar en el béisbol. Tuvo que conseguir un trabajo para sobrevivir y pagar sus cuentas. A menos de una semana, arrancó en una empresa de construcción, luego podó campos de golf, alrededor de un año más tarde anduvo fregando carros en un *dealer* y actualmente opera en Adonel Concrete -una fábrica de bloques donde trabaja sesenta horas semanales como promedio manejando un montacargas.

Tamayo rezuma modestia, nunca dice quién es: un bateador de .292 en la prestigiosa Liga Cubana, donde conectó 104 jonrones y emulaba al furioso corredor que no tenía amigos dentro del terreno; el hombre que oxigena un equipo en el momento más necesitado. En postemporada, Tamayo es el tercer mejor bateador en la historia de la Serie Nacional con average de .362, empatado con José Abreu.

Los compañeros de trabajo no lo reconocen porque ahora pesa 225 libras y discuten sobre su identidad durante el tiempo libre mientras ven videos en YouTube.

—Ese no eres tú -le dicen.

—Yo soy Ramón Tamayo -repite él con una pasmosa calma.

Entre sus frustraciones recuerda una, en la temporada 2009-2010, cuando fue el segunda base más ofensivo de Cuba y no lo eligieron en ninguno de los tres equipos que viajaron a torneos internacionales. Un año después de esa decepción viajó al Torneo de Interpuertos de Rotterdam, su primera salida de Cuba con treinta y dos años. La Federación Cubana de Béisbol le pagó doscientos euros a cada pelotero por aquellas dos semanas. Ese año bateó 23 hits en 13 juegos de postemporada, además de 17 jonrones, 54 impulsadas; 115 hits y 322 de average en la temporada regular, añadido a un .458 de OBP, en el mismo equipo de Yoenis Céspedes y Alfredo Despaigne, uno estrella en MLB y el otro en la Liga Profesional de Japón.

Sin embargo, pese a entregar esas grandes actuaciones, el Travieso solo obtenía ingratitud entre los dirigentes de su provincia, quienes pensaban que iba envejeciendo, incluso corría el rumor de que sería removido como parte de un plan de renovación. Inculcado el miedo, creyó que el final de su carrera sería como el inicio.

—Era cuando mejor pensaba como pelotero.

Una vez asentado en el sur de la Florida, Tamayo decidió visitar a la estrella cubana de los New York Mets Yoenis Céspedes. Ambos jugaron en los Alazanes de Granma por una década cuando Céspedes aún no era el jugador que ganaba millones o participaba en Series Mundiales.

El robusto y retirado infielder viajó desde West Palm Beach para reencontrarse con su viejo amigo en la espaciosa finca de Port St. Lucie, una de las propiedades de Céspedes.

El tiempo devoró las conexiones que existían entre uno y otro. Se percibía una distancia. En aquella pareja de segundo y tercer bates fusionados en un lineup se distinguía una ruptura sin definición. Una ruptura asentada en la distancia económica entre ambos. Céspedes tiene más de tres casas, una hacienda llena de animales y juega regularmente con un equipo de Grandes Ligas que le paga un contrato millonario. Tamayo, en cambio, es un obrero que trabaja en una fábrica desde el mediodía hasta las dos de la madrugada, vive en un modesto alquiler y sueña con entrenar béisbol en alguna academia, lo que mejor sabe hacer en la vida.

—Cuando miras atrás en tu carrera, ¿cuál fue el momento de más tristeza? ¿Fue solo un momento o una época? –le pregunto.

—Yo no quería llegar a la casa cuando no aparecía en la lista del equipo Granma –dice.

Perdió alrededor de 3 temporadas porque las autoridades de su provincia no lo tenían en cuenta. Desaprovechó, por esa razón, la edad deportiva que va de los veinte a los veintitrés años. El sonido desde su garganta se engravece y las palabras vienen cargadas de lamentación.

—Si yo hubiera llegado temprano aquí yo fuera millonario.

Ramón nunca tuvo en la mente irse de Cuba y reflexiona sobre cómo la idea de emigrar no se gestó de manera progresiva, sino que ocurrió de un momento a otro. Por no creerse apreciado y la incertidumbre del futuro en Cuba, tomó aquella llamada que lo llevaría a la costa donde lo confundieron con otra persona que tenía su mismo apellido.

—Me enteré de la confusión cuando llegué aquí. Me dijeron que lo habían confundido conmigo por el apellido –me comenta Alain Tamayo.

Alain salió de Cuba en junio de 2015, con veinticuatro años, y en diciembre fue deportado hacia la Isla con otro compañero, Carlos Juan Viera, después de que la policía dominicana los detuviese sin documentación legal. El Ministerio Público acusó a Roberto Rodríguez Jiménez de retener a peloteros en Punta Cana con el fin de cobrar el 30 % de sus futuros contratos. Tamayo y Viera se encontraban en la residencia allanada, fueron apresados y repatriados a Cuba el 10 de diciembre.

—Siempre estaba ahí para aconsejarte. Te daba ánimos y fuerza dentro del terreno y fuera del terreno -dice Alain sobre Ramón.

Alain intentó escapar nuevamente de Cuba en varias ocasiones hasta que lo consiguió en 2016. Un año más tarde, en septiembre de 2017, se reportó que el cubano había llamado la atención de más de cincuenta *scouts* de Grandes Ligas, pero cuando se redactaban estas líneas no había conseguido la anhelada firma.

Alain se enteró desde Dominicana de la muerte de su hermana y no le fue permitido regresar a Cuba para acompañar a los suyos. Tiempo antes, en septiembre de 2015, cuando el Gobierno cubano conoció sobre la salida del país del pitcher, su familia fue desalojada de la casa que se le había otorgado.

El apellido Tamayo viene enlazado a una extraña disolución de la suerte y destila infortunio. Los fantasmas de aquella noche no persiguen al Travieso. A veces cuando conversa, en compañía de sus amistades, recuerda aquella confusión inevitable. Desde su teléfono mira los videos de su amigo Despaigne bateando en Japón. En el transcurso de la semana, por el ajetreo constante del trabajo nocturno, se queda sin tiempo para ver algún partido, pero los fines de semana se sienta a descifrar lanzadores desde su televisor.

—Ahora va a tirar curva -le dice a un amigo.

—¿Cómo lo supiste? -le preguntan con sorpresa.

—Ese es el béisbol, adivinar al adversario. Es una guerra que nunca termina.

Ramón Tamayo se reclina una mañana cualquiera en su silla y mira el horizonte. Las habituales jornadas de trabajo no le dejan pensar en las cosas que pudieron ser y no fueron. Amarguras más ocultas que esas le transfiguran el sueño.

Su padre Ramiro jugó 10 temporadas en la Liga Cubana durante la década del setenta. El 29 de septiembre de 1983 fue uno de esos días que marcaron la vida de Ramón, apenas tenía cinco años. Lamenta que el padre no lo haya podido enseñar a jugar béisbol. Recuerda que el día del accidente Ramiro fue a buscarlo a él y a su hermano Randolfo. Los quería llevar a una fiesta en casa de unos amigos y la madre de Ramón se opuso a la idea.

—Ellos no van a ningún lugar -dijo.

Los hijos no asistieron a la fiesta y, horas después, Ramiro Tamayo Ramírez, quien bateara .239 average, 16 jonrones y 192 impulsadas en diez años de carrera como beisbolista, perdía su vida en un accidente fatal. El *jeep* en que iba se estrelló de regreso a la ciudad de Bayamo.

Esta tragedia es el motivo por el que Ramón entró a un terreno de béisbol y nunca entendió el significado de la palabra «rendición».

Trece años más tarde, otra muerte castigaría a su familia. Su hermano Randolfo moría a los veintitrés años, a causa de un padecimiento de válvula invertida en el corazón. Ramón apenas cumplía dieciocho y sintió la tristeza más aguda de todas: su hermano Randolfo, quien lo admiraba hasta el orgullo, nunca pudo verlo en un terreno de béisbol como el notable bateador que se hizo realidad algunos años más tarde.

—Tú vas a ser bateador, tú tienes estirpe de bateador –cuenta que le decía.

Cuando Randolfo murió, Ramón continuó dentro del juego para no defraudar la memoria de su hermano. Esa deuda espiritual se trasladó en aquel barco la noche del 25 de julio de 2014 y en los posteriores e infinitos viajes. Una especie de energía nació como expresión de la deuda provocada por la angustia y la destreza.

El silente observador se retuerce y la pelota de béisbol bombea el corazón como una eterna fantasía. Se subió en el barco equivocado una noche con las mismas palabras de su hermano en la mente. Sumergido en la contradicción de la realidad y el sueño, llegó a Estados Unidos y sus manos ya no empuñaban el bate, esta vez confeccionaban bloques de concreto.

Su hijo de quince años y la familia en Cuba necesitaban ayuda. Atrás quedó la destellante fuerza en los ojos, la misma que vio en su padre, su hermano, y que ayudó a imprimir en Yoenis Céspedes o Alfredo Despaigne. El tiempo perdido del béisbol es la ilusión perdida de la vida.

Dayron Varona regresa a casa

El 22 de marzo de 2016, Dayron Varona se convirtió en el primer cubano que jugaba en Cuba y contra Cuba como profesional después de 1961. Sucedió en el encuentro amistoso entre Tampa Bay Rays y el equipo Cuba, en presencia del general Raúl Castro y el presidente Barack Obama. Se congregaron alrededor de 50 000 personas en el Estadio Latinoamericano. En cualquier caso, la última vez que una organización de MLB disputaba un partido en la Isla había sido la experiencia de los Baltimore Orioles que databa de 1999, pero sin ningún cubano en el lado contrario.

El mánager de los Rays, Kevin Cash, alineó a Varona como primer bate, el mismo día que Luis Tiant Jr. lanzó la pelota inaugural del partido, solo porque se lo pidieron familiares y amigos. Fue un día histórico de esos que se escriben con palabras específicas, esos días que no estás seguro de si volverás a verlos, entre dos países en conflicto por más de cincuenta y cinco años.

Una cantidad apreciable de periodistas, entre los que me encontraba, no pudieron entrar ese 22 de marzo al Latinoamericano, antiguo estadio del Cerro. Por aquel entonces, cubría el béisbol para *OnCuba*, revista independiente radicada en La Habana. Sin embargo, el Gobierno no le otorgó credenciales de prensa a la revista por no estar legitimada dentro de Cuba. Allí escribía sobre cubanos en ligas extranjeras y llevaba una columna en la que actualizaba la actuación de los peloteros de la Isla en Grandes Ligas, pero el tema MLB no era el tipo de periodismo aceptado por los dirigentes del régimen. El Latinoamericano se fue llenando esa tarde de trabajadores ejemplares, estudiantes sobresalientes, escuelas militares y determinadas empresas que recibieron la invitación, todos en teoría alineados políticos del sistema.

Recuerdo aquella tarde cuando definitivamente supe que no vería el partido. Pese al enfado, una alegría incubaba en mí. Era por Dayron Varona. Él representaba a todos los cubanos que no pudieron entrar al estadio. Él era ese código de desviación inevitable e imposible de frenar. Estaba tan feliz por él que olvidé mi propia tristeza. Dos años después me recibió en su casa de Pompano Beach, y tuve otra vez el sentimiento de haber estado aquel mismo día y a la misma hora en ese presuntuoso estadio de La Habana.

Cuando los integrantes de los Rays desfilaron hacia el palco de home para saludar al presidente Barack Obama, el mandatario Raúl Castro estaba parado a unos metros de Obama, entonces llegó el turno de Dayron Varona, Obama extendió su mano y dijo lo que debió haber dicho Castro:

—Bienvenido a casa.

El 23 de noviembre de 2013, alrededor de dos años y medio antes del suceso que lo inmortalizó, Dayron Varona arriesgó su vida al salir en una lancha desde la costa de Moa, Holguín, hacia Haití. En esa misma temporada, Varona jugó con los Ganaderos de Camagüey y los Leopardos de Villa Clara en la 52 Serie Nacional. El jardinero central tenía veinticuatro años y fue elegido como último refuerzo en la quinta ronda por el mánager Ramón Moré para jugar la postemporada con Villa Clara. Varona cumplió su rol y terminó bateando para .343/.406/.482, 15 dobles, 2 triples, 6 jonrones y 32 carreras impulsadas.

Los Leopardos de Villa Clara cargaban con una maldición de dieciocho años sin conquistar el título de la Liga Cubana y Varona aportó a la consecución del campeonato que finalmente se llevaron ante los Cocodrilos de Matanzas cuatro juegos por uno.

Cinco meses después la temporada de 2013 inició y, luego de los primeros cinco encuentros del calendario regular,

Varona prefirió irse del país. Estuvo dos veces a la orilla del mar y a la tercera oportunidad logró embarcarse con su madre y otras tres personas.

A las 3:15 de la madrugada del sábado 17 de noviembre, salió de su casa, en Camagüey, acompañado de su madre. A las 7:00 a.m. arribaron a Holguín, costa norte oriental de Cuba, a doscientos kilómetros de Camagüey, en viaje que se extendió durante tres horas. Se hospedaron en una casa de renta para extranjeros. La dueña de la casa estaba en contacto con los buscadores de Varona, quienes se encargarían de la salida de Cuba. Ninguno llegó a tiempo para la recogida como se suponía y a las 4:00 p.m. la mujer de la casa les dijo:

—Mira, te voy a dar una hora más porque estoy esperando a unos canadienses que vienen y tienen que irse.

El contacto nunca llegó y Varona salió con su madre de esa casa de huéspedes. Era sábado. La ciudad se hallaba en fiestas y los policías abundaban en las calles. Varona le dijo a su madre que no mirara hacia atrás, él pensaba que lo perseguían. Llevaba una gorra de los Marlins de Miami tan ajustada que no se le podía distinguir el rostro.

Desde la casa de huéspedes caminaron y caminaron hasta llegar a la terminal de ómnibus sin tener un plan que acomodara la incertidumbre. Varona solo tenía cinco dólares en sus bolsillos porque para este tipo de viajes usualmente se deja todo en casa: teléfonos, prendas o cualquier legado familiar.

—Yo andaba con una mochila y mi madre tenía otra -recuerda.

Su madre compró dos botellas de agua y cuatro barras de chocolate. Así pasaron la noche en las afueras de esa terminal, bastante arruinada por los años, y sin un lugar donde dormir. Varona decidió quedarse en el exterior porque de esa manera levantaría menos sospechas.

Por suerte, ellos dejaron un teléfono en Camagüey, en caso de que surgiera algún contratiempo. Varona aprovechó ese último recurso del plan. Llamaron al teléfono de Camagüey con la esperanza de que los buscones lo intentaran localizar por ese mismo medio.

—Los puercos están botados en medio de la calle –fue el mensaje en clave que dejaron Varona y su madre.

Finalmente pensaron que vendrían por ellos a aquella terminal donde se sentían abandonados. Cada cinco minutos entraba una patrulla de policías a la misma estación. Creyeron que los estaban buscando.

Dos días después de haber emprendido el viaje, Varona debía presentarse al partido de su equipo Camagüey en el municipio de Nuevitas, pero cuando a la una de la tarde no se presentó, los entrenadores, el comisionado de la provincia y sus compañeros pensaron con certeza que el jardinero intentaba fugarse del país.

Un locutor de Radio Agramonte, la emisora camagüeyana, comentó en la transmisión del partido:

—Parece que Dayron Varona salió a la mar.

Él no era un beisbolista cualquiera. En 407 juegos acumulaba .310 de average y 109 extrabases en 1 359 veces al bate durante seis años. Era el tercer madero de los Ganaderos de Camagüey. En ese punto, Dayron veía dos caminos: o intentar la salida definitiva o regresar y presumiblemente enfrentar la sanción de un año fuera del béisbol por intento de salida ilegal del país.

La odisea del viaje se extendió tanto que Varona y su madre vagaron durante siete días por Holguín. Los traficantes le dijeron que tenían un barco preparado con otros tres peloteros, entre ellos Yoilán Cerce, segunda base del equipo Guantánamo, quien luego firmaría un contrato con Boston Red Sox y llegaría hasta el nivel Doble-A de la organización. A Varona no le convencía la idea de marcharse con otros beisbolistas en el mismo barco, temía que alguno fuera informante de las autoridades cubanas. No creía más que en sí mismo y la mujer que lo trajo al mundo. Cerce y otros tres compañeros fueron capturados y apresados por la policía cuando estaban a punto de zarpar.

Varona les repetía constantemente a los guías y jefes del negocio que saldría solo con su madre. Después de una semana de frustración y dos intentos fallidos de fuga, él y su madre fueron contactados. Les entregaron las coordenadas del lugar desde donde partiría la embarcación. Entrada la noche de aquel sábado, a las 8:36 p.m., avizoró a lo lejos el punto de luz de la lancha. Calcula que la lancha se encontraba a dos millas de la costa. Él pensó que el barco entraría hasta la orilla, pero los lancheros no estaban dispuestos a arriesgarse. Ambos se lanzaron mar adentro en la desembocadura de la costa. Llegaron al barco cuando el agua cubría sus cabezas. Entonces Varona subió a su madre primero y luego se subió él.

A las nueve de la noche con 46 segundos –Dayron recuerda con precisión– salieron madre e hijo, en una lancha de diecinueve pies de extensión, que cargaba a seis personas y se enfrentaba a olas de tres y cuatros metros. En su memoria también perviven con exactitud las veces que vomitaron: él, trece, y su madre, doce. El barco encendió sus motores y a medida que se adentraba en el embravecido mar, las luces de la orilla pasaron a ser puntos diminutos en el horizonte. Encima del barco entendió la primera gran mentira de todo el pelotero cuando sale. Los buscones dijeron que la embarcación sería lujosa y segura, pero ese barco no lo era.

—Todo el que sale de Cuba, sale engañado -me dice.

El 20 de marzo de 2018, me encuentro con Dayron en su residencia de Pompano Beach. Lleva una camiseta de los Durham Bulls, sucursal de Triple-A de Tampa Bay Rays. Viste casual, de *short* y chancletas. Lleva en su mano izquierda un reloj y en la derecha dos pulsos, uno de ellos tiene que ver con su religión. Me abre la puerta trasera de la casa, que es la de un garaje donde se encuentra parqueado un auto. Me pide que no repare en el desorden habitual de los patios traseros en los que se guardan desde carbón para realizar barbacoas hasta sillas, mangueras y cubos de agua.

Varona no es muy adepto a conversar con la prensa y menos a recibir personas en su casa. Vive de modo reservado, aunque no recluido. La musculatura de sus brazos resalta y aun cuando mide poco más de cinco pies, la estampa de su cuerpo es la de un beisbolista atlético. Su personalidad es discreta y no revela muchos secretos. Mientras conversamos una mujer de la casa de enfrente nos interrumpe. Ella habla en inglés y Varona le responde inglés. Desde que llegó a Estados Unidos en 2015 ha podido ejercitar y mejorar el idioma. La mujer le pregunta por su edad. Dayron le responde que tiene 25 años, pero ella no le cree. Ambos sonríen.

Ciertamente Varona acaba de cumplir los veintinueve y ya no pertenece a los Tampa Bay Rays, organización que lo liberó -eufemismo para despido- el 3 de junio de 2017. Desde ese momento, el nacido en La Habana y criado en

Camagüey debió apuntarse a la cruzada de jugar en cuanta liga hubiera. Como él mismo me dice: «Esta casa y este carro no se pagan solos».

Estuvo en la Atlantic League, una liga independiente en donde la mayoría de los beisbolistas provienen de organizaciones de Grandes Ligas. Alcanzó el campeonato con York Revolution, conjunto asentado en York, Pensilvania, para el que aportó 10 dobles, 3 triples y 4 jonrones, además de un average ofensivo de .277. En el invierno de 2017 viajó hacia Venezuela con las Águilas del Zulia y de allí marchó hacia la Liga Profesional Roberto Clemente de Puerto Rico, con los Criollos de Caguas, acompañado por su amigo Rusney Castillo. Aquel viaje a Puerto Rico, al menos, resarció en alguna medida el dolor de ser cortado por Tampa y saber que el sueño de las Grandes Ligas se iba alejando de su carrera. Representando a Caguas en la Serie del Caribe 2018, Varona fue uno de los pilares de los Criollos: bateó 2 triples, 1 jonrón, por encima de los .300, y consiguió el campeonato, su tercero en un mismo año.

Ha pasado un mes desde la incursión en la Serie del Caribe. Eso le ha oxigenado para continuar el camino del béisbol. Por las mañanas entrena en un terreno muy próximo a su casa. Batea algunas pelotas y luego corre. Le pregunto si está contento con lo logrado hasta ahora y me responde que no.

—No he logrado mi objetivo. He tratado, pero no se me ha dado.

Todos saben que, cuando te libera una organización de MLB, las probabilidades de volver, incluso a las menores, son muy bajas. En ese trance se halla Varona, quien ahora es bastante crítico respondiendo mi pregunta. Su principal anhelo era jugar Grandes Ligas. Sabe que esa puerta aún existe, pero que va cerrándose poco a poco. Me dice que le faltó consistencia. Se siente satisfecho e incompleto. Entre sus logros estuvo poder batear en las menores, su inimaginable y surrealista viaje a Cuba, la obtención de tres campeonatos en un año (Liga Independiente, Puerto Rico y Serie del Caribe), pero Dayron se siente incompleto. Habla en voz baja. Dice que aparece en varios libros del béisbol en Cuba y que la historia lo menciona en algunas partes. Sin embargo, no vive de los libros.

—A ti te pagan por escribir y a mí por rendir dentro del terreno –me aclara.

Varona cree que no ha sido sobresaliente en su carrera desde que salió de Cuba, aunque tampoco lo ha hecho mal. Destruyó el nivel de Doble-A en ligas menores jugando para Montgomery Biscuits en 2015, con 27 extrabases en 69 partidos. Un año más tarde bateó 32 dobles, 1 triple y 14 jonrones en Durham, Triple-A, a un paso de Grandes Ligas. Cuenta con la fe necesaria para soñar, si no con una estadía en las Mayores, sí con cinco o seis años consistentes en la Liga Profesional de Japón.

—Eso me quitaría la espina.

Le encantaba jugar en el estadio de Durham. Ese parque, situado en el mismo centro de la ciudad de North Carolina, lo conocía a la perfección. Sabía cuando pegaba un batazo si podía tomar dos o tres bases, y además estudiaba la altura de las luces, si alguna conexión superaba determinada altitud, era jonrón.

Varona tiene la ligera intuición de que, en 2016, al lesionarse varios jardineros del equipo grande de Tampa Bay Rays, realizaron llamadas a Durham para preguntar por su estado de forma. Fue lo más cerca que estuvo de tocar el sueño. Pero su contrato de 3,7 millones de dólares por tres años se volvió en su contra en ese momento. En ese enrevesado contrato se activaba una cláusula de casi un millón de dólares si Varona subía a Grandes Ligas, algo inconveniente para la franquicia en ese momento. Desde que llegó a las menores en 2015 jugaba con la furia de llegar a Grandes Ligas. Eso se fue apagando.

—Cuando vi cómo estaba el panorama se me fue quitando esa fiebre –me dice.

Dayron luchaba contra su mente, sus entrenadores –que decidían si jugaba o no–, su rendimiento y su director en Durham, Jared Sandberg. El cubano no era del agrado de Sandberg. Incluso este le objetó un día a Varona:

—Antes de que subas tú, pongo a jugar a un americano que es de los nuestros.

El 31 de agosto de 2016, Varona conectó un abismal batazo por el jardín izquierdo del Durham Athletic Park con las bases llenas para la victoria de su equipo. Sus compañeros, casi todos en Grandes Ligas en el día de hoy, lo esperaban en el home dando brincos y con cubetas llenas de agua y hielo para lanzárselas al héroe de la noche. Aquella pelota se perdió en la oscuridad cimera de los edificios. Las esperanzas de Dayron se fortalecían en las breves alegrías. Hasta que el 3 de junio de 2017 recibió la inolvidable noticia de su *released*. Bateaba .268 con 3 dobles, 3 triples y 2 jonrones en 19 encuentros.

Dayron Varona y su madre María del Carmen Suárez estuvieron diez días en Haití, ocho meses en República Dominicana, y luego Dayron debió regresar los cuatro meses restantes para establecer residencia. Sufrió lesiones. Lo operaron de su muñeca izquierda en República Dominicana. Todo el proceso se demoraba más de lo pensando. Hasta que consiguió una visa de trabajo para venir a Estados Unidos, entrenó con varios compatriotas en Delray Beach, ciudad ubicada en el condado de Palm Beach en la Florida. Se preparó fuerte y en la presentación más mala que tuvo desde que abandonó Cuba en 2013, Tampa Bay Rays lo firmó por 3,7 millones de dólares y tres años en mayo de 2015. Varona me dice que todos creen que es millonario, pero que de ese dinero él solo tocó si acaso 600 000 dólares.

La primera vez que escuchó la noticia de que Tampa Bay Rays viajaría a Cuba para un encuentro amistoso se encontraba en casa de unos amigos. Corría el mes de enero de 2016. ¿Quién podría pensar que Dayron Varona estuviera en ese viaje si ni siquiera pertenecía al roster de cuarenta de la franquicia? Varona le comentó entre risas a uno de sus compañeros esa noche, mientras fumaba un tabaco:

—Te imaginas que yo vaya a Cuba. Eso es número.

Fue llamado a finales de febrero a los entrenamientos de primavera como parte de los invitados fuera del roster de cuarenta. Los primeros días en el campamento de los Rays en Port Charlotte, Florida, nadie le comentó sobre el viaje a Cuba. En más de una ocasión se especuló sobre los integrantes del equipo y llegado el mes de marzo no se tenían muchas informaciones. Los días transcurrían en la rutina acostumbrada de los entrenamientos primaverales hasta que el 10 de marzo un delegado de la organización le solicitó a Varona su pasaporte, documento de identidad y residencia.

—El vuelo salía a las siete de la noche del domingo 20 de marzo –recuerda.

Ese día los Rays chocaban contra Baltimore Orioles en Sarasota como parte del calendario de pretemporada. A las seis de la mañana Dayron recibió una llamada telefónica que nunca olvidaría.

—Hey, man –dijo una voz del otro lado–, congratulations, you're going to Cuba.

A las 8:30 de la noche, el avión de Tampa Bay Rays aterrizaba en el Aeropuerto Internacional José Martí de La Habana con un pelotero cubano dentro. Ese era Dayron Varona, el primer cubano que abandonaba la Isla y en menos de tres años regresaba vestido de profesional. Dos de las estrellas de Tampa, el lanzador Chris Archer y el tercera base Evan Longoria, insistieron para que Varona asistiera a la histórica cita; primera vez que un conjunto de Grandes Ligas jugaba en Cuba desde Baltimore Orioles en 1999.

—Algo bueno me tenía que tocar –dice.

En el hotel Meliá Cohíba, a escasos metros del malecón de La Habana, lo esperaban más de diez familiares, entre ellos su sobrina. Se abrazaron en el *lobby* frente a las cámaras y lloraban. El cronista de *Tampa Bay Times*, Marc Topkin, y otros periodistas se agrupaban alrededor y tomaban nota del impresionante suceso.

—Fue muy emocionante, pero a la vez muy doloroso –dice Varona.

La mañana del encuentro, el mánager Kevin Cash le notificó a Varona que estaría como primer bate y en el jardín derecho. Nunca olvidará cómo mientras se aproximaba al cajón de bateo el público lo aplaudió. Saludó al cátcher Frank Camilo Morejón y al árbitro Élber Ibarra. Se quitó su casco y saludó a los aficionados. De pronto, Ibarra le aclaró que la primera pelota del juego iría al Salón de la Fama. Hay días en la vida que nunca se olvidan. Para muchos jugadores este era un juego más en el camino, para Varona representaba el juego más emocionante de su vida. Un reencuentro legal con sus familiares que ningún gobernante podría frenar. Con su camiseta número 67 decidió tirarle al primer lanzamiento del partido. Esa pelota se encuentra en Cooperstown.

La derrota no tiene cara. Algunos dolores, como estar un año y medio sin ver a su madre, nunca sanarán. Ella fue quien hizo de madre, padre, hermana y amiga desde el nacimiento de Dayron.

—Una historia bastante deprimente –dice María del Carmen cuando piensa en el tiempo separada de su hijo y en cómo tuvo que subirse a otra embarcación desde República Dominicana hasta Puerto Rico para pedir el asilo político.

Ella llevaba a Dayron, de solo nueve años, al terreno de béisbol. Manejaba una pequeña bicicleta con su hijo en la parte trasera. Dayron rechazó quedarse en suelo americano en agosto de 2013, para regresar por su madre y salir con ella tres meses más tarde, arriesgando la vida en una embarcación sin saber de brújulas ni coordenadas. Ella siempre eligió acompañarlo a través de la tormenta.

Varona tuvo que dejarla luego en Puerto Rico. Su reencuentro fue uno de esos días mágicos del béisbol en los que se une la naturaleza cósmica de la vida con los sueños. El 16 de julio de 2015, Dayron atravesaba una de sus peores rachas como jugador. Se encontraba asignado a Montgomery Biscuits en Doble-A, una filial localizada en el estado de Alabama.

María del Carmen llegó al estadio en su primer día en Estados Unidos. Era el mismo día de su cumpleaños. El audio local realizó el anuncio informando a los espectadores sobre el reencuentro. Su hijo la veía desde el terreno. La madre veía al hijo desde las gradas. Dayron no tuvo que esperar al abrazo para llorar. Esa noche bateó de 5-5, hit, doble, triple y jonrón.

Anexo 2
Relación de beisbolistas cubanos emigrados entre 1960 y 2018

Basé la medula de mi investigación en un detalle que al principio parecía superfluo; luego, la misma búsqueda demostró que este era, entre todos, el más importante: encontrar la fecha en que había emigrado cada beisbolista. Esa labor demoró más de cuatro años.

Escribí cientos de cartas por correspondencia postal, correos electrónicos y mensajes por redes sociales; también realicé numerosas llamadas telefónicas y, finalmente, según mis cálculos, contacté a más de 655 jugadores. Muchos no respondieron por razones personales entendibles. La emigración es una línea delgada por la que pasan los años en tonalidades disímiles. Quizá este listado de beisbolistas no recoja a la totalidad de los emigrados, pero sí estoy seguro de que se acerca a más de un 90 % de la realidad. Lamentablemente no pude registrar el año de salida de alrededor de quince peloteros, los cuales no respondieron mis mensajes o llamadas telefónicas.

Inscribí como parte del éxodo lo mismo a cubanos que emigraron en su niñez que a jugadores veteranos formados en Cuba. En ocasiones, la interesada historiografía del béisbol nacional reconoce únicamente como cubanos a los salidos desde pequeños que llegaron a consolidarse en Major League Baseball (MLB). Si un pelotero que emigró en edad temprana no llegó a MLB, muchas veces cae en el olvido. Esa corriente errónea es todo lo que nunca persiguió este libro.

Arribé al número final de 1 235 beisbolistas salidos de Cuba entre 1960 y 2018. De la totalidad, se desprenden 95 que regresaron entre 2013 y 2018 (70 de ellos se reinsertaron en la Liga Cubana y 14 volvieron a salir). El resto no retornó al béisbol después de la decepción de regresar con las manos vacías. Por otra parte, incluyo en el extenso listado solo a beisbolistas que emigraron activos o que buscaron hacer del béisbol una forma de vida, aunque salieran de Cuba en edad de retiro.

Primeramente, pensé registrar lo mismo a retirados que a entrenadores, pero entonces los patrones investigativos de este libro hubieran variado sustancialmente sin lograr condensar una idea general del fenómeno migratorio. Además, existen varios casos de cubanos que emigraron antes de 1960, como los entrevistados George Lauzerique, Cándido Rojas (sus familiares en Cuba) y Pedro Sierra, que se marcharon en 1957, 1958 y 1959 respectivamente, y no aparecen en este listado. Comenzar un conteo de emigrados a partir de 1960 fue una determinación quizá injusta, aunque necesaria, por razones históricas y metodológicas.

Otro de los objetivos fundamentales de esta investigación era demostrar cómo el éxodo derrumbó la estructura del béisbol cubano, por la pérdida de una base de entrenadores y directores que aportaran la sabiduría y los conocimientos en cualquier época, como sucedió con Clemente Carreras o Napoleón Aguilera. Más adelante, otros como Servio Borges, Pedro Luis Rodríguez, Orlando Chinea, Eulogio Vilanova, Rigoberto Blanco, Jorge Fuentes o Lourdes Gurriel son apenas unos pocos ejemplos de los que trabajaron en Cuba y luego continuaron la ruta de la emigración.

También se agrega a esta relación a los que emigraron, intentaron llegar al mundo profesional y no lo lograron. La pérdida de estos peloteros, pertenecieran al nivel que fuera, no hizo más que dañar la estructura de calidad del béisbol en la Isla. Fue una tarea casi imposible resumir en patrones unilaterales una investigación migratoria sobre el deporte nacional de Cuba. Existen múltiples variables y formas del éxodo a valorar: esa amplitud era la única salida para al menos acercarme a un resultado acertado y justo.

El breve perfil de cada beisbolista emigrado recoge la edad con que emigró (al inicio entre paréntesis), la posición, la provincia o el equipo al que perteneció y el nivel más alto alcanzado sin importar el tipo de béisbol, ni su calidad, siempre y cuando fuera semiprofesional y el jugador se beneficiara de una ganancia, quizá mínima. Además, he decidido señalar con un asterisco a los peloteros deportados o que regresaron en algún momento a Cuba luego de haber emigrado.

La historia del béisbol cubano es también la historia de su emigración y millones de lectores en Cuba quisieran conocer qué sucedió con el ídolo de su pueblo o ciudad, y si fue larga o breve la duración de su gloria. Sin embargo, esa información no está disponible en la Isla, donde la emigración de los deportistas es un tema censurado. Para esos fanáticos al interior también está dedicado este libro.

1960

INAEL ALARCÓN (21), OF, Oriente, Clase-A: Minnesota Twins. En 2 campañas de liga menor bateó .179/.298/.252, 6 extrabases y 20 impulsadas. Luego de su retiro trabajó en la jefatura del correo postal de New York.

José Cardenal (17), OF, Matanzas, Major League Baseball: 9 equipos. Fue uno de los mejores jardineros cubanos en Grandes Ligas, donde jugó por 18 temporadas entre 1963 y 1980. Su capacidad como bateador lo llevó a registrar 5 campañas por encima de .290 de average. Terminó con línea ofensiva de .275/.333/.395, 333 dobles, 46 triples, 138 jonrones y se robó 329 bases (8 años entre los 10 primeros de Major League Baseball). En 1982 visitó Cuba. Luego de su retiro trabajó como coach con Cincinnati Reds, St. Louis Cardinals, New York Yankees y Tampa Bay Devil Rays. Es primo de Bert Campaneris y su hermano Pedro estuvo con los Cardinals en las menores y terminó su carrera en México.

Oscar Chinique (23), RHP, La Habana, Doble-A: Minnesota Twins. Firmó contrato en 1956 con Washington Senators. En 1961, con Nashville Volunteers implantó marca de 6-8, 3.81 de efectividad, más 4.3 boletos por cada 9 entradas.

Luis Duarte (1), C/INF, La Habana, Clase-A media: Cleveland Indians. Fue elegido en el draft por Cleveland Indians y pasó 2 temporadas en las menores sin superar el nivel Clase-A media con Waterloo Indians. En 1981 jugó en la Liga Mexicana de Béisbol con las Águilas de Veracruz.

Carmelo *Mickey* Mesa (19), 3B/OF, La Habana, Clase-A: Minnesota Twins. Su apodo le fue adjudicado por su parecido con Mickey Mantle. Estuvo 3 años en las menores, primero con Washington Senators y luego con Minnesota Twins, sin poder pasar de Clase-A. Promedió línea ofensiva de .256/.353/.394, 32 bambinazos y 222 impulsadas entre 1959 y 1963.

Guillermo *Willy* Miranda (35), SS, Oriente, Major League Baseball: 5 equipos. Ha sido uno de los mejores torpederos defensivos en la historia del béisbol cubano. Su excepcional desplazamiento, unido a la coordinación y habilidad de las manos, lo llevaron a convertirse en un fildeador extraclase en Major League Baseball (MLB). Estuvo 12 temporadas con el Almendares, con el cual promedió de por vida .236, y en Grandes Ligas duró 10 años, 7 de ellos con Baltimore Orioles, 2 en las filas de New York Yankees y 1 entre Chicago White Sox y Washington Senators. Bateó .221 en su carrera de MLB; sin embargo, su guante compensaba lo que no lograba al bate. Lideró MLB en 1955 con el mejor factor de rango (5.10) y en WAR (victorias sobre el reemplazo) defensivo estuvo en el *top ten* en 1952, 1956, 1957 y 1958. En 1983 hizo su entrada al Salón de la Fama del béisbol cubano en el exilio. Murió en septiembre de 1996 a causa de un enfisema pulmonar, una enfermedad crónica que padeció a raíz de un incidente, diez años antes, en el que salvó la vida de cuatro vecinos durante un incendio.

Aurelio Monteagudo (16), RHP, Las Villas, Major League Baseball: 4 equipos. Lanzó en Grandes Ligas durante 7 temporadas, aunque en 5 de ellas no pasó de los 20 innings. Su marca fue de 3-7, 5.05 de efectividad. Hijo de René Monteagudo (que también jugó entre 1938 y 1945 en Grandes Ligas), se nacionalizó venezolano en 1966, seis años después de salir de Cuba. Casi siempre tuvo excelentes temporadas en Triple-A, pero no logró establecerse en Major League Baseball. Tiró 20 campañas en la Liga Profesional de Venezuela, 15 de ellas con Tiburones de la Guaira, y posteó 79-81, 3.37 de efectividad. Los Tiburones le retiraron su número 28 en 1982. Su *screwball* le dio sobrada fama a su carrera, la cual cimentó en México, cuya liga lideró con 222 ponches en 1978. El año siguiente lanzó un no hit-no run. La muerte le llegó temprano, a los 46 años, tras un fatal accidente sufrido en 1990 en México.

Eusebio Pérez (34), LHP, Oriente, Triple-A: Cincinnati Reds. Nacido en Niquero, localidad de Granma, se le apodó como Silverio. Realizó una sobresaliente carrera en la Liga Mexicana durante 11 años, con marca final de 68-79 en 262 encuentros y 4.25 de efectividad. Allí ganó el campeonato de 1960 con los Tigres Capitalinos del México. Se estableció en tierras aztecas y tuvo dos hijos en aquel país. Pese a no triunfar en ligas menores (Washington Senators de 1947 a 1955), estiró su carrera hasta pasados los 40 años y se le recuerda por sus actuaciones en la Liga de Nicaragua.

Witremundo *Witty* Quintana (27), INF, Oriente, Triple-A: Cincinnati Reds. Representó al Havana Sugar Kings entre 1957 y 1958. En 1957 bateó .255/.358/.383, 14 dobles, 5 triples y 9 jonrones. Después de ese año su ofensiva no incrementó y debió irse a México donde archivó récord de más lances sin error como tercera base con las Águilas de Veracruz. Estableció su residencia en Venezuela, donde también jugó en el campeonato profesional.

Ramón Seara (21), C, La Habana, Triple-A: Cleveland Indians. Fue receptor por 5 temporadas en ligas menores, alternando entre Cincinnati Reds, equipo que le dio su primer contrato profesional, y Cleveland Indians. No sobresalió por su ofensiva, principal obstáculo de su ascenso a las Mayores.

Diego Seguí (23), RHP, Holguín, Major League Baseball: 8 equipos. Tiró 15 temporadas en Grandes Ligas con marca de 92-111 y 3.81 de efectividad. Su longevidad y fortaleza física se demostraron al permanecer hasta los 47 años en activo. Luego de su última experiencia en Major League Baseball (1977) lanzó 8 temporadas en México. Nunca más regresó a la Isla y logró reunir a su familia en 1971, tras 9 años de negociaciones con el Gobierno cubano. La granja de su padre fue confiscada al triunfo de la Revolución. «Los primeros años [del éxodo] lloré. Pero si ves un lugar para escalar y no lo haces eres un cobarde», le dijo a Wayne Coffey, del *New York Daily News*. En 1970 lideró la Liga Americana en efectividad con 2.56, jugó con las dos franquicias de Seattle, Pilots y Mariners (único caso), y lanzó un inning sin anotaciones en la Serie Mundial de 1975 con los Medias Rojas de Boston.

JORGE TALAVERA (22), LHP, La Habana, Triple-A: St. Louis Cardinals. Marcó 18-8, 2.96 en Daytona Beach Islanders, Clase-A de St. Louis Cardinals, lo que le valió el ascenso a Triple-A. No se mantuvo por mucho tiempo en ese nivel.

1961

CARLOS ALFONSO (11), RHP, La Habana, Triple-A: Houston Astros. Hizo carrera de 8 campañas en las menores, aunque no llegó a Grandes Ligas. En total su marca en Triple-A (1972-1976) fue de 20-14, 4.31 de efectividad.

FIDEL ÁLVAREZ (27), RHP, La Habana, Liga Mexicana. En 3 campañas con el Almendares lanzó para 2-3, 4.46 de efectividad. Entre 1960 y 1964 actuó regularmente en el circuito mexicano con Sultanes de Monterrey, Petroleros de Poza Rica y Águilas de Veracruz.

VICENTE AMOR (28), RHP, La Habana, Major League Baseball: 2 equipos. Fue nombrado Novato del Año en el invierno de 1954-1955 con el Habana. Lanzó durante cinco temporadas con Havana Sugar Kings y fue subido en 2 ocasiones a Grandes Ligas: en 1955 con Chicago Cubs y 1957 con Cincinnati Redlegs. Totalizó 33.1 entradas y dejó marca de 1-3, 5.67 de efectividad. Tras emigrar, tuvo breves periplos en ligas de Nicaragua y México. En 1964 comenzó a trabajar en un almacén de comida en Dania, Florida, donde le llamaban el Pelotero. En 1970 trabajó en la academia Los Cubanos Libres, fundada por Carlos Pascual, hermano de Camilo. Fue elegido al Salón de la Fama Cubano en 1998.

José Raimundo Arcia (18), INF, La Habana, Major League Baseball: 2 equipos. Emigró de Cuba a finales de 1961. Originalmente había firmado con Houston Colt 45s en marzo de ese año, pero no pudo salir de la Isla hasta noviembre debido a las tensiones existentes entre Cuba y Estados Unidos. Fue el primer jugador latino contratado por la franquicia de Houston. Entre 1968 y 1970 se mantuvo en Grandes Ligas, primero en Chicago Cubs y los dos últimos años con San Diego Padres. No pasó de un modesto average de .223. Después de 1970 batalló por 6 campañas en ligas menores sin llegar nuevamente al nivel Major League Baseball.

Rodolfo Arias (30), LHP, Las Villas, Major League Baseball: Chicago White Sox. El zurdo lanzó la última campaña del béisbol profesional en Cuba con Marianao. Había llegado a Estados Unidos en 1953, después de firmar con Chicago White Sox y recibir una breve oportunidad en las Mayores en 1959. Allí posteó 2-0, 4.09 de efectividad durante 34 apariciones como relevista. Aunque afectado por los accidentes y las lesiones, conserva el récord de más innings lanzados en un partido de béisbol profesional cubano;

además, formó parte del grupo que ganó las Series del Caribe en 1957 y 1958. Lanzó el único no hit-no run de la franquicia de los Cubans Sugar Kings en 1958 y participó en la consecución de la pequeña Serie Mundial, un año más tarde. Puso fin a su carrera en 1966, cuando con 35 años tiró por última vez con Petroleros de Poza Rica en la Liga Mexicana.

RODOLFO *RUDY* ARIAS (4), C, Las Villas, Clase-A: Seattle Mariners. Hijo de Rodolfo Arias. No tuvo el mismo éxito de su padre en el béisbol, aunque llegó a jugar profesional en ligas menores. Resultó elegido en el draft de 1977 por Seattle Mariners. Sus números ofensivos fueron bajos y solo estuvo entre 1977 y 1979 sin sobrepasar Clase-A.

EDGARDO ÁVILA (13), 1B/RHP, La Habana, Triple-A: San Francisco Giants. Escapó de Cuba en un avión hacia Jamaica y de allí a Estados Unidos. «Pasamos veintiún días comiendo frutas en una finca en Jamaica», dijo para esta investigación. Era un prospecto impresionante que en categorías de Junior College lanzó para 24-0 y bateó .385 de average. Fue elegido en el draft por San Francisco Giants en 1969 y comenzó a subir de nivel hasta que en 1971 bateó 24 dobles, 5 triples y 15 jonrones con Amarillo Giants en Doble-A. Allí impulsó 77 carreras y se ponchó solo 63 ocasiones en 142 partidos. Al año siguiente inició en Triple-A y, cuando bateaba .343 a principios de temporada, le informaron que lo subirían a Grandes Ligas. «Me partí el tobillo el día antes de recibir la noticia de mi ascenso a Grandes Ligas», recordó. Por ese percance perdió la oportunidad de jugar junto a Willie McCovey, Juan Marichal y Bobby Bonds, entre otros. Culminó en Clase-A de Baltimore Orioles en 1973, pero no quiso continuar su carrera, pues le ofrecieron un trabajo de mejor compensación económica comparado con jugar en ligas menores. En 1972 jugó en la Liga Profesional de Panamá con el Marlboro. Uno de sus mejores recuerdos en el béisbol fue conocer a Roberto Clemente, con quien compartió terreno y amistad.

José *Joe* Azcue (21), C, Cienfuegos, Major League Baseball: 6 equipos. Emigró definitivamente de Cuba en 1961 y nunca más volvió. Fue uno de los receptores cubanos más defensivos de la época, con un promedio de .992 durante 11 campañas en Grandes Ligas. En 1966, mientras jugaba para Cleveland Indians, obtuvo el liderazgo de porcentaje de corredores cogidos robando (62 %). Participaba en el campeonato cubano con los Elefantes de Cienfuegos. Ofensivamente tuvo 2 campañas de 14 jonrones en Major League Baseball y su línea ofensiva final fue de .252/.304/.344 en 909 partidos disputados. Seleccionado al Juego de las Estrellas en 1966, terminó su carrera a los 33 años. Luego regresó a Cleveland, en la sucursal de Doble-A (San Antonio Brewers), donde bateó .312, 12 jonrones y 63 impulsadas en 1973.

Eduardo *Ed* Bauta (26), RHP, Camagüey, Major League Baseball: 2 equipos. Firmó su primer contrato profesional en 1956 y en 1960 obtuvo su promoción a Grandes Ligas después de un cambio entre St. Louis Cardinals y Pittsburgh Pirates. El 5 de agosto de 1963, los Cardinals lo canjearon a los Mets por Ken MacKenzie. No tiraría más en Major League Baseball tras 1964, posteando 6-6, 4.35 de efectividad. Sin embargo, se mantuvo en ligas menores, además de incursionar en ligas invernales de Puerto Rico (campeón con Santurce en 1961-1962) y México.

JULIO BÉCQUER (30), INF, La Habana, Major League Baseball: 3 equipos. Fue líder de jonrones (15) e impulsadas en la última campaña del béisbol profesional cubano con el Marianao. Antes, en 1955, había alcanzado las Grandes Ligas con Washington Senators, aunque no logró consolidarse después de 7 campañas con 3 equipos. Su escasa capacidad para atrapar boletos y su average de .244 no le ayudaron a mantenerse. Bécquer culminó su carrera en la Liga Mexicana con Águilas de Veracruz, para las que jugó en 1963 y 1964.

ROBERTO *BOB* CABRERA (2), RHP, Matanzas, Rookie: Chicago Cubs. Firmó con Chicago Cubs y fue asignado a la Gulf Coast League en nivel Rookie, pero no estuvo por mucho tiempo en ligas menores.

HÉCTOR CÁRDENAS (20), INF, Matanzas, Triple-A: Cleveland Indians. Hermano de Leonardo Cárdenas. Jugó por 5 campañas en ligas menores con Cleveland, Philadelphia y Chicago Cubs hasta 1965. No logró sobrepasar el nivel Triple-A debido a su baja producción ofensiva.

LEONARDO CÁRDENAS (23), SS, Matanzas, Major League Baseball: 5 equipos. Jugó por 16 temporadas en Grandes Ligas y ganó 5 elecciones al Juego de las Estrellas. Formó pareja con Pete Rose en el cuadro interior de Cincinnati Reds, equipo con el que estuvo 9 años. Sus virtudes defensivas lo hicieron un torpedero de distinguido rango y desplazamiento (Guante de Oro en 1965), aunque poseía habilidades con su bate también. En 1966 conectó 20 jonrones, empujó 81 carreras y lideró en 2 ocasiones la liga en bases intencionales. Los adjetivos sobran ante su estabilidad, pues fue uno de los mejores torpederos cubanos en todas las épocas. Su línea ofensiva en

Grandes Ligas fue de .257/.311/.367, 285 dobles, 45 triples y 118 jonrones.

Oscar Cartaya (15), INF, La Habana, Doble-A: Detroit Tigers. Estudió en Miami Edison High School y firmó con Chicago White Sox. Luego pasó por Cincinnati Reds y terminó su carrera en las menores con Detroit Tigers, entre 1967 y 1969. No superó el nivel de Doble-A y promedió .219/.266/.275, 30 dobles, 7 triples y 6 vuelacercas en 5 campañas.

Paulino *Paul* Casanova (19), C, Matanzas, Major League Baseball: 2 equipos. Fue el penúltimo beisbolista que actuó en las Grandes Ligas de Negros y también en Grandes Ligas. Estuvo 7 temporadas con Washington Senators y otras 3 con Atlanta Braves, mientras en temporada invernal se iba a Venezuela. Allá disputó 9 temporadas, 7 con los Tiburones de La Guaira: promedió .268, 20 cuadrangulares e impulsó 200 carreras. En 1967 fue seleccionado al Juego de las Estrellas. Era un virtuoso cátcher defensivo que se incluyó entre los primeros en coger robando por varias temporadas: por ejemplo, en 1970 capturó al 51 % y fue quinto de la liga.

Orlando Centelles (20), INF, La Habana, Doble-A: Cleveland Indians. Reconocido por su gran poder al bate desde que fue descubierto en Cuba, conectó 68 jonrones en sus primeras 4 temporadas en las menores con Cleveland Indians. A partir de 1965 su promedio ofensivo decayó a .253. Pese a 38 extrabases, su relación de ponches (88) y boletos (28) empeoró con la subida al nivel Doble-A. En 1966 archivó línea de .197/.269/.325, 4 cuadrangulares, 18 impulsadas en 40 partidos, y su carrera se apagó junto a su promisorio talento.

Sandalio Consuegra (40), RHP, Las Villas, Major League Baseball: 4 equipos. Aunque se retiró el mismo año que emigró, tuvo una destacada carrera como lanzador en Grandes Ligas, adonde llegó con 29 años. Fue seleccionado al Juego de las Estrellas en 1954, mismo año que marcó 16-3, 2.69 de efectividad. Registró 51-32, 3.37 de efectividad con cuatro organizaciones en Major League Baseball y además lanzó en Venezuela, México y en la Liga Profesional Cubana. Falleció en la ciudad de Miami en 2005.

Roque Contreras (33), RHP, La Habana, Clase-A: Pittsburgh Pirates. Lanzó en las menores sin lograr llegar a Grandes Ligas. Jugó en México por casi una década con los Sultanes de Monterrey hasta dos años después de emigrar de Cuba. En 1954 participó en la Serie del Caribe con el Almendares.

Miguel Ángel *Mike* Cuéllar (24), LHP, Las Villas, Major League Baseball: 5 equipos. Debutó con 22 años en Grandes Ligas. Ocurrió en 1959 cuando vistió el uniforme de Cincinnati Reds. Después de batallar en ligas menores y lanzar en 1962 por México, regresó. Para 1966 incluyó en su repertorio el *screwball*, pitcheo que le otorgaría inimaginables resultados en su carrera. Comenzó a dominar la liga de tal manera que se erigió con el premio Cy Young en 1969, marca de 23-11, 2.38 de efectividad. Al año siguiente, lideró la Liga Americana con 24 victorias y colaboró en la conquista de la Serie Mundial ganando un partido para Baltimore Orioles ante Cincinnati Reds. Fue la más alta expresión del pitcheo cubano a finales de los sesenta y comienzos de los setenta. Seleccionado en 4 ocasiones al Juego de las Estrellas, se transformó en un devorador de outs y dejó números impresionantes de 185-130, 3.14

de efectividad en 15 temporadas, pese a encontrar su arma perfecta pasados los 25 años.

Dagoberto Concepción *Bert* Cueto (24), RHP, Pinar del Río, Major League Baseball: Minnesota Twins. Su efímera experiencia en Grandes Ligas duró 21.1 innings, con marca de 1-3, 7.27 de efectividad. Intentó su regreso, incursionó en ligas menores con cinco franquicias hasta 1964, pero no consiguió volver.

Antonio Díaz (23), RHP, La Habana, Triple-A: Milwaukee Braves. Fue elegido Novato del Año con Cienfuegos en la campaña 1957-1958 y lanzó un juego sin hit ni carrera en su segunda apertura como profesional el 23 de noviembre de 1957. Recibió la oportunidad en ligas menores con Milwaukee Braves, organización en la que militó por cinco años. En 1960 posteó 7-12, 3.68 de efectividad, en Sacramento Solons, Triple-A. Terminó su carrera en la Liga Mexicana.

Manuel Estrada (9), INF, La Habana, Triple-A: Seattle Mariners. Para que llegara a Grandes Ligas no fueron suficientes 9 temporadas en Triple-A. Elegido en la ronda 8 del draft de 1973 por Chicago White Sox, el joven registró línea ofensiva de .300/367/.431, 30 dobles, 5 triples y 8 jonrones en 1975. No logró el ascenso y en años posteriores su rendimiento decayó. Pasó por San Diego Padres, tuvo una breve estadía en México y cumplió sus 6 últimas campañas en Triple-A con Seattle Mariners, hasta 1983. Se retiró bateando .280 en Triple-A, .355 de promedio de embasamiento, 144 dobles y 23 jonrones, en la frontera de llegar a Grandes Ligas.

Humberto *Chico* Fernández (29), SS, La Habana, Major League Baseball: 4 equipos. Debutó en Grandes Ligas con los

Brooklyn Dodgers de Jackie Robinson, Pee Wee Reese y Roy Campanella en 1956. En esa novena también se encontraba su compatriota Edmundo *Sandy* Amorós. Salió de Cuba en 1961 vía México y nunca regresó. Se mantuvo 8 temporadas en Major League Baseball y destacó la de 1962 con Detroit Tigers, equipo donde fue el primer latino que jugó como regular. Allí pegó 20 cuadrangulares y línea ofensiva de .249/.305/.410., así como 59 remolcadas. En 1965 viajó a la Liga Profesional de Japón y vistió la franela de los Tigres de Hanshin, pero bateó muy poco (.144 y 1 jonrón en 52 encuentros). Un año más tarde jugó en México y su carrera culminó en ligas menores de Chicago Cubs entre 1967 y 1968.

LORENZO FERNÁNDEZ (22), INF, La Habana, Major League Baseball: Baltimore Orioles. Integró el roster de Marianao en el invierno de 1960-1961. Antes su carrera había comenzado en las menores con Detroit Tigers. Sin batear lo suficiente como para llegar a Grandes Ligas, tocó la gloria en 1969 cuando fue subido con Baltimore Orioles y estuvo en 24 partidos.

PEDRO FERNÁNDEZ (20), OF, La Habana, Clase-A: Houston Colt .45s. Bateó 20 cuadrangulares y .293 de average en Fort Walton Beach Jets, Clase-A, de Minnesota Twins, en 1961. Posteriormente, tuvo promedio de .237 y 11 jonrones en 1962 y no continuó en el béisbol de ligas menores.

OSCAR FLORES (21), INF, La Habana, Doble-A: Chicago White Sox. Salió de Cuba el 26 de marzo de 1961 y en 8 temporadas en ligas menores no consiguió rebasar el nivel Doble-A, debido a su escasa producción ofensiva (.228 de average). «La organización de White Sox me ayudó a traer a mi familia de Cuba, tengo que estar muy agradecido a ellos por eso», dijo para este libro. Estuvo con los Tigres de Marianao en la campaña 1960-1961. Contrajo matrimonio con una nicaragüense y acostumbraba a jugar en la liga de ese país. Nunca más regresó a Cuba.

MIGUEL *MIKE* FORNIELES (29), RHP, La Habana, Major League Baseball: 5 equipos. Tuvo una carrera de 12 años en Grandes Ligas más que aceptable. En 1961 llegó de Cuba, afectado por la separación definitiva de su hija y su mujer, la cual no quiso dejar Cuba por sus convicciones políticas. Fue convocado al Juego de las Estrellas de ese mismo año mientras defendía los colores de Boston Red Sox. Dejó marca de 63-64, 3.96 de efectividad. Líder en juegos lanzados (70) en 1960, dependía de sus lanzamientos rompientes como principal arma.

REINOLD GARCÍA (18), 2B, La Habana, Clase-A: Philadelphia Phillies. Hijo de Silvio García, destacado torpedero y lanzador que jugó en Ligas Negras, México y el béisbol profesional de ligas menores, estuvo con Philadelphia Phillies en Clase-A, sin ascender debido a la escasa ofensiva que mostró (.201 de average sin jonrones) entre 1961 y 1963.

ANTONIO *TONY* GONZÁLEZ (25), OF, Ciego de Ávila, Major League Baseball: 5 equipos. También conocido como el Haitiano, desplegó su ofensiva en 12 temporadas de Grandes Ligas, en 3 de las cuales bateó más de .300. Culminó su carrera con una respetable línea ofensiva de .286/350/.413, 238 dobles, 57 triples y 103 jonrones, y superó las 600 impulsadas. Su calidad defensiva era innegable, lo que atestigua su año de 1962, sin errores en 114 partidos. En la temporada 1959-1960 fue líder de los bateadores (.310 de average) y de jonrones (10) en la Liga Profesional Cubana con los Elefantes de Cienfuegos.

[1961 cont.]

Orlando Eugene González (10), 1B/OF, La Habana, Major League Baseball: 3 equipos. Es uno de los cuatro cubanos que debutó en Grandes Ligas durante la década de los setenta. Elegido por Cleveland Indians en la ronda 18 del draft de 1974, el zurdo estuvo en Grandes Ligas con tres equipos diferentes en 1976 (Cleveland Indians), 1978 (Philadelphia Phillies) y 1980 (Oakland Athletics). En total bateó .238 en 78 juegos, con 2 dobletes y 5 empujadas. Después de su corta etapa en Grandes Ligas, incursionó en ligas independientes.

René Gutiérrez Valdés (32), RHP, La Habana, Major League Baseball: Brooklyn Dodgers. Fue designado el mejor lanzador de la Serie del Caribe de 1956 cuando con los Alacranes del Almendares ponchó 10 bateadores en 9.1 innings. Conocido como el Látigo, Gutiérrez llegó a Grandes Ligas en 1957. Tenía 27 años y los Brooklyn Dodgers le otorgaban la oportunidad en una rotación que conformaban Don Drysdale y Sandy Koufax. Gutiérrez se mantuvo en la organización de los Dodgers hasta 1961 y cambió su curso hacia México en 1962. Nunca más regreso a Grandes Ligas.

Evelio Hernández (31), RHP, La Habana, Major League Baseball: Washington Senators. Fue contratado por la organización de Washington Senators en julio de 1954 y el *scout* Joe Cambria estuvo a cargo de su firma. Entre 1956 y 1957 estuvo en Grandes Ligas y dejó marca de 1-1, 4.45 de efectividad en 58.2 innings. Después de 1961 su carrera se dirigió hacia México con los Sultanes de Monterrey y luego de 1967 se estableció en Miami. Fundó una academia de béisbol y enseñó a varias generaciones. Obtuvo 4 campeonatos estatales con Loyola High School.

Jacinto *Jackie* Hernández (20), SS, Matanzas, Major League Baseball: 4 equipos. Salió de Cuba en febrero de 1961 por la vía de México, un día después de culminar la temporada invernal. El habilidoso campocorto jugó 9 temporadas en las Mayores y aunque su ofensiva no era de calibre (.208/.256/.270) ganó anillo de Serie Mundial en 1971 con Pittsburgh Pirates en una postemporada donde estuvo en los 11 encuentros de su equipo. Llegó a Pittsburgh por recomendación de Roberto Clemente, a quien conoció en la Liga Invernal de Puerto Rico.

Francisco *Panchón* Herrera (27), INF, La Habana, Major League Baseball: Philadelphia Phillies. Antes de llegar a Grandes Ligas en 1958, jugó en la Negro American League. De las 3 temporadas que tuvo en Grandes Ligas, la de 1960 fue la mejor. Quedó segundo en la votación por el Novato del Año detrás de Frank Howard. Pegó en su carrera en las Mayores 17 jonrones y remolcó 71 carreras, más .281 de average. Después de 1961 no volvió a las Mayores e incursionó en ligas menores y México hasta 1974, cuando decidió retirarse con 40 años. En 2008 fue elegido al Salón de la Fama de la International League (Triple-A), donde fue una indiscutible estrella con 4 campeonatos de jonrones y 3 de impulsadas.

Miguel *Mike* de la Hoz (23), INF, La Habana, Major League Baseball: 3 equipos. El *Reading Eagle* de marzo de 1960 publicó su contratación con Cleveland Indians por un bono cercano a los 10 000 dólares. Su inglés tenía alguna que otra dificultad y se había casado en enero. El promisorio infielder inició en la campaña de 1957-1958 con Almendares en la Liga Profesional Cubana donde concurrió hasta 1960-1961, mismo año que ganó la selección al equipo

Todos Estrellas. Sin lograr establecerse como jugador de posición titular sobrevivió 9 temporadas en Grandes Ligas, en rol de reemplazo y bateando .251 y 25 jonrones en 494 juegos. Compartió vestuario en Milwaukee Braves con Joe Torre, Hank Aaron y Felipe Alou durante 1964. Oriundo de Güines, recibió su paso al Salón de la Fama cubano en 2010.

ALBERTO IZQUIERDO (21), C, La Habana, Doble-A: Chicago White Sox. Jugó 4 años en ligas menores con Chicago White Sox. Su mejor campaña fue la de 1963, en Clase-A, con producción de .284/383/.472, 10 dobles, 1 triple, 7 jonrones y 31 impulsadas, entre Clinton C-Sox y Eugene Emeralds. Una vez fue subido de nivel a Lynchburg White Sox, Doble-A, no tuvo los mismos resultados (.167 average) y fue su último año en las menores.

ENRIQUE *HANK* IZQUIERDO (29), C, Matanzas, Major League Baseball: Minnesota Twins. Participó en la Pequeña Serie Mundial (1959) con los Cubans Sugar Kings y fue miembro del Almendares en la Serie del Caribe ganada ese mismo año en Venezuela. Sus habilidades defensivas relucían sobre la producción al bate. Su batalla para llegar a Grandes Ligas duró 15 temporadas en ligas menores hasta que fue ascendido en 1967 por Minnesota Twins. Se retiró y se hizo coach de bullpen de Cleveland Indians. Llegó a Major League Baseball en 1967 con Minnesota Twins, jugó 16 encuentros y bateó .269. Fue el último out del béisbol profesional en Cuba al conectar rolling a la segunda base en el choque entre Almendares y Cienfuegos el 17 de febrero de 1961. Durante un robo perpetrado en una tienda recibió un disparo en el estómago y estuvo a punto de perder su vida. Su mentalidad siempre era volver al diamante y así lo cumplió. Luego de su retiro a los 38 años, viajó entre 1970 y 1974 a la Liga Mexicana de Béisbol, donde fue mánager. A partir de 1977 laboró como *scout* de Minnesota Twins por más de una década.

José Ramón López (28), RHP, Las Villas, Major League Baseball: California Angels. Este veloz pitcher villaclareño emigró de Cuba en 1961. En su última temporada profesional en la Isla lanzó para Almendares. Llevaba varias campañas en ligas menores con los Cleveland Indians. Llegó a Grandes Ligas en 1966, ascendido a los 33 años por California Angels. Solo lanzó 7 entradas dejando saldo de 0-1, 5.14 de efectividad. Su verdadera historia comenzaría a partir de ese momento. Se fue a México con los Sultanes de Monterrey y lideraría la liga en ponches por 3 temporadas en fila: 1964 (213), 1965 (201) y 1966 (309), récord vigente. En 1970 se dio el lujo de tirar un juego no hit-no run, hazaña que repitió en el béisbol de Nicaragua.

Gabriel Antonio *Tony* Martínez (21), SS, Matanzas, Major League Baseball: Cleveland Indians. Infielder de buenas manos que participó con el Almendares en 1960-1961. Sus actuaciones en Triple-A con Cleveland le merecieron un ascenso a Grandes Ligas, pero no pudo establecerse, por más que lo intentó. En 73 partidos dispersados en 4 años bateó .171 y 5 dobles sin jonrones.

Orlando *Marty* Martínez (20), INF, La Habana, Major League Baseball: 6 equipos. La producción ofensiva de Martínez (.243 en 7 campañas) no le permitió permanecer más tiempo en Grandes Ligas. Era un jugador polivalente y útil, capaz de dominar todas las posiciones. Fue firmado en 1960 por Washington Senators gracias al *scout* Joe

Cambria. Trabajó como *scout* con Seattle Mariners luego de su retiro. Fue mánager de ligas menores y coach en Major League Baseball, donde incluso dirigió un partido como coach interino en 1986. Exitoso en su labor como *scout*, se le apuntó la firma de extraclases como Edgar Martínez y Omar Vizquel.

PEDRO MARTÍNEZ (21), C, La Habana, Triple-A: Baltimore Orioles. Fue un cátcher defensivo que jugó por 9 años en las menores, de 1960 a 1968, donde bateó .220, 25 jonrones y 283 carreras impulsadas. Jugó en Triple-A dos partidos, pero su inconsistencia ofensiva no le posibilitó escalar al máximo nivel.

ORLANDO MCFARLANE (23), C, Las Tunas, Major League Baseball: 3 equipos. En la última campaña de la Liga Profesional Cubana ganó el puesto de receptor con Almendares; ese mismo año emigró y para 1962 debutó en las Mayores con Pittsburgh Pirates. En 1966 registró su mejor año, 5 jonrones y .254 en 49 partidos con Detroit Tigers. No logró establecerse en Grandes Ligas, pero brilló en circuitos invernales como Dominicana y Puerto Rico. Fue líder de jonrones en 1963 (10) y 1964 (8) vistiendo la franela de Águilas Cibaeñas.

ROMÁN MEJÍAS (31), OF, Cienfuegos, Major League Baseball: 3 equipos. Se le recuerda como un atlético beisbolista que sobresalía por su físico. Su arribo a Grandes Ligas sucedió en 1955 con Pittsburgh Pirates. Entre 1957 y 1961 alternó como jugador de reemplazo y en 1962 tuvo su temporada de consagración en Major League Baseball con Houston Colt .45s, quienes lo seleccionaron en el draft de expansión. Allí explotó con 24 cuadrangulares, 76 impulsadas y línea ofensiva de .286/.326/.445. Llamó la atención de Boston Red Sox y fue adquirido mediante un cambio por Pete Runnels, el líder bateador de esa temporada en la Liga Americana. Sin embargo, no tuvo un buen año (.227 de average y 11 jonrones) y sus oportunidades en Grandes Ligas declinaron. En 1966, con 35 años y una carrera en la curva descendente, se marchó a la Liga Profesional de Japón donde firmó con Sankei Atoms y puso promedio de .288 en 30 encuentros.

RIGOBERTO *MINNIE* MENDOZA (28), INF, La Habana, Major League Baseball: Minnesota Twins. Llegó a Grandes Ligas con 36 años y fue uno de los cuatro peloteros que debutaron en la década de los setenta. Su increíble esfuerzo de 19 años en ligas menores fue recompensado, aunque solo contó con 16 turnos al bate en 16 partidos.

ORESTES *MINNIE* MIÑOSO (36), OF/INF, Matanzas, Major League Baseball: 4 equipos. Fue seleccionado 9 veces al Juego de las Estrellas y además ganó 3 Guantes de Oro. Sin embargo, su amplio legado dentro y fuera del terreno aún no ha sido valorado para entrar en Cooperstown. Bateó 186 jonrones en 17 años de carrera en Major League Baseball, donde fue el corazón y alma de Chicago White Sox por 12 temporadas. También fue apodado Mr. White Sox o Cometa Cubano. Impulsó 1 023 carreras y en 1980 se convirtió en el tercer jugador más longevo de las Mayores (54 años). Archivó 4 temporadas de más de 100 impulsadas y carreras anotadas. En 1983, su eterno número 9 fue retirado por la franquicia de Chicago. Falleció en noviembre de 2014.

DANIEL MOREJÓN (31), OF, La Habana, Major League Baseball: Cincinnati Reds. Inició su carrera profesional en 1953 y ya en 1955 ganaba el Jugador Más Valioso en la

Carolina League (Clase-A) con .324, 30 dobles, 10 triples y 13 jonrones. Apodado Pata Chula debido a una cojera persistente, pasó muy poco tiempo en Grandes Ligas pese a su producción de extrabases en las menores. Su momento de gloria en Major League Baseball se resumió en 37 turnos a home en 1958 (.192 de average) sin más oportunidades. Continuó con Havana Sugar Kings entre 1959 y 1961, incluso cuando se mudaron a Jersey City, New Jersey. Mientras su ofensiva caía durante 1962 y 1963 en Triple-A de Cleveland, redirigió su carrera hacia México y obtuvo un nuevo aire. Allí bateó por varias temporadas más de .300 y fue pieza clave del campeonato de los Broncos de Reynosa en 1969. Siempre fue un modelo dentro y fuera del terreno, ejemplo de beisbolista disciplinado. Pasó por el béisbol profesional de Colombia y, en 1956, robó 26 bases en una campaña, récord que duró hasta 2009.

TONY OLIVA (23), OF, Pinar del Río, Major League Baseball: Minnesota Twins. Firmó contrato en 1961 con el *scout* de los Twins, Joe Cambria. Al principio fue un jugador subestimado que incluso quedó en libertad. Sin embargo, tras una gestión de Rigoberto Mendoza, la organización lo recontrató y una vez que empezó a batear en las menores adquirió connotación de leyenda. Llegó a ser la máxima expresión del bateo cubano, junto a Tany Pérez, en las décadas de 1960 y 1970. Fue 3 veces campeón de bateo (1964, 1965 y 1971) de la Liga Americana, 5 ocasiones rey del hit (1964, 1965, 1966, 1969 y 1970), 8 veces elegido al Juego de las Estrellas (de 1964 a 1971) y 4 veces líder en dobles (1964, 1967, 1969 y 1970). Ganó la distinción de Novato del Año en una inolvidable campaña de 1964. Siempre jugó con Minnesota Twins y es el tercero en jonrones de por vida de la franquicia (220). Su número 6 fue retirado y pertenece al Salón de la Fama de los Twins, a quienes les demostró su devoción por 15 años. Estuvo separado de su familia en Cuba por más de una década. Sus hermanos, Juan Carlos y Reynaldo, jugaron la Serie Nacional de Cuba. Ganó 1 Guante de Oro en 1966 y fue votado para el Salón de la Fama de Cooperstown entre 1982 y 1996, alcanzando un tope de 47,3 % en 1988. Según el estadístico y sabermétrico Bill James, quien utilizó el sistema Keltner, Oliva es un candidato genuino al Salón de la Fama.

José Padilla (26), SS/RHP, La Habana, Doble-A: Baltimore Orioles. En 1954 saltó del nivel amateur a la Liga Profesional Cubana al firmar con el Marianao, con lo cual se convirtió en uno de los pocos peloteros en hacerlo. Fue contratado por Cincinnati Reds y jugó en ligas menores entre 1955 y 1962. Además de desempeñarse en el infield, en 1958 lo probaron como lanzador. Llegó a nivel Doble-A, pero no pasó de allí debido a su inconsistencia ofensiva. Después de 1961 fue ubicado como instructor en La Habana, junto a Zoilo Versalles y Raúl Sánchez. Bobby Maduro le envió un contrato profesional para poder salir de Cuba, pero a su llegada a Jacksonville el equipo le comunicó que ya tenían torpedero. Entonces esperó una semana y Maduro le consiguió trabajo en Sarasota Sun Sox, que pertenecía a Chicago White Sox. Allí bateó .253 y .344 de embasamiento y la organización tramitó la salida de su esposa y sus padres. Puso 100 dólares en el guante el día que se fue de Cuba y le abrieron las siete maletas que llevaba. «La casa de Marianao la perdimos y el carro del 55 también lo confiscaron», expresó para esta investigación. Terminó su carrera en 1963, con Cabimas, de la Liga de Verano de Venezuela.

Camilo Pascual (27), RHP, La Habana, Major League Baseball: 5 equipos. Cuando el profesionalismo fue abolido en 1961, llevaba 7 temporadas en Grandes Ligas y 2 selecciones al Juego de las Estrellas. «Nunca más regresé a Cuba», aseguró para este libro. Fue 7 veces All-Star, lideró la Liga Americana 3 años consecutivos (1961, 1962 y 1963) como máximo ponchador y en 18 temporadas ganó 174 partidos; pese a lanzar en equipos no contendientes perdió 170, con efectividad de 3.63. Fue llevado al Salón de la Fama del Béisbol Latino en 2010. Fue *scout* de Los Angeles Dodgers y su primer jugador firmado fue José Canseco. Trabajó con la organización de Los Angeles Dodgers hasta 2017.

Carlos Pascual (30), RHP/INF, La Habana, Major League Baseball: Washington Senators. Hermano de Camilo Pascual. En 1950 debutó en Grandes Ligas con Washington Senators (1-1, 2.12 de efectividad) y aunque tenía apenas 19 años esos 17 innings fueron los únicos que lanzaría en las Mayores. Emigró junto con su hermano en 1961. Pese a lanzar y batear, se mantuvo por 12 años en ligas menores, alternando una campaña en México. Fue *scout* de Minnesota Twins entre 1963 y 1977 y trabajó además con New York Mets. En 1998 fue elegido al Salón de la Fama del Béisbol Cubano.

Leopoldo Posada (25), OF, La Habana, Major League Baseball: Kansas City Athletics. Comandó a los Indios del Bóer en la Liga de Nicaragua con 2 temporadas de 11 y 12 jonrones en 1964-1965 y 1965-1966, además de 41 y 44 remolcadas. Bateó por encima de .300 en las 5 temporadas que disputó en tierras nicas. Entre 1960 y 1962 estuvo en Grandes Ligas con Kansas City Athletics, siendo 1961 la más notable de sus temporadas: .253 de average, 7 jonrones y 53 impulsadas.

PEDRO RAMOS (26), RHP, Pinar del Río, Major League Baseball: 7 equipos. El derecho tiró durante 15 temporadas en Grandes Ligas con marca de 117-160, 4.08 de efectividad. Sobrepasó los 200 innings de labor en 6 contiendas. Ponchó a 1 305 bateadores en 2 355 innings y registró 7 años con 10 o más victorias, así como también lideró el casillero de derrotas en 4 versiones entre 1958 y 1962. Se retiró en 1972. Tenía 37 años.

MINERVINO *MINNIE* ROJAS (26), RHP, Las Villas, Major League Baseball: California Angels. En 1960 firmó un pacto con San Francisco Giants y estuvo por cuatro años en las menores con la franquicia. No ofrecía un rendimiento llamativo en Doble-A ni Triple-A como para subir a Major League Baseball. No fue hasta 1966, cuando pasó un periplo en México (Charros de Jalisco), que California Angels compró su contrato y él elevó su calidad. Allí debutó con 32 años y marcó 7-4, 2.88 de efectividad. La temporada siguiente lideró a los cerradores de la Liga Americana con 27 salvados (récord de la franquicia hasta 1985) y además contribuyó a 12 victorias. Era un pitcher de recursos que destacaba por sus envíos lentos. Entre 1968 y 1969 atravesó problemas en su brazo, en parte, por el exceso de trabajo en las ligas de invierno, en las que lanzaba para con las ganancias sacar al resto de su familia de Cuba. El 31 de marzo de 1970, Rojas y su familia sufrieron un horrible accidente de auto que terminó con la vida de dos de sus hijas (Lourdes y Bárbara); él, su esposa y su hijo de un año sobrevivieron. Rojas quedó parcialmente paralizado y nunca más regresó al béisbol.

Octavio *Cookie* Rojas (22), INF/OF, La Habana, Major League Baseball: 4 equipos. Fue un sobresaliente bateador de contacto y un defensor innegable. Seleccionado a 5 Juegos de las Estrellas, promedió línea ofensiva de .263/.306/.337, 254 dobles, 25 triples, 54 jonrones y 593 impulsadas en 16 años combinados en 4 organizaciones. Inició su carrera en Grandes Ligas con Cincinnati Reds. En 1969 participó en un cambio que implicó a nueve jugadores y recaló en St. Louis Cardinals. Terminó su carrera con Kansas City Royals en 1977. Fue un ejemplo de constancia. Nunca fue bajado a las menores desde 1963 a 1977, lapso en donde se ubicó duodécimo entre los que menos se poncharon (7,2 %). Tras su retiro trabajó como coach en seis franquicias de Grandes Ligas.

Giraldo Sablón *Chico* Ruiz (23), INF, Las Villas, Major League Baseball: 2 equipos. Fue un destacado jugador de ligas menores que no pudo establecerse en Major League Baseball (.240 average y 2 jonrones, en 8 temporadas). Pese a siempre actuar en rol de reemplazo archiva algunas peripecias dignas del recuerdo como su robo de home en 1964 mientras bateaba Frank Robinson. Participó en ligas invernales de Puerto Rico, Venezuela y República Dominicana. Aunque nunca fue un bateador que impresionara, su recuerdo aflora como un gran robador de bases y un personaje que hizo el juego más divertido con sus constantes declaraciones a la prensa. Murió en febrero de 1972 en un accidente automovilístico en San Diego, California.

Humberto Sama (21), INF, Matanzas, Clase-A: Minnesota Twins. Debutó en el béisbol profesional en ligas menores con Hastings Giants, sucursal de Clase-A de New York Giants. En 1961 el inicialista dejó notables números en Erie Sailors, Clase-A de Minnesota Twins, donde bateó .290/.385/.435, 18 dobles, 4 triples, 8 jonrones y 46 impulsadas.

DAVID SÁNCHEZ (20), INF, La Habana, Clase-A: Minnesota Twins. Estuvo 4 temporadas en ligas menores y, pese a ser un infielder con notable velocidad y producción de extrabases, su average no adquirió relevancia como para avanzar de niveles en las menores. Posteó .241/.336/.312, 49 dobles, 23 triples y 6 vuelacercas entre 1959 y 1962.

ÁNGEL SCULL (33), OF, Matanzas, Triple-A: Cincinnati Reds. Jardinero con excelente desplazamiento y velocidad que no llegó a Grandes Ligas pese a 12 campañas en ligas menores con 5 equipos. Integró la nómina de los Havana Sugar Kings por más de un lustro. Tuvo aceptable rendimiento en Triple-A, pero sufrió lesiones y problemas con la barrera racial en los años cincuenta. Emigró definitivamente de Cuba en 1961 y se estableció en México. Allí jugó hasta 1969 y luego de unos años cambió su lugar de residencia hacia Miami. Bateó .293 de average durante 12 años en el nivel de las menores, además de conectar 115 vuelacercas.

ROBERTO TAÑO (25), RHP/INF, Camagüey, Clase-A: Minnesota Twins. Disputó la temporada de 1960-1961 con Cienfuegos. Contrajo matrimonio con una ciudadana norteamericana y salió de Cuba para continuar su carrera profesional. Estuvo en ligas menores desde 1956 a 1963 y, pese a batear en 3 años más de 10 jonrones, sus promedios no le permitieron ascender en el sistema.

JOSÉ TARTABULL (23), OF, Cienfuegos, Major League Baseball: 3 equipos. Jugó nueve temporadas en Grandes Ligas. En

1965 promedió .312/.361/.413, 11 dobles, 4 triples y 1 cuadrangular con Kansas City Athletics. Un año más tarde fue cambiado a Boston Red Sox y allí, en 1967, realizó una memorable jugada en tiro a home en un partido ante Chicago White Sox que fue inmortalizada en la novela *Tartabull's Throw*, de Henry Garfield. La velocidad y la defensa eran sus mejores armas. Concluyó líder en porcentaje de bases robadas en 1963 (94,12 %) al ser capturado solo una ocasión en 17 intentos. Su línea ofensiva de por vida en Major League Baseball fue .261/.303/.320, 56 dobles, 24 triples y 2 jonrones, aunque su contacto y baja tasa de ponches (136 en 2 020 turnos al bate) lo convirtieron en un pelotero valioso.

ANTONIO NEMESIO *TONY* TAYLOR (26), INF, Matanzas, Major League Baseball: 3 equipos. No regresó a Cuba después de 1961, a diferencia de su hermano Jorge, quien salió un año más tarde. Cumplimentó una carrera de 19 temporadas en Grandes Ligas, la mayor parte del tiempo con Philadelphia Phillies. Fue elegido en 2 ocasiones al Juego de las Estrellas y bateó de por vida 298 dobles, 86 triples, 75 jonrones y remolcó 598 carreras. Su average fue de .261 y a la defensa podía llenar cualquier posición del infield.

LUIS TIANT JR. (21), RHP, La Habana, Major League Baseball: 6 equipos. Salió de Cuba el 25 de abril de 1961 y no regresó hasta 2007. Lanzó con los Tigres de México. Residió en el país azteca hasta 1974, cuando se trasladó a Boston de forma permanente. Lanzó para el Habana en el invierno de 1960-1961, última edición del torneo profesional cubano. Hijo de Luis Tiant Sr. (legendario pitcher de ligas menores y Grandes Ligas de Negros), consagró una estela inigualable de triunfos en Major League Baseball hasta llegar a 229 victorias en 19 temporadas, con efectividad de 3.30. Recordado por su peculiar *wind up*, archivó 3 selecciones al Juego de las Estrellas, 2 lideratos de efectividad en la Liga Americana (1968 y 1972) y 13 campañas con 10 victorias o más y 5 de 15 ganados o más. Además, llegó a convertirse en el lanzador cubano con más victorias en las Mayores. Sus padres lo visitaron en 1975 gracias a una visita no oficial a Cuba de George McGovern, quien se encontró con Fidel Castro para solicitar el permiso de viaje de aquellos. El mandatario cubano aprobó la petición y el 26 de agosto de 1975, en Fenway Park, Luis Tiant Sr. tiró el lanzamiento inicial de un partido que abriría su hijo. Luis Tiant Jr. enfrentó lesiones que amenazaron con terminar su carrera, pero siempre se impuso en el box, reconvirtiendo su mecánica, y, pese a la lejanía de sus familiares, pasó a la historia con una legendaria carrera. Su carrera en Grandes Ligas merece su entrada al Salón de la Fama de Cooperstown, que aún no ha llegado: «Mi Salón de la Fama es mi familia. Todo el que sabe de béisbol conoce que mis números pertenecen a Cooperstown», dijo para esta investigación.

HILARIO SANDY VALDESPINO (22), OF, La Habana, Major League Baseball: 6 equipos. Lideró a los bateadores (.345) en la última temporada de la Liga Profesional Cubana jugando para el Habana. Ese mismo año recibió la autorización para salir de Cuba vía México con otros compañeros de organización (Pedro Ramos, Camilo Pascual, David Sánchez y Orlando *Marty* Martínez). Su primer contrato lo realizó con Joe Cambria y los Washington Senators lo firmaron en el draft amateur. En los 7 años que estuvo en las Mayores casi siempre lo hizo como jugador de reemplazo.

Dejó línea ofensiva de .230/.286/.295, 23 dobles, 3 triples y 7 jonrones. A los 35 años cerró su carrera en la Liga Mexicana (1973-1974).

José Valdivielso (27), INF, Matanzas, Major League Baseball: 2 equipos. Integró el roster de Marianao en 1960-1961. Tuvo una carrera de 5 campañas en Grandes Ligas, 4 en Washington Senators; pero nunca brilló con su bate. Protagonizó junto a Camilo Pascual y Julio Bécquer el único triple play realizado por cubanos en Major League Baseball. Terminó su carrera en las menores jugando para Chicago White Sox entre 1963 y 1964, sin pasar de .230 de average en Triple-A.

Néstor Velázquez (21), OF/INF, La Habana, Doble-A: Minnesota Twins. Se caracterizó por su versatilidad en el campo y su rapidez atlética. Nunca llegó a Grandes Ligas, pero en 13 años en ligas menores dejó una grata impresión con 140 bases robadas y 277 extrabases. Sobrepasó un incidente de racismo en 1962, luego de que tres individuos blancos le apuñalaran en el estómago. Luego de este horrible ataque, continuó su carrera hasta los setenta.

Jacinto Vento (21), SS, Matanzas, Clase-A: Washington Senators. Disputó 4 temporadas en liga menor con Washington, excepto la de 1961, cuando actuó para Minnesota Twins. El torpedero tuvo excelentes temporadas en el nivel D, un equivalente a Clase-A. Sin embargo, no pudo superar esa instancia. En 1961 promedió .260/391/373, 21 dobles, 2 triples, 9 jonrones y 68 impulsadas para Erie Sailors.

Zoilo Versalles (21), INF, La Habana, Major League Baseball: 5 equipos. Partió de Cuba en 1961 y luego se le incorporó su esposa Josefa. Es universalmente conocido por ser el primer latino en ganar un premio al Jugador Más

Valioso en Grandes Ligas, conseguido en 1965 mientras jugaba para Minnesota Twins, bajo la tutela de Billy Martin. Ese año pegó 45 dobles, 12 triples (casillero que comandó en 3 campañas consecutivas) y 19 jonrones. Su rendimiento decayó y no repitió esos números, aunque no se rindió y estuvo en las Mayores hasta 1971, pasando por 5 organizaciones. Conquistó 2 Guantes de Oro. Estuvo en 2 Juegos de las Estrellas. Se fue a Japón en 1972 con los Hiroshima Toyo Carp y terminó su carrera en México.

José Ramón Villar (21), INF/OF, La Habana, Clase-A: Cleveland Indians. Integró la nómina del Almendares en 1960-1961 y cumplimentó una carrera de 9 temporadas en ligas menores entre Cleveland, St. Louis y Baltimore. En 1960 y 1962 alcanzó su mejor rendimiento, promedió más de .300 y 15 jonrones por año, y cuando fue ascendido de nivel sus números ofensivos disminuyeron. Terminó su carrera en Clase-A de Baltimore, sucursal Miami Marlins, donde tuvo como mánager a Cal Ripken Sr.

Oscar Zamora (16), RHP, Camagüey, Major League Baseball: 2 equipos. Fue uno de los cuatro beisbolistas nacidos en Cuba (junto a Minnie Mendoza, Orlando González y Roberto Ramos) que debutaron en la década de los setenta en Grandes Ligas. Con su madre y su hermano partió de Cuba en avión cuando tenía dieciséis años. Luego su padre, quien era cirujano, también se marcharía de la Isla. En 4 temporadas (3 con los Cubs y 1 con los Astros) dejó marca de 13-14, 4.53 de efectividad.

1962

Julio Alonso (8), LHP, La Habana, Triple-A: Detroit Tigers. Partió de Cuba con su familia en el convulso panorama de los primeros años de la Revolución. Comenzó su carrera en el béisbol desde edades tempranas y tras pasar por High School y por estudios universitarios firmó con Detroit en la ronda 23 del draft de 1975. Se mantuvo por 5 campañas en las menores como pitcher de bullpen y nunca pudo establecerse para llegar a Grandes Ligas. Su marca fue de 24-25, 3.27 de efectividad y 233 ponches, en 308 entradas.

Oswaldo *Ossie* Álvarez (28), INF, Matanzas, Major League Baseball: 2 equipos. Debutó en Grandes Ligas con Washington Senators durante 1958 con average de .209 en 87 encuentros. Después de su breve paso por Detroit Tigers, un año más tarde no regresó a las Mayores y su ofensiva decayó en Triple-A. Trabajó como instructor en la zona de Oriente junto a Mario Zambrano en el invierno de 1961. Sin embargo, emigró al año siguiente y de 1962 a 1966 estuvo en México. Actuó como mánager, *scout* y entrenador luego de su retiro.

Ultus Álvarez (29), OF, Las Villas, Triple-A: Cincinnati Reds. Era un jardinero rápido con excelente producción de extrabases que jugó ligas menores desde 1952 (año que firmó con Brooklyn Dodgers) hasta 1964. Emigró de Cuba en 1962 y se asentó en Miami luego de su retiro. En 1953 con Thomasville Dodgers pegó 21 triples para liderar la Georgia-Florida League. Estuvo por 5 temporadas con Havana Sugar Kings y destacó en 1957 con 18 jonrones. Tras salir de Cuba firmó con Cleveland y en Doble-A, Jacksonville Suns, solo promedió .241 con 8 jonrones en 66 partidos. En 1963 marchó hacia México y terminó su carrera un año más tarde en Clase-A de Minnesota, Orlando Twins. Pese a ser un bateador notable, nunca pudo llegar a Grandes Ligas.

[1962 cont.]

Dagoberto *Bert* Campaneris (19), INF, Matanzas, Major League Baseball: 5 equipos. Escapó de Cuba días antes de la invasión de bahía de Cochinos, en abril de 1962. Debutó en Grandes Ligas conectando dos cuadrangulares, el 23 de julio de 1964, en un partido entre su equipo Kansas City Athletics y Minnesota Twins. En dicho juego lanzaba por Kansas Diego Seguí, también cubano. Fue 6 veces elegido al Juego de las Estrellas y ganó 3 anillos de Serie Mundial con Oakland Athletics en 1972, 1973 y 1974. Firmó un contrato de 750 000 dólares y 5 años con Texas Rangers en 1977. Es considerado uno de los jugadores más versátiles en la historia de las Mayores y llegó a promediar un WAR (victorias sobre el reemplazo) de 4.7 por temporada.

Pedro Cardenal (26), OF, Matanzas, Clase-A: St. Louis Cardinals. Hermano de José Cardenal. Empezó en 1954 en el béisbol de ligas menores. Pese a su excelente rendimiento, no fue ascendido de nivel en una época de evidente racismo y discriminación. Estuvo como jardinero del Habana en la campaña 1960-1961 y luego de extinguirse el profesionalismo en Cuba marchó hacia México. Allá jugó con los Pericos de Puebla por 5 años y después de su retiro fue instructor de béisbol en Oaxaca.

René Friol (29), C/OF, Pinar del Río, Triple-A: Los Angeles Dodgers. Salió de Cuba en 1962 vía México y no retornó hasta la década de los ochenta, cuando pudo volver de visita. Bateó .296 de average y 12 jonrones en Spokane Indians, Triple-A de Dodgers en 1962. «Era una época muy distinta a la de ahora. Había muchos bateadores de nivel y tenía a John Roseboro delante que no se enfermaba y era a la vez muy fuerte», dijo para esta investigación. Registró temporadas muy positivas en sus 11 años dentro de las menores, aunque no recibió la oportunidad en Major League Baseball. Cubrió la receptoría de los Tigres de Marianao en 1960-1961, y entre 1964 y 1970 estuvo en la Liga Mexicana. En 1969-1970 participó con Águilas del Zulia en la liga invernal de Venezuela.

RIGOBERTO *TITO* FUENTES (18), INF, La Habana, Major League Baseball: 4 equipos. Representó al equipo Cuba en el Campeonato Mundial de Costa Rica en 1961; sin embargo, su decisión de irse al béisbol profesional en Estados Unidos prevaleció. Fue uno de los últimos que firmaron contratos antes de la imposición del embargo económico a Cuba en 1962. Su padre era chofer del dirigente Blas Roca y miembro del Partido Comunista. Según algunos contemporáneos de Fuentes, su padre no quiso llevarlo al aeropuerto el día que se marchaba a Estados Unidos. Tuvo una carrera más que decente en Grandes Ligas. Se mantuvo por 13 temporadas jugando todos los días para organizaciones como San Francisco Giants, San Diego Padres y Detroit Tigers. Promedió línea ofensiva de .268/.307/.347, 211 dobles, 46 triples y 45 jonrones. También fue un virtuoso a la defensa con 6 errores en 1973 con los Giants en 160 juegos, mejor marca para un segunda base de la franquicia.

RAÚL GALATA (32), LHP, La Habana, Liga Mexicana. Lanzó en la Liga Profesional de Venezuela con los Navegantes del Magallanes en 1950: 4-2, 3.35 de efectividad en 96 innings. A mediados de los años cincuenta se asentó en México.

LORENZO *HABICHUELA* GÓMEZ (19), RHP, La Habana, Doble-A: San Francisco Giants. En algunas publicaciones aparece registrado como Lázaro. Lanzó con los Tigres de

Marianao la última temporada profesional en Cuba con efectividad de 5.52. En 1962 ganó 15 juegos en Doble-A con El Paso Sun Kings, pero su efectividad no bajaba de 4.00. En 1964 emprendió viaje hacia la Liga Mexicana con las Águilas de Veracruz, con las que dejó marca en las menores de 49-33, 3.60 de efectividad.

JULIO GUERRA (24), RHP, La Habana, Triple-A: Cleveland Indians. Impactó en su año de novato en las menores con marca de 26-9, 2.40 de efectividad. Sin embargo, al ser ascendido de nivel no tuvo el mismo rendimiento. Participó con Almendares en la última campaña del béisbol profesional en Cuba, para luego dividir su carrera entre México y Charlotte, Doble-A de Minnesota Twins, entre 1962 y 1963.

MANUEL ENRIQUE HERNÁNDEZ AMORÓS (17), LHP, Matanzas, Clase-A media: Cleveland Indians. También fue conocido como Manuel Enrique Gazmuri. Lanzó en la primera Serie Nacional del béisbol amateur en Cuba y resultó elegido mejor pitcher del torneo. Representó a Cuba en el Campeonato Mundial Juvenil de La Habana en 1961 y en los Juegos Centroamericanos de Kingston, Jamaica, en 1962. Se convirtió en el primer pelotero cubano que participó en la liga cubana y escapó de la Isla, por vía marítima, en agosto de 1962. Negoció un contrato de liga menor con los Cleveland Indians en ese mismo mes, tras arribar a la Florida. Según aseveró Pedro *Pico* Prado, Gazmuri llegó con una lesión en su brazo de lanzar. Estuvo como inicialista y bateador en 4 temporadas donde no ascendió de Clase-A media, en la sucursal Dubuque Packers. Allí bateó .244/.320/.383 con 21 cuadrangulares de 1962 a 1965 y lanzó en 49 innings con pobre efectividad y marca de 2-6, 6.61, 45 ponches y 41 boletos. Se apagó así su brillante estela juvenil como pelotero.

Roberto Iglesias (19), INF, La Habana, Clase-A: Cleveland Indians. Jugó 4 años en ligas menores, primero con Cincinnati Reds y luego con Cleveland Indians. En 1962, con Dubuque Packers, pegó 13 cuadrangulares y bateó .284, pero al ser ascendido de nivel no mantuvo la progresión. En 1964 jugó su última campaña en las menores con bajo promedio de .210 y 15 extrabases en 63 partidos.

David Jiménez (28), RHP, Las Villas, Triple-A: Pittsburgh Pirates. Lanzador de bola rápida, comenzó en la organización de Pittsburgh Pirates en 1955. Recibió varias oportunidades en Triple-A y no pudo establecer un rendimiento estable. Su mejor efectividad en ese nivel fue de 3.72 en 1961. Después de ese año, anduvo por la Liga Mexicana y Nicaragua. Su última campaña fue con los Olmecas de Tabasco en México, durante 1968.

Marcelino López (19), LHP, La Habana, Major League Baseball: 4 equipos. El zurdo lanzó por 8 temporadas en Grandes Ligas con marca de 31-40, 3.62 de efectividad. Lanzó en la Liga Profesional Cubana con Almendares en 1960-1961 y además lo hizo en los inviernos de Venezuela y República Dominicana. En 1970 ganó un anillo de Serie Mundial vistiendo el uniforme de los Baltimore Orioles. En su primera campaña completa como novato (1965) triunfó en 14 encuentros para los California Angels y quedó segundo en las votaciones por el Novato del Año.

Vicente López (33), RHP, La Habana, Triple-A: Cincinnati Reds. En 1949 firmó contrato profesional con Brooklyn Dodgers, pero nunca llegó a Grandes Ligas. Alternó varias temporadas entre Havana Sugar Kings y la Liga

Mexicana, donde lanzó regularmente desde 1955 hasta 1964.

Héctor Martínez (21), INF, Las Villas, Major League Baseball: Kansas City Athletics. Jugó 7 encuentros en Grandes Ligas con Kansas City Athletics entre 1962 y 1963. Asistió 17 veces a home y promedió .267, con 1 cuadrangular. Luego, continuó en las menores, siempre con Kansas, hasta 1967. Como contrajo matrimonio con una venezolana, adquirió la nacionalidad de ese país. Disputó 5 campañas del torneo invernal en Venezuela: Industriales de Valencia (1963-1965) y Tigres de Aragua, cambiado a Navegantes del Magallanes (1967-1968). Nunca pudo regresar a Grandes Ligas. En 1999 murió en Cuba.

José Martínez (20), INF, Matanzas, Major League Baseball: Pittsburgh Pirates. Firmó contrato con Pittsburgh Pirates y salió de Cuba por vez primera en 1960. Regresó en 1960-1961 para jugar con Cienfuegos en el circuito invernal. En 1962 salió permanentemente de Cuba y, luego de 8 temporadas en ligas menores, debutó con el Pittsburgh de Roberto Clemente, Bill Mazeroski y Willie Stargell en 1969. Allí bateó .269, 6 dobles y 1 cuadrangular en 179 turnos. En 1970 volvió y solo recibió 20 turnos al bate. Continuó en las menores y terminó en Kansas City Royals, en 1974. Llegó a coach de Grandes Ligas con Kansas entre 1980 y 1987, y ganó la Serie Mundial de 1985. Trabajó como entrenador en la organización de Chicago Cubs de 1988 a 1994 y con Atlanta Braves de 1995 a 2014, año de su muerte.

Nelson Morera (21), SS, La Habana, Clase-A: Cincinnati Reds. Bateó .151 en Geneva Redlegs, Clase-A de la New York-Pennsylvania League, en 31 partidos.

Raúl Oros (21), RHP, La Habana, Clase-A: Minnesota Twins. Tiró en ligas menores con Minnesota Twins entre 1961 y 1962, sin mucho éxito. Dejó marca de 5-13, 5.47 de efectividad.

Carlos Paula (35), OF, La Habana, Major League Baseball: Washington Senators. Al parecer, intentó salir de Cuba en 1962 por la vía ilegal y luego fue asesorado por Ramiro Valdés, comandante de la Revolución, para emigrar a México junto a Martín Rossell. Entró a la historia en 1954 al convertirse en el primer jugador negro de la organización de Washington Senators. La franquicia había anunciado ese año que quebraría la barrera racial, pero no con él, sino con el también cubano Ángel Scull. En 1955 Paula disputó 115 con Washington y puso promedio de .299/.322/.447, 20 dobles, 7 triples y 6 jonrones, además de que empujó 45 carreras. Al siguiente año volvió, pero no bateó más de .183. Paula continuó en ligas menores entre New York Yankees, New York Giants, Cincinnati Reds (estuvo con Havana Sugar Kings en 1959) y Milwaukee Braves sin regresar a Grandes Ligas. En 1960 se fue a la Liga Mexicana. En marzo de 1961, el *Washington Post* publicó una nota explicando que Paula estaba bajo sentencia de muerte en Cuba, después de que el gobierno de Fidel Castro ejecutara a su hermano. Esta información no pudo comprobarse. Paula murió en Miami en 1983, a los 55 años.

Orlando *el Guajiro* Peña (29), RHP, Oriente, Major League Baseball: 8 equipos. En 14 temporadas en Grandes Ligas registró 56 victorias y 77 derrotas con efectividad de 3.71. En 1964 fue sexto de la Liga Americana en ponches, con 184, y octavo en lechadas (3), mientras lanzaba para

Kansas City Athletics; además, tiró 2 temporadas de 200 innings o más. Estuvo en Major League Baseball hasta los 41 años y terminó su carrera con California Angels. Luego se convirtió en *scout* de Detroit Tigers y firmó al cubano Bárbaro Garbey, quien salió de Cuba en 1980.

LÁZARO PÉREZ (20), RHP, Matanzas, Clase-A: Boston Red Sox. Estuvo un breve tiempo en ligas menores con Boston Red Sox: 6-8, 4.77 de efectividad. Luego puso 11-5, 5.02 en la Alabama-Florida League, con Minnesota Twins.

ENRIQUE PÉREZ CHAVIANO (23), RHP, La Habana, Clase-A: San Francisco Giants. Integró el equipo Cuba para el Campeonato Mundial de Costa Rica en 1961 y fue de los últimos peloteros (junto a Rigoberto Fuentes y Bert Campaneris) que firmaron contratos con organizaciones de Grandes Ligas antes del embargo impuesto por Estados Unidos al gobierno cubano. Era de los buenos brazos que tenía la Isla en aquella época. Firmó con San Francisco Giants y en 1963 posteó 2-3, 4.09 de efectividad, en Lexington Giants. Un excompañero de equipo refiere que Pérez Chaviano se lastimó el brazo y terminó lanzando en Canadá.

HÉCTOR RODRÍGUEZ (40), 3B, La Habana, Major League Baseball: Chicago White Sox. Reconocido como uno de los mejores antesalistas defensivos del béisbol cubano, alcanzó el lauro de Novato del Año en la campaña 1942-1943 con los Alacranes del Almendares. Su temporada de 1951 en Montreal Royals, Triple-A (.302 de average, 8 jonrones), abrió el camino para el ascenso a Grandes Ligas con Chicago White Sox. Allí bateó en 124 juegos, .265 de promedio, 14 dobles y 1 jonrón. No contaba con el poder natural de un tercera base de la época y continuó produciendo en Triple-A. Terminó su carrera en la Liga Mexicana a los 46 años, donde jugó de 1962 a 1966.

MARTÍN ROSELL (27), INF, La Habana, Clase-A: Cincinnati Reds. Integró el roster de los Tigres de Marianao, que se coronó en la Serie del Caribe de 1958. No contó con mucha suerte en ligas menores, pese a rendir en algunas temporadas. Fue ascendido a Topeka Reds en 1960 y promedió .226, 23 dobles, 2 triples y 5 jonrones.

LUIS SÁNCHEZ (1), RHP, La Habana, Clase-A: Detroit Tigers. Emigró junto a sus padres con un mes de nacido. Fue elegido en el draft de 1979 (ronda 4) por Detroit Tigers y estando en Lakeland (Clase-A) sirvió como traductor de los cubanos Eduardo Cajuso, Roberto Salazar y Bárbaro Garbey, llegados tras la Crisis del Mariel en 1980 y contratados por Detroit. Solo lanzó 3 campañas en el nivel de las menores y dejó marca de 2-10, 9.19 de efectividad.

ADOLFO SUÁREZ (27), C, Oriente, Triple-A: Cincinnati Reds. Se marchó de Cuba en 1962 y fue compañero en Jacksonville de Mario Zambrano, con quien vivió mientras estuvieron en el mismo equipo. Integró el roster de Cienfuegos el último año profesional en Cuba y luego de eso registró .285/.333/.462, 18 dobles, 1 triple, 19 jonrones y 70 impulsadas en Tidewater Tides, Clase-A, que no pertenecía a ninguna organización de Grandes Ligas y que se asentaba en la Carolina League.

RAFAEL SUÁREZ (24), C, La Habana, Clase-A: Milwaukee Braves. No pudo ascender mucho en ligas menores. Estuvo 3 temporadas en Milwaukee Braves, nivel D, lo que vendría a ser Clase-A, y no pasó de .212 de average. A finales de 1961, jugó en una pequeña liga profesional creada en Cuba por el capitán Felipe Guerra Matos, llamada

Campeonato Inter-Granjas PR-2. Cuando esta se suspendió al poco tiempo, Suárez quedó campeón de bateo en el torneo.

JORGE TAYLOR (22), OF/INF, La Habana, Clase-A: Minnesota Twins. Hermano de Tony Taylor, firmó contrato con Cincinnati Reds y además estuvo con Minnesota Twins en la Florida. No pudo salir de Cuba en 1961, como lo hiciera su hermano, porque el visado nunca llegó a sus manos. Un año más tarde pudo emigrar y ni él ni Tony volverían a Cuba. Jugó en la Liga Provincial de Quebec con los Coaticook Canadiens durante la mitad de los años sesenta. Luego de su retiro fundó una academia de béisbol en Miami.

MARIO ZAMBRANO (24), OF, Oriente, Triple-A: Cincinnati Reds. Se ganó un puesto como jardinero en los Elefantes de Cienfuegos, que obtuvieron el último torneo profesional en Cuba durante la campaña de 1960-1961. Allí defendió la pradera izquierda al lado de los grandesligas Román Mejías y Tony *el Haitiano* González. Pertenecía a los Havana Sugar Kings y tuvo la oportunidad de disputar dos partidos cuando la franquicia fue movida a New Jersey. Se destapó a batear en Missoula Timberjacks, nivel Clase-A, con .334 de average, 17 dobles, 10 triples y 9 jonrones. Tras suspenderse el béisbol profesional en Cuba fue asignado a un puesto de instructor de béisbol en Santiago de Cuba, junto a Oswaldo *Ozzie* Álvarez. Salió definitivamente de la Isla el 24 de marzo de 1962 y nunca más regresó. Después de jugar en el mismo nivel de Clase-A, en Raleigh Capitals (1962), no prosiguió su paso en las menores. «Estaba desilusionado», dijo para esta investigación. Se fue a vivir a Kansas y se hizo ingeniero en electrónica en 1972. «Ganaba más como ingeniero que en las menores», asegura. Recibió una oferta de los Broncos de Reynosa para irse a la Liga Mexicana, pero el bajo salario que le ofrecían imposibilitó el viaje.

1963

Rogelio *Borrego* Álvarez (25), INF/OF, Pinar del Río, Major League Baseball: Cincinnati Reds. Salió de Cuba bajo circunstancias desconocidas, aunque algunas publicaciones han reportado que fue ayudado por el gobierno de México a llegar a Estados Unidos en 1963. Fue un bateador de poder que jugó en 1960 y 1962 en Grandes Ligas con Cincinnati Reds. No pasó de los 17 partidos disputados y .189 de average. Integró el equipo de Cienfuegos en la Liga Profesional Cubana donde demostró su poder descomunal e impecable capacidad de impulsar carreras. El 17 de diciembre de 1959 conectó 3 jonrones en un partido del campeonato profesional. Ganó la Serie del Caribe en 1960 con el Cienfuegos y aportó 2 bambinazos, 10 impulsadas y promedio de .333. Un año antes, había ganado la Pequeña Serie Mundial con Havana Sugar Kings. A partir de 1963 su rendimiento en Triple-A no fue el mismo y no recibió más promociones a Major League Baseball. Terminó su carrera en México, donde jugó entre 1968 y 1973.

Roberto *Musulungo* Gutiérrez Herrera (24), C, La Habana, Triple-A: St. Louis Cardinals. Salió de Cuba por mediación del *Barco de la Medicina*, que sirvió para el intercambio de medicamentos y presos políticos entre Estados Unidos y la Isla. Su familia se reunió con él luego de tres años, en 1966. Es recordado como uno de los mejores brazos de su tiempo. Fue cátcher del Habana en la última temporada profesional en Cuba (1960-1961) y jugó 11 temporadas en ligas menores sin llegarle nunca el ascenso a Grandes

Ligas. Extendió su carrera hasta 1976 en México y después de su retiro se convirtió en un importante umpire. Uno de sus dos hijos, Ricky Gutiérrez, nacido en Miami, jugó 11 temporadas en Grandes Ligas y ganó anillo de Serie Mundial con Boston Red Sox en 2004.

MANUEL *MANNY* MONTEJO* (28), RHP, Las Villas, Major League Baseball: Detroit Tigers. Tiró el primer no hit-no run de la Liga Profesional de Nicaragua en 1956. Llegó a Grandes Ligas en 1961 con Detroit Tigers, pero solo tiró 16.2 innings sin derrotas ni victorias. Fue cambiado, junto a Bob Bruce, de Detroit a Houston por Sam Jones. El *Daily News* de New York, el 25 de mayo de 1964, alababa el cambio realizado por Detroit, pues Montejo no se presentó a Houston después de 1962 y regresó a Cuba por decisión personal. Sí saldría un breve tiempo en 1963 y tiraría para Oklahoma, sucursal de Triple-A. En 1965 participó en la Liga Mexicana y en las menores (Clase-A) con Salisbury Astros, pero finalmente se quedó a vivir en la Isla, donde trabajó como policía. En el año 2000 murió en La Habana.

ATANASIO *TANY* PÉREZ (21), INF, Ciego de Ávila, Major League Baseball: 4 equipos. Fue parte integral de la Gran Maquinaria Roja de los años setenta de los Cincinnati Reds, con los que ganó dos anillos de Serie Mundial junto a David Concepción, Pete Rose, Johnny Bench y Joe Morgan, entre otros. Firmó su primer contrato profesional en 1960. Sin embargo, el último año de retorno a Cuba fue 1963, una época donde las regulaciones del gobierno de Fidel Castro complicaban el regreso a la Isla, por lo que Tany no regresó más hasta 1972. Bateó 379 jonrones y empujó 1 652 carreras (7 temporadas con 100 o más), además de 2 732 hits que le valieron ser elegido al Salón de la Fama de Cooperstown en el año 2000. Fue 7 veces al Juego de las Estrellas (atleta más valioso en uno de ellos) y también jugó para Montreal, Boston y Philadelphia. Se retiró en 1986 con 44 años vistiendo el uniforme de los Reds, el equipo en el que siempre se sintió como en casa.

RAÚL *SALIVITA* SÁNCHEZ (33), RHP, La Habana, Major League Baseball: 2 equipos. Emigró de Cuba luego de haber pasado esporádicamente por Grandes Ligas en 3 temporadas distintas (1952, 1957 y 1960). Su balance en las Mayores fue de 5-3, 4.62 de efectividad en 89.2 innings. Participó del triunfo de los Havana Sugar Kings en la Pequeña Serie Mundial de 1959. Ese mismo año fue uno de los mejores en su rendimiento, pues lanzó para 11-5, .3.10 de efectividad en Triple-A. Su última temporada en el béisbol fue la de 1963, en la Liga Mexicana de Béisbol, con los Pericos de Puebla. Vivió en Miami, laboró en la construcción y murió en 2002.

1964

SILVIO CASTELLANOS (28), LHP, La Habana, Clase-A: Washington Senators. La poca trascendencia que tuvo en ligas menores con Washington la contrastó con una larga carrera en Nicaragua y México. En 1960 lideró en efectividad y ponches la Liga Mexicana, vistiendo los colores de las Águilas de Veracruz, con números de 17-11, 3.24, 122 ponches. También dejó su estela en Nicaragua, donde fue líder en victorias de la temporada de 1957, con la casaca del León. Falleció en 2008 en Nicaragua.

ALBERTO FERNÁNDEZ (20), SS/3B, La Habana, Doble-A: Atlanta Braves. Realizó una carrera de 6 temporadas en ligas menores, primero con Kansas City Athletics, luego con Houston, Cincinnati, Atlanta y Minnesota. Se mantuvo en el nivel Clase-A y no pudo pasar de allí. Salvó 4 partidos que disputó con Savannah Braves, Doble-A, en 1972. Además, durante una campaña participó con Algodoneros Unión Laguna en la Liga Mexicana.

1965

JUAN BUSTABAD (3), INF, La Habana, Triple-A: Boston Red Sox. Sus padres lo trasladaron a él y otros tres hermanos cuando abandonaron Cuba en 1965. Declaró en alguna ocasión que no recordaba nada acerca de la Isla. Fue considerado uno de los mejores prospectos en la historia de Boston Red Sox, pero nunca pudo llegar a las Mayores. Primera selección del draft en 1980 (draft de enero, ronda secundaria), no pudo batear más de .247 en 9 temporadas en las menores. Jugó liga invernal en Venezuela con Águilas del Zulia. En 1990, Los Angeles Dodgers le ofrecieron un puesto como coach y desde ese momento trabajó en las menores. En 2010 llegó a 700 victorias como mánager en Great Lakes Loons y fue nombrado Mánager del Año en la Midwest League esa misma temporada. Además, fue seleccionado Mánager del Año en California League con Rancho Cucamonga Quakes, en 2011.

ALBERTO CAJIDE (9), RHP, La Habana, Doble-A: Houston Astros. Salió de Cuba en embarcación de ciento catorce pasajeros junto a sus padres y dos hermanos, quienes después de catorce horas en el mar arribaron a la Florida. Estudió en New Jersey City University y llegó al profesionalismo tras firmar con Cleveland Indians en 1976. Asignado a Clase-A, transitó por Philadelphia Phillies en 1977. En 1978 y 1979 estuvo con los Astros de Houston, donde puso marca de 4-12 entre Clase-A y Doble-A.

José Canseco (1), OF, La Habana, Major League Baseball: 7 equipos. Nacido en Cuba y criado en Estados Unidos, llamó la atención de Oakland Athletics, que lo eligió en la ronda 15 del draft de 1982, firmado por Camilo Pascual como *scout*. Muy pronto mostraría dotes de jonronero y lideró la Liga Americana en 1988 con 42 vuelacercas y 124 impulsadas. Ese mismo año logró 40 bases robadas y fue votado Jugador Más Valioso. Ganó dos Series Mundiales (1989 y 2000) con los Yankees, en las que solo tuvo una vez al bate. También se llevó el Novato del Año en 1986, fue 6 veces al Juego de las Estrellas y terminó con 462 jonrones. Fue el segundo cubano en Major League Baseball, después de Rafael Palmeiro. También fue conocido como The Chemist o el Químico, por su vinculación al consumo de esteroides. En 2005 reconoció haber usado drogas, junto a otros compañeros, en su libro *Juiced: Wild Times, Rampant 'Roids, Smash Hits & How Baseball Got Big*. Es recordado por su participación en un capítulo de los Simpson y por sus incursiones en las artes marciales y el boxeo. En 2012 quiso volver a Major League Baseball y jugó en la Liga Mexicana con los Tigres de Quintana Roo, hasta que en un juego de pretemporada se negó a someterse a un examen antidoping. Bateó en 12 campañas más de 20 jonrones, en 8 más de 30 y en 3 ocasiones más de 40 cuadrangulares. En 6 temporadas produjo más de 100 carreras y fue 4 veces Bate de Plata. A los 53 años tomó tres turnos al bate en la Frontier League (Liga Independiente). Acumuló un WAR (victorias sobre el reemplazo) de 42.3 en su carrera, insuficiente para optar por un asiento en Cooperstown.

Osvaldo *Ozzie* Canseco (1), OF, La Habana, Major League Baseball: 2 equipos. Hermano de José Canseco, fue un bateador regular de ligas menores que cuando obtuvo su oportunidad en Grandes Ligas no demostró el talento para establecerse. Disputó 24 partidos en Major League Baseball, entre 1990, con Oakland Athletics, y 1992-1993, con St. Louis Cardinals, en los que dejó un pobre .200/.297/.292 y 6 dobles sin jonrones. Naufragó en el mar de las menores y, pese a demostrar poder, sus promedios no ayudaron al ascenso. Posee el récord de jonrones en la Atlantic League (Liga Independiente), con 48, y 129 impulsadas en el año 2000 (Newark Bears). Resulta misterioso el hecho de que nunca hubiera conectado más de 22 jonrones en una campaña y a los 35 años logró 48. Después de 2001 volvió a jugar en Liga Independiente, intermitentemente en 2010, 2011, 2013 y 2014, nunca superando los 35 turnos al bate en cada temporada.

José Castro Jr. (7), INF, La Habana, Triple-A: Chicago White Sox. Salió de Cuba con su familia en 1965. Fue elegido en la ronda 27 del draft de 1977 por los Philadelphia Phillies de Jackson High School, Miami. Debutó en las menores en 1977 y jugó de forma ininterrumpida en el nivel Triple-A desde 1981 a 1990, con cinco equipos diferentes (Phillies, White Sox, Blue Jays, Royals y Expos). Acumuló línea ofensiva de .272/.345/.406 en 10 temporadas como jugador de Triple-A, sin dar el gran salto a las Mayores. Desde 2005 trabajó como coach de bateo en varios equipos de ligas menores. Llegó a Grandes Ligas en 2015 como asistente de coach de bateo.

Edward Cuervo (8), INF, Camagüey, Triple-A: New York Mets. Fue elegido por Philadelphia Phillies en la ronda 30 del draft amateur de 1977. Este velocísimo infielder robó 51 bases en 1978, Clase-A media, Wausau Mets, pero careció del poder necesario para ascender en la estratificación de las ligas menores. En 7 campañas dejó average de .239/.284/300, 43 dobles, 10 triples, 16 jonrones y 106 bases robadas en 146 intentos, mientras jugaba mayormente a nivel Doble-A.

HÉCTOR MAESTRI (27), RHP, La Habana, Major League Baseball: Washington Senators. Tuvo dos breves apariciones con Washington Senators entre 1960 y 1961. Allí tiró para 0-1, 1.13 de efectividad en 8 innings dispersados en 2 campañas. En 1961 participó con Cienfuegos en el último año de la Liga Profesional Cubana. Luego de terminada la temporada de 1962, visitó en Cuba a su hijo recién nacido. «Cuando llegué a Cuba, ellos no me dejaron salir. Esto arruinó mi carrera», dijo a *Baseball Happenings* en 2014. Su padre, Raúl Maestri, poseía un alto cargo en el Gobierno cubano y luego de su fallecimiento en trágico accidente mientras visitaba Perú, el pitcher decidió abandonar la Isla por la vía de México, donde se unió a las Águilas de Veracruz. Desde suelo mexicano llegó a Estados Unidos y acordó contrato de liga menor con Minnesota Twins. Después de tres años de inactividad, no se encontraba en su mejor forma y puso números discretos entre Clase-A y Doble-A. En el invierno de 1966-1967 viajó a Venezuela y lanzó 16.2 innings con los Tigres de Aragua, dejando marca de 0-0, 4.32 de efectividad. Tras su retiro presidió la ya extinta Asociación de Peloteros Cubanos en el Exilio.

FRANCISCO VILORIO (10), INF, La Habana, Triple-A: Minnesota Twins. Fue elegido en la ronda 5 del draft de 1978 por Minnesota Twins. Pasó poco tiempo en las menores y su ofensiva en Toledo Mud Hens, Triple-A, no impresionó para ascender a Grandes Ligas. Allí bateó .241,

4 jonrones y 21 impulsadas. En 1983 volvió a las menores con California Angels, Nashua Angels, Doble-A, y puso línea ofensiva de .236/.304/.288, 18 dobles, 1 vuelacerca y 33 remolcadas.

1966

ANTONIO FADHEL (6), RHP, La Habana, Doble-A: Montreal Expos. Lanzó por 4 temporadas en las menores de Montreal Expos, y marcó 24-21, 3.57 de efectividad y 276 ponches en 378.2 innings. Nunca pasó del nivel Doble-A, quizá por su elevada tasa de boletos de 4.8 por cada 9 innings.

TOMÁS GIL (5), INF, La Habana, Rookie: Pittsburgh Pirates. En 1978 guio a Hialeah American Legion al Campeonato Nacional y fue elegido el Jugador Más Valioso. Llegó al profesionalismo drafteado en 1981 por Pittsburgh Pirates en la ronda 13 de ese año; provenía de la Universidad de Miami, Florida. Tras ser asignado al nivel Rookie, bateó .261 en 40 juegos de la Gulf Coast League, con 12 dobles, 11 impulsadas. Después de eso no se le registraron más actuaciones en ligas menores. Murió en Miami a los 50 años, en 2011.

FREDI GONZÁLEZ (2), C, Holguín, Doble-A: New York Yankees. Se convirtió en un mánager exitoso de Grandes Ligas después de una carrera sin luces en ligas menores como jugador. Pasó 6 temporadas como cátcher sin exceder el nivel Doble-A. Inició su carrera como mánager en los noventa hasta que fue nombrado el timonel de los Florida Marlins desde 2007 a 2010. Un año después, tomó las riendas de Atlanta Braves, sucediendo a Bobby Cox; lo dirigió de 2011 a 2016, campaña en la que resultó liberado después de 37 juegos. Aún conserva récord ganador de 710-692,

.506. Fue premiado por *The Sporting News* como Mánager del Año en 2008.

ANTONIO *TONY* MENÉNDEZ (1), RHP, La Habana, Major League Baseball: 3 equipos. Llegó a Estados Unidos en 1966 junto a su familia. Desarrolló su brazo y se convirtió en un notable prospecto, al punto de que fue elegido en la ronda 1 (selección 20) del draft en 1984 por Chicago White Sox. Brilló en American High School de Hialeah, en Miami, ponchando a 235 en 120 innings. En 6 temporadas con White Sox en las menores no fue ascendido y luego de pasar por la agencia libre firmó con Montreal Expos en 1991 y fue despedido tres meses después. Un año más tarde Cincinnati Reds le dio contrato y fue llamado a las Mayores, con lo cual coronó el sueño por el que luchó tanto tiempo. Aunque no se estableció en Grandes Ligas, obtuvo la oportunidad con Pittsburgh Pirates (21 innings) en 1993 y con San Francisco Giants en 1994. Posteó 3-1, 4.97 de efectividad en 29 innings y después de 1995 no regresó al béisbol.

BENIGNO *BEN* PARDO (2 meses), LHP, La Habana, Clase-A corta: Kansas City Royals. Salió de Cuba con dos meses de edad en febrero de 1966. Se insertó en el béisbol desde edades tempranas y en 1989 fue drafteado por Kansas City Royals en la ronda 23. Asignado a Eugene Emeralds, lanzó 21.2 innings con 23 boletos, 18 ponches y elevado promedio de 11.63. Se convirtió en un reconocido entrenador de High School y así continuó ligado al béisbol.

NELSON SANTOVENIA (5), C, Pinar del Río, Major League Baseball: 3 equipos. Salió de Cuba acompañado de su madre, su padre y sus tres hermanos. La familia pasó un tiempo en Boston y después se movió al área de Miami. Fue seleccionado en el draft de 1979 y 1981, pero no firmó. En 1982 los Expos de Montreal lo eligieron en la ronda 1 (19.na selección) desde la Universidad de Miami. Curiosamente, su firma por 30 000 dólares superó la de Larry Walker, quien dos años después firmaría por solo 1 500 dólares. En 1987 destacó en Jacksonville Expos (Doble-A) con .279 average, 17 dobles y 19 jonrones, con lo cual recibió su promoción a Grandes Ligas. Entre 1988 y 1989 fue el cátcher que más partidos disputó con los Expos en Major League Baseball, y compartió alineación con hombres como Andrés Galarraga y el miembro del Salón de la Fama Tim Raines. Ese año le recibió detrás de home el joven Randy Johnson y el legendario nicaragüense Dennis Martínez. Este último protagonizó una protesta en 1989 cuando bajaron al cubano a Triple-A y por ello criticó fuertemente a la organización. En 1990 y 1991 Santovenia perdió su titularidad y actuó como cátcher de reemplazo. En 1992 y 1993 tuvo apariciones fugaces con Chicago White Sox y Kansas City Royals, respectivamente. Fue coach en el nivel de High School entre 2005 y 2011, y entre 2012 y 2015 sirvió como entrenador en ligas menores para Detroit Tigers.

1967

José R. *Joe* Álvarez (11), INF, Oriente, Doble-A: Houston Astros. Emigró de Cuba en 1967 con toda su familia. Fue elegido en la ronda 3 del draft de 1974 por New York Yankees desde la High School de St. Patrick en Nueva Jersey. Su paso ofensivo por las menores fue pobre. Bateó .194 entre Yankees, Astros y Orioles, en 4 temporadas. En la década de los ochenta comenzó a hacer carrera como mánager en las ligas menores con Los Angeles Dodgers. Continuó su proyección y dirigió el nivel Rookie de Tampa Bay Rays, además de los Generales de Durango en la Liga Mexicana de Béisbol, en 2017 y 2018, y los Rieleros de Aguascalientes en 2019.

EDMUNDO SANDY AMORÓS (37), LF, Matanzas, Major League Baseball: 3 equipos. En 1953 destruyó la Triple-A, Montreal Royals, con .353 de average, 40 dobles, 11 triples y 23 jonrones. Eso le valió el ascenso a Grandes Ligas con Brooklyn Dodgers un año más tarde. Era un pelotero con excepcional cualidad defensiva, contacto y producción de extrabases en función de la velocidad. Su atrapada en el séptimo juego de la Serie Mundial de 1955 ante una línea de Yogi Berra quedó inmortalizada en la historia de las postemporadas de Grandes Ligas, ya que fue vital en la primera Serie Mundial de la franquicia, en un partido que, de no ser por el espectacular fildeo del cubano, al menos se empataba a dos. A su anillo de Serie Mundial en 1955, sumó una medalla en los Juegos Centroamericanos de 1950 y 11 temporadas invernales en la Liga Profesional Cubana, donde fue el Novato del Año en 1950-1951. En 1962 su carrera culminaría en México y, a su regreso a Cuba, se le impidió salir del país. Cuando le pidieron que dirigiera el equipo Cuba para los Juegos Centroamericanos de Kingston, Jamaica, en 1962, contestó que por qué habría de dirigir si él aún podía jugar. La negativa hizo que el Gobierno expropiara a Amorós de su finca, carro y parte del dinero que poseía. En 1967 recibió la aprobación para salir del país con su esposa y su hija, sin poder llevarse el anillo de Serie Mundial. El gerente general de los Dodgers,

Buzzie Bavasi, al conocer la situación de Amorós, resolvió ponerlo en el roster pues necesitaba una semana para ser elegible a la pensión de Grandes Ligas. A finales de año, su esposa le pidió el divorcio y Amorós vendió televisores en una tienda hasta 1972. Bateó .255 de average y 43 jonrones en 7 campañas de Grandes Ligas. Sufrió problemas de diabetes y murió en 1992 a causa de una neumonía.

FRANK CASTRO (7), C, La Habana, Doble-A: San Diego Padres. Su madre llegó con él a New York, prácticamente con las manos vacías. Luego el joven se desarrolló como uno de los mejores prospectos de Miami. Fue drafteado por San Diego Padres en la ronda 1 (26.ta selección) de 1981, desde la Universidad de Miami. Ese año su hombro derecho requirió una cirugía y pasó el invierno rehabilitándose y jugando en Colombia. Llegó al nivel Doble-A con Beaumont Golden Gators en 1985 y 1986. Su último año en las menores (1986) destacó a la ofensiva con .295/.354/.492 en 102 juegos, 30 dobles, 3 triples, 12 jonrones y 62 impulsadas, pero no fue ascendido de nivel. En 1985 compartió vestidores con el futuro cátcher de Grandes Ligas, el puertorriqueño Benito Santiago.

RICARDO *RICKY* ROJAS (1), RHP, La Habana, Triple-A: Seattle Mariners. Fue elegido en la ronda 5 del draft de 1985 por Kansas City Royals. En 8 temporadas en ligas menores colocó números aceptables en Doble-A, con 30-28, 4.13 de efectividad, aunque no logró encontrar su mejor rendimiento en Triple-A. En total, lanzó para 43-47, 4.15, entre Kansas, Seattle Mariners y un último intento con Detroit Tigers en la sucursal de Doble-A, London Tigers.

1968

Antonio Alfonso (5), 2B, Matanzas, Clase-A: California Angels. Registró .246 de average con Redwood Pioneers en 1985, California League, nivel Clase-A. En 43 partidos pegó 6 dobles y 1 triple. Luego de ese año, no regresó a ligas menores.

Aurelio *Chino* Cadahia (10), C/1B, La Habana, Triple-A: Minnesota Twins. Jugó en las menores 7 temporadas. No bateó como para ser considerado un jugador más allá del nivel Doble-A; sin embargo, tras su retiro se convirtió en un reconocido coach de Grandes Ligas. Fueron doce años: primero en el sistema de las menores de los Rangers (allí fue donde apodó a Iván Rodríguez como Pudge), luego en Grandes Ligas con Atlanta Braves (donde se convirtió en la mano derecha de Bobby Cox) y finalmente en Kansas City Royals, como coach de banca.

Benito *Benny* Cadahia (6), C, La Habana, Doble-A: Texas Rangers. Hermano del Chino Cadahia, jugó 6 campañas en las menores con Kansas y Texas. Acabó su carrera profesional en 1986. Su mejor temporada fue en Tulsa Drillers (Doble-A), con los que bateó .246 con 7 jonrones. Entre 2000 y 2006 trabajó con Chicago Cubs y luego pasó a Kansas City Royals como coordinador de la receptoría en las menores.

Orestes Destrade (6), INF/OF, Santiago de Cuba, Major League Baseball: 2 equipos. Debutó con New York Yankees en la Gran Carpa en 1987. Entre 1989 y 1992 fue a la Liga Profesional de Japón y vistió la franela de los Leones de Seibu. En 1990 alcanzó el premio al Jugador Más Valioso en la Serie del Japón (lo que equivale a Serie Mundial en Estados Unidos), donde bateó .375, 8 impulsadas y 6 hits; se convirtió así en el primer latino con ese lauro en la historia del béisbol japonés. En 4 temporadas con Seibu conectó 154 jonrones y es considerado uno de los mejores bateadores ambidextros que han pasado por esa liga. En 1993, con 31 años, regresó a Major League Baseball con Florida Marlins, donde rubricó su mejor campaña en Estados Unidos, con 20 bambinazos, 87 impulsadas y .253 de average ofensivo. Su carrera terminó en 1995, cuando con 33 años regresó con los Leones de Seibu.

PEDRO *PICO* PRADO (27), RHP, La Habana, Liga Independiente. Poseía velocidad de extraclase, pero nunca llegó a lanzar en Cuba pese a aparecer en el roster de Industriales en la Serie Nacional de 1962-1963. Fue uno de los primeros beisbolistas «regulados» por el régimen de Fidel Castro. Un amigo suyo le envió desde México un contrato para jugar béisbol profesional en Estados Unidos con Asdrúbal Baró y Luis Zayas. Estos dos entregaron el contrato a José Llanusa, presidente del INDER, y debido a esto Prado fue apresado por seis meses en Guanahacabibes, Pinar del Río. Logró escapar de Cuba en 1968 desde la prisión y no regresó más, por ser considerado enemigo del Gobierno. Lanzó en una liga independiente de Canadá con saldo de 3-1, 60 ponches en 4 aperturas; cobraba 250 dólares a la semana, uno de los salarios más altos de la liga. En aquellos tiempos y con su edad era casi imposible llegar a Grandes Ligas, por lo que prefirió dejar el béisbol activo. Fue coach de pitcheo en Nicaragua y Taiwán, además de instructor de pitcheo en la ciudad de Miami.

LEO SUTHERLAND (9), OF, Oriente, Major League Baseball: Chicago White Sox. Estudió en Golden West College y desde allí fue seleccionado en el draft secundario de enero por Chicago White Sox en la ronda 1 (3.ra selección) de 1976. Salió de Cuba muy joven y, después de llegar a White Sox con la etiqueta de prospecto, donde promedió .319 con 22 extrabases en Knoxville Sox, Doble-A, recibió el llamado a Grandes Ligas. Le rompió un no hit-no run a Dan Spillner de Cleveland Indians en 1980, a dos outs de lograr la hazaña. En ese año funcionó como jugador de reemplazo y en 34 choques bateó .258, 4 dobles y 11 impulsadas. En 1981 volvió a las Mayores, aunque solo disputó 11 juegos. Fue uno de los ocho cubanos que llegaron a Grandes Ligas en la década de los ochenta.

1969

Luis Mallea (3), RHP, La Habana, Clase-A media: Kansas City Royals. Nacido en Arroyo Arenas, territorio de La Habana, llegó a Estados Unidos en 1969. Dedicó los primeros años de su vida al béisbol y fue firmado en la ronda 25 del draft de 1987 por Kansas City Royals desde St. Francis University. Lanzó en excelente forma en Clase-A corta (Eugene Emeralds) durante 1987, con balance de 3-4, 1.60 de efectividad y 48 ponches en 45 innings. Sin embargo, cuando fue ascendido de nivel en 1988 no respondió de la misma forma (2-9, 4.79). Su carrera terminaría en 1989.

Rolando Pino (5), INF, La Habana, Triple-A: Chicago White Sox. Seleccionado en la ronda 2 del draft en 1982 por Chicago White Sox, navegó 9 temporadas en ligas menores, entre 1982 y 1990. En ese lapso promedió línea ofensiva de .227/.370/.344, 122 dobles, 17 triples y 40 jonrones. En 1989 pasó por su mejor momento en Triple-A, con Minnesota Twins, pero no fue ascendido nunca. Tras su retiro hizo de mánager en las menores con Toronto Blue Jays, además de *scout* de varias organizaciones.

ROBERTO *BOBBY* RAMOS (14), C, Las Villas, Major League Baseball: 2 equipos. Fue elegido en la ronda 7 del draft por Montreal Expos en 1974, desde Jackson High School. En Grandes Ligas estuvo 5 temporadas con los Expos y otra con New York Yankees sin llegar a establecerse (103 partidos). Su average ofensivo fue .190 y 4 jonrones en 257 turnos al bate. Fue uno de los cuatro nacidos en Cuba (junto a Minnie Mendoza, Orlando González y Oscar Zamora) que debutaron en la década de los setenta en Grandes Ligas. Después de retirarse en 1989, se convirtió en mánager de las sucursales de Tampa Devil Rays y los Angeles Angels of Anaheim en las menores. Entre 2006 y 2011 fue coach de bullpen con la franquicia de Tampa en Grandes Ligas.

ISRAEL SÁNCHEZ (6), LHP, Las Villas, Major League Baseball: Kansas City Royals. Estudió en Von Steuben High School, Chicago. Fue elegido en la ronda 9 del draft de 1982 por Kansas City Royals. Debutó en Grandes Ligas con 24 años, después de pasar 6 temporadas en ligas menores. El zurdo posteó 3-2, 4.54 de efectividad en 35.2 innings; luego volvió en 1990, pero no lució y nunca más tuvo la oportunidad. En 1991 y 1992 lo hizo en Triple-A de Baltimore Orioles, sin recibir el llamado. Después de 1992 no jugaría más béisbol.

1970

JESÚS ALEJANDRO *CHRIS* ÁLVAREZ (5), INF, Las Villas, Triple-A: New York Yankees. Su familia salió de Cuba en 1970 por razones políticas. Su formación como pelotero se dio en el High School de Miami-Dade College y desde allí fue elegido en la ronda 6 del draft de 1985 por Chicago White Sox. En febrero de 1986 fue cambiado a New York Yankees (junto a Ron Hassey, Matt Winters y Eric Schmidt) por Neil Allen, Glen Braxton, Scott Bradley y dinero. En 1987 bateó .305/.382/.498 en Doble-A (Albany-Colonie Yankees) y despuntó con 16 dobles, 1 triple y 9 cuadrangulares. Sin embargo, no logró dominar de igual manera el nivel de Triple-A (.267, 6 jonrones, en 160 juegos). Su carrera en el béisbol de las menores culminó en 1990. En dos temporadas invernales (1989 y 1990) en la Liga Profesional de Venezuela con Águilas del Zulia bateó .316 en 75 partidos. Entre 1991 y 1993 marchó hacia la Liga de México, donde terminó jugando con Industriales de Monterrey. Visitó Cuba diez años después de su salida.

JOAQUÍN CONTRERAS (5), OF, Las Villas, Triple-A: New York Mets. Fue un prospecto de consideración una vez que llegó a ligas menores, drafteado por New York Mets. En 1989 produjo .287/.350/.426, 20 dobles, 6 triples y 8 jonrones en Tidewater Tides, Triple-A de Mets. Jugó 2 temporadas invernales en Venezuela con los Tigres de Aragua (1989 y 1990), donde promedió .210 y 6 extrabases en 28 encuentros. El ambidextro continuó en las menores, primero Baltimore y luego Cleveland. Aunque no llegó a Grandes Ligas, dejó aceptables números.

EMILIO ANTONIO *TONY* FOSSAS (13), LHP, La Habana, Major League Baseball: 7 equipos. Llegó a Grandes Ligas a los 30 años, después de batallar por una década en ligas menores, donde sobrevivió a dos despidos. A partir de 1989, fue un especialista zurdo de confianza y se mantuvo en Major League Baseball hasta 1999, con 41 años.

Exhibió marca de 17-24, 3.90 de efectividad y 324 ponches en 415.2 innings. Después de su retiro laboró como entrenador de pitcheo a nivel colegial y luego por más de un lustro con Cincinnati Reds en ligas menores.

Jesús Vila (8), RHP, La Habana, Triple-A: Los Angeles Dodgers. Salió de Cuba muy pequeño. Inició su andar en las menores como tercera base en Liga Rookie (Detroit Tigers). Su ofensiva se vio disminuida por el cambio al bate de madera. En un *tryout* le catcheó Mike Scioscia y tiempo después, en 1985, firmó con Los Angeles Dodgers. Allí lo contrató Mike Brito, quien era reconocido por firmar a Fernando Valenzuela. Vila llegó hasta los entrenamientos de Grandes Ligas con los Dodgers, pero a la vez vio cómo descendió su velocidad, de 95 a 90 millas, tras un desgarro en el codo. Jugó en el invierno y verano de México y resultó ganador del Relevo del Año (16 salvados) en 1987, con Unión Laguna Algodoneros. Tiró 12 innings en la primavera de 1986 con el equipo grande de Dodgers, sin permitir carreras. Tuvo problemas con Terry Collins (en Albuquerque, Triple-A), quien terminó bajándolo de Triple-A hacia Clase-A. Finalizó su carrera con 26 años (2-2, 2.58 de efectividad), después de lanzar con Stockton Port, en Clase-A de Milwaukee.

1971

Fernando Argüelles (2), C, La Habana, Doble-A: Seattle Mariners. Salió de Cuba muy pequeño. En 4 temporadas en las menores con Pittsburgh Pirates y Seattle Mariners bateó .218 de average y 3 jonrones. Fue el delegado del equipo Estados Unidos de béisbol en las Olimpiadas de Atlanta en 1996.

IDALBERTO *BERT* ECHEMENDÍA (6), C/3B, Sancti Spíritus, Clase-A media: Montreal Expos. Arribó en 1971 a Estados Unidos, junto a toda su familia. En 1988 inició su carrera profesional con Montreal Expos, la cual se extendería hasta 1989 en el nivel Clase-A. Promedió .247 de average y conectó 3 jonrones en 94 partidos entre 1988 y 1989.

IVÁN *BAMBI* MESA (11), INF, Cienfuegos, Triple-A: Chicago White Sox. Elegido en la ronda 8 del draft de 1978, estuvo 4 temporadas con Chicago White Sox (además de un par de años con Minnesota Twins y Los Angeles Dodgers) y transitó por todos los niveles de ligas menores. Sus habilidades de buen corredor y defensor se pusieron de manifiesto, pero nunca mantuvo un rendimiento ofensivo como para imponerse en Triple-A. Registró average de .237/310/313, 72 dobles, 7 triples, 20 jonrones y 54 bases robadas en 75 intentos.

RAFAEL PALMEIRO (6), 1B/DH, La Habana, Major League Baseball: 3 equipos. No se formó en Cuba, pues salió en edad temprana. Se convirtió en un bateador extraclase. Lidera la lista de los máximos jonroneros cubanos en Grandes Ligas con 569 (lugar 13 de todos los tiempos). Chicago Cubs lo eligió en la ronda 1 del draft en 1982. Asistió a 4 Juegos de las Estrellas, y alcanzó 3 Bates de Plata y 3 Guantes de Oro. Impulsó más de 100 carreras en 10 temporadas (nueve consecutivas) y además es el beisbolista nacido en Cuba que más carreras ha impulsado en Grandes Ligas, con 1 835 (lugar diecisiete de la lista general). Culminada la temporada de 2005, con Baltimore Orioles, decidió retirarse. Aunque lo ha intentado desmentir, pesa sobre él la acusación de utilizar sustancias para mejorar el rendimiento. Pasó por las votaciones al Salón de la Fama entre 2011 y 2014, sin superar el 12,6 %. En 2015 estuvo con Sugar Land Skeeters en la Atlantic League (Liga Independiente), donde jugó junto a su hijo Patrick. En 2018 sorprendió al mundo declarando que intentaría llegar a Grandes Ligas con 53 años; algunos lo tomaron a broma, pero el cubano iba en serio. Aunque no firmó con ninguna organización, bateó .291 con 6 jonrones en Cleburne Railroaders, en American Association (Liga Independiente).

1973

JUAN LLANES (3), 3B, La Habana, Liga Mexicana de Béisbol. Tuvo una exitosa carrera a nivel High School y College en Estados Unidos. Fue el antesalista de Memorial High School en 1988, equipo que posteó 29-1 y ganó el Campeonato Nacional ese año. Pasó por Brevard Junior College y en 1992 fue tercera base regular con la Universidad de Miami, en la World College Series de Omaha. Allí los Huracanes de Miami cayeron y lamentablemente no resultó elegido en el draft amateur. Pasó el verano de 1992 jugando en México con los Olmecas de Tabasco. En 1993, después de firmar con Minnesota Twins, fue cortado del campo de entrenamiento en Fort Myers y abandonó toda posibilidad de seguir jugando béisbol a nivel profesional.

1978

OMAR PÉREZ PUENTES (28), OF, La Habana. Jugó entre 1970 y 1975 en los equipos de la región de la Habana. Según asegura uno de sus excompañeros de equipo, el jardinero partió de Cuba tiempo antes del Mariel en un barco pesquero y no se desestima que haya realizado algún intento por jugar béisbol. En 5 Series Nacionales bateó .232, 12 jonrones y 58 impulsadas.

1980

José Ballester (33), OF, Habana. Llevaba casi una década inactivo cuando abandonó Cuba durante la Crisis del Mariel. Su última temporada en Cuba fue la de 1969-1970, con el equipo Habana. Algunos peloteros de aquella época creen que intentó llegar al béisbol profesional.

Jesús Barrero (32), INF, Industriales. Salió de Cuba por la vía del Mariel y aunque no se registran actuaciones suyas en ninguna liga, sus antiguos compañeros aseguran que realizó el intento por jugar, pese a llevar varios años inactivo. En 8 temporadas con los equipos de la capital acumuló average de .180, 10 dobles, 2 triples y 4 jonrones en 157 encuentros.

Rafael Blanco (28), RHP, Habana. Emigró en el Mariel. No lanzó en ninguna liga profesional.

Eduardo Cajuso (23), INF, Industriales, Clase-A: Detroit Tigers. Fue una de las mejores manos de su época en Cuba. Participó en el Campeonato Mundial Juvenil de México, en 1973. Resaltaba tanto por sus cualidades defensivas que un *scout* de Detroit Tigers, el cubano y exlanzador de Grandes Ligas Orlando Peña, les dijo a sus contactos en Miami que si aparecía el torpedero en alguna de las listas de refugiados lo localizaran. Peña había quedado impresionado por sus habilidades 7 años antes, en un torneo en Venezuela. Cajuso firmó con Detroit y una vez asignado a Clase-A, Lakeland Tigers, no logró producir a la ofensiva (.180/.206/.213, 2 dobles) y fue liberado. «Me decepcioné un poco, la distancia de mi familia me afectó», dijo para esta investigación. Se convirtió en el primer cubano que jugaba en Series Nacionales y luego firmaba un contrato profesional, desde que lo hiciera Manuel Enrique Gazmuri en 1962.

FRANCISCO CASANUEVA (26), RHP, Industriales. Lanzó en la temporada 1976-1977 con Metropolitanos y un año más tarde con Industriales. En 2 Series Nacionales dejó marca de 4-5, 3.49 de efectividad en 30 partidos, solo 5 como abridor. El lanzador derecho llegó a Estados Unidos por la vía del Mariel y, pese a que varios de sus compañeros aseguran que realizó intentos por jugar, no se le registra ninguna actuación en el béisbol profesional.

BIENVENIDO CEBALLOS (33), SS, Pinar del Río/Industriales. Fue líder en sacrificios de la temporada 1970-1971, la cual jugó con Pinar del Río. Entre 1972 y 1974 se movió a los Industriales y dejó promedio de .186/.308/.208, con 10 extrabases en 490 turnos. Declaró a los periodistas que asistieron al campo de refugiados donde se encontraba que buscaría su oportunidad en el béisbol profesional.

JUAN CHÁVEZ (34), LHP, Industriales. Fue un reconocido zurdo que impactó en el escaso tiempo que se mantuvo en el terreno. En solo 5 Series Nacionales, la mayoría con el uniforme de Industriales, los rivales le batearon .231 y dejó balance de 14-17, 2.00 de efectividad en 29 aperturas y 53 choques relevados.

LÁZARO COSTA (26), C, Metropolitanos/Industriales. Fue suspendido en 1978 por venta de juegos. En 3 temporadas (2 con Metropolitanos y la última con Industriales) promedió .239, 3 dobles, 1 triple y 2 cuadrangulares.

HÉCTOR DESPAIGNE (35), 1B, Industriales. Al momento de emigrar por el Mariel, llevaba más de 9 años inactivo en Cuba, donde fue suspendido debido al episodio de venta de juegos en 1971, junto a Leonardo Fariñas. Intentó jugar en alguna que otra liga semiprofesional una vez que entró a Estados Unidos, sin conseguirlo.

Alain Dueñas (4), RHP, Santiago de Cuba, Rookie: Chicago White Sox. En 1998 firmó contrato de liga menor con Chicago White Sox y jugó en nivel Rookie, posteando 1-2, 6.07 de efectividad. Luego de ese año se retiró del béisbol.

Román Duquesne (25), INF/OF, Metropolitanos, Liga Independiente. Fue contratado junto a Julio Soto por Macon Peaches, en la South Atlantic League (Liga Independiente). El 3 de junio de 1980 firmaron sus acuerdos por un salario de 300 dólares al mes en Macon, Georgia, y fueron cancelados a los 25 días. Duquesne bateaba .265 de average ofensivo (9 hits en 34 turnos), 2 dobletes y 2 impulsadas en 11 partidos. Enfrentaba problemas con el idioma, no podía comunicarse y no poseía muchos amigos ni recursos económicos. Otra dificultad que tuvo fue que declaró una edad menor que la real. No volvió a jugar profesional luego de 1980.

Leonardo Fariñas (32), INF, Industriales. Fue sancionado en Cuba por venta de juegos en 1971, junto a Héctor Despaigne. En sus 3 campañas compiló .279 de average ofensivo, 16 dobles y 2 triples sin cuadrangulares.

Bárbaro Garbey (24), INF/OF, Industriales, Major League Baseball: 2 equipos. Salió de Cuba en 1980 en la Flotilla de la Libertad, junto a otros 125 000 cubanos. Firmó con Detroit Tigers y se convirtió en el primer pelotero de Serie Nacional que llegó a Grandes Ligas. En 1984 recibió la oportunidad y bateó .287, 17 dobles, 1 triple y 5 jonrones, además de remolcar 57 carreras. Su conocida participación en la venta de juegos en Cuba (donde fue suspendido de por vida) llegó hasta oídos del comisionado Bowie Kuhnm, quien lo citó a las oficinas de Major League Baseball; allí Garbey explicó que había «vendido juegos» en Cuba para sobrevivir en medio de la pésima situación financiera que poseía. Ganó anillo de Serie Mundial con Detroit ese mismo año y en 1985 promedió .257 con 16 extrabases en 89 partidos. Un año más tarde fue cambiado a Oakland Athletics por Dave Collins. Jugó 2 temporadas en México y regresó a Major League Baseball con Texas Rangers para 1988, en un breve lapso de 30 partidos. Se retiró en 1994 después de jugar 4 campañas en México. Ha trabajado en ligas menores con organizaciones como Atlanta Braves.

Osmel *Ossie* García (6), OF, La Habana, Doble-A: St. Louis Cardinals. Salió de Cuba en 1980, durante la Crisis del Mariel. Se inició en el béisbol con 14 años, en High School. En 1993, la franquicia de St. Louis Cardinals lo seleccionó en la ronda 20 del draft y allí firmó por 7 500 dólares. Era reconocido por su defensa, en la que resaltaban el desplazamiento y el brazo. Ganó 1 Guante de Oro en la Florida State League (Clase-A avanzada). Sin embargo, su ofensiva nunca fue sólida y no pasó de .228 de average y 307 de embasamiento en 7 campañas con su organización en las menores. «Dios me dio la habilidad, pero me faltó el empuje», dijo para esta investigación. Fue liberado en abril de 1999 y mientras trabajaba en una compañía cortando yerba aceptó jugar en la Northern League East (Liga Independiente) con Elmira Pioneers. Ese fue su último año en el béisbol: bateó .302, con 11 dobles y 19 impulsadas.

Rolando *Mamey* Gum (31), INF, Metropolitanos/Constructores. El infielder habanero debutó con los Constructores en la Serie Nacional de 1972-1973 y continuó con ellos hasta que en 1976-1977 pasara sus dos últimas temporadas en los Metropolitanos. En total acumuló .239 de average y 6 dobles en 141 partidos al máximo nivel en Cuba. Se tienen referencias de que estuvo en los campamentos de refugiados, aunque no consiguió jugar béisbol en el sistema de Major League Baseball.

Norberto López Jr. (4), C, La Habana, Triple-A: Los Angeles Angels of Anaheim. Su carrera en ligas menores tuvo una estancia fugaz en las granjas de Anaheim, a donde perteneció entre 1999 y 2001. Sus números ofensivos fueron pobres: average de .087 en 3 campañas, con solo 3 dobles y sin la sombra de un jonrón.

Michael López-Cao (5), C/2B/OF, Cienfuegos, Triple-A: Baltimore Orioles. Salió de Cuba en 1980, tras la Crisis del Mariel. Firmó con Tampa Bay Rays en 1997, pero un año después lo liberaron y pactó con Baltimore Orioles, donde estuvo entre 1999 y 2001. Pasó 2002 con Pittsburgh Pirates en Clase-A avanzada y allí tuvo su mejor año en las menores, con .302/.365/.500, 16 dobles, 1 triple, 8 jonrones y 20 impulsadas. Pennsylvania Road Warriors, de la Atlantic League (Liga Independiente), fue su equipo en 2003, y dividió el año 2004 entre Portland Sea Dogs (Boston Red Sox, Doble-A) y Nashua Pride (Atlantic League). Declaró en alguna ocasión que se oponía a la idea de que Baltimore Orioles sostuviera un tope bilateral con el equipo Cuba.

Elieser *Eli* Marrero (7), C/OF, La Habana, Major League Baseball: 6 equipos. En 1993 fue elegido en la ronda 3 del draft por St. Louis Cardinals. Muy pronto fue desarrollando sus habilidades como receptor, aunque además podía jugar con eficacia tanto los jardines como la primera base. Debutó en 1997 y un año más tarde libró una batalla contra el cáncer, de la que salió victorioso. Estuvo 7 temporadas en Grandes Ligas con los Cardinals; destacó en 2002 con línea ofensiva de .262/.327/.451, 19 dobles, 1 triple, 18 jonrones y 66 impulsadas. En 2003 fue cambiado, junto a J.D. Drew, a Atlanta Braves, por Ray King, Jason Marquis y Adam Wainwright. Ese año en Atlanta bateó .320/.374/.520, 18 dobles, 1 triple y 10 jonrones. Era un bateador con escasa tasa de ponches y, si bien no tomaba muchos boletos, sabía poner la pelota en juego. Para finales de 2004 fue movido a Kansas City Royals por Jorge Vázquez y de allí a Baltimore Orioles por Pete Maestrales. En 2006 Colorado Rockies lo adquirió en la agencia libre y lo traspasó a New York Mets a cambio del japonés Kazuo Matsui. Su última aparición en el béisbol la realizó en el invierno de 2008, con los Leones de Ponce, en la Liga Profesional Roberto Clemente de Puerto Rico. Concluyó su carrera de 10 temporadas en las Mayores con .243, 66 jonrones y 261 impulsadas. Continuó dentro del béisbol tras su retiro, como mánager en ligas menores.

Carlos Martínez Pérez (21), C, La Habana. Es mencionado en *The Pride of Havana*, del profesor e investigador Roberto González Echevarría. El receptor estuvo en los campamentos de refugiados del Mariel. No existen evidencias de que haya jugado béisbol a nivel profesional.

Rogelio Mediavilla (30), C, Constructores/Industriales. Participó en 6 Series Nacionales con los equipos de la capital, como cátcher de reemplazo. Llegó a Estados Unidos en el éxodo del Mariel y durante 6 días vivió en la base Eglin de la Fuerza Aérea, cerca de Pensacola, estado de la Florida. Contactó a unos antiguos vecinos de Cuba que residían en Rhode Island y pudo salir del refugio. Jugó en la Universidad de Rhode Island. Allí recibió un excelente trato por parte del mánager del conjunto y demás jugadores prospectos, pero nunca logró firmar un contrato profesional. «Tuve suerte y a la vez me puse fatal», dijo para este libro refiriéndose a su temprana salida del refugio, pues al mes varios de los compañeros suyos que también se encontraban allí (Eduardo Cajuso, Bárbaro Garbey, Román Duquesne y Julio Soto) fueron contratados.

RAFAEL *MAQUINDO* ORTEGA (26), OF, Metropolitanos. Participó en 3 Series Nacionales con Metropolitanos entre los años 1975 y 1977. Se cree que realizó algún intento por llegar al béisbol de Estados Unidos. En Cuba bateó .201, 4 dobles y 1 cuadrangular en 75 encuentros.

ANTONIO PERDOMO (27), OF/INF, Industriales/Metropolitanos. Jugó en 4 campañas al primer nivel del béisbol en Cuba. En 1976 estuvo con Metropolitanos y una temporada más tarde (1977-1978) se movió a Industriales. Promedió .239, 10 dobles y 2 cuadrangulares en 135 partidos de la Liga Cubana.

FRANCISCO *GUAPERÍA* QUINTANA (35), INF/OF, Industriales. Fue suspendido tras el primer episodio de venta de juegos del béisbol revolucionario, junto a Rolando Pastor, en la temporada 1963-1964, mientras vestía la camiseta de Industriales. Emigró durante la Crisis del Mariel y, según reportó *The Indianapolis Star* el 18 de mayo de 1980, intentó modificar su edad para buscar una firma profesional.

Alfredo Ramírez (30), RHP, Habana. Estuvo presente en 5 Series Nacionales donde dejó marca de 8-5, 3.86 de efectividad. Actuó como relevista en 140 innings y los rivales le batearon para .256.

Ricardo Ramón (2), OF, La Habana, Rookie: Chicago White Sox. Salió de Cuba en su infancia y con el tiempo se convirtió en jardinero zurdo de Miami Senior High School. De allí fue elegido en la ronda 28 del draft de 1997 por Chicago White Sox. Ese mismo año bateó .265/.317/.280 y 2 extrabases en 38 juegos del nivel Rookie.

Enrique Ramón Lanza (28), RHP, Constructores. Fue suspendido del béisbol en 1978 por venta de juegos ilícita. Dejó balance de 15-11, 2.94 de efectividad en 4 Series Nacionales.

Eduardo *Eddy* Rodríguez (26), RHP, Metropolitanos. Lanzó 4 temporadas en Cuba. Su última campaña fue 1979-1980, muy próxima al estallido de la Crisis del Mariel. Registró 10-10, 3.98 de efectividad y los rivales le batearon .244 en 140 innings. No logró firmar contrato profesional.

Julio Rojo Jr. (37), RHP, Industriales. Impuso récord de 18 victorias en la temporada 1967-1968. Nunca fue llamado a la selección nacional de Cuba porque era considerado un «posible emigrante». Se embarcó en la aventura del Mariel y a su llegada intentó firmar, pero su avanzada edad lo imposibilitó. Lanzó en una liga semiprofesional de Miami y recibió ofertas en la Liga Mexicana de Béisbol. Sin embargo, emprendió labor de entrenador de pitcheo por más de dos décadas en el sistema del béisbol de Estados Unidos, nivel High School y College. Su padre fue un destacado pelotero profesional que incursionó en México, Cuba y Dominicana.

«Los peloteros no podían hablar de pelota profesional», dijo para esta investigación refiriéndose a la década del sesenta en Cuba.

Roberto *Bombón* Salazar (27), OF, Metropolitanos, Clase-A: Detroit Tigers. Representó a Cuba en el Campeonato Mundial Juvenil de Venezuela en 1970. Fue suspendido en 1978 por participar en una venta de juegos de la Liga Cubana. Salió del país durante la Crisis del Mariel (1980) y en el mismo año debutó con Detroit Tigers en las menores (Clase-A), con los que promedió .203 en 21 partidos. En 1982 realizó un nuevo intento con Miami Marlins, que pertenecían a la Florida State League, nivel Clase-A; sin embargo, mantuvo su ineficiencia ofensiva y no sobrepasó los .154 de average en 18 encuentros.

Julio Soto (34), INF, Industriales, Liga Independiente. En 1980 firmó con Macon Peaches, equipo de la South Atlantic League (Liga Independiente), y, pese a promediar .291, 1 doble y 16 impulsadas en 16 encuentros, fue liberado (junto a su compatriota Román Duquesne). Atravesaba dificultades como el cambio de cultura, el aprendizaje de un nuevo idioma y problemas con la edad, pues, luego de jugar 9 campañas en Cuba con promedio de .218, había declarado en el campamento de Fort Walton, donde se encontraba como refugiado, que tenía 28 años cuando en realidad sobrepasaba los 30. «Estar aquí y tener esta oportunidad de solo practicar es como renacer. Siento como si tuviera quince años de nuevo solo con este guante en mi mano y estos *spikes* en mis pies», dijo el 30 de mayo de 1980 al periódico *Ausburg Park Press.*

Miguel Urra (26), INF, Industriales. Llegó a Estados Unidos durante la Crisis del Mariel en 1980. No pudo firmar con ninguna organización de Grandes Ligas. Murió en 2003, en Miami, a causa de un infarto.

YOISET VALLE (2), LHP, La Habana, Clase-A avanzada: Boston Red Sox. Llegó a Estados Unidos por la vía del Mariel. Se desarrolló en las categorías inferiores y fue elegido en el draft de 1996 por New York Yankees en la ronda 14. Se mantuvo en ligas menores con los Yankees por 4 temporadas. Al nivel más alto que llegó fue a Clase-A avanzada cuando en 2002 firmó un acuerdo con Boston Red Sox y puso marca de 7-4, 4.37 de efectividad en Sarasota Red Sox. Luego de ese año, no continuó ligado al béisbol.

LEONARDO VILÁ (28), C, Habana/Industriales. Asistió con el equipo Cuba al Campeonato Mundial Juvenil de Venezuela en 1970. En 5 Series Nacionales bateó .225, 15 dobles, 4 triples y 1 cuadrangular. Emigró durante la Crisis del Mariel.

1986

CALEB MARTÍNEZ (9), LHP, Villa Clara, Clase-A media: Philadelphia Phillies. Fue un prodigioso prospecto y ningún *scout* de los años noventa se hubiese equivocado al vaticinar que era elección de la ronda 1 del draft. Estuvo involucrado en un accidente automovilístico en abril de 1995, junto a su novia, un compañero de equipo llamado Eddie Velázquez y su hermana. El prospecto, elegido entre los 25 primeros por la revista *Baseball America*, se lesionó su hombro de lanzar y no volvió a ser el mismo, tras realizarse una cirugía Tommy John. Philadelphia Phillies lo tomó en la ronda 6 del draft de 1995, pero solo pudo incorporarse a ligas menores dos años más tarde. Sin la misma efectividad posteó 6-13, 4.41 de efectividad en 1997, entre

Clase-A y liga Rookie. El ídolo de Florida Bible High School no encontró su mejor forma y después de 1998 no continuó con Phillies, aunque tuvo una incursión de 9 innings en 2004 con Pensacola Pelicans de la Central League (Liga Independiente). Tristemente, murió en 2016 a la edad de 39 años.

1987

DENNIS DÍAZ (4), INF, Pinar del Río, Doble-A: Philadelphia Phillies. Estudió en Florida International University (FIU) y fue seleccionado en la ronda 24 del draft en 2005 por los Philadelphia Phillies. Al momento de dejar el béisbol universitario, era líder histórico de robadas (141), turnos al bate (807), anotadas (84) y hits (250), en 4 temporadas con FIU. Tocó el nivel de Doble-A (Reading Phillies) entre 2005 y 2006, únicas temporadas que jugó en las menores. Bateó para .253/.322/.280, sin jonrones, 5 dobles y 13 impulsadas. En Reading compartió con futuros Major League Baseball como Michael Bourn, J.A. Happ y Gio González.

1989

ALEXANDER BORGES (15), C, La Habana, Clase-A avanzada: Atlanta Braves. Natural de Cojímar, en Habana del Este, firmó un contrato con Atlanta Braves en 1996. Estuvo en ligas menores durante 3 años, en los que nunca superó la Clase-A avanzada. Dejó línea ofensiva de .188/.265/.249, 2 dobles, 3 jonrones y 18 impulsadas en 205 apariciones al plato.

1991

RENÉ AROCHA (27), RHP, Industriales/Metropolitanos, Major League Baseball: 2 equipos. Se dio a conocer al mundo cuando abandonó el equipo Cuba en Miami, durante julio de 1991. Se convirtió así en el primer cubano que dejaba atrás una selección nacional en pleno viaje desde que se instaurara el béisbol revolucionario. Firmó contrato con St. Louis Cardinals por 109 000 dólares y, después de ser asignado a Triple-A, ganó la elección al Juego de las Estrellas con Louisville Redbirds y el premio de Pitcher del Año con la sucursal. En 1993 tuvo su mejor temporada en Grandes Ligas, al postear 11-8, 3.78 de efectividad, y fue el segundo abridor con más aperturas (29) detrás de Bob Tewksbury (32). En los años siguientes, no mostró la misma consistencia, perdió el puesto en la rotación y atravesó lesiones. Sufriría un año de inactividad en 1996. San Francisco Giants le concedió la oportunidad en 1997, pero su actuación se resumió a 10.1 innings, más efectividad de 11.32. Intentó volver a las Mayores con las sucursales Triple-A de New York Yankees y Houston Astros entre 1997 y 1998. Demostró que el béisbol cubano mantenía su calidad intacta y que no se necesitaba ser un pitcher élite en Cuba para arribar al sueño de Grandes Ligas.

Víctor Franco (25), INF, Metropolitanos. Jugó 2 temporadas en la Serie Nacional con Metropolitanos, entre 1986 y 1988. Abandonó la selección cubana de sóftbol durante un torneo en Venezuela.

1992

Iván Álvarez (21), LHP, Industriales, Clase-A avanzada: San Francisco Giants. Integró el equipo Cuba para los Juegos Centroamericanos de 1990. En 1992 abandonó el equipo de Industriales en Mérida, Yucatán, tras terminar la Copa de Clubes Campeones en la que participaba. Fue firmado en la ronda 9 del draft de 1993 por San Francisco Giants. Tuvo marca de 8-7, 5.76 de efectividad, entre 1993 y 1995, sin poder superar el nivel de Clase-A. Medía más de seis pies y poseía una recta por encima de las 90 millas, aunque el descontrol (5.8 boletos cada 9 innings) le impidió progresar en las menores.

ALEXIS CABREJA (23), OF, Industriales, Doble-A: New York Yankees. Participó en el Mundial Juvenil de Windsor, Canadá, en 1986, y resultó elegido en el equipo Todos Estrellas. Abandonó el equipo de Industriales en Mérida, Yucatán, donde se encontraban jugando la Copa de Clubes campeones, dirigidos por Jorge Trigoura. Allí escapó el primer día del torneo, junto a Osmani Estrada. Fue elegido por Texas Rangers en la ronda 14 del draft en 1993. Solo jugó 2 temporadas en las menores con Rangers, sin poder pasar del nivel Clase-A baja. En 1996 firmó contrato de liga menor con New York Yankees y disputó 6 encuentros en Doble-A con Norwich Navigators, bateando .091 (11-1). Nunca pudo establecerse, pese a tener una brillante trayectoria en sus primeros años con Industriales. Había sido seleccionado el Novato del Año de 1986 en Cuba.

OSMANY ESTRADA (23), INF, Industriales, Triple-A: Texas Rangers. Abandonó el equipo de Industriales en Mérida, Yucatán, durante la Copa de Clubes campeones, junto a Alexis Cabreja. Pasó al profesionalismo, elegido por Texas Rangers en la ronda 12 del draft de 1993. Llegó a Triple-A en 1996, aunque no contó con la consistencia necesaria para dar el gran paso a Major League Baseball. En sus 3 campañas en Triple-A bateó .249/311/308 con 3 jonrones. No se rindió y viajó a Taipéi de China, donde jugó por 3 años y medio con Taipéi Gida. Allí ganó 3 Guantes de

Oro, 2 campeonatos (1998 y 2000), 1 título de bateo (.362 de average en 2000), además de ser nombrado el Jugador Más Valioso de la Serie de Campeonato contra Kaoping Fala en 2000. Un año más tarde finalizó su carrera actuando para los Saraperos de Saltillo, en la Liga Mexicana de Verano.

LÁZARO GONZÁLEZ (23), INF, La Habana, Liga Independiente. Se unió al grupo de Osmany Estrada, Alexis Cabreja, Iván Álvarez y Rafael Rodríguez en 1993, todos representados por Gus Domínguez. Había bateado un año antes para .340 en una Liga Independiente de Canadá y allí integró el roster al Juego de las Estrellas. Sin embargo, no logró firmar con ninguna organización de Grandes Ligas.

IVÁN HERRERA-RUSOVA (6), RHP, La Habana, Clase-A: San Francisco Giants. Salió de Cuba con su madre, de nacionalidad ucraniana, por la vía legal. En 1993 se asentaron en Canadá, donde Herrera desarrolló potencialidades como lanzador. En 2005 San Francisco Giants lo firmó (selección 792) por un bono de 5 000 dólares en la ronda 26 del draft. A pesar de que alcanzaba las 97 millas con su recta, no recibió muchas oportunidades con San Francisco. En 2008 acordó con Pittsburgh Pirates y empezó en la Liga del Golfo, nivel Rookie, donde fue compañero de cuarto del pinareño Serguei Linares. Después de ser liberado, tuvo otra breve estadía con Milwaukee Brewers en 2009, hasta que en 2010 se fue a la Canadian-American Association (Liga Independiente) con Pittsfield Colonials, donde no pasó de 3 innings trabajados. «Me rendí», dijo para esta investigación después de viajar a República Dominicana para hacer pruebas ante *scouts* y jugar en 4 equipos diferentes en 4 años. Lanzó para 1-0, 5.93 de efectividad, en las menores.

RANSEL MELGAREJO (11), OF, La Habana, Clase-A avanzada: Los Angeles Angels of Anaheim. Elegido en la ronda 25 del draft del año 2000, nunca jugó béisbol en Cuba. Una vez en las menores estuvo 4 campañas con Anaheim sin poder subir de Clase-A avanzada. En 2005 tuvo una breve incursión en la Canadian-American Association (Liga Independiente) con Elmira Pioneers y un año más tarde culminó su carrera con Kansas City Royals. En 6 temporadas en las menores promedió .256/.346/.340, 11 jonrones y 142 impulsadas.

1993

LUIS ÁLVAREZ ESTRADA (24), 1B, Industriales, Clase-A media: California Angels. En junio de 1993 abandonó el equipo Cuba B en Curazao. Sin embargo, no llenó las expectativas y en 1995 bateó .195/.270/.317, 7 dobles, 1 triple, 2 bambinazos y 13 impulsadas en 42 partidos con California Angels. Al año siguiente se fue a México. Entre 1996 y 1999 se dedicó a jugar en ligas independientes y nunca mostró todo el talento que se esperaba.

ALBERTO CASTILLO (18), LHP/1B, La Habana, Major League Baseball: 2 equipos. Abandonó el equipo Cuba juvenil en Windsor, Ontario, en 1993. Fue elegido en la ronda 3 del draft de 1994 por San Francisco Giants, pero no logró llegar ni siquiera a Doble-A, lo mismo como lanzador que como bateador. En 1999 recaló en la Northern League (Liga Independiente) con Schaumburg Flyers. De allí pasó 5 campañas en la Atlantic League con números discretos. En 2008, Baltimore Orioles le dio un contrato de liga menor y tras poner marca de 3-1, 2.06 de efectividad, recibió el llamado a Grandes Ligas, con 32 años y luego de más de una década sin pertenecer a ninguna organización de Major League Baseball. El zurdo lanzó con Baltimore entre 2008 y 2011, y posteó 3-0, 4.33 de efectividad. Se mantuvo activo en el béisbol de México, Dominicana y ligas independientes hasta 2016, cuando se retiró con 40 años.

Amaro Costa (37), RHP, Metropolitanos, Liga Argentina de Béisbol. Participó en el Mundial Juvenil de Venezuela, en 1974, con el equipo Cuba. Entre 1987 y 1993 jugaba los torneos provinciales, pero no era incluido en los conjuntos de La Habana. «Decían que estaba viejo», dijo para este libro. Comenzó lanzando en 1995 en la Liga de Béisbol de Argentina y alcanzó más de 200 victorias para el final de su carrera. A la par trabajaba con la selección nacional de Argentina como entrenador de pitcheo. Actualmente, es *scout* de Pittsburgh Pirates y coach de pitcheo principal del equipo nacional de Argentina.

Osvaldo Fernández Guerra (29), LHP, Metropolitanos, Triple-A: Seattle Mariners. En junio de 1993 abandonó el equipo Cuba B en Curazao. Según el sitio *Baseball Reference* se registró en 1994 con 24 años, pero era imposible que un pitcher de 11 campañas en Cuba tuviera esa edad. Fue elegido en la ronda 22 del draft de 1994 por Seattle Mariners. Pese a rozar en realidad los 30 años, realizó una impecable temporada en 1995 con Port City Roosters, en Doble-A, balance de 12-7, 3.57 de efectividad y 160 ponches en 156.1 innings. Entre 1996 y 1997 su progresión rumbo a las Mayores se detuvo a causa de lesiones. En 1998 lo intentó con New York Mets y no pudo pasar de los 20 innings de actuación. Su carrera terminó ese año con Reno Chukars en la Western League (Liga Independiente). Contaba con el talento para llegar a Grandes Ligas, pero las lesiones se interpusieron en el camino.

Reidier González (7), LHP, Villa Clara, Triple-A: Toronto Blue Jays. Salió de Cuba con sus familiares desde la costa de Caibarién, Villa Clara, en un barco pesquero. Estudió en San Petersburg College, Florida, y en 2005 fue firmado con 20 años por Toronto Blue Jays en la ronda 19 del draft por un bono de 350 000 dólares. No llegó a las Mayores. Compartió su tiempo en las menores, siempre con Toronto, de 2005 a 2011; lanzó para 48-38, 4.52 de efectividad, y llegó hasta Triple-A, donde coincidió con jugadores de Grandes Ligas como Adeiny Hechavarría, Yan Gomes, Brett Lawrie y Scott Podsednik. Integró el roster de cuarenta entre 2009 y 2011. Creía que la gerencia de Blue Jays lo iba a promover a Major League Baseball en 2010, pero un desgarro en la ingle lo llevó al salón de operaciones y decidió retirarse voluntariamente un año más tarde. En 2011 también lanzó con los Algodoneros de Guasave en la Liga Mexicana del Pacífico: 0-2, 9.95 de efectividad. En 2017 regresó a los entrenamientos para intentar buscar una firma en el béisbol de Japón.

Harold Martínez (3), INF, Sancti Spíritus, Triple-A: Philadelphia Phillies. Su padre inició una larga travesía en barco que finalmente lo llevó hacia Estados Unidos en 1991. Harold llegó a suelo americano en 1993, junto a su madre, gracias al proceso de reunificación familiar. Se inició en el béisbol y rápidamente se fue convirtiendo en un prospecto, primero en Braddock High School y luego en la Universidad de Miami. Philadelphia Phillies lo eligió en la ronda 2 del draft de 2011, pero el jugador de cuadro no pudo adaptarse al nivel profesional. Sus problemas de rendimiento en las menores se extendieron hasta 2017, sin poder superar el nivel de Triple-A. Su campaña más resonante fue en 2016 con .275/.320/.439, 15 dobles y 9 jonrones en Reading Fightin Phils, nivel Doble-A. Totalizó .259 de average y 27 jonrones en 7 campañas, antes de elegir la agencia libre el 6 de noviembre de 2017.

Eddy Rodríguez (8), C, Villa Clara, Major League Baseball: San Diego Padres. De niño, salió de Cuba junto a sus padres en un bote y ese viaje estuvo cerca de llevarlo a la muerte. Destrozó el nivel colegial con la Universidad de Miami (Miami Hurricanes). Allí tuvo entre sus compañeros a Yonder Alonso, Ryan Braun y Blake Tekotte. Fue elegido en la ronda 20 del draft de 2006 por Cincinnati Reds. Seis años después de jugar en las menores y Ligas Independientes, San Diego Padres lo promovió a Grandes Ligas. Pegó un jonrón en su primera vez al bate ante Jhonny Cueto. Permaneció por solo dos juegos en Major League Baseball y entre 2013 y 2017 navegó por las menores hasta retirarse en 2017 con 31 años.

Rafael Rodríguez (32), RHP, Matanzas. Llegó a Miami en enero de 1993 en una embarcación que surcó el estrecho de la Florida y Cayo Hueso. Poseía 137 victorias en Cuba y había participado en varios Juegos de las Estrellas al momento de su salida. Contaba con 32 años y traía una reputación de nudillista, pero no logró firmar con ninguna organización de Grandes Ligas. Su edad fue su peor enemigo. Tuvo como agente a Gus Domínguez.

Reynaldo Ordóñez (22), SS, Industriales, Major League Baseball: 3 equipos. Participó en el Mundial Juvenil, Canadá, en 1989. Abandonó el equipo nacional en la

Universiada Mundial de julio, en Buffalo, en 1993. El campocorto firmó con New York Mets, quienes ganaron sus derechos en una lotería especial. Estuvo ubicado en el grupo de los primeros 20 prospectos del béisbol, según la revista *Baseball America*, entre 1995 y 1996. Tras 2 años en ligas menores saltó a Grandes Ligas en 1996 y se mantuvo por 9 temporadas, 7 de ellas siendo el emblema defensivo de los Mets. Su agilidad y elasticidad, más el amplio recorrido, le hicieron el mejor campocorto defensivo en la Liga Nacional durante 1997, 1998 y 1999. Ganó 3 Guantes de Oro consecutivos y rompió el récord para un jugador de su posición con 101 partidos al hilo sin cometer error. En 1999 fue la pieza central del récord defensivo impuesto por el infield de los Mets, con 33 errores, 12 menos en comparación con Baltimore Orioles en 1964. No se destacó por su ofensiva: .246/.289/310, 129 dobles, 17 triples y 12 jonrones en 973 encuentros. Los Mets lo cambiaron el 15 de diciembre de 2002 a Tampa Bay Devil Rays, por Russ Johnson y Josh Pressley. Es el único cubano que ha conseguido 3 Guantes de Oro consecutivos en Grandes Ligas y acabó con una sequía de 30 años (Tony Oliva, 1966) en que los antillanos no alcanzaban este tipo de galardones.

Edilberto Oropesa (21), LHP, Matanzas, Major League Baseball: 3 equipos. Para escapar saltó una cerca de diez metros el 10 de julio de 1993 durante la Universiada Mundial en Buffalo. El lanzador zurdo inició su carrera profesional en una liga independiente y hubiera firmado en el draft con Cincinnati Reds, pero estos ofrecieron muy poco y decidió esperar al año siguiente. Necesitaba el dinero para sacar de Cuba a su esposa y su hijo recién nacido. En 1994, Los Angeles Dodgers lo eligieron en la ronda 14 del draft y le pagaron un bonus de 25 000 dólares. Allí comenzó su accionar en ligas menores y pese a lanzar para efectividad no superior a 3.47 nunca obtuvo el ascenso. Tampoco fue promovido por San Francisco Giants, con quienes tiró entre 1997 y 2000 en las menores, tras irse a lanzar a Taiwán sin el consentimiento de la organización. Después de una larga batalla de 9 años se ganó el puesto en el cuerpo de bullpen de Philadelphia Phillies, para 2001. Pasó a Arizona Diamondbacks entre 2002 y 2003. El matancero se convirtió en el primer lanzador en ganar un juego de Grandes Ligas en el Petco Park de San Diego. Su peculiar forma de soltar la pelota y sus múltiples ángulos de salida lo llevaron a ganar 8 partidos en el mejor béisbol del mundo. Entre 2005 y 2007 extendió su experiencia a México (Olmecas de Tabasco) y a ligas menores con Baltimore Orioles y Chicago Cubs, hasta terminar en la Liga Holandesa y postear 3-5, 2.36 de efectividad con Sparta-Feyenoord. «De no haber sido por un problema familiar, habría lanzado por más años», aseguró para esta investigación.

1994

Arian Alcalá (15), INF, La Habana, Clase-A media: Boston Red Sox. Resultó elegido en la ronda 17 del draft de 2002 por Boston Red Sox desde la Universidad de St. Thomas. Se convirtió en el primer jugador en la historia de Lower Spinners (sucursal de Clase-A corta) en batear un walk-off jonrón en extrainnings (con dos outs en la décima), frente a 5 000 aficionados en Edward A. LeLacheur Park, Lowell, Massachusetts. Irónicamente, fue el único vuelacerca que conectó en 2 años de carrera en las menores. Luego de pasar 2003 entre nivel Rookie y Clase-A (.231 de average en 8 juegos), no regresó con Boston.

Edy Barthelemy (19), C, La Habana, Rookie: Seattle Mariners. Salió de Cuba por el mar, días antes de explotar la Crisis de los Balseros, en el mes de agosto de 1994. Firmó contrato de liga menor en 1996 con Seattle Mariners y en el nivel Rookie apenas bateó .216, más 5 dobles, 3 triples y 1 bambinazo. Tras ser liberado y enfrentar problemas de lesiones, marchó a la Liga Mexicana de Béisbol con los Langosteros de Cancún, franquicia que existió entre 1996 y 2005. Después de retirarse del béisbol se dedicó a entrenar niños en una academia.

Alberto Carmenates (10), 2B, Camagüey, Liga Independiente. Salió de Cuba en avión junto a su hermana y padre el 5 de diciembre de 1994, como asilado político. Desde pequeño desarrolló su pasión por el béisbol y jugó hasta el nivel College. Registró una breve actuación en la Golden Baseball League (Liga Independiente) con Reno Silver Sox. Allí acumuló solo 11 turnos al bate en 2 choques. No pudo continuar debido a lesiones en su codo y hombro.

David Cruz (2), C, Villa Clara, Rookie: Miami Marlins. Junto a su padre salió de Cuba en una embarcación en 1994 y fue confinado en la base naval de Guantánamo, hasta llegar a Estados Unidos en 1995. Resultó elegido en la ronda 30 del draft de 2012 por Miami Marlins. En esa misma campaña debutó sin éxito en el nivel Rookie de la Gulf Coast League, pero en 2013, pese a batear 3 jonrones y .270 en 13 partidos, fue dejado en libertad. En 2014 tuvo una breve incursión en la Frontier League (Liga Independiente) con Evansville Otters y después de ese año no regresó al béisbol organizado.

Hansel Izquierdo (17), RHP, La Habana, Major League Baseball: Florida Marlins. En 1994, abandonó junto a Michael

Tejera el equipo Cuba juvenil en Estados Unidos. Llegó a firmar con Florida Marlins al año siguiente por la vía del draft. El derecho resultó elegido en la ronda 7 y después de 7 años en ligas menores arribó a Grandes Ligas en 2002, con los Marlins, dejando balance de 2-0, 4.55 de efectividad. En 2003 pasó a Montreal Expos sin mucho éxito en Triple-A, y además estuvo en Boston Red Sox, New York Yankees y Pittsburgh Pirates. Probó irse a México y en 2006 marcó 9-9, 2.92, con Cafeteros de Córdoba. En tierras aztecas lanzó entre liga de invierno y verano hasta retirarse en 2010.

José Klepaski (16), RHP, Villa Clara, Clase-A avanzada: Seattle Mariners. En 1999 lanzó muy poco tiempo con Seattle Mariners entre Clase-A baja y luego avanzada. Fueron 7.1 innings y efectividad de 4.91 sin realizar ninguna apertura. Actuó en la Frontier League (Liga Independiente) con Evansville Otters y fue liberado en mayo de 2001.

Carlos Medero-Stullz (8), La Habana, Doble-A: Los Angeles Dodgers. Fue elegido en la ronda 8 del draft de 2004 por Los Angeles Dodgers, procedente de Goleman High School. Sus herramientas no explotaron y después de 3 años en las menores fue liberado. Reunió línea ofensiva de .238/.318/.310, 4 jonrones y 41 impulsadas entre 2004 y 2006.

Adrian Nieto (5), C, La Habana, Major League Baseball: Chicago White Sox. Fue elegido en la ronda 5 del draft de 2008 por Washington Nationals. Tras 6 campañas en ligas menores rubricó su mejor año en 2013 jugando para Potomac Nationals en Clase-A avanzada: .285/.373/.449, 29 dobles, 11 jonrones y 53 impulsadas. Representó a

España como cátcher en el III Clásico Mundial de Béisbol y pasó a Chicago White Sox en diciembre de 2013 por medio del draft de Regla 5. En 2014 pasó toda la temporada con los de la Ciudad de los Vientos en Grandes Ligas y como receptor de reemplazo participó en 48 partidos, bateando .236, 5 dobles, 2 jonrones y 7 impulsadas. Luego de eso no pudo regresar a las Mayores y dividió su tiempo entre Chicago, Miami Marlins y Cincinnati Reds. En 2018 defendió los colores de Kansas City T-Bones en la American Association (Liga Independiente) con .313, 6 jonrones y 44 impulsadas. En el invierno regresó al béisbol dominicano con los Tigres del Licey.

Raidel Pérez (22), INF/OF, Metropolitanos, Liga Independiente. Jugó con Metropolitanos en 3 Series Nacionales. En 1994 salió de Cuba y se insertó por 2 campañas en la Northern League, con los Sioux Falls Canaries, donde bateó para .285/.310/.427, 20 dobles, 3 triples, 9 jonrones y 56 impulsadas entre 1995 y 1996. En 1998 firmó con los Sioux City Explorers de la misma liga.

Euclides Rojas (31), RHP, Industriales, Triple-A: Florida Marlins. Fue un estelar cerrador de la década de los ochenta y noventa en Cuba, al punto de abandonar el país con el récord de por vida de juegos salvados (90) (quebrado por el pinareño Orestes González años más tarde). El 16 de agosto de 1994 partió de la Isla en una balsa junto a su esposa y su pequeño hijo. Cinco días después de iniciar la travesía marítima (durante la cual Rojas bebió agua de mar por dos días para que a los niños a bordo les alcanzara el agua potable) fueron recogidos por la guardia costera norteamericana a 23 millas de Cayo Hueso y fueron confinados en la Base Naval de Guantánamo. Allí pasaron seis meses, durante los cuales Rojas tuvo que someterse a una cirugía por apendicitis. Su amigo y compañero en el equipo Cuba, René Arocha, fue a visitarlo y lo ayudó en su aplicación para entrar a Estados Unidos. Rojas empezó lanzando en Western League (Liga Independiente) con Palm Springs Suns para 1-4, 3.44 de efectividad. El 3 de junio de 1995, Florida Marlins lo eligió en la ronda 30 del draft y fue asignado a la Gulf Coast League. Sus problemas llegaron en Doble-A, Portland Sea Dogs, cuando posteó 1-1, 7.77 de efectividad. En 1996 inició la temporada en Triple-A, Charlotte Knights, pero en 9 innings toleró 6 carreras y puso fin a su trayectoria como lanzador. Varios sitios registran que llegó a Estados Unidos con 27 años, lo cual parece improbable si tenemos en cuenta que lanzó en 13 temporadas en Cuba. Todo indica que su edad al momento del arribo era de 31 años y su representación prefirió recortarla buscando más valor. Luego de su retiro pasó varios años como coach de pitcheo en las menores con los Marlins y con Boston Red Sox. En 2011 se convirtió en el coach de bullpen de Pittsburgh Pirates en Grandes Ligas.

Alex Sánchez (18), OF, La Habana, Major League Baseball: 4 equipos. Estudió en Miami-Dade College, Wolfson Campus, y fue drafteado en la ronda 5 de 1996 por Tampa Bay Devil Rays. Debutó en Grandes Ligas con Milwaukee Brewers en 2001 a los 24 años. En 2002 jugó 112 partidos y dejó línea ofensiva de .289/.343/.358, con WAR (victorias sobre el reemplazo) de 1.2; robó 37 bases y además quedó noveno en las votaciones para el Novato del Año (en las que ganó Jason Jennings). Robó 122 bases en 5 temporadas y fue capturado 58 veces. Promedió .296/.330/.372 en su decursar por las Mayores. Como jardinero tuvo .971 de average y -22 carreras salvadas a la defensa en 5 temporadas. Luego de 2005 no jugó más en Major League Baseball y dividió su tiempo en las menores entre Cincinnati (2006, Doble-A y Triple-A), Chicago White Sox (2007, Triple-A), Atlantic League (2008), ligas invernales de Venezuela (2009, Tiburones de la Guaira), México (2009, Tomateros de Culiacán) y Liga Mexicana de Béisbol (2010, Tigres de Quintana Roo), donde dejó buenos números a la edad de 33 años: .293/.338/.399, 26 extrabases y 50 carreras impulsadas. En 2005 se convirtió en el primer pelotero suspendido de Grandes Ligas (10 juegos) por uso de esteroides.

JOAQUÍN SERRA (18), INF, La Habana, Rookie: Baltimore Orioles. Debutó con Industriales en la Liga de Desarrollo en 1991, bajo la dirección de Agustín Marquetti. Salió de Cuba por Cojímar el 12 de agosto de 1994, durante la Crisis de los Balseros, en una balsa diseñada por él y su primo. Antes de llegar a Cayo Hueso pasó cinco jornadas en el mar y en las noches sufría de hipotermia, pues sus pies iban sumergidos en el agua. Con la ayuda de varios amigos, entre los que destacó René Arocha, logró firmar un contrato profesional de 20 000 dólares con Baltimore Orioles en la ronda 26 del draft de 1995. Luego de una temporada de escasa producción fue liberado y ese mismo año jugó 4 partidos con Sioux Falls Canaries de la Northern League (Liga Independiente).

MICHAEL TEJERA (18), LHP, La Habana, Major League Baseball: 2 equipos. Abandonó la selección juvenil cubana en 1994 junto a Hansel Izquierdo. Fue drafteado por el aquel entonces Florida Marlins, en 1995 (ronda 6). Lanzó en las menores por 12 temporadas con 76-49, 3.82 de efectividad. En 1999 debutó en Major League Baseball con los Marlins, ayudado por una extraordinaria temporada en Portland Sea Dogs (13-4, 2.62 de efectividad), lo que le valió para ser el Pitcher del Año. Acumuló 11-13, 5.14 de efectividad, en su recorrido por Grandes Ligas. Su mejor año fue 2002, cuando ganó 8 partidos en Major League Baseball y promedió 4.95. Contribuyó al campeonato de 2003 de los Marlins, con apariciones en la postemporada; aunque no lanzó en la Serie Mundial, sí lo hizo en la final de la Liga Nacional frente a Chicago Cubs. Entre 2004 y 2005, tuvo una furtiva aparición de 7.1 innings con Texas Rangers. Se convirtió luego en un trotamundos del béisbol. Jugó la Liga Mexicana del Pacífico, el invierno en Venezuela y Dominicana, y la liga de Taipéi de China en 2011.

Yahmed Yema (9), OF, La Habana, Clase-A avanzada: Boston Red Sox. Jugó 3 temporadas en el béisbol colegial con Florida International University, con un brillante último año y línea ofensiva de .391/.467/.676, 15 dobles, 1 triple y 14 jonrones con 63 impulsadas. En 2005 fue drafteado y firmó por 90 000 dólares en la ronda 7 con Boston Red Sox (selección 228). No superó el nivel de Clase-A avanzada y después de 3 temporadas en las menores se retiró con una línea ofensiva de .284/.325/.419, 47 dobles, 11 triples y 12 jonrones.

1995

Néstor Cortés Jr. (1), LHP, La Habana, Major League Baseball: 2 equipos. Nació en Surgidero de Batabanó en 1994 y salió de Cuba con siete meses, pues su padre se ganó la lotería de visas. Fue elegido en la ronda 36 del draft Amateur por los New York Yankees en 2013 y pasó a las menores con solo 18 años. Desde entonces, el lanzador zurdo mejoró tanto que las puertas de las Grandes Ligas se le abrieron. Los entendidos saben que si eres elegido en la ronda 36 del draft probablemente no durarás más de 24 meses en las menores, pero el 14 de diciembre de 2017 Cortés fue tomado por Baltimore Orioles en el draft de Regla 5, que se realiza para tomar a los prospectos que no están dentro del roster de cuarenta de las organizaciones. Cortés hizo el roster del equipo para el Opening Day de 2018 y promedió 7.71 de efectividad en 4.2 innings. Fue enviado de vuelta a la franquicia de Yankees y terminó en Triple-A con 6-6, 3.71. En el invierno de 2018 regresó al béisbol dominicano con las Estrellas Orientales, con quienes ha lanzado para menos de 2.00 de efectividad entre 2017 y 2018. En la temporada de 2019 se ha asentado como relevista del equipo grande de los Yankees. Hasta el 18 de septiembre de 2019 estos eran sus números en Major League Baseball: 5-1, 5.54 en 63.1 innings.

OSVALDO FERNÁNDEZ (29), RHP, Holguín, Major League Baseball: San Francisco Giants. El 29 de junio de 1995 abandonó el equipo Cuba en Millington, Tennessee, bajo la asesoría del agente y buscón de peloteros Joe Cubas. Estaba entre los mejores abridores de Cuba, con una foja internacional de 16 victorias sin reveses. Estuvo seis meses en República Dominicana realizando el proceso de la residencia en ese país, donde aprovechó para lanzar con los Tigres del Licey en el periplo invernal. Tiempo después acordó con San Francisco Giants un contrato de 3,2 millones de dólares por 3 años. Debutó en 1996 con un registro de 7-13, 4.61 de efectividad en 171.2 innings y 106 ponches en 28 aperturas. El holguinero marcó 3-4, 4.95 en la campaña de 1996. Perdió la temporada de 1998 debido a una lesión en el codo derecho. En 1999 los Giants lo dejaron libre y entre 2000 y 2001 fue contratado por Cincinnati Reds, donde realizó 28 aperturas con balance de 9-9, 5.26. Su último año en el sistema Major League Baseball fue 2002. Lanzó para Montreal Expos y San Francisco Giants en Triple-A. En 2003 se fue a la Liga Mexicana de Béisbol con Diablos Rojos (10-4, 4.71) y en 2005 terminó su carrera a los 38 años con Olmecas de Tabasco (7-9, 4.14).

Juan Carlos Galbán (21), LHP, La Habana, Rookie: Atlanta Braves. Elegido en la ronda 57 del draft de 1996 por Atlanta Braves, lanzó 6 entradas en la Gulf Coast League, nivel Rookie, posteando 0-2, 13.50 de efectividad.

Liván Hernández (20), RHP, Villa Clara, Major League Baseball: 10 equipos. Hermano de Orlando *el Duke* Hernández. Dejó el equipo Cuba el 27 de septiembre de 1995 en un torneo celebrado en la ciudad de Monterrey, México. En enero de 1996 acordó por 4,5 millones de dólares con Florida Marlins, incluido un bono de 2,5 millones. Su agente, Joe Cubas, le tramitó la residencia en República Dominicana como tercer país. En 1997 se convirtió en el cuarto beisbolista en la historia de Grandes Ligas que fue elegido Jugador Más Valioso en una Serie de Campeonato y Serie Mundial en la misma postemporada. En la temporada de 1997 (9-3, 3.18 de efectividad) logró su mejor efectividad en 17 campañas de Grandes Ligas. Elegido 2 veces al Juego de las Estrellas (2004 y 2005), ganador de 1 Bate de Plata (premio al jugador más ofensivo por posición), se hizo símbolo de consistencia con 10 temporadas de 200 o más innings lanzados. Sin ser un lanzallamas, el derecho ganó 178 partidos a base de devorar innings. Estuvo en 9 equipos y ganó 10 o más juegos en 12 de sus 17 campañas. En cuatro instancias de postemporada archivó 7-3, 3.97. Entró en las boletas para el Salón de la Fama de Cooperstown en 2018, alcanzando el 0,2 % de los votos.

Jaime Llapur (27), RHP/OF, Industriales. Jugó 2 temporadas con Industriales en Series Nacionales y, tras emigrar en 1995, intentó llegar al béisbol profesional. Estuvo muy cerca de firmar con Tampa Devil Rays. «Desgraciadamente tuve problema con la ley y mi carrera terminó», dijo para esta investigación.

Vladimir Núñez (20), RHP, La Habana, Major League Baseball: 4 equipos. Abandonó el equipo Cuba durante un torneo en Venezuela en octubre de 1995. Pactó por 1,75 millones de dólares con Arizona Diamondbacks y tras debutar en 1998 fue cambiado a Florida Marlins, junto a Brad Penny, por el cerrador Matt Mantei. Mostró consistencia y se mantuvo por varias temporadas como pitcher de bullpen en Major League Baseball. Su mejor año resultó 2002, cuando dejó efectividad de 2.74 en 92 innings con los Marlins. Luego de presentar problemas en 2003 y 2004, el habanero se alejó del máximo nivel hasta 2008, cuando regresó con Atlanta Braves. Finalmente registró 21-34, 4.82 de efectividad en 9 campañas de Grandes Ligas. Lanzó además en ligas invernales de Venezuela, República Dominicana y México.

Ariel Prieto (25), RHP, Isla de la Juventud, Major League Baseball: 2 equipos. Firmó en la ronda 1 del draft (5.ta selección) de 1995 con Oakland Athletics. El veloz lanzador de Isla de la Juventud obtuvo un bono de 1 millón de dólares. Meses antes, había emigrado legalmente de Cuba. Debutó el mismo año de su salida y se mantuvo con Oakland entre 1995 y 1998, marcando 15-24, 4.88 de efectividad. Perdió todo en 1999 a causa de una lesión y regresó en 2000, pero sin la misma fuerza. En 2001 lanzó 3.2 innings con Tampa Bay Devil Rays. Pese a que nunca más volvió a Grandes Ligas, no se rindió y continuó intentándolo con Pittsburgh Pirates, Chicago Cubs y Florida Marlins, que le dieron la oportunidad de lanzar en Triple-A, aunque sin promoverlo a Major League Baseball. En 2006 se fue a la Liga Mexicana del Pacífico (Yaquis de Obregón) y finalizó su carrera a los 38 años con los Caribes de Oriente (5-2, 2.56) en la Liga Profesional de Venezuela.

CARLOS EMILIO RODRÍGUEZ (28), LHP, Metropolitanos, Liga Profesional de Nicaragua. En 7 temporadas en Series Nacionales dejó marca de 12-15, 4.86 de efectividad, casi siempre en función de relevista. Lanzó por 8 años en la Liga Profesional de Nicaragua. Se proclamó campeón en 1998-1999 con el León.

JOEL RODRÍGUEZ (21), INF, Matanzas, Liga Alemana de Béisbol. Jugó 7 temporadas en la Bundesliga, División 1 del béisbol de Alemania, siempre con los Capitales de Bonn. Promedió .299 de average ofensivo y robó 34 bases en 47 intentos.

JORGE L. RODRÍGUEZ (13), SS, La Habana, Rookie: San Diego Padres. Estuvo una sola temporada en ligas menores con San Diego Padres. Promedió .242/388/306 y 3 extrabases en 22 juegos del nivel Rookie en la Arizona League.

LARRY RODRÍGUEZ (21), RHP, La Habana, Clase-A avanzada: Arizona Diamondbacks. Luego de viajar con el equipo

Cuba por países como Holanda, Bélgica y España, decidió abandonar la selección nacional en Venezuela, durante un torneo en octubre de 1995, junto al lanzador Vladimir Núñez. Arizona Diamondbacks le dio un contrato de 1,3 millones, pero no pasó de Clase-A avanzada. Enfrentó una lesión en 1998 que requirió cirugía y le hizo perder todo 1999. Luego de esto, no regresó al béisbol. Dejó marca de 13-21, 4.40 de efectividad durante 3 campañas en ligas menores.

Yunior Tabares (10), 1B/RF, La Habana, Rookie: New York Yankees. Practicó béisbol en las categorías menores antes de salir de Cuba. Primero jugó en Hillsborough Community College hasta pasar por Saint Leo University, Florida. Allí tuvo una maravillosa temporada en 2008, en la que bateó .330 de average, 15 dobles, 1 triple, 11 jonrones y 56 impulsadas. Llegó a un acuerdo de liga menor con New York Yankees por un bono de 2 000 dólares. Tras no ser elegido en el draft y luego de 2 campañas en nivel Rookie con escasos promedios ofensivos, fue liberado. Desde 2009 ha desempeñado varios cargos en la gerencia de los Yankees y hasta hace poco fungía como Assistant Director, International Scouting.

Gianni Zayas (1), RHP, Ciego de Ávila, Rookie: Seattle Mariners. Fue elegido en la ronda 35 del draft de 2015 por Seattle Mariners desde Florida International University. Apenas trabajó 15 innings en nivel Rookie con Seattle y reapareció en 2017 lanzando para Sussex County Miners de la Canadian-American Association (Liga Independiente), donde dejó marca de 9-10, 3.43 de efectividad en 107.2 entradas. Venció al equipo Cuba que estaba como invitado en el circuito (que contaba con 12 jugadores que participarían en el Clásico Mundial de 2017), lanzando 6 innings sin permitir carreras.

GILBERTO ZAYAS (10), INF, Ciego de Ávila, Liga Independiente. En 2 campañas de ligas independientes bateó para .269 de average, 31 dobles y 11 jonrones entre Canadian-American Association y Frontier League. Emigró junto a su hermano Gianni Zayas.

1996

YONDER ALONSO (9), 1B, La Habana, Major League Baseball: 6 equipos. Junto a su padre, su madre y su hermana salió ilegalmente de Cuba durante una madrugada, en una avioneta. Al llegar a Estados Unidos, sus padres debieron aceptar hasta tres trabajos a la vez para poder sobrevivir con sus hijos. Yonder se mantuvo en el béisbol y poco a poco se convirtió en una estrella de la Universidad de Miami. Allí entró rechazando en 2005 una selección de Minnesota Twins en la ronda 16 del draft. Mientras ayudaba a su padre con el trabajo los fines de semana, fue el segundo bateador en liderar el casillero de jonrones (10) e impulsadas (69) con la Universidad de Miami y uno de los mejores prospectos del país. En 2008, fue seleccionado en la ronda 1 del draft por Cincinnati Reds y firmó por un bono de 2 millones de dólares. En 2010 debutó en Grandes Ligas con los Reds y en diciembre de 2011 fue cambiado a San Diego Padres, junto a Yasmani Grandal, Brad Boxberger y Edinson Vólquez, por Matt Latos. Tuvo 4 temporadas con San Diego, donde aún no explotaba con el bate, pese a señales prometedoras. En el invierno de 2015 se mudó a Oakland Athletics en un canje en el que las piezas principales eran él y el zurdo Drew Pomeranz. En 2017 llegó su consagración en Grandes Ligas, con una temporada de 67 impulsadas y 28 jonrones, además de ser seleccionado al Juego de las Estrellas. Para 2018 firmó un contrato de 2 años y 16 millones de dólares con Cleveland Indians. En la temporada 2019 de Major League Baseball ha jugado con Chicago White Sox y Colorado Rockies.

Jesús Ametller (22), INF, Industriales, Triple-A: St. Louis Cardinals. Abandonó el equipo de Industriales que participaba en Mérida, México, en una Copa de Clubes Campeones. Salió del hotel donde se encontraba por la puerta principal, junto a William Ortega y Roberto Colina; atravesaron un mercado de frutas y ahí los esperaba el agente Joe Cubas. Viajaron de Chiapas al D.F. en un Chevrolet durante dieciséis horas; estuvieron por tres meses en un hotel y el 18 de diciembre volaron rumbo a Costa Rica para buscar la residencia en un tercer país. En marzo de 1997, Ametller firmó por un bono de 58 000 dólares con St. Louis Cardinals. Entre 1997 y 1998 fue asignado a la sucursal de Clase-A de los Cardinals. El segundo año (1998) promedió .313, con 29 dobles. No pegaba muchos jonrones, pero sí era un bateador puro de contacto que podía jugar múltiples posiciones. En 1999 bateó .303 en Doble-A (Arkansas Travelers) con 26 dobles, 2 triples y 10 jonrones. Al año siguiente sufrió una lesión en su hombro derecho y los Cardinals le dieron la liberación con 26 años en 2001. Tuvo una breve estadía en Liga Independiente (Northern League East) con Elmira Pioneers y en la Liga Mexicana de Béisbol con Olmecas de Tabasco. Su lesión se agravó y le imposibilitaba mostrar su mejor nivel. En 2002 se fue a la Liga de Béisbol Italiana con los Paterno Warriors, ubicados en la ciudad de Sicilia, sin imaginar que después de ese año terminaría su carrera. Hizo varios intentos por regresar, pero todos fueron en vano.

ROLANDO ARROJO (31), RHP, Villa Clara, Major League Baseball: 3 equipos. Abandonó el equipo Cuba previo al inicio de los Juegos Olímpicos de Atlanta de 1996, cuando ya se había convertido en uno de los tres mejores lanzadores de Cuba y luego de vencer en múltiples ocasiones con su equipo Villa Clara, triunfar a nivel internacional y proclamarse campeón olímpico en Barcelona (1992). En 1998 firmó con la organización de Tampa Bay Devil Rays por un bono de 7 millones de dólares. La revista *Baseball America* lo clasificó como el prospecto no. 37 del año. La de 1998 fue su mejor temporada de las 5 que lanzó en Major League Baseball. Acumuló 14 victorias y 12 derrotas con efectividad de 3.56. Logró ponchar a 152 hombres en 202 innings y fue elegido para participar en el Juego de las Estrellas, donde lanzó en el sexto inning sin permitir carreras. También fue segundo (61 puntos) en la votación por el Novato del Año, aventajado por Ben Grieve (130) de Oakland. En las siguientes temporadas, no pudo bajar de 5 carreras limpias como promedio. En 1999 presentó balance de 7-12, 5.18 de efectividad con Tampa Bay Devil Rays. El 13 de diciembre de ese año fue cambiado a Colorado Rockies junto a Aaron Ledesma por el mexicano Vinicio Castilla. Inició el año 2000 en Colorado, pero a mitad de campaña fue traspasado a Boston Red Sox, en un cambio de siete peloteros, y registró marca de 10-11, 5.63 de efectividad, entre los dos equipos. En 2001 y 2002 se mantuvo lanzando para Boston, donde alternaba entre abridor y relevista. Terminó en Grandes Ligas con marca de 40-42 y 4.55 de efectividad. Un dato curioso es que permitió los jonrones 400 de Cal Ripken Jr. y Ken Griffey Jr., respectivamente. «En 2003 decido retirarme porque estaba un poco cansado de vivir fuera de mi casa y alejado de mi familia. Creí que ya era el momento, me faltó el anillo de Serie Mundial», aseguró para esta investigación.

DANIEL DE LA CALLE (3), C, Holguín, Doble-A: Tampa Bay Rays. Se fue de Cuba con sus padres. Fue elegido en el draft de 2015 por la organización de Tampa Bay Rays en la ronda 9, procedente de Florida State University, Tallahassee. En 2018 conectó para .213 de average y 4 extrabases en Montgomery Biscuits, Doble-A, pero fue liberado al finalizar la temporada. En el invierno de ese mismo año viajó a la Australian Baseball League y vistió los colores de Brisbane Bandits.

ROBERTO COLINA (25), INF, Industriales, Doble-A: Tampa Bay Rays. En 1993, decidió no quedarse durante los Juegos Universitarios en Buffalo, donde sí lo hicieron sus compañeros Rey Ordóñez y Edilberto Oropesa. Pero en 1996 cambió de dirección y abandonó, junto a Jesús Ametller y William Ortega, la concentración del equipo Industriales que se encontraba en Mérida, México, en una Copa de Clubes Campeones. Estuvo por tres meses en un hotel y el 18 de diciembre voló rumbo a Costa Rica para buscar la residencia en un tercer país. Firmó con Tampa Bay Devil Rays por un bono de 90 000 dólares. No tuvo el impacto que se esperaba de él en las menores. Pese a no registrar números negativos en 3 años de ligas menores, el inicialista no fue ascendido nunca del nivel Doble-A. Allí bateó .273/352/.400, 20 dobles, 1 triple y 6 jonrones. En 1999 se desligó del sistema de las menores y se fue a la Liga Mexicana de Béisbol con los Pericos de Puebla, donde pegó 37 jonrones en 3 años y promedió por encima de .300.

JUAN DÍAZ (21), 1B, La Habana, Major League Baseball: Boston Red Sox. Firmó un acuerdo de liga menor con Los Angeles Dodgers, el cual fue suspendido en 1999 desde la oficina del Comisionado de Major League Baseball por *scouting* y firma ilegal. Un dominicano llamado Pablo Peguero había viajado a Cuba entre 1996 y 1997 para realizar una audición privada a Díaz y Josué Pérez, y luego ambos salieron legalmente hacia Dominicana. El inicialista fue un portentoso bateador con un poder extraordinario y es recordado por sus batazos a más de 400 pies en ligas menores, donde pegó casi 200 bambinazos. En 2002 obtuvo su momento de gloria al recibir el llamado de Grandes Ligas con Boston. Jugó en 4 partidos y bateó 2 hits en 7 turnos, uno de ellos jonrón ante Andy Ashby. Pese a continuar produciendo en ligas menores, no volvió a Major League Baseball. Entre 2003 y 2006 estuvo con Minnesota, Baltimore y St. Louis. Se retiró a los 36 años en 2010, luego de haber pasado por ligas invernales de Dominicana, Venezuela, México y Ligas Independientes donde destruyó a los lanzadores. En 2009, fue segundo en jonrones (11) en la Liga Profesional de Colombia con los Tigres de Cartagena.

OSMANI *EL CAPURRO* FERNÁNDEZ (16), LHP, Villa Clara, Rookie: Tampa Bay Devil Rays. Era considerado el mejor pitcher del equipo Cuba, el cual abandonó en el Panamericano Junior de Béisbol en Illinois, en 1996, ocho días después de que lo hiciera su compañero de equipo Yalian Serrano. A las cinco de la madrugada salió de su habitación en Parks College y se encontró con dos empleados de Joe Cubas que lo trasladaron en automóvil hacia Miami. «Este muchacho va a ser especial», dijo Cubas al *New York Times* ese año. Fernández estuvo lanzando en la Liga de Verano Dominicana con Tampa Bay para efectividad inferior a 1.00. Su estatura y los estereotipos erróneos de la época, añadidos a la pobre gestión del agente Cubas, acabaron con el futuro del joven prospecto. «Cubas lo dejó botado en Costa Rica», dijo su amigo y cátcher de batería Yalian Serrano. Actualmente, Fernández vive en Costa Rica, país donde se diluyó el brillo de uno de los mejores prospectos cubanos de los años noventa.

MICHEL HERNÁNDEZ (18), C, Industriales, Major League Baseball: 2 equipos. Firmó con New York Yankees en 1998. El 21 de noviembre de 2001 lo colocaron en el roster de 40 para protegerlo del draft de Regla 5. Debutó en 2003 como recambio defensivo de Jorge Posada. Pasó por 8 franquicias de Major League Baseball en el nivel de Triple-A. En 2009, ya con 30 años, jugó 35 partidos con Tampa Bay Rays en las Mayores y conectó su único jonrón.

VLADIMIR HERNÁNDEZ (26), INF, La Habana, Clase-A avanzada: Montreal Expos. Participó en el Campeonato Mundial Juvenil de 1988 en Australia. Abandonó el equipo Industriales en la Copa de Clubes Campeones de México en 1996. Su registro de nacimiento fue alterado en un estimado de cuatro años con respecto a su edad original. Firmó con New York Mets, pero su producción ofensiva fue nula en Clase-A. Luego en 2002 se pasó a Montreal Expos y registró .256 con 2 dobles en 40 partidos. Entre 2003 y 2004 viajó hacia la Liga Mexicana y vistió la franela de los Langosteros de Cancún.

EDILBERTO OROPESA JR. (2), RHP, Matanzas, Liga Holandesa. Hijo de Edilberto Oropesa. Jugó a nivel de Junior College en Lakeland Community College (OH) entre 2014 y 2016. Viajó a Holanda en 2014 y lanzó para Mampaey Hawks (Liga Holandesa) 0-5, 12.60 de efectividad. También llevó sus *spikes* hasta la German Baseball-Bundesliga en Alemania con los Fürth Pirates en 2016, posteando 8-3, 5.28 de efectividad.

WILLIAM ORTEGA (21), OF, Industriales, Major League Baseball: St. Louis Cardinals. Abandonó el equipo de Industriales en una Copa de Clubes Campeones que se celebraba en Mérida, México, en octubre de 1996, junto a Jesús Ametller y Roberto Colina. Sobresalía por sus condiciones atléticas y alcanzó a firmar con St. Louis Cardinals por un bono de 500 000 dólares. Estuvo 5 temporadas en ligas menores superando cada nivel a golpe de bateo y poder. Su mejor temporada llegó en el año 2000, en Doble-A, cuando promedió .325, 18 dobles, 2 triples y 12 cuadrangulares. Al año siguiente obtuvo un fugaz llamado a las Grandes Ligas donde pegó 1 hit en 5 turnos, todos como bateador emergente. Era muy difícil mantenerse en el primer equipo, sobre todo por la calidad del departamento de los jardines, con Ray Lankford, Jim Edmonds y J.D. Drew. En 2001 integró el equipo del Mundo en el encuentro de Futuras Estrellas junto al también cubano Danys Báez. Después de ese debut en 2001, no volvió a los terrenos de Major League Baseball. Terminó en ligas menores con St. Louis en 2003 y en 2006 jugó su última temporada activo en el béisbol de Italia.

LAZ RIVERA (2), INF, Pinar del Río, Clase-A avanzada: Chicago White Sox. Salió de Cuba en su infancia por la vía de la lotería de visas y se desarrolló como beisbolista en Miami. En 2017 fue elegido el Jugador del Año de la NCAA Division II por la revista *Baseball America*. Tuvo un positivo año 2018 entre Clase-A media y avanzada con .314 de average, 30 dobles, 4 triples y 13 jonrones, lo que le valió ser seleccionado a la Liga de Prospectos de Arizona (Arizona Fall League).

MANUEL *MANNY* RODRÍGUEZ (7), RHP, La Habana, Clase-A avanzada: Washington Nationals. La franquicia de Washington Nationals lo eligió desde Palm Beach Community College, Florida, en la ronda 10 del draft de 2011. Recibió 115 000 dólares por firmar y sufrió una lesión grave en el brazo que le llevó a realizarse dos cirugías Tommy John. En 2014, después de tres años, regresó. «Nunca volví a ser el de antes», dijo para este libro. Luego de 2015 no retornó al béisbol organizado, por lo que dejó marca de 3-8, 4.40 de efectividad durante 3 campañas en las menores.

YALIAN SERRANO (16), C, Villa Clara, Rookie: Tampa Bay Devil Rays. Era un cátcher promesa desde su surgimiento: miembro del equipo Cuba desde los 10 años, en 1991 había estado en México y Japón. En 1994 viajó a Brasil. «Pensaba quedarme en Brasil, pero no era el mejor lugar», dijo para este libro. El 4 de agosto de 1996 abandonó el equipo Cuba que se desempeñaba en el Panamericano de Béisbol, categoría junior (15-16 años), en Fairview Heights, Illinois. Su tío, su padre y un amigo lo recogieron ese día y lo trasladaron a Miami. Ocho días después salió de la misma concentración su amigo Osmani *el Capurro* Fernández, mejor pitcher cubano de la categoría. El agente Joe Cubas, quien trataba de inflar sus ganancias, no puso a los jóvenes en el sistema del béisbol americano, sino que los hizo agentes libres y los llevó de República Dominicana hasta Costa Rica. Entrenaron junto a Rolando Arrojo y Ramón Valdivia. Serrano pudo firmar con Tampa por un bajo bono de 10 000 dólares y después de ser asignado a la Appalachian League (nivel Rookie) en Princeton Devil Rays fue liberado con solo 10 turnos al bate. La oportunidad se presentó de nuevo cuando Kansas City Royals lo quiso reclutar durante una presentación en Miami; sin embargo, no tenía sus documentos en regla. «Pasé catorce años sin ver a mi mamá y a Osmani [padrastro], que es como mi padre», aseveró. Después de tantas desilusiones, Serrano dejó el béisbol a la corta edad de veinte años.

JESÚS RAMÓN VALDIVIA (20), INF, Metropolitanos, Rookie: Tampa Devil Rays. Abandonó el equipo Cuba B en Guatemala y estableció nexos con el agente Joe Cubas. Firmó un contrato con Tampa Devil Rays, pero fue cortado a los 33 días y no aparecen estadísticas oficiales suyas, excepto su incursión en el nivel Rookie de la Liga Dominicana de Verano. Continuó trabajando luego como coach en las menores. Fue director de la Academia de San Francisco Giants en República Dominicana. Acusado de aceptar dinero en el contrato del prospecto Kevin de León, fue despedido en 2008 como director de *scouting* de New York Yankees en República Dominicana. Sin embargo, demandó al jugador por difamación, ganó el caso y fue indemnizado con 70 000 dólares.

1997

MANUEL ARENCIBIA (17), RHP, La Habana. Integró preselecciones juveniles en La Habana, antes de emigrar con su familia mediante el sorteo de visas. Una vez en Estados Unidos jugó a nivel de College, pero nunca firmó un contrato profesional.

DAMIÁN BLEN FERRAY (33), SS, Industriales/Metropolitanos, Liga Independiente. Abandonó el equipo Cuba en Toronto, Canadá, mientras se desempeñaba como coach asistente. Su caso es muy curioso, pues, luego de abandonar una delegación como entrenador, actuó como jugador en tres ligas independientes: Canadian Baseball League, Northern League East y Northern League Central. Su rendimiento no fue sobresaliente: solo bateó .231, 6 jonrones, durante 347 turnos al bate entre 2000 y 2003.

DIEGO FERNÁNDEZ (16), RHP, La Habana, Liga Holandesa. Transitó por las categorías inferiores en La Habana y tuvo una breve incursión en el béisbol de los Países Bajos.

REGINO GONZÁLEZ (20), 1B, Matanzas, Rookie: New York Yankees. En el año 2000 debutó en las menores (nivel Rookie) y estuvo una sola campaña con New York Yankees en la Gulf Coast League. Dejó línea ofensiva de .211/.318/.324 y 5 extrabases en 21 partidos.

ALBERTO HERNÁNDEZ (27), C, Holguín, Liga Profesional de Taiwán. Integró el equipo Cuba en los Juegos Olímpicos de Barcelona en 1992, como receptor suplente. Después de 11 campañas en Series Nacionales con los Cachorros de Holguín, fue suspendido en 1996, junto con Orlando Hernández y Germán Mesa, por mantener contacto con el agente Joe Cubas, aunque no existían pruebas sustanciales de esto. Tras salir del país en 1997, no logró firmar contrato con una organización de Grandes Ligas. Sin embargo, acordó con Taichung Agan en la Liga Profesional de Taiwán, donde estuvo entre 1998 y 1999. En 2000, el fornido cátcher tuvo un *tryout* con Seattle Mariners, aunque las negociaciones no se materializaron.

ORLANDO *EL DUQUE* HERNÁNDEZ (32), RHP, Industriales, Major League Baseball: 4 equipos. El Duque llegó a un trato de 6,6 millones de dólares por 4 años con New York Yankees en marzo de 1998. «Estoy harto de las tácticas de George», dijo Joe Cubas, agente del Duque, a Murray Chass del *New York Times*, refiriéndose a las negociaciones con el dueño de los Yankees. Un día después de estos comentarios, los Mulos lo firmaron, en detrimento de los insistentes Cleveland Indians. Hernández lanzó 9 temporadas en Grandes Ligas y dejó marca de 90-65, 4.13 de efectividad. Pese a exhibir 12-4, 3.13, en su campaña del debut, fue cuarto en las votaciones por el Novato del Año. En 1998 ganó su primer anillo con los Yankees, al lanzar 7 entradas, 1 carrera permitida y 7 ponches ante San Diego Padres en la Serie Mundial. Repitió en 1999 con 3 victorias en la postemporada y llevándose el Jugador Más Valioso en la serie de Campeonato de la Liga Americana. Luego, en la Serie Mundial, blanqueó a Atlanta Braves con dominio en 7 innings y 10 ponches. En el año 2000, alcanzaría 3 victorias en postemporada y su tercer anillo consecutivo con los Yankees. Hernández logró balance de 9-3, 2.55 de efectividad en playoffs. Los fanáticos de Chicago White Sox no olvidan su relevo en Fenway Park ante Boston con bases llenas sin outs en otra serie de Campeonato en 2005. El Duque logró su cuarto anillo con White Sox, lo que lo convirtió en el beisbolista cubano más exitoso en la historia de las Grandes Ligas. También archiva el mejor promedio de ponches para Series Mundiales, con 11.3 por cada 9 innings. Su carrera continuaría hasta los 41 años, cuando en 2007 tiró para 9-5, 3.72 de efectividad con New York Mets.

Alfredo López (25), RHP, Industriales, Liga de Béisbol Italiana. Fue uno de los primeros cubanos emigrados que jugaron la Serie-A de Italia en los años noventa. En 1997 no se concretó su debut pues se hallaba bloqueado por la Federación Cubana de Béisbol. Mediante el proceso matrimonial se hizo ciudadano italiano y debutó en 1999 con Fortitudo Bologna. Se mantuvo insertado en el primer nivel del béisbol italiano por casi 8 campañas. Además de lanzar, se convirtió en el jugador con más jonrones en la historia del Imola Redkins, equipo fundado en 1979.

Juan Medina Oropesa (28), RHP, Matanzas, Liga Profesional de Taiwán. Lanzó durante 7 temporadas en Cuba con los equipos de Matanzas. Luego de abandonar la Isla fue representado por Gus Domínguez y se desplazó, aunque por muy breve tiempo, a la Liga Profesional de Taiwán. Era primo de Edilberto Oropesa.

Pedro Méndez Solano (21), OF, Metropolitanos, División de Honor, España. Después de jugar 4 temporadas con Metropolitanos en Cuba se marchó a España por vía legal y allí continuó su carrera. Fue miembro de la selección de béisbol de España en la Copa del Mundo de Taiwán (2007). En 2009 firmó con De Angelis Godo en la Liga de Béisbol Italiana, aunque solo promedió .108 (4 hits en 37 turnos). Ha jugado por más de 15 años en la División de Honor.

Pedro Luis Peraza (7), OF, La Habana, División de Honor, España. Ha jugado varias temporadas en el campeonato de béisbol de España.

Josué Pérez (19), OF, La Habana, Triple-A: Philadelphia Phillies. Obtuvo una visa y llegó a República Dominicana para luchar por el sueño de las Grandes Ligas. Firmó un acuerdo de liga menor con Los Angeles Dodgers, el cual fue suspendido en 1999 desde la oficina del Comisionado de Major League Baseball por *scouting* y firma ilegal. Se convirtió en agente libre nuevamente y Philadelphia Phillies le ofreció 850 000 dólares de bono. Sin embargo, en 5 temporadas de oportunidades en las menores con Phillies, no logró demostrar el talento que traía y presentó problemas en el nivel Doble-A, donde solo bateó .230 en 5 temporadas. Desde 2006 labora en ligas menores, donde ha sido entrenador y mánager dentro de la organización de Texas Rangers.

Néstor Pérez (21), INF, Matanzas, Doble-A: Tampa Bay Devil Rays. Estuvo 7 años en las menores entre 1998 y 2005. No logró pasar del nivel Doble-A, en donde totalizó .241 de average, 73 dobles, 5 triples y 2 jonrones. Pasó el resto de su carrera en el béisbol español junto a su padre Néstor Pérez. Participó con España en el Campeonato Europeo de 2003 y obtuvo la medalla de bronce. En 2005 repitió con el equipo español y alcanzó bronce nuevamente. Para 2006, ya jugaba con los Marlins de Tenerife en la División de Honor del béisbol de España, donde ganó 3 temporadas seguidas, de 2006 a 2009. Integró el equipo que participó en el clasificatorio a los Juegos Olímpicos de 2008. Luego de su retiro, se desempeñó como coach de bateo de varios equipos en las ligas menores y de España en el clasificatorio al Clásico Mundial de 2016.

Carlos Rodríguez (20), OF, Villa Clara, Doble-A: Houston Astros. Atravesó por todas las categorías como beisbolista en su provincia natal, Villa Clara. Salió del país por medio de la lotería de visas y rápidamente firmó con Boston Red

Sox en 1998, y allí estuvo hasta 2002. No logró sobrepasar el nivel de Clase-A avanzada (Florida State League) y fue liberado. Entre 2003 y 2004 pasó a ligas independientes y regresó a las menores con Houston Astros en 2005, con quienes bateó .245 en Doble-A, más 9 jonrones y 42 impulsadas. Entre 2006 y 2009 continuó jugando en ligas independientes y culminó en la United League Baseball.

OSMANY SANTANA (21), OF, Cienfuegos, Doble-A: Cleveland Indians. En agosto de 1997 su familia en Miami contactó al agente Joe Cubas, que fue hasta México donde se encontraba Santana en una gira de preparación con el equipo Cuba. Luego de su abandono, se asentó en Costa Rica para realizar el proceso de la agencia libre. Era un prospecto que basaba su valor en la velocidad. En la década de los noventa en las Grandes Ligas se buscaban peloteros de poder. Quizá este detalle impidió a Santana escalar más en las menores. En 4 temporadas entre Clase-A y Doble-A, promedió para .284/.335/.367, con 6 jonrones. Nunca fue ascendido a Triple-A. En 2002 finalizó su carrera en St. Paul Saints de la Northern League Central (Liga Independiente) con average de .240, 7 dobles y 1 triple.

FRANCISCO SANTIESTEBAN (25), C, Industriales, Clase-A avanzada: Seattle Mariners. Estuvo en el Campeonato Mundial Juvenil de Sídney, Australia, en 1988. Joe Cubas lo ayudó a escapar el 23 de junio de 1997 durante una serie de partidos de exhibición del equipo Cuba B en Colombia. Un año antes, sus amigos Jesús Ametller, William Ortega y Roberto Colina le preguntaron si se quedaba en México, pero no llegó a decidirse. Jugó en el béisbol profesional de Colombia y en 1998 firmó con

Seattle Mariners por un bono de 500 000 dólares, sin superar el nivel de Clase-A avanzada a causa de un débil promedio de .240 y 4 jonrones. El receptor aparece firmado en 1998 con 23 años, aunque se sobreentiende que esa edad fue alterada, si tenemos en cuenta que jugó 8 Series Nacionales en Cuba y no debutó con 15 años. En 2000, pasó por Northern League East (Liga Independiente), jugando para Adirondack Lumberjacks, donde bateó .194 en 14 partidos.

Randy Santiesteban (6), INF, La Habana, Liga Independiente. Elegido en la ronda 40 del draft por Atlanta Braves en 2014, no firmó con esta franquicia. Desde 2016 juega con Gary SouthShore en la American Association (Liga Independiente). En 2017 produjo línea ofensiva de .257/.339/.381, 16 dobles, 2 triples y 2 jonrones en 67 juegos. Y para 2018 mejoró sus estadísticas con 20 dobles, 2 triples, 9 jonrones, 40 impulsadas y average de .255.

1998

Adolfo Canet (34), RHP, Santiago de Cuba, Liga Profesional de Colombia. Fue lanzador en Series Nacionales con el equipo de Santiago de Cuba. A partir de 1998, se insertó en el béisbol de Colombia donde, luego de su retiro, se desempeñó como entrenador. En agosto de 2017 murió en Colombia a causa de un fatal accidente de tránsito.

Jorge Díaz Olano (23), 2B, Villa Clara, Clase-A avanzada: Texas Rangers. Es el padre de Yandy Díaz, beisbolista cubano número doscientos en jugar en Major League Baseball. Era reconocido por su antológica defensa. Abandonó Cuba en un bote rumbo a Nicaragua junto a Maikel Jova, Ángel López, Alaín Hernández y Osmani

García. Firmó en 2000 con Texas Rangers y fue invitado a los campos de entrenamientos de Grandes Ligas. Pese a batear .277/.381/.330 entre liga Rookie y Clase-A avanzada, fue liberado. No demostró poder y dejó de ser interés para Texas. Entre 2002 y 2005 jugó en tres ligas independientes en las que bateó .308 de average, 72 dobles, 23 triples y 2 vuelacercas.

EDUARDO MICHEL DOMÍNGUEZ (24), SS, Industriales. Integró el equipo Cuba juvenil en 1991 (Canadá) y 1992 (México), donde fue elegido el mejor campocorto del torneo. Fue uno de los torpederos que sustituyó al estelar Germán Mesa en 1996, cuando fue suspendido del béisbol. La decisión de emigrar tomó fortaleza cuando no se materializó el viaje al exterior que esperaba hacer con un equipo universitario y además por las malas relaciones existentes con el mánager de Industriales, Guillermo Carmona. Salió legalmente de Cuba hacia Venezuela en 1998. De allí viajó a Costa Rica bajo la tutela del agente Joe Cubas y para finales de 1999 firmó un acuerdo con Cleveland Indians de 500 000 dólares de bonificación. Al poco tiempo de concretarse el pacto sufrió un accidente que daría un vuelco a su vida para siempre: el auto en el que viajaba impactó contra otro y se fracturó sus dos rodillas, por causa de lo cual tuvo que someterse a una cirugía artroscópica. Fue citado a los entrenamientos de primavera en febrero de 2000 y el lanzador Danys Báez, quien firmó por 14,5 millones de dólares con Cleveland y convivió con Domínguez en Costa Rica tiempo antes, lo recogió en el aeropuerto cuando este arribó a Estados Unidos. Domínguez intentó ocultar su padecimiento, pero en menos de un mes la franquicia de los Indians detectó su problema y anuló el contrato. El hábil torpedero tuvo como compañero de cuarto al venezolano Marco Scutaro durante el mes que estuvo en el campamento de los Indians. Nunca volvió al béisbol, pese a recibir ofertas en países como México y Venezuela. Nunca pudo rebasar los problemas en sus rodillas.

Osmani García (25), OF/INF, Villa Clara, Triple-A: Texas Rangers. Era reconocido por su manera batear y su versatilidad en el cuadro y los jardines. Abandonó Cuba en un bote rumbo a Nicaragua junto a Maikel Jova, Ángel López, Alaín Hernández y Jorge Díaz Olano. Acordó con Texas Rangers y llegó hasta Triple-A, nivel que no logró vencer y del que resultó liberado luego de dos años (2000 y 2001) con la franquicia texana. Entre 2002 y 2003 jugó en la Northeast League (Liga Independiente) con Elmira Pioneers y Quebec Capitales, donde promedió .311 de average, bateó 20 dobles y 7 vuelacercas.

Juan Carlos Gutiérrez (17), INF, La Habana, Clase-A avanzada: Baltimore Orioles. Estuvo 3 años con Baltimore Orioles en las menores entre 2003 y 2006. Puso línea ofensiva de .265/.351/.409, 58 dobles, 8 triples y 26 jonrones, pero nunca superó el nivel de Clase-A avanzada. En 2007 tuvo una transitoria incursión en la Canadian-American Association (Liga Independiente) con North Shore Spirit.

Alaín Hernández (21), RHP, Villa Clara. Lanzó para efectividad de 3.90 con 25 victorias y 11 derrotas con Villa Clara. Abandonó Cuba en un bote rumbo a Nicaragua junto a Maikel Jova, Jorge Díaz Olano, Ángel López y Osmani García. Fue el único de ese grupo que no logró firmar un contrato profesional.

Félix Isasi Jr. (29), OF, Matanzas, División de Honor, España. Hijo de Félix Isasi, legendario segunda base de los equipos matanceros. Promedió .276 en 8 temporadas en la Serie Nacional de Cuba. Integró la selección de España en 2003 para el Campeonato Europeo celebrado en Holanda. Fue segundo del equipo ibérico en average y contribuyó a la conquista del tercer lugar. En 2004 bateó .316 con los Marlins de Tenerife y lideró la liga en promedio defensivo entre los jardineros centrales. Se mantuvo dentro del béisbol español. En 2007 bateó .355 para el F.C. Barcelona y comandó la liga en carreras anotadas con 38. En 2008 volvió con la selección española a la Copa Europea celebrada en Grosseto (Italia) y Regensburg (Alemania) y alcanzó el primer título que lograba España desde la década de los sesenta. Isasi Jr. estuvo jugando en la División de Honor hasta 2010, con 40 años, edición en la que bateó .327 con el F.C. Barcelona.

Maikel Jova (17), OF, Villa Clara, Triple-A: Toronto Blue Jays. Hijo del legendario torpedero Pedro Jova. Luego de un primer intento fallido de salida ilegal en marzo de 1998, en agosto de ese año escapó en una embarcación junto a Jorge Díaz Olano, Ángel López, Alaín Hernández y Osmani García. Llegó a Nicaragua y de allí a Costa Rica. Firmó un contrato de 150 000 dólares con Toronto Blue Jays y empezó su camino en ligas menores. Estuvo 6 temporadas en las menores y alcanzó el nivel Triple-A, pero no logró establecerse. Bateó .264/.283/.372, 122 dobles y 36 jonrones. A partir de 2006 inició una carrera de más de 10 años en ligas independientes. En 2008 tuvo su mejor campaña en Yuma Scorpions en la Golden Baseball League (Liga Independiente), con 22 dobles, 8 jonrones, 88 impulsadas y .359 de average ofensivo. Pasó por la Liga Profesional de Colombia en el invierno de ese año con Leones de Montería. Allí pegó 8 dobles, 3 jonrones e impulsó 29 carreras con average de .258. En 2009 repitió con Leones de Montería, donde promedió .292, 2 dobles y 1 cuadrangular en 13 choques. Continuó en el béisbol hasta 2016 (35 años) con San Rafael Pacifics en la Pacific Association.

REMIGIO LEAL (35), RHP, Pinar del Río, Liga de Béisbol Italiana. Es la versión cubana de Satchel Paige. Este lanzador pinareño se mantuvo en los circuitos del béisbol europeo hasta 2017, a sus 54 años. Fue perjudicado por los retiros masivos de peloteros que se institucionalizaron en Cuba y salió legalmente del país el 28 de mayo de 1998. Desde esa fecha comenzó a cosechar triunfos. Se proclamó campeón con el León en la Liga Profesional de Nicaragua. Fue a la División de Honor del béisbol español y ganó dos ligas con Viladecans y una Copa del Rey. Entre 2001 y 2004 estuvo con los Marlins de Tenerife. En 2006 volvió a lucir con el F.C. Barcelona, con quienes presentó balance de 7-4, 2.09 de efectividad, y en 2007 puso foja de 9-1, 0.79. Representó a la selección de España en el Campeonato Europeo de 2007 y en la Copa Mundial de Béisbol, además del torneo de clasificación a los Juegos Olímpicos en 2008. En 2009 viajó a la mejorada liga de béisbol de Italia y vistió por cuatro años la camiseta del Café Danesi Nettuno con temporadas de efectividad de 1.05 y 2.13. En 2012 formó parte del clasificatorio al III Clásico Mundial de Béisbol con España, pero no fue llevado al torneo. «Aporté para ir al equipo, pero no estuve por no ser jugador de Major League Baseball», dijo para esta investigación. No se amilanó y, ya pasados los 50 años, lanzó en 2013 en España (San Inazio) y en 2014 en Italia (Grosseto); en 2015 fue entrenador del Nettuno en Italia y en 2016 estuvo en Francia (Chartres French Cubs) como jugador/entrenador. En 2017 fungió como lanzador y entrenador en el Castenaso Liga Federal de Italia. Ha sido el lanzador cubano más longevo que alguna vez se haya desempeñado en una liga foránea. Declaró que «La voluntad está por encima de la calidad»; y agregó: «Si el día de mañana apareciera algo mejor yo dejaría de lanzar, me iré en paz porque sé que me fui cumpliendo con el béisbol».

Ángel López (25), C, Villa Clara, Doble-A: Florida Marlins. Fue un receptor ofensivo de 115 cuadrangulares que ayudó al tricampeonato de Villa Clara en la Serie Nacional de Cuba durante la década de los noventa. Abandonó Cuba en una embarcación rumbo a Nicaragua junto a Maikel Jova, Alaín Hernández, Osmani García y Jorge Díaz Olano. Luego de firmar un contrato de liga menor con Florida Marlins, no tuvo el éxito esperado en el béisbol profesional. Disputó 5 encuentros en el nivel Doble-A, pero su edad no ayudó mucho en el proceso de escalar niveles en las menores. Entre 2002 y 2003 dejó línea ofensiva de .244/.302/.426, 14 dobles, 3 triples, 11 jonrones y 37 impulsadas entre Clase-A avanzada y Doble-A.

Boris Di Mares (28), OF, Industriales, Liga de Béisbol Italiana. Arribó a la Liga de Béisbol Italiana con Patterno Warriors y allí estuvo 2 temporadas. En 2004 bateó .337 en 201 apariciones al plato. En 2005 regresó y bateó .283 con 3 dobles y 3 triples en 223 turnos.

Yoel Monzón (21), RHP, Matanzas, Clase-A media: Colorado Rockies. Antes de firmar con Colorado Rockies jugó en el béisbol de España y de Costa Rica. Lanzó en 1999 y 2000 en ligas menores de Rockies. En el año 2000 logró 84 ponches en 63 entradas con Asheville Tourists en Clase-A media y puso marca de 4-1, 3.23 de efectividad. Sin embargo, el matancero vio su carrera terminada rápidamente a causa de repetidas lesiones en su brazo de lanzar. En 2016 se convirtió en coach de pitcheo de Seattle Mariners en la Arizona League, nivel Rookie.

EDUARDO *EDDIE* MORLÁN (12), RHP, La Habana, Doble-A: Tampa Bay Devil Rays. Salió de Cuba junto a sus padres en un vuelo legal hacia España. El motivo era visitar a sus abuelos, pero ni él ni su familia regresaron a la Isla. Fue seleccionado en la ronda 3 del draft de 2004 por Minnesota Twins desde Coral High Park en Miami. Luego de 3 temporadas en las menores con Minnesota fue canjeado hacia Tampa Bay Rays junto a Matt Garza y Jason Bartlett por Delmon Young y Jason Pridie, el 27 de noviembre de 2007. Pasó 2008 y 2009 en Montgomery Biscuits e incluso obtuvo un cupo en el Juego de Futuras Estrellas. Atravesó lesiones en su hombro y, luego de pasar por las organizaciones de Milwaukee y Atlanta, su talento se fue disipando. Dejó marca de 15-9, 3.77 de efectividad en Doble-A. Entre 2011 y 2014 jugó para Southern Maryland Blue Crabs de la Atlantic League (Liga Independiente). Representó a España en el III Clásico Mundial de Béisbol, en 2013.

JAVIER PÉREZ (7), 3B/RHP, La Habana, Liga de Béisbol Italiana. Participó en el primer torneo de béisbol de Italia con De Angelis Godo entre 2012 y 2013, pero su producción ofensiva fue escasa y no pudo mantenerse en ese nivel.

LUIS GUSTAVO PESTANA (35), INF, Industriales, Liga Profesional de Nicaragua. Formó parte de un grupo de peloteros retirados en 1996 que partió hacia Italia y Nicaragua en convenio con la compañía Cuba Deportes. Desde 1998 salió de la Isla por la vía legal y comenzó a residir en Nicaragua, donde jugó la Liga Profesional de ese país por 6 años hasta que en 2002 se trasladó a Estados Unidos. Integró, ya naturalizado, la preselección de Nicaragua que asistió a los Juegos Panamericanos de Winnipeg en 1999, pero no pudo participar porque la Federación Cubana de Béisbol no lo aceptó. Lo mismo ocurrió en 2001 para la Copa Mundial de China Taipéi. «Tampoco me autorizaron para el Tope entre Cuba y Nicaragua que fue en agosto. Yo había estado en Cuba en julio pues no tenía ningún problema migratorio, yo salí legal y siempre he visitado la Isla, pero eran otros tiempos, ya ahora se puede competir por otro país», dijo para esta investigación. Fue un sólido bateador en tierras nicas: alcanzó tres campeonatos con el León, junto a los también cubanos Remigio Leal, Orestes González y Lázaro Junco. En 1999 bateó .348 (100 hits en 297 turnos), 6 jonrones y 69 impulsadas. Se retiró en 2002.

Jorge Luis Toca (27), INF, Villa Clara, Major League Baseball: New York Mets. El mito de este inicialista aún pervive en Villa Clara, por su manera peculiar de lanzarse en primera base. Integró el equipo Cuba al Mundial Juvenil de 1989 en Canadá y fue pieza determinante en los múltiples campeonatos ganados por su provincia en la década de los noventa. En Cuba era considerado un jugador estrella. Después de abandonar la Isla en una embarcación, junto a un pequeño grupo hacia las Bahamas, viajó a Japón con su esposa (donde tramitó el asilo) y comenzó a preparar su audición con equipos de Major League

Baseball, guiado por el agente Don Nomura. Llegó a Grandes Ligas en 1999 con los New York Mets de Bobby Valentine, tras haber masacrado a los pitchers en Doble-A y Triple-A donde bateó 25 jonrones, .323 de average, 97 impulsadas y obtuvo el premio a Jugador del Año en las menores de los Mets. Tuvo solo 27 veces al bate en Grandes Ligas con 7 imparables (.259). Nada volvió a ser como aquel año 1999. Intentó regresar a Major League Baseball jugando en las menores para Pittsburgh, Detroit y Chicago White Sox. En 2005 fue suspendido del béisbol en las menores al dar positivo para sustancias prohibidas. Se mantuvo en ligas invernales hasta 2007.

1999

ROIDANY ÁGUILA (9), C, Villa Clara, Clase-A avanzada: Arizona Diamondbacks. Elegido en la ronda 19 del draft en 2009, no logró estabilizar su ofensiva en 5 años en las menores. Posteó línea ofensiva de .240/.290/389, 29 jonrones y 235 ponches en 293 juegos.

RENYEL ÁLVAREZ (21), OF, La Habana, Clase-A avanzada: Florida Marlins. Atravesó por todas las categorías del béisbol en Cuba. Antes de firmar como agente libre con Florida Marlins, pasó por la Frontier League (Liga Independiente). En 2003 fue asignado a Fort Myers Miracle, Clase-A avanzada de Florida Marlins. Dejó línea ofensiva de .259/319/307, 9 dobles, 1 triple y 1 jonrón en 92 partidos. Cuando fue liberado no regresó nunca más al béisbol profesional.

DANYS BÁEZ (22), RHP, Pinar del Río, Major League Baseball: 6 equipos. Tuvo una de las progresiones más increíbles de un lanzador en Cuba. En solo dos años pasó del equipo Pinar del Río a la selección Cuba y abandonó la delegación en los Juegos Panamericanos de Winnipeg, en 1999. Alcanzó un lucrativo contrato de 14,5 millones de dólares con Cleveland Indians. En el año 2000 fue el prospecto no. 39 del país, según la revista *Baseball America*, y lo pasó en ligas menores. Al siguiente, debutó en Grandes Ligas y dejó balance de 5-3, 2.50 de efectividad. En 2004, Tampa Bay Devil Rays firmó a Báez en la agencia libre y lo hizo su cerrador a tiempo completo. La mejor campaña del derecho aconteció en 2005, donde alcanzó una selección al Juego de las Estrellas y salvó 41 partidos con los Rays. Fue cambiado en 2006 junto a Lance Carter a Los Angeles Dodgers por Chuck Tiffany y Edwin Jackson. Mientras en Los Angeles posteó 5-5, 4.35, estuvo inmerso en otro canje, esta vez desde Dodgers (junto a Willy Aybar) a Atlanta Braves por Wilson Betemit. En 2007 presentó problemas y se perdió todo el año 2008 por una cirugía Tommy John. Volvió en 2009 con Baltimore y en 2010-2011 con Philadelphia Phillies, pero no consiguió ser el mismo de antaño. En 2012, tras no recibir ninguna oferta de organización de Grandes Ligas, decidió retirarse.

Juan Carlos Bruzón (29), OF, Holguín, Liga de Béisbol Italiana. Fue un excelente bateador en Series Nacionales, al punto de promediar .311 en 12 temporadas con los Cachorros de Holguín, con 197 dobles y 29 jonrones. Salió de manera ilegal en una embarcación junto a Julio Villalón, Miguel Pérez, Nataniel Reinoso y Alexis Hernández. Firmó con Winnipeg Goldeyes de la Northern League Central (Liga Independiente) en 2000 y allí bateó .232, 5 dobles y 1 cuadrangular. En 2004 jugó la Liga de Béisbol Italiana con Patterno.

Roberto Camejo (29), INF, Pinar del Río, Liga de Béisbol Italiana. Participó en 4 temporadas de la Serie Nacional en Cuba y una vez que salió de la Isla se insertó en el béisbol europeo. Primero jugó en la División de Honor de España con el Sant Boi y el F.C. Barcelona. En 2010, engrosó la nómina del Grosseto Montepaschi Orioles, aunque solo tuvo 6 veces al bate. En 2018 disputó otra temporada en la División de Honor con 48 años y con C.B. Miralbueno Zaragoza bateó .312, 4 dobles, 1 cuadrangular y 14 impulsadas.

Dudley Díaz (29), 2B, Isla de la Juventud. Participó en 3 Series Nacionales con Isla de la Juventud. No existen datos estadísticos suyos; sin embargo, algunos de sus antiguos compañeros creen que actuó en el béisbol europeo.

Osvaldo Díaz (17), OF, La Habana, Rookie: Arizona Diamondbacks. Firmó en la ronda 40 del draft con Houston Astros. El inicialista y jardinero llegó a Missoula Osprey, nivel Rookie de Arizona Diamondbacks, en 2005 y allí posteó .270/.313/.421, 18 dobles, 1 triple, 6 vuelacercas y 38 empujadas. Pese a la buena producción no continuó y jugó en 2007, por última vez, 9 partidos en la South Coast League (Liga Independiente).

Osmel Deulofeu (13), INF, Matanzas, Liga de Béisbol de Inglaterra. Jugó en la Serie A1 de Italia con Yankees de San Giovanni, San Lazzaro Longbridge y Castenaso. En 2014 se mudó a Inglaterra y en la naciente liga de ese país ha estado con Southern National, Herts Falcons y Richmond Knights.

Jorge García (32), OF, Industriales, División de Honor, España. Estuvo dentro de un grupo de peloteros retirados injustamente en Cuba. Después de regresar de un periplo por

Japón, contrajo matrimonio con una ciudadana alemana y entre 1999 y 2000 jugó en la German Baseball-Bundesliga con los Knight de Hamburgo. Se movió a España (División de Honor) y terminó su carrera con los Marlins de Tenerife, equipo donde jugó desde 2001 hasta 2003.

Orestes González (16), C, La Habana, Liga Independiente. Salió de Cuba el 9 de septiembre de 1999 y cumplió los 17 años en Miami. Fue parte del programa de Barry University y tras no ser elegido en el draft jugó brevemente en la Frontier League (Liga Independiente) en 2007, con Kalamazoo Kings. Sin buenos registros y frustrado por la falta de oportunidades, dejó el béisbol luego de ese año.

Yasmani Grandal (11), C, La Habana, Major League Baseball: 2 equipos. Cuando salió de Cuba ya practicaba béisbol en categorías infantiles en su natal Güira de Melena. Creció en la ciudad de Miami y comenzó su especialización en el juego hasta que llegó a la Universidad de Miami, y de allí fue elegido en la ronda 1 (12.ma selección) del draft de 2007 por Cincinnati Reds. En diciembre de 2011, los Reds lo cambiaron a San Diego Padres, junto a Yonder Alonso y Brad Boxberger, por los lanzadores Edinson Vólquez y Matt Latos. El receptor debutó en 2012 con los Padres y pegó 8 jonrones con promedio de .297. Luego de 3 campañas de desarrollo en San Diego fue cambiado junto a Zach Eflin y Joe Wieland a Los Angeles Dodgers por Matt Kemp y Tim Federowicz. Entre 2015 y 2018, se convirtió en uno de los mejores receptores de Major League Baseball, amparado en una sólida defensa, embasamiento y poder ofensivo. En 2015 fue seleccionado al Juego de las Estrellas. Entre 2015 y 2018, fue el segundo cátcher que más jonrones conectó en las Mayores (89), después de

Salvador Pérez (97), y líder en la Liga Nacional. Su rendimiento en postemporada no ha sido el mismo: línea ofensiva de .107/.246/.200, 2 jonrones, 6 impulsadas y 35 ponches en 32 encuentros. En la campaña de 2019 ha sido nuevamente elegido al Juego de las Estrellas.

ALEXIS HERNÁNDEZ (26), C/INF, La Habana, Doble-A: New York Yankees. Integró el equipo Cuba al Mundial Juvenil de Canadá en 1989. En la Serie Nacional con los Vaqueros de La Habana tuvo una temporada de 17 jonrones y, pese a su buen rendimiento, no era incluido en las preselecciones nacionales. En mayo de 1999, decidió salir de Cuba en una embarcación junto a Julio Villalón, Miguel Pérez, Nataniel Reinoso y Juan Carlos Bruzón: el viaje duró treinta y tres horas y enfrentaron una peligrosa tormenta; finalmente pararon en República Dominicana y luego de unos meses se movieron hasta Costa Rica. Hernández firmó con New York Yankees por un bono de 144 000 dólares y llegó hasta el nivel Doble-A. Se convirtió en un trotamundos del béisbol. Jugó en varias ligas independientes: México, Venezuela, Taiwán, Nicaragua, Canadá y Puerto Rico. En 2005 bateó .326 en Yuma Scorpions de la Golden Baseball League (Liga Independiente), acompañado por 29 dobles, 1 triple y 14 jonrones. Luego de una ausencia de 14 años, en 2013 regresó a Cuba y visitó a su familia. Conocido como el Titán de Bejucal, atravesó por varias lesiones que obstaculizaron su ascenso en el sistema de Major League Baseball.

YOEL HERNÁNDEZ (25), RHP, Industriales, Liga de Béisbol Italiana. Integró el equipo de España al preolímpico de Taiwán en 2008 junto a Pedro Méndez y Remigio Leal. Jugó en la División de Honor de España para Marlins de Tenerife, con los que se convirtió en el mejor lanzador de la liga: 0.56 de efectividad. Participó en la Liga de Béisbol Italiana con Caffe Danesi Nettuno, donde posteó 2-2, 5.15, entre 2009 y 2010.

Iván Izquierdo (16), RHP, La Habana, Clase-A avanzada: Texas Rangers. Se mantuvo por tres años en la organización de los Rangers con marca de 5-5, 4.18 de efectividad en 49 salidas desde el bullpen.

Brayan Peña (16), C, La Habana, Major League Baseball: 5 equipos. Abandonó el equipo Cuba juvenil en 1999 mientras se encontraba en Venezuela. Estableció su residencia en Costa Rica y acordó por 1,2 millones de dólares con Atlanta Braves. Su debut llegó en 2005 y, aunque su carrera en Grandes Ligas no resultó ser «nivel estrella», se mantuvo por 12 temporadas en las que pasó por 5 organizaciones. En 2008 fue seleccionado por Kansas City Royals en *waivers*. Allí jugó por 4 campañas como receptor suplente, promediando .251 y 12 jonrones. Fue elegido el Jugador de la Semana entre el 7 y 12 de septiembre de 2010 en la Liga Americana. Además, fue el receptor con mejor promedio defensivo (.999) en la Liga Nacional en el año 2015. En sus 12 temporadas acumuló línea ofensiva de .251/.299/351, 93 dobles, 2 triples y 23 jonrones. Entre sus incursiones en ligas invernales resalta su temporada de 2008 con los Gigantes del Cibao en la Liga Dominicana, sublíder en impulsadas con 38 y séptimo en average con .341. En 2018 se retiró para convertirse en mánager de ligas menores con la organización de Detroit Tigers.

Miguel Pérez (23), RHP, Holguín, Triple-A: New York Mets. Emigró junto a Julio Cesar Villalón, Alexis Hernández,

Juan Carlos Bruzón y Nataniel Reinoso, en abril de 1999, en una embarcación bastante segura. Lanzó en 2006 para New York Mets en las menores (6-9, 4.71 efectividad) entre Doble-A y Triple-A. Trabajó 130 innings y ponchó a 89 bateadores en esa temporada. Estuvo en la liga de Nicaragua (7-3, 2.54) y antes había incursionado en dos ligas independientes: Northern Central League, con St. Paul Saints (1-3, 4.21), y la Northeast League, con Allentown Ambassadors (6-5, 4.41), entre 2002 y 2003. Actualmente mantiene el récord de ponches para una temporada invernal en Nicaragua, con 99.

NATANIEL REINOSO (23), OF, La Habana, Doble-A: Atlanta Braves. Emigró junto a Julio Cesar Villalón, Miguel Pérez, Alexis Hernández y Juan Carlos Bruzón, en abril de 1999, en una embarcación bastante segura. Reinoso recuerda la travesía dieciséis años después como un viaje de treinta horas hacia Santo Domingo, sin muchos inconvenientes. El agente de los peloteros, Gus Domínguez, rentó un avión hacia Costa Rica y allí estuvieron hasta marchar hacia Estados Unidos. Reinoso firmó en enero de 2000 por un bono de 89 000 dólares con Atlanta Braves. No logró poner buenos números: .218/.238/316, 20 dobles, 1 triple y 5 jonrones. Fue liberado la siguiente temporada y pasó a la Northern League East (Liga Independiente) con Elmira Pioneers, localizada en New York. Allí cobraba 1 500 dólares al mes. Después de esa campaña, contrajo matrimonio con una ciudadana española y se marchó a tierras ibéricas. Entre 2003 y 2006 jugó para los Marlins de Tenerife en la División de Honor del béisbol español.

ALIAN SILVA (4), INF/OF, La Habana, Rookie: Washington Nationals. Acordó con Washington Nationals a través del también cubano y ex Grandes Ligas Liván Hernández. Después de 4 partidos, .200 (15-3), resultó liberado por la organización. Antes de la experiencia de liga menor con Washington había jugado en la Pacific Association (Liga Independiente) y bateado para .235/.326/.281 en Vallejo Admirals. «Salí de Cuba en 1999 por la lotería de visas que se sacaron mis padres», dijo para esta investigación.

WILDER THORNDIKE (18), INF, La Habana, Liga Nacional de Béisbol, El Salvador. En 2003 jugó en la liga de El Salvador con el Hispanoamérica. En años anteriores, lo había hecho con el Miami-Dade College. Ganaba 900 dólares al mes y se puso a su disposición una casa, comida y transportación para los juegos. No regresó al próximo año. «Si no vas a firmar o algo así, en ese tipo de ligas es muy difícil mantenerse jugando. Cuando terminas la temporada, tienes que buscarte un trabajo igual que todo el mundo. Entonces, no adelantas en la vida. ¿Me entiendes?», dijo para esta investigación.

CAMILO VÁZQUEZ (16), LHP, La Habana, Triple-A: Cincinnati Reds. El 5 de mayo de 1999 salió de Cuba legalmente con sus padres, quienes llegaron a Estados Unidos mediante el sistema de lotería de visas. Estudió en High School de Hialeah y fue drafteado por Cincinnati Reds en 2002 (ronda 4), en el draft amateur de junio, con un bono de 200 000 dólares. Acumuló marca de 32-41, 4.86 de efectividad en las menores, entre Clase-A y Triple-A. Lanzó un inning con los Criollos de Caguas en la Liga Invernal de Béisbol de Puerto Rico en la temporada 2009, que fue su última aparición registrada en el béisbol profesional.

JULIO CÉSAR VILLALÓN (23), RHP, Holguín, Doble-A: St. Louis Cardinals. Salió de Cuba en un barco con destino a República Dominicana el 3 de abril de 1999 desde Chaparra, Las Tunas, al oriente de Cuba, junto a otros peloteros. De ahí viajaron hacia Jamaica buscando la residencia en un tercer país y de allí el grupo conformado por Alexis Hernández, Miguel Pérez, Nataniel Reinoso y Juan Carlos Bruzón llegó a Costa Rica. El agente de los cinco era Gus Domínguez. Villalón firmó con Tampa Devil Rays por un bono de 300 000 dólares. No superó el nivel de Doble-A en más de 7 años en las menores entre Tampa, St. Louis Cardinals y Cincinnati Reds. Jugó un par de temporadas en la Liga Profesional de Venezuela con Pastora de los Llanos y en la Liga de Béisbol Italiana con Reggio Emilia, experiencia que califica de excelente. En Italia ganaba un salario de 3 500 euros al mes.

2000

Evel Bastida (21), INF, Industriales, Doble-A: Seattle Mariners. El industrialista coleccionó un .306/.403/378 por 4 temporadas en Cuba. Abandonó el país en el año 2000 y Seattle Mariners lo eligió en la ronda 7 (220 selección) del draft amateur de 2002. No bateó más de .250 de average ni desplegó gran poder (9 jonrones en un lapso de 4 temporadas). El 18 de agosto de 2003 fue centro de una gran trifulca en ligas menores después de ser golpeado en el inning 15 por el lanzador Josh Kranawetter. Bastida arremetió contra el lanzador con su bate y lo golpeó en la espalda. Fue expulsado indefinidamente de las menores y asignado a 200 horas de servicio a la comunidad. El 8 de marzo de 2005, Baltimore Orioles (último equipo que lo reaceptó) anunció su liberación luego de batear .194, 3 dobles y 1 cuadrangular en Delmarva Shorebirds, nivel de Clase-A.

LUIS BORRAYO (34), OF, Industriales. Bateó .269 en una temporada con los Leones de Industriales en Cuba. Salió del país legalmente en el año 2000. «Mi carrera en Cuba fue dura. Llegué a los Estados Unidos y jugué una liga donde di 12 jonrones y me querían llevar a Nicaragua», dijo para esta investigación. Sin embargo, nunca debutó en el profesionalismo.

CARLOS CASTILLO (20), INF, Ciudad Habana, Doble-A: Detroit Tigres. Firmó con Detroit Tigers y llegó hasta Doble-A en 2002 sin pasar de .214 de average. Tras ser despedido luego de esa campaña jugó entre 2004 y 2005 en la Central League (Liga Independiente) con Coastal Bend Aviators, Corpus Christi, Texas. En 2005, con El Paso Diablos de la misma liga, bateó para .281 en 55 juegos.

MARIO CHAOUI (20), INF, Ciudad Habana. Llegó a Estados Unidos mediante un Tope Bilateral entre universitarios de Cuba y aquel país, en Minnesota. Su tío viajó hasta allá con el afán de convencerlo para que se quedara en territorio norteamericano, y así lo hizo. La última vez que un equipo de universitarios de Cuba había viajado a Estados Unidos para un tope databa de 1987 y había sido igualmente en Minneapolis. Chaoui jugó en Florida Memorial University. «Hubo tres equipos que se interesaron, pero realmente las conversaciones antes del draft no surtieron efecto ya que el dinero que ofrecieron era bien poco. Entre 30 000 y 40 000 dólares. Uno de los contactos de uno de los equipos dijo que era por la cuestión de la edad, ya tenía 25 años», dijo para este libro.

LUIS ENRIQUE FERNÁNDEZ (13), INF, Las Tunas, Clase-A avanzada: Toronto Blue Jays. Viajó rumbo a Alemania y se probó en la Bundesliga con Darmstadt Wippets entre

2001 y 2002. Luego se fue a vivir a Puerto Rico y tres años más tarde resultó elegido en la ronda 25 del draft de 2006 por Toronto Blue Jays. Estuvo por 3 temporadas en ligas menores de Toronto y dejó línea ofensiva de .247/.309/.313, 26 dobles, 3 cuadrangulares y 42 impulsadas.

JOSÉ GÓMEZ (7), OF, Pinar del Río, Rookie: Milwaukee Brewers. Elegido desde St. Thomas University en la ronda 39 del draft de 2016 por Milwaukee Brewers, estuvo entre 2016 y 2017 en ligas menores, con .271/.369/.398, 18 dobles, 1 triple, 8 jonrones y 44 impulsadas. Pese a tener un rendimiento positivo fue liberado inexplicablemente en diciembre de 2017.

ALEX GOUIN (9), RHP, Camagüey, Clase-A: Arizona Diamondbacks. Salió de Cuba legalmente. Firmó como agente libre con Rockland Boulders en la Canadian-American Association (Liga Independiente) y posteó 8-4, 3.84 de efectividad. Luego acordó con Arizona Diamondbacks en 2016 y entre nivel Rookie y Clase-A corta el derecho archivó 3-6, 4.29. Su camino por ligas menores acabó tras ser liberado. «Pienso que sacaron a la mayoría de los jefes y limpiaron el sistema. De arriba para abajo. Creo que eso influyó», dijo para esta investigación. No se decepcionó y continuó lanzando en ligas independientes: primero regresó a Rockland en 2016 (3-1, 3.16) y un año más tarde incursionó en la Atlantic League con Somerset Patriots (3-1, 4.95).

ADRIÁN *EL DUQUECITO* HERNÁNDEZ (24), RHP, Industriales, Major League Baseball: 2 equipos. Escapó de Cuba el 2 enero de 2000 en un vuelo que lo llevó rumbo a Costa Rica; luego se movió a Guatemala y allí comenzaron las negociaciones con equipos de Grandes Ligas. Fue elegido el prospecto no. 66 de 2001, según la revista *Baseball America*. Apodado el Duquecito, por su parecida forma de lanzar con Orlando *el Duque* Hernández (su ídolo), firmó contrato de 4 millones de dólares con New York Yankees, con los que lanzó 2 temporadas (2001 y 2002) y 8 juegos (4 aperturas) en Major League Baseball. Su mejor temporada en el béisbol de Estados Unidos llegó en 2003, cuando posteó 8-5, 3.21 de efectividad y 103 ponches, en 101 innings, con Columbus Clippers, sucursal de Triple-A de los Yankees. En 2004, ya con Milwaukee Brewers, lanzó en 6 partidos de Grandes Ligas, pero no pudo ganar. Terminó su accionar en Major League Baseball con 0-6, 6.55 de efectividad y elevada tasa de boletos (BB/9) de 6.1. Finalizó su carrera en la Liga Mexicana de Béisbol con los Vaqueros de Laguna en 2007.

LENIEL HERNÁNDEZ (18), OF, Ciudad Habana. Estuvo en Costa Rica intentando firmar un contrato profesional bajo el amparo del agente Joe Cubas, pero no consiguió ningún acuerdo.

JESÚS MARTÍNEZ (21), OF, Holguín, Swiss Baseball League. A partir de 2008 debutó en la Swiss Baseball League, donde jugó para Zurich Challengers. Ha ganado el premio al mejor bateador de la liga en 2008, 2011, 2016 y 2017.

NEYLAN MOLINA (25), OF, La Habana. Salió de Cuba legalmente, hacia Perú. De ahí llegó a California, Estados Unidos, y realizó varias presentaciones apadrinado por el agente Gus Domínguez, pero no firmó con ninguna organización de Grandes Ligas. Contó con la posibilidad de irse a jugar a la liga profesional de invierno en Nicaragua, pero ganaba más dinero trabajando fuera del béisbol en Miami. A partir de 2012 laboró como asesor y consejero de José *Candelita* Iglesias. Durante la temporada regular y el invierno ha trabajado con bateadores como Miguel Cabrera, asesorándolos y ayudándolos con la ofensiva.

Andy Morales (29), INF, La Habana, Doble-A: New York Yankees. Firmó con los Yankees por 4 años y 4,5 millones de dólares con la idea de que reemplazara a Scott Brosius en 2002. Después de 48 juegos en Doble-A (Norwich Navigators), no bateó más de .231 y la franquicia neoyorquina solo vio en él un jugador de utilidad en las menores. Tuvo problemas con su fecha de nacimiento: los Yankees afirmaban que había nacido en 1971 y otras pruebas decían que en 1974. Luego estuvo en Doble-A con Boston Red Sox y promedió .231 sin jonrones en 16 encuentros. Antes de su retiro pasó un tiempo en la Liga Mexicana del Pacífico (Cañeros de los Mochis) y finalizó su carrera con un pacto de liga menor en San Diego Padres.

Rey Ordóñez Jr. (7), INF, Ciudad Habana, Liga Profesional de Nicaragua. El hijo de Rey Ordóñez se incorporó en 2014 a las filas de las Fieras del Oriental en el béisbol profesional de Nicaragua, pero al mes siguiente fue liberado.

Michelandy Pérez (21), RHP, Ciudad Habana, Clase-A avanzada: Boston Red Sox. Comenzó en 2001 jugando en la Northern League Central y, cuando se pensaba que sería un pitcher de Liga Independiente, Boston Red Sox lo firmó en 2002. Escasas oportunidades le dieron en las menores pues solo lanzó 3 entradas. Ese mismo año tuvo su mejor *performance* en San Angelo Colts (Central League), con 7-0, 2.85 de efectividad. En 2003 y con 3 equipos de liga independientes combinados, posteó 4-7, 6.04 de efectividad.

WILLIAM PLAZA (17), C, Villa Clara, Clase-A: New York Yankees. Abandonó el equipo Cuba juvenil en agosto de 2000 en Edmonton, Canadá. Pasó cuatro extenuantes años (2000-2004) para lograr su firma profesional. Su agente Joe Cubas lo abandonó después de pedir cantidades estratosféricas de dinero en las negociaciones. Finalmente firmó por 40 000 dólares con New York Yankees y llegó hasta Clase-A. En 2005 fue dejado en libertad tras batear .229 entre nivel Rookie y Clase-A. Volvió con Seattle Mariners en 2006 y al mes pidió el retiro voluntario. Tras una época por las Islas Canarias, regresó al juego entre 2007 y 2008, etapa en la que pasó por 2 ligas independientes donde promedió .293, 9 jonrones y 63 remolques, en 140 juegos. «Las cosas no eran igual ya para mí», dijo para esta investigación. «Me sentía un poco decepcionado». Luego de 2008 se desligó del béisbol.

CARLOS RAMOS (20), OF, Cienfuegos, Clase-A avanzada: Tampa Bay Devil Rays. Debutó en Cuba con los Elefantes de Cienfuegos en 1997 con solo 17 años. Después de 3 temporadas viajó a España legalmente y allí estuvo 10 meses para tomar la residencia. Firmó con Tampa en 2004 y pasó 2 campañas entre liga Rookie y Clase-A, bateando .293/336/380, 16 dobles, 6 triples y 6 jonrones. La organización de Tampa quizá pudo concederle más oportunidades, pero esto no sucedió. No jugó más béisbol luego de 2005. «Después de Tampa no busqué más nada donde jugar», precisó para este libro.

MAYQUE QUINTERO (22), RHP, Industriales, Clase-A avanzada: Montreal Expos. Antes de partir de Cuba integró el equipo juvenil al Campeonato Mundial de 1995, donde tiró para 0-2, 0.55 de efectividad. Fue Novato del Año en Cuba durante 1996-1997, con Industriales. En el año 2000 decidió emigrar de Cuba con el antesalista Evel Bastida y se insertó en la Western League (Liga Independiente), junto al mismo Bastida y Andy Morales. Lanzó allí con Sonoma County Crushers para 2-3, 4.33 de efectividad. Luego, en 2002, firmó contrato de liga menor con los Rojos de Cincinnati y se mantuvo un año en liga Rookie. Entre 2004, 2005 y 2006 jugó en Clase-A avanzada, y alternó con 3 diferentes organizaciones en 3 años: Montreal Expos, Washington Nationals y New York Mets, sin sobrepasar el nivel Clase-A y donde acumuló marca de 6-7, 4.86 de efectividad.

YOLEXANDRY REINA (18), RHP, Cienfuegos, Liga Independiente. Abandonó el equipo Cuba juvenil en el Mundial de la categoría celebrado en Edmonton, Canadá. Aparentemente, estuvo vinculado a la organización de Florida Marlins en 2004, pero no tuvo actuación en liga menor. Existen noticias de que participó con ellos en el Spring Training de las menores. Sin embargo, en mayo de 2005 se encontraba lanzando en la Intercounty Baseball League (semiprofesional) para Toronto Maple Leafs. Atravesó dificultades en su proceso migratorio y se asentó en Costa Rica para optar por la residencia en un tercer país.

ALEXANDER TORRES (10), LHP, Villa Clara, Rookie: Cleveland Indians. Siempre le gustó el béisbol y en Cuba jugó a nivel infantil. «Nunca me imaginé llegar a firmar», dijo para esta investigación. En 2008 acordó con Cleveland Indians mientras lanzaba en la Liga Dominicana de Verano, nivel Rookie, y además en la Liga Profesional de Venezuela para los Navegantes del Magallanes. Sufrió una lesión grave en el hombro en 2010 y eso lo apartó del béisbol, por lo que decidió proseguir sus estudios universitarios.

2001

YOSVANY ALMARIO (21), OF/INF, La Habana, Clase-A avanzada: New York Yankees. En 2001 salió de Cuba legalmente y se posicionó como jugador en el nivel colegial (Miami Dade Collage) para poder llegar al draft. Para su universidad quebró récords de jonrones (15), average (.481), robadas (26) e impulsadas (54). New York Yankees lo seleccionó en la ronda 18 del draft de 2004 y firmó por 17 000 dólares. Su ejemplo es un caso inexplicable de liberación en las menores, tras batear .346/.413/.519 en la Gulf Coast League (nivel Rookie) en 2004 y .300/.340/.424 en 2005, entre Clase-A media y avanzada. Pese a sus 17 dobles, 4 triples, 6 jonrones y 38 impulsadas en 2005, tuvo que aceptar su liberación. En Clase-A avanzada no se sintió ayudado por el hitting coach del equipo. «Me frustré, no logré mi sueño», dijo para esta investigación. Entre 2006 y 2010 jugó en ligas independientes como la Northern League y la Golden Baseball League, además de la Liga Profesional de Nicaragua.

ARIÁN CRUZ (24), LHP, Camagüey, Doble-A: Cincinnati Reds. Después de lanzar por tres temporadas con los Ganaderos de Camagüey en la Serie Nacional, emigró hacia Costa Rica en 2001. Jugó en el béisbol invernal de Nicaragua y en 2002 participó en la Northern League (Liga Independiente) con St. Paul Saints, donde puso marca de 1-4, 2.61 de efectividad y 38 ponches en 38 entradas. En 2005 firmó contrato con Cincinnati Reds y entre la Liga Profesional de invierno de Venezuela y Doble-A posteó 5-1, 1.91. Fue dominante al ponchar a 33 bateadores en la misma cantidad de innings, pero al parecer enfrentó problemas con su brazo de lanzar.

Alexei Hernández (25), OF, Metropolitanos, Clase-A avanzada: Seattle Mariners. Apodado el Loco, fue campeón infantil de boxeo en Cuba. Por contar con familiares en Miami no lo dejaron viajar a un torneo en Estados Unidos; esto lo decepcionó tanto, que abandonó el boxeo. Se dedicó entonces al béisbol y debutó en Series Nacionales con Metropolitanos. Sus números con Seattle Mariners en 2002 fueron inestables. Allí solo jugó una temporada y tuvo como compañeros a los futuros Grandes Ligas José López y Shin-Soo Choo. Posteó línea ofensiva de .240/.298/357, con 17 dobles, 2 triples y 4 jonrones. En 2005 fue contratado en la Liga Profesional de Nicaragua por el San Fernando.

Agustín Marquetti Jr. (23), RHP, Industriales, Doble-A: Detroit Tigers. Firmó junto a Carlos Castillo en 2002 con Detroit Tigers. El hijo del legendario Agustín Marquetti no convenció en ligas menores, donde dejó marca de 0-3, 6.75 de efectividad en 8 salidas. A partir de 2003 se dedicó a lanzar en ligas independientes (Central League, Atlantic League, American Association y Continental Central League). Tuvo una corta estadía de 4.1 innings en la Liga Profesional de Puerto Rico, con los Gigantes de Carolina, durante 2009.

Ernesto Noris (28), RHP, Industriales, Clásico Mundial de Béisbol (2013, Brasil). Emigró hacia Brasil tras casarse con una ciudadana de ese país. Lanzó para Nikkey Club Marilia en torneos cortos que se celebran los fines de semana, pues en Brasil no existe un campeonato organizado de larga duración. Su momento de gloria llegó en 2013 cuando integró la nómina de ese país al III Clásico Mundial de Béisbol bajo el mando de Barry Larkin, ex Major League Baseball. Allí le lanzó a Cuba y a Japón.

AMAURY SÁNCHEZ (25), LHP, Metropolitanos, Liga Independiente. Tras abandonar Cuba, se asentó en Guatemala. En 2004 lanzó en 2 ligas independientes: la Atlantic League y Northeast League, con balance de 1-4, 5.48 de efectividad.

ROLANDO VIERA (27), LHP, Industriales, Triple-A: Boston Red Sox. En noviembre de 2000 fue suspendido por las autoridades cubanas: le prohibieron lanzar con el equipo de Industriales al conocerse que su esposa había ganado la lotería de visas para marcharse a Estados Unidos. Mediante esa misma vía emprendió su viaje al profesionalismo en 2001. Impresionó a Boston Red Sox en las presentaciones y firmó con ellos por 175 000 dólares en la ronda 7 del draft de 2001. Lanzó para Boston por 2 temporadas pasando una transitoria estadía en Triple-A. No recibió muchas oportunidades, quizá por su edad o la elevada tasa de boletos. No rindió en el sistema y comenzó a batallar en ligas independientes como la Canadian-American Association y la Atlantic League, además de las dos ligas de México, tanto la del Pacífico como la de verano. Se retiró en 2008 con 34 años.

2002

JOSÉ ARIEL CONTRERAS (31), RHP, Pinar del Río, Major League Baseball: 5 equipos. El Titán de Bronce, apodo dado por Fidel Castro por la semejanza de Contreras con el héroe mambí Antonio Maceo, ha sido uno de los mejores lanzadores cubanos de todos los tiempos. Su fuga no se creyó en Cuba cuando ocurrió en 2002. En diciembre de ese año firmó un pacto con New York Yankees de 32 millones de dólares por 4 años (récord para los cubanos hasta ese momento). Pese a haber salido de Cuba con más de 30 años, así como sufrir la distancia de su familia y la presión de una plaza en New York, ganó 78 partidos en Grandes Ligas y consiguió un anillo de Serie Mundial. En 2003 tuvo una aceptable temporada de 7-2, 3.30 de efectividad, más 72 ponches en 71 innings. Sin embargo, los Yankees no le perdonaron sus dos derrotas en la postemporada de ese año y lo cambiaron a Chicago White Sox por el lanzador Esteban Loaiza en la fecha límite de cambios de 2004. Para 2005 llegó su conquista del anillo de Serie Mundial con Chicago White Sox, luego de 89 años para esa franquicia. En la temporada regular terminó con 15-7, 3.61 de efectividad, y en la postemporada aportó 3 victorias, incluido el primer partido de la Serie Mundial ante Houston Astros. Desde finales de 2005 hasta julio de 2006 Contreras no volvió a perder un juego en Grandes Ligas e igualó la racha de 17 victorias seguidas del venezolano Johan Santana. Esa racha, que acabó el 14 de julio ante los Yankees, le valió al pinareño ser elegido al Juego de las Estrellas. Su carrera continuó y en 2009 fue cambiado a Colorado Rockies, donde lanzó para 1-0, 1.59. Aunque iba deslizándose hacia el lógico declive, su brazo de hierro se mantuvo tres años más en Grandes Ligas, donde realizó su transición al bullpen con Philadelphia Phillies (7-4, 3.74). Con 41 años, en 2013, tiró 5 innings para Pittsburgh Pirates y esa fue su despedida en Major League Baseball. Se mantuvo lanzando hasta los 45 años, alternando en el invierno por Dominicana, la Liga Mexicana y Taiwán (Chinatrust Brothers, 2015).

FRANCISCO DESPAIGNE (37), RHP, Industriales, División de Honor, España. Padre de Odrisamer Despaigne, acumuló 46-37, 3.70 de efectividad durante 11 temporadas en Cuba. Luego de su salida del país se mantuvo en contacto con el béisbol de España, primero como entrenador y además tuvo incursiones como lanzador. Dirigió Sant Boi y C.B. Viladecans en la División de Honor del béisbol español y ha jugado en varias campañas con el Viladecans.

JUAN PABLO ECHEVARRÍA (34), RHP, Metropolitanos, Liga de Guatemala. Fue uno de los brazos de hierro de los ya desaparecidos Metropolitanos, para los que lanzó durante 9 temporadas. Acumuló 57 victorias con 45 derrotas, efectividad de 3.38, con 9 lechadas; los rivales le batearon para .260. No existe mucha información sobre su vida de emigrado. Estuvo por México y Guatemala, donde lanzó en la liga de ese país. Llegó a Estados Unidos después de retirado.

RODNEY FERNÁNDEZ (23), RHP, Ciudad Habana, Rookie: Florida Marlins. No lanzó en Series Nacionales. En 2003 firmó contrato de liga menor con Florida Marlins y logró llegar al nivel Rookie de la Gulf Coast League, pero tuvo una labor efímera de 2 innings.

GARY GÁLVEZ (18), RHP, Villa Clara, Clase-A avanzada: Boston Red Sox. Era considerado un prospecto de calidad por la velocidad que alcanzaba con su recta. No logró imponerse entre 2004-2006 en las menores con Boston Red Sox (23-24, 4.65 de efectividad), franquicia con la que pactó por 450 000 dólares. Su carrera culminó en la Canadian-American Association (Liga Independiente) en 2007 y 2008, cuando lanzó con 3 equipos. Antes de eso, en la campaña 2007-2008 de la Liga Profesional de Colombia actuó para los Caimanes de Barranquilla, con 2.63 de efectividad.

SAÚL GONZÁLEZ (17), LHP, Ciudad Habana, Liga Independiente. Transitó por todas las categorías del béisbol en Cuba hasta la juvenil. En febrero de 2002 salió del país con destino a Toronto, Canadá. El lanzador zurdo se insertó en la Canadian-American Association (Liga Independiente) con New Haven County Cutters y en 3 innings dejó marca de 0-0, 9.00 de efectividad.

ASLEN LLANES* (21), INF, División de Honor, España. En 2002 emprendió, junto a su hermano gemelo Asnel, un viaje legal hacia España, pues su madre era nacida en España y por ello, desde muy pequeño, tenía pasaporte español. Se insertó en el béisbol de España, en la División de Honor, desde 2002 hasta 2007. Con el equipo de España participó en el Mundial de Béisbol de Holanda en 2005 y ese mismo año en el Campeonato Europeo de República Checa, donde su equipo obtuvo el tercer lugar. En 2007 dejó el béisbol, en parte por lesiones sufridas. Regresó a Cuba y se graduó en la carrera de Licenciatura en Cultura Física y Deportes.

ASNEL LLANES* (21), INF, Metropolitanos, División de Honor, España. Debutó en Series Nacionales con Metropolitanos en 2002 y bateó .270, 12 extrabases y embasamiento de .401. En 2002 emprendió, junto a su hermano gemelo Aslen, un viaje legal hacia España, pues su madre era nacida en el país ibérico y por ello, desde muy pequeño, tenía pasaporte español. Se insertó dentro del primer nivel del béisbol en España, la División de Honor, desde 2002 hasta 2007. Participó en el Mundial de Béisbol de Holanda en 2005 con el equipo de España y ese mismo año estuvo en el Campeonato Europeo de República Checa, donde su equipo obtuvo el tercer lugar. En 2007 dejó el béisbol por causa de diversas lesiones. Regresó a Cuba y se graduó en la carrera de Licenciatura en Cultura Física y Deportes.

ENORBEL MÁRQUEZ (27), LHP, Santiago de Cuba, Liga de Béisbol Italiana. Salió de Cuba en 2002, tras contraer matrimonio. Escribió su propia historia en el béisbol de Europa. «Déjame decirte que no sabía nada de que había béisbol en Alemania ni tampoco que podía lanzar así tanto como lo estoy haciendo», dijo Márquez para esta investigación. En 2004 lanzó su primer año con Solingen Alligators (6-3, 2.13 de efectividad) en la Bundesliga de Alemania. Entre 2005 y 2006 continuó lanzando por debajo de 2.00 de efectividad y en 2007 fue llamado a la selección germana que participaría en la Copa Mundial de Béisbol. Allí tiró para 0-2, 3.31 ante Venezuela y Australia, y comenzó a consolidarse como el brazo número uno de Alemania. El 24 de mayo de 2008 lanzó un juego perfecto ante los Capitales de Bonn: «Ese día me levanté como de costumbre, temprano, y me fui a coger mi tren para irme al juego. Al llegar allí me disponía a lanzar y me doy cuenta que se me había quedado el guante y me dirijo al amigo mío del público que es zurdo igual que yo y le digo: "Préstame tu guante que el mío lo dejé en la casa". Él me dice: "Te lo voy a prestar, pero tiene que lanzar un juego perfecto", y yo le digo "No hay problema" y así sucedió», agregó. Esa misma campaña, pero en invierno, se fue a la Liga de Béisbol de Dominicana y actuó para los Tigres del Licey, 7 salidas y 6.23 de efectividad en 4.1 innings. Luego se marchó a Italia en 2010, para vestir los colores del Rimini Telemarket junto al camagüeyano Laidel Chapellí; allí puso marca de 30-7 en 4 campañas y fue tercero de efectividad en 2011, con 1.46 sin permitir jonrones en 68 entradas. Para 2012 el santiaguero ya era el líder en victorias con la selección de Alemania, a quien representó en múltiples torneos. En 2016 lanzó para ese país en el Clasificatorio al IV Clásico Mundial en Panamá y un año más tarde se hizo mánager/jugador de Berlín Flamingos en la segunda división de Alemania. Cuando parecía que su retiro era inminente, el zurdo marchó hacia Italia nuevamente y en 2018 puso efectividad de 2.12 en 17 innings.

MICHAEL MÁRQUEZ (17), C, Villa Clara. No firmó ningún acuerdo con franquicias de Grandes Ligas.

JUAN CARLOS MUÑIZ (26), OF, Metropolitanos, Doble-A: Florida Marlins. Firmó con Florida Marlins en 2003 pero no pudo incorporarse con el equipo hasta 2005, pues no tenía sus documentos actualizados. En 2005 acumuló .280/.336/.438, 19 dobles, 1 triple, 9 jonrones, 43 impulsadas en Carolina Mudcats, Southern League, Doble-A. En 2006 continuó en las menores y entre Doble-A y Clase-A avanzada registró .245/.319/.429, 18 dobles, 1 triple y 13 bambinazos. Para 2007 le informó a la organización que se ausentaría (por causa de una enfermedad de su esposa), pero al final de la campaña los Marlins lo dejaron en libertad. Entre 2009 y 2010 estuvo en Japón tras firmar un acuerdo con Chiba Lotte Marines y, aunque pasó casi toda la temporada en las menores, en 2010 debutó en la Liga Profesional de Japón y bateó .136 en 22 turnos con 3 hits. Después de ese año acabó su contrato. Aunque le propusieron permanecer allá por dos meses y así buscar otro contrato sin garantías, desistió y volvió a Brasil, pues era muy costoso estar con su familia en Japón sin una certeza de lograr otro acuerdo. Integró el equipo de Brasil para el Clasificatorio al Clásico Mundial de 2013 en Panamá. Bateó .300/.364/.500 con 2 remolcadas en la clasificación histórica de Brasil al III Clásico Mundial, con futuros Grandes Ligas como Paulo Orlando, André Rienzo y Yan Gomes. En ese III Clásico jugó ante su país natal y bateó .364, con 4 hits en 11 turnos. En 2016 volvió a participar en el Clasificatorio al Clásico de 2017, junto a otros cubanos como Ernesto Noris, Irait Chirino y Ángel Luis Cobas. Continuó produciendo, incluso pegó un jonrón dentro del terreno ante Pakistán, pero, pese a batear 364/.417/.727 a los 40 años, el equipo de Brasil no repitió su clasificación al Clásico.

Ricardo Sosa (18), INF, Camagüey, Doble-A: Arizona Diamondbacks. Firmó un contrato de liga menor con Arizona Diamondbacks y estuvo 7 años en ligas menores sin poder superar el nivel Doble-A. En 2008 bateó .265/.317/.434, 26 dobles, 1 triple y 13 jonrones en Visalia Oaks, Clase-A avanzada. Al siguiente año fue ascendido a Doble-A con la sucursal de Mobile BayBears, donde promedió .260/.328/.397, 25 dobles, 12 jonrones y 71 impulsadas (fue líder de su equipo y séptimo en la liga). No recibió el llamado a Triple-A, pese a integrar el roster al Juego de las Estrellas de la liga. En 2010, después de participar en 16 encuentros, no regresó al béisbol organizado. Luego de su retiro creó una de las más prestigiosas academias de bateo en la ciudad de Miami, donde muchos jugadores de Grandes Ligas (uno de ellos, J.D. Martínez) pasan el invierno corrigiendo y preparándose para la siguiente temporada.

2003

Marcos Balanque (16), OF, Santiago de Cuba, Liga Alemana de Béisbol. No pasó por ninguna categoría del béisbol en Cuba. Desde su llegada al país germano se incorporó al béisbol organizado y jugó para Berlín Flamingos.

Saydel Beltrán (20), LHP, Villa Clara, Clase-A avanzada: New York Yankees. Salió de Cuba con su compañero de equipo en Villa Clara, el campocorto Yuniesky Betancourt. No se mantuvo por mucho tiempo dentro del béisbol. Firmó con New York Yankees en 2005 y pasó por el nivel de Clase-A media y avanzada, pero no demostró regularidad, en gran medida por el descontrol de 4.4 boletos cada 9 innings, lo cual laceró sus aspiraciones de ascender. Los Yankees lo liberaron y Seattle Mariners le dio una fugaz oportunidad de 4.2 innings en Clase-A corta. Tuvo efectividad de 5.20 durante 2 campañas en las menores. En 2007 tiró por escaso tiempo en la Canadian-American Association (Liga Independiente) con Sussex Skyhawks y en 6.2 innings puso efectividad de 4.05. Entre 2011 y 2013 vistió la camiseta de los Tigres de Chinandega en la Liga Profesional de Nicaragua, junto a hombres como Vicente Padilla y Oswaldo Mairena.

Yuniesky Betancourt (21), SS, Villa Clara, Major League Baseball: 4 equipos. Apodado Riquimbili, integró los equipos Cuba en categorías inferiores hasta juveniles. Salió de Cuba con su compañero de equipo en Villa Clara, Saydel Beltrán. Firmó con Seattle Mariners un contrato de 3,65 millones de dólares en 2005. Entre 2005 y 2009 jugó en Seattle. Los primeros años demostró la calidad de su bate al registrar temporadas consecutivas de .289 con más de 40 extrabases. Sin embargo, sus cualidades a la defensa iban descendiendo. El 10 de julio de 2009 fue cambiado a Kansas City Royals por Derrick Saito y Dan Cortés. En 2010 fue el campocorto de todos los días en Kansas (151 partidos), y promedió .259/.288/.405, 29 dobles, 2 triples, 16 jonrones y 78 impulsadas. Pese a su aceptable ofensiva, estuvo envuelto en el cambio junto a Zach Greinke hacia Milwaukee Brewers por Lorenzo Cain, Alcides Escobar, Jeremy Jeffress y Jake Odorizzi en diciembre de 2010. En 2013 completó su última temporada en Grandes Ligas con los Brewers. Su average y embasamiento iban en caída. Batearía .310, 3 dobles, 1 triple y 1 cuadrangular en la postemporada de 2011, aunque ninguna organización se interesó luego de 2013. Estuvo 18 juegos en la Liga Profesional de Japón con Orix Buffaloes y después de 2015 ha continuado su carrera en México tanto en la liga de verano como en la de invierno.

José Carrera (9), INF, Ciudad Habana, Rookie: New York Yankees. Firmó contrato de liga menor con New York Yankees y después de un 2017 con average de .276 y 8 extrabases en la Gulf Coast League, nivel Rookie, fue liberado por los Yankees en junio de 2018.

Jorge Castañeda (23), C, Ciudad Habana, División de Honor, España. En 2008 y 2009 jugó el Campeonato Europeo de béisbol con el equipo de Portugal. Participó en varios torneos europeos en Polonia, Inglaterra y España, donde además jugó en la División de Honor con los Halcones de Vigo.

Laidel Chapellí (32), OF, Camagüey, Liga de Béisbol Italiana. Emigró hacia Italia por la vía legal, mediante el matrimonio. Rápidamente se inició en el béisbol de ese país hasta llegar a ser uno de los peloteros cubanos más exitosos en el béisbol europeo. Comenzó su andar con el Parma en 2004, bateando .307/.386/.454, 10 dobles, 5 triples, 4 jonrones,

25 impulsadas y 15 bases robadas en 19 intentos. Retornó al máximo nivel de Italia en 2007 con .300 de average en Parma y el cuarto lugar de la liga con 6 bambinazos. Integró la escuadra italiana al Campeonato Europeo y a la Copa del Mundo de 2007. Se movió por diversos conjuntos de la Serie A1 como San Marino, Rimini Telemarket y Pavoda Baseball Club. Después de 2017 se acogió al retiro, no sin antes brillar por más de una década y conectar más de 450 hits en el béisbol de Italia.

Ángel Luis Cobas (34), C, Guantánamo, Liga de Brasil, TACA. Dirigió el equipo Brasil en el Campeonato de las Américas de 2008 y en el Campeonato Sudamericano de 2011, donde alcanzó el tercer puesto. Sorpresivamente, con 47 años, apareció en el roster de Brasil al Pre-Clásico Clasificatorio, junto al habanero Irait Chirino. Sin embargo, no disputó ningún partido.

Hanseld Díaz (18), C/RHP, Pinar del Río, Liga Independiente. Salió de Cuba después de integrar las categorías inferiores en la provincia de Pinar del Río. Fue drafteado en 2005 por New York Yankees en la ronda 21, pero no jugó en las menores debido a repetidas lesiones. Su carrera terminó en 2008 en la Golden Baseball League (Liga Independiente), con Yuma Scorpions, donde bateó .270, 5 dobles, 1 triple y 1 jonrón en 28 partidos.

Yobal Dueñas (31), INF, Pinar del Río, Triple-A: New York Yankees. Estuvo en el Campeonato Mundial Juvenil de 1990 celebrado en La Habana. Fue líder de los bateadores en Cuba durante la campaña 1998-1999 con .418 y fue héroe de la victoria en la Copa Intercontinental de La Habana, en 2002, con un cuadrangular inmenso a la tercera sección del estadio Latinoamericano. Salió de la Isla en 2003 acompañado del lanzador Maels Rodríguez, en una embarcación grande que arribó a las costas mexicanas, y luego viajó con él a El Salvador con el objetivo de presentarse ante *scouts* de Grandes Ligas. Su virtud era la del swing. En tiempos de equipos Cuba *dream team*, entraba por el hueco de una aguja y jugaba cualquier posición. Decidió aventurarse hacia las Grandes Ligas cuando en 2004 firmó con New York Yankees. En 2005, con 33 años, bateó para .265/.296/.383, 28 impulsadas, 16 dobles, 3 triples y 3 jonrones entre Doble-A y Triple-A. Se ponchó 49 veces en la temporada y la gerencia de los Yankees prescindió de sus servicios. Un año después pasó a la Liga Mexicana con los Tuneros de San Luis. Allí solo jugó 15 partidos.

WALTER FRÍAS (18), INF, Camagüey. Salió de Cuba junto a Alay Soler, Roberto Sotolongo y Reine Páez. Estuvo un año y nueve meses en República Dominicana, pero nunca logró firmar ningún contrato ni jugar en alguna liga profesional, según confirmó para esta investigación.

MARIO LEÓN (8), RHP, Sancti Spíritus, Rookie: Arizona Diamondbacks. Fue elegido por Arizona Diamondbacks en la ronda 23 del draft amateur de 2018 desde Florida Gulf Coast University, tras postear 5-6, 3.05 de efectividad con 83 ponches en 82.2 innings.

JUAN CARLOS MILLÁN JR. (7), La Habana, Clase-A media: Miami Marlins. Hijo de Juan Carlos Millán, un bateador de 222 jonrones en un lapso de 12 temporadas en Cuba, salió de la Isla el 26 de septiembre de 2003. Se insertó en el sistema del béisbol en Estados Unidos, primero pasando por Broward Community College y luego por Brito Miami Private School, en nivel High School. No fue elegido en el draft, pero Miami Marlins le otorgó un contrato de liga menor y en la campaña de 2018 promedió .233/.318/.346, 6 dobles y 3 jonrones entre Clase-A, Doble-A y Triple-A.

Reine Páez (20), RHP, Habana. Salió de Cuba junto a Alay Soler, Roberto Sotolongo y Walter Frías. No firmó contrato profesional.

Alberto Rodríguez (12), RHP, Ciudad Habana, Rookie: Kansas City Royals. Fue elegido por Kansas City Royals en la ronda 18 del draft de 2004 desde Northwest Florida State College. Inició su andar en 2014 en nivel Rookie y pese a que lanzó para 6-1, 3.38 de efectividad en 2015 la franquicia prescindió de los servicios del derecho. Se insertó en ligas independientes para 2017, primero en Atlantic League con Sugar Land Skeeters (1-0, 1.69 de efectividad) y luego en la American Association con Cleburne Railroaders (5-7, 3.39). Su balance en 2018 fue de 5-10, 6.45 entre New Jersey Jackals de la Canadian-American Association y Road Warriors de la Atlantic League.

Maels Rodríguez (25), RHP, Sancti Spíritus, Arizona Diamondbacks. Salió en un barco de Cuba el 24 de octubre de 2003 junto a su compañero Yobal Dueñas y su hermano. Había integrado el equipo Cuba desde 1999 y era el lanzador más dominante de Cuba. Es dueño del único juego perfecto lanzado en el béisbol cubano y además cuenta con un juego sin hit ni carreras y con el récord de ponches para una temporada (263). Registró 100 millas con su brazo regularmente, pero salió de Cuba con una lesión en el hombro derecho. Se presentó en enero de 2004 ante las 30 organizaciones de Grandes Ligas en un *tryout* realizado en El Salvador. Sin embargo, no logró ni siquiera acercarse a su velocidad de antaño. Se realizó tres cirugías para intentar el regreso, pero ninguna funcionó. En junio de 2005 firmó con Arizona Diamondbacks en la ronda 22 del draft amateur por un bono de 50 000 dólares. Al momento de su salida se estimaba que su firma estuviera entre los 30 y 40 millones de dólares como abridor o cerrador de Grandes Ligas. Nunca pudo lanzar en el sistema de las menores de Major League Baseball.

Jandy Sena (13), RHP, Pinar del Río, Triple-A: Seattle Mariners. Fue elegido en la ronda 23 del draft de 2010 por Seattle Mariners. No se mantuvo mucho tiempo en las menores y atravesó problemas para sobrepasar el nivel de Triple-A. Entre 2010 y 2012 presentó balance de 15-14, 4.40 de efectividad. En 2011 se convirtió en el primer cubano en jugar en el béisbol de Australia, cuando con Adelaide Bite, de la Australian Baseball League, dejó marca de 0-1, 11.25 en 8 entradas.

Conrado Silva (25), SS, Matanzas, Liga de Béisbol Italiana. Fue torpedero a tiempo completo con Cocodrilos de Matanzas entre 1997 y 1998. Luego decayó su frecuencia de juego y emigró a Italia. Se insertó en el béisbol de ese país desde 2003 y tras nueve años arribó en 2012 al máximo nivel con Novara United, en la Serie-A. Se retiró en 2015 mientras actuaba en la Serie-B y acumuló .260, 2 jonrones y 37 impulsadas durante 75 choques de la Liga de Béisbol Italiana.

Alay Soler (24), RHP, Pinar del Río, Major League Baseball: New York Mets. Abandonó Cuba en una embarcación salida desde Caibarién, Villa Clara, junto a Roberto Sotolongo, Walter Frías y Reine Páez. Se asentó en República Dominicana hasta que fue contratado por New York Mets.

Llegaba con una alta calificación desde Cuba, pues había liderado a los lanzadores en efectividad (2.01) en la temporada 2002-2003. Los Mets lo adquirieron por un bono de 2,8 millones de dólares y en 2006 se convirtió en el primer novato de ese equipo que conseguía una blanqueada, desde Jason Jacome en 1994. Su recorrido por Grandes Ligas fue más que efímero. El 2006 constituyó su único año en las Mayores con marca de 2-3, 6.00 de efectividad, 1 blanqueada y 23 ponches en 45 innings. Batalló contra lesiones y constantes problemas con su peso. En la primavera de 2007, mientras se encontraba luchando por el puesto de quinto abridor, resultó liberado y días más tarde Pittsburgh Pirates lo contrató. Las dificultades continuaron para el pinareño y en Altoona Curve, nivel Doble-A, dejó balance de 1-1, 6.00 en 39 innings. En 2007 viajó a la Liga Invernal Dominicana con las Águilas Cibaeñas (0-1, 1.99) y lanzó 22.2 innings, pero después de eso nunca recuperó su mejor nivel. El 20 de abril de 2008 firmó con Houston Astros, quienes lo liberaron un mes más tarde. Estuvo en la Liga Profesional de Puerto Rico (2008-2009) con los Cangrejeros de Santurce (2-3, 3.88), Atlantic League (2008) con Long Island Ducks (4-5, 6.22) y Newark Bears (0-1, 9.69), hasta que finalizó su carrera en el béisbol profesional durante el año 2011 con 5.2 innings en los Criollos de Caguas, de Puerto Rico.

Roberto Sotolongo (21), RHP, La Habana, Doble-A: Chicago Cubs. Intentó salir de Cuba en cuatro ocasiones y lo logró finalmente en 2003, mediante una embarcación, por el poblado costero de Caibarién, Villa Clara. Él y otros tres peloteros (Alay Soler, Walter Frías y Reine Páez) remaron 15 millas hasta llegar a un cayo. Sotolongo pasó un año en

República Dominicana mientras obtenía la residencia. En las presentaciones fue firmado por Chicago Cubs por un bono de 250 000 dólares. En 2006 no tuvo una gran temporada entre Clase-A y Doble-A (0-6, 5.79 de efectividad) y quedó en libertad. Lanzó en Colombia, donde fue campeón con los Caimanes de Barranquilla, así como en México, en Panamá y en ligas independientes como Golden Baseball League y Atlantic League. «Más que nada estábamos cargando el dolor de un país», dijo para esta investigación refiriéndose a la diáspora del béisbol cubano.

Raúl Valdés (26), LHP, La Habana, Major League Baseball: 5 equipos. El zurdo estuvo en 6 temporadas de Series Nacionales con los Vaqueros de La Habana. Después de su salida de Cuba firmó con Chicago Cubs contrato de liga menor, pero solo permaneció entre 2005 y 2006 sin poder dominar el nivel de Triple-A. Parecía que su futuro se distanciaba de las Grandes Ligas. Se aventuró a lanzar en la Canadian-American Association (Liga Independiente) y registró 9-4, 3.30 de efectividad. La organización de New York Mets se interesó por sus servicios y entre 2007 y 2010 Valdés lanzó en ligas menores y Dominicana. Para 2010 se cumpliría una de las mejores historias de arribos a Grandes Ligas por parte de un cubano. Valdés fue llamado a Major League Baseball con los Mets a la edad de 32 años. Casi siempre como especialista de zurdos, relevó en 38 partidos, posteando 3-3, 4.91 y 56 ponches en 58.1 innings. En 2011 tuvo breves apariciones con St. Louis Cardinals y New York Yankees. Philadelphia Phillies lo firmó como agente libre en 2012 y con ellos estuvo 2 temporadas hasta que el sueño terminó con Houston Astros, con los que lanzó 3.2 innings. Totalizó más ponches (147) que innings (140.1) en sus 5 campañas. Cualquiera hubiera pensado que con 35 años se iba a retirar, pero ese brazo de hierro se marchó a la Liga Profesional de Japón y lanzó por 3 temporadas (2015-2017) con Dragones de Chunichi (17-24, 3.47). Cada año volvía y se incorporaba a su equipo de los Toros del Este en Dominicana, sin prácticamente descansar. En 2018 tiró para 7-1, 2.50 en la Liga Mexicana de Béisbol con Saraperos de Saltillo. Su legado en Dominicana se extendió en el invierno de 2018. El 15 de diciembre arribó a 41 victorias. Superó el récord para lanzadores extranjeros y se quedó plasmado en la historia del béisbol dominicano.

Ernesto Wong Isasi (30), INF/OF, Matanzas, Liga de Béisbol Italiana, Serie-A. Jugó 2 temporadas en la Liga Cubana con Cocodrilos de Matanzas. Continuó su carrera en el béisbol de Italia entre 2005 y 2015. Al punto más alto que llegó fue la Serie-A2, con Senago Milano United (2009-2011). Pasó por diferentes niveles en Italia y promedió .303 de average.

2004

Michel Abreu (29), INF, Matanzas, Triple-A: New York Mets. Escapó en una lancha junto a Leonel Mendoza, Bárbaro Cañizares y Yosandy Ibáñez. En 2001 fue Jugador más Valioso de la Serie Nacional (.356 de average, 23 jonrones y 78 impulsadas), pero no integró la nómina del equipo Cuba pues, tras retirarse Orestes Kindelán, le dieron el trabajo a Kendrys Morales. Por ello, en 2004 se fue decepcionado del país. Acordó en 2005 con Boston Red Sox por 425 000 dólares, pero el pacto fue invalidado luego de comprobarse que existía una alteración en su edad (cuatro años menos). En 2006 pactó con New York Mets y luchó en las menores, pero injustamente nunca fue ascendido a Grandes Ligas, tras batear en 2006 con Binghamton Mets, Doble-A (332 average), y asistir al Juego de las Estrellas de la liga. Un problema con la visa le costó perder todo el año 2007, lo que frenó sus posibilidades en las menores. En 2008 tuvo una notable campaña en Triple-A (New Orleans Zephyrs) con 24 dobles, 15 jonrones, .285 de average; pero quedó nuevamente esperando el llamado. En 2009 estuvo con los Mets en los entrenamientos de primavera y rápidamente lo asignaron a Triple-A. Después de 56 partidos y promedio de .228 acabó su camino por las menores. Entonces comenzó a viajar por diferentes ligas de béisbol y siempre su bate triunfó. Fue el Jugador más Valioso en Puerto Rico (2009), con Lobos de Arecibo, donde bateó .356 y se llevó el liderato de jonrones (12) e impulsadas (42). Masacró la liga en México y luego se dio el lujo, en 2013, de irse a Japón con Nippon Ham Fighters y encabezar la liga en jonrones (31), por delante de Casey McGee y Sho Nakata, así como de ser sublíder en impulsadas (95). Intentó recuperarse de algunas lesiones después de 2014, pero no regresó al béisbol.

José Acevedo (25), INF, Villa Clara, División de Honor, España. Integró el equipo Cuba juvenil al XV Campeonato Mundial de Boston en 1995 y mucho tiempo después estimaría que desaprovechó esa oportunidad para llegar al profesionalismo. Jugó con Villa Clara por 3 temporadas y bateó .226, aunque poseía múltiples habilidades defensivas en la segunda base. En 2004 emigró hacia España y fue contratado por los Halcones de Vigo en la División de

Honor por dos años, mientras ganaba 1 000 euros al mes, lo cual no era suficiente para subsistir en ese país. Después de 3 campañas dejó el béisbol, con 28 años.

Edisbel Benítez (20), RHP, Pinar del Río, Liga Independiente. No logró firmar con ninguna organización de Grandes Ligas. Durante cuatro años se trepó a los montículos de las ligas independientes y promedió 9-10, 5.11 de efectividad.

Francisley Bueno (23), LHP, Industriales, Major League Baseball: 3 equipos. Sus dos últimas temporadas en Cuba con Industriales lo iban acercando al equipo nacional, pero decidió dejar la Isla junto a Allen Guevara, Osmany Massó, Osbek Castillo y Yoankis Turiño. En 2006 firmó con Atlanta Braves y luego de 2 campañas en ligas menores fue ascendido a Major League Baseball. Solo lanzaría 2.1 innings y permitiría 2 carreras (7.71 de efectividad). Fue multado y suspendido 3 encuentros por lanzar intencionalmente un envío a la cabeza de Alfonso Soriano. En 2009 registró 4-1, 3.13 en Gwinnett Braves, sucursal de Triple-A de Atlanta. Un contrato con Hanwha Eagles lo llevaría a la Liga Profesional de Corea en 2010. Aun así, su rendimiento (1-3, 9.25) no lo mantuvo mucho tiempo por tierras asiáticas: en 9 juegos (5 aperturas) soportó 7 jonrones y ponchó a 23 en 29.2 de innings. Se mantuvo batallando entre ligas invernales de México, Dominicana y Puerto Rico. En 2012 regresaría a Grandes Ligas con Kansas City Royals en función de especialista de zurdos y en 3 temporadas tiró para 2-1, 2.79. Desde 2015, lanza durante el verano en México y el invierno en Dominicana, donde ha sido campeón varias veces, la más reciente en 2017-2018, con las Águilas Cibaeñas.

[2004 cont.]

Roberto Cancio (9), LHP, Sancti Spíritus, Rookie: Arizona Diamondbacks. Fue elegido por Arizona Diamondbacks en la ronda 31 del draft en 2014, pero solo lanzó 16 innings entre 2014 y 2015 en el nivel Rookie de la Arizona League. En 2016 Boston Red Sox le dio un contrato de liga menor y cuatro meses después la franquicia optó por liberarlo.

Bárbaro Cañizares (28), C/1B, Industriales, Major League Baseball: Atlanta Braves. Estuvo en el Mundial Juvenil de Monterrey, México, en 1992. Jugó 8 temporadas en Cuba y escapó en una lancha junto a Leonel Mendoza, Michel Abreu y Yosandy Ibáñez. Estableció su residencia en Nicaragua y de paso vistió el uniforme de los Indios del Bóer, con los que atrapó un campeonato de bateo con .352 de average. Existen incongruencias sobre su fecha de nacimiento: se registró como nacido en 1979; sin embargo, algunas investigaciones confirman que la fecha real es 1974. La organización de Atlanta Braves firmó al inicialista y designado, quien rápidamente destruyó a los lanzadores en ligas menores (nunca bateó menos de .294 en Triple-A). Así, alcanzó una promoción a Grandes Ligas el 11 de junio de 2009. Participó en 5 encuentros con el equipo grande y en 21 veces al bate pegó 4 hits (.190) con 1 doble. En 2010 terminó su viaje por las menores con Gwinnett Braves dejando línea ofensiva de .341/.403/.504, 28 dobles, 1 triple, 13 jonrones. Su gran talento como bateador lo llevó a ser el líder en bateo de la International League (Triple-A), pero no contó con la oportunidad de una nueva promoción a Major League Baseball. Comenzó entonces el viaje de trotamundos del béisbol: estuvo en ligas invernales de Venezuela, Dominicana y México. Fue elegido el mejor bateador designado de la Serie del Caribe en 2011 y líder de bateo con Guerreros de Oaxaca en la Liga Mexicana de Béisbol en 2011, con .396. En el invierno de 2011-2012 rompió un récord vigente por más de 50 años con 20 jonrones para los Yaquis de Obregón. Fue el Jugador más Valioso y resultó el mejor bateador designado en la Serie del Caribe de 2012, por segunda ocasión. Representó a España en el Clasificatorio al III Clásico Mundial de Béisbol y en 2013 bateó .333 (3 hits en 9 turnos) en el III Clásico. Marchó hacia Japón entre 2014 y 2016 y aunque jugó poco con Fukuoka SoftBanks Hawks no se rindió; en 2018, con edad superior a los 40 años, bateó .324 con 8 cuadrangulares con los Algodoneros de Unión Laguna, en México.

Osbek Castillo (23), RHP, Industriales, Doble-A: Arizona Diamondbacks. Partió de Cuba en agosto de 2004 junto a Allen Guevara, Osmany Massó, Francisley Bueno y Yoankis Turiño. Solamente estuvo 2 años en las menores. Firmó por un bono de 3 500 dólares en la ronda 33 del draft en 2006 con Arizona Diamondbacks. Posteó 7-4, 3.76 de efectividad y ponchó a 136 bateadores en 129.1 innings, pero la organización no le dio muchas oportunidades, quizá por su descontrol (4.7, BB/9) o por llegar de una ronda 33 del draft (lo cual exige realizar a la perfección las tareas que se asignan en las menores, pues nunca se es visto como un prospecto con mucha proyección). Mereció mejor suerte en el béisbol profesional.

Ramiro Chamizo (22), OF, Pinar del Río, Liga Independiente. Salió de Cuba junto a Serguei Linares e Isbel Iglesias. Apareció el mismo año que salió de Cuba con Pennsylvania Road Warriors en la Atlantic League (Liga Independiente). En 57 partidos promedió .320/.341/.417, 9 dobles, 1 triple, 3 jonrones y 27 impulsadas. Recibió una oferta de liga menor de Minnesota Twins, pero la rechazó porque la bonificación económica era muy baja.

José Cordero (21), RHP, Metropolitanos, Clase-A media: Minnesota Twins. Se marchó de Cuba en una embarcación junto a Yunel Escobar, Yamel Guevara, Rafael Galbizo, Joel Pérez y Johan Limonta. St. Louis Cardinals intentó seleccionarlo en la ronda 3 del draft de 2005, pero su agente rechazó la oferta de 600 000 dólares. Finalmente, debió aceptar la selección de Minnesota Twins en la ronda 44 y esto influiría mucho en su futuro. Poseía la segunda mejor recta en todo el sistema de las menores de Twins. Lanzó para 0-3, 2.84 de efectividad entre nivel Rookie y Clase-A en su primer año, y propinó 28 ponches en 31.2 innings. En la campaña siguiente con Beloit Snappers, Clase-A, ponchó a 50 bateadores en 51 innings, con balance de 3-2, 4.24. Sin embargo, la organización optó por liberarlo. Por otro lado, el lanzador no tenía agentes ni una persona que lo orientara. En 2007 estuvo la mayor parte del tiempo con Laredo Broncos en la United Baseball League (Liga Independiente) y dejó marca de 6-6, 5.74. Continuó en ligas independientes hasta 2009, cuando decidió poner fin a su carrera con 25 años.

Raidel Costa (22), RHP, Pinar del Río. Debutó muy joven en la liga cubana con los Vegueros de Pinar del Río. Provenía de una familia de deportistas exitosos y exhibía notable velocidad y lanzamientos rompientes de calidad: posteó 8-11, 3.50 de efectividad en sus 3 primeras campañas en Cuba. Sin embargo, en 2004 decidió salir de la Isla y su halo de habilidades fue decayendo tras jugar en el béisbol colegial con Miami-Dade (3-3, 2.59). Sufrió una lesión en su brazo de lanzar y no intentó más volver al béisbol.

Alex Díaz (13), C, La Habana, Liga Independiente. Fue parte de los conjuntos de provincia Habana hasta la categoría sub-14. Estuvo con Las Cruces Vaqueros de la Pecos League (Liga Independiente) durante 2015 y lideró su equipo en jonrones (9) e impulsadas (55). Además, dejó línea ofensiva de .362/.414/.581 en 59 juegos y 237 turnos al bate. No logró firmar contrato de Major League Baseball en el draft tras pasar por el béisbol colegial (Florida Memorial University), de manera que en 2015 fue a la Liga del Norte de México con Freseros de San Quintín. «Es bien difícil si juegas aquí y no firmas en el draft, después es muy complicado poder insertarte en las menores», expresó.

Alexander Díaz (21), C, Pinar del Río. Salió de Cuba en 2004 luego de participar en 4 temporadas en el béisbol de la Isla. No logró jugar en el béisbol profesional pese a intentarlo. Se acogió al retiro y fundó una academia de béisbol en Miami.

Yunel Escobar (22), INF, Industriales, Major League Baseball: 5 equipos. Se marchó de Cuba en una embarcación junto a José Cordero, Yamel Guevara, Rafael Galbizo, Joel Pérez y Johan Limonta. Fue firmado por un bono de 475 000 dólares después que Atlanta Braves lo eligiera en la ronda 2 del draft de 2005. El infielder era uno de los mejores talentos de su generación. Había participado en dos Mundiales Juveniles: en 1999 (Taiwán) y en 2000 (Canadá). Todas las promesas las confirmó al establecerse en Grandes Ligas con solo 24 años a partir de 2007. En su campaña de novato bateó .326, 25 dobles y 5 cuadrangulares, y fue sexto lugar en la votación por el Novato del Año en la Liga Nacional. Luego de 2007 se convirtió en uno de los peloteros cubanos más estables en

Major League Baseball. Más de 1 500 hits en 11 temporadas, 258 dobles, 12 triples y 90 jonrones, junto a una línea ofensiva de .282/.350/.386. Era una figura que imponía su carácter dentro del terreno y estuvo envuelto en trifulcas y en seis cambios de organizaciones, pero en cada temporada imprimía su sello ofensivo. Nunca bateó menos de .253 en una temporada de Major League Baseball. Salvó 16 carreras a la defensa actuando como torpedero, pero a partir de 2014 sus métricas defensivas fueron en caída libre y tuvo que mudarse a la tercera base.

Alexis Fonseca (20), C, Camagüey, Clase-A avanzada: Seattle Mariners. Firmó un contrato de liga menor con Seattle Mariners. Después de 17 juegos entre nivel Rookie y Clase-A, el camagüeyano fue liberado pese a batear .314 de average. El receptor estuvo atascado tres años en República Dominicana debido a la tardanza de sus documentos legales y fallos en la representación. En marzo de 2010 fue liberado y, tras firmar con Chicago White Sox en enero de 2011 y ser asignado a Kannapolis, nivel Clase-A, fue dado de baja antes de iniciar la temporada.

Rafael Galbizo (19), RHP, Ciudad Habana, Clase-A avanzada: Florida Marlins. El 6 de octubre de 2004 se subió a una embarcación junto a Yunel Escobar, José Cordero, Johan Limonta, Joel Pérez y Yamel Guevara. Los Florida Marlins lo eligieron en la ronda 20 del draft amateur de 2005. Estuvo entre 2005 y 2007 en las menores con marca de 10-8, 4.25 de efectividad y sin pasar de Clase-A. Los Senadores de San Juan de la Liga Invernal de Puerto Rico lo firmaron en 2010. Aunque no consiguió oportunidad ni éxito, se mantuvo hasta 2016 lanzando en ligas locales de ese país.

ALLEN GUEVARA (24), RHP, Habana. Abandonó Cuba en una embarcación junto a Yoankis Turiño, Osbek Castillo, Osmany Massó y Francisley Bueno. No lanzó en ninguna liga profesional. Su agente fue Gus Domínguez y a su llegada a Estados Unidos se asentó en Los Angeles, California.

YAMEL GUEVARA (21), RHP, Industriales, Liga Independiente. Se marchó de Cuba en una embarcación junto a José Cordero, Yunel Escobar, Rafael Galbizo, Joel Pérez y Johan Limonta. Asistió al Mundial Juvenil de Sherbrooke, Canadá, en 2002. Posteó 14-0 en sus primeras 2 campañas en Cuba con los Leones de Industriales. Salió de Cuba con una lesión del manguito rotador desgastado y se sometió a dos operaciones en 2006 y 2008. En el invierno de 2006 fue a la Liga Profesional de Nicaragua con los Indios del Bóer. Inmediatamente Boston Red Sox le ofreció firmar por 900 000 dólares, pero Guevara no superó las pruebas médicas. Sin embargo, Boston le envió la visa de trabajo y así entró a Estados Unidos. Luego recibió otra oferta de 100 000 dólares con Toronto Blue Jays y tampoco superó el examen. Las operaciones realizadas lo ayudaron a mejorar, aunque desafortunadamente la lesión estaba muy avanzada. En 2008 intentó un regreso con Lancaster Barnstormers de la Atlantic League (Liga Independiente), con balance 1-2, 5.81 de efectividad y 55 ponches en 48 innings. Allí luchó contra su hombro y el frío. Su recta se estabilizó entre 88 y 94 millas solo cuando obtuvo descanso en un lapso de 7 a 8 días. Cuando lanzaba en el frío no pasaba de 86 millas y lo hacía con mucho dolor. Los médicos le dijeron que su hombro era el de un lanzador de 24 años con el desgaste de uno de 37. Después de 2008 no volvió al béisbol.

Yosandy Ibáñez (22), RHP, Industriales, Doble-A: San Francisco Giants. Escapó de Cuba en una lancha junto a Leonel Mendoza, Michel Abreu y Bárbaro Cañizares. Firmó con San Francisco Giants y lanzó en 2007 (1-3, 4.98 de efectividad) entre Clase-A avanzada y Doble-A. «En 2008 me dejaron libre», precisó Ibáñez para esta investigación. No se rindió y continuó ese mismo año en la Frontier League (Liga Independiente). Allí lanzó en excelente forma con Florence Freedom (3-2, 2.01) como relevista dominante; en 44.2 innings ponchó a 55. Inmediatamente Los Angeles Angels of Anaheim tomaron sus servicios y fue ubicado en Doble-A, hasta que después de 2008 fue liberado. Pasó a tres ligas independientes entre 2009 y 2010, y debutó en la Canadian-American Association en 2011 con Pittsfield Colonials. Fue un viajero del béisbol y siguió su travesía por ligas invernales de Puerto Rico (Atenienses de Manatí), Panamá (Los Santos), Nicaragua (Indios del Bóer) y Colombia (Caimanes de Barranquilla).

Isbel Iglesias (24), OF, Pinar del Río, Liga Independiente. Estuvo en el Campeonato Mundial Juvenil de Canadá en 1994. Abandonó Cuba el 24 de febrero de 2004 junto a Ramiro Chamizo y Serguei Linares. Al igual que Chamizo, jugó con Pennsylvania Road Warriors la temporada de 2004. Allí bateó para .255 de average y 9 extrabases sin cuadrangulares.

Johan Limonta (20), INF, Industriales, Triple-A: Seattle Mariners. Salió de Cuba el 6 de octubre de 2004 en una embarcación de 36 pasajeros junto a Yunel Escobar, Rafael Galbizo, José Cordero, Joel Pérez y Yamel Guevara. Todos estuvieron escondidos en un monte por diez días esperando el bote que los sacara de la Isla. Fue elegido en la ronda 20 del draft de 2006 por Seattle Mariners. Fue imponiéndose lentamente ante cada nivel que enfrentó en las menores hasta acumular en Triple-A, en 2011, .319/.382/.477, 20 dobles, 1 triple y 14 jonrones, más 84 impulsadas. Todo hacía suponer que el salto a Major League Baseball era cuestión de tiempo, pero no contó con el favor de la franquicia. Entretanto combinaba sus temporadas jugando a nivel invernal. Estuvo en la Liga Invernal de Hawái, Puerto Rico, Venezuela y México, por lo que se convirtió en un trotamundos del béisbol. Luego de 2013 no volvió a las menores, aunque tuvo una breve incursión en Doble-A con San Diego Padres y culminó su carrera actuando 4 años consecutivos en la Atlantic League (Liga Independiente).

SERGUEI LINARES (21), RHP, Pinar del Río, Clase-A avanzada: Pittsburgh Pirates. Poseía una recta poderosa. Salió de Cuba el 24 de febrero de 2004 en compañía de Isbel Iglesias y Ramiro Chamizo. Firmó originalmente con Boston Red Sox por 460 000 dólares, aunque el contrato no se oficializó pues el pinareño falló el examen médico debido a una lesión en el brazo. Acordó tiempo después con Pittsburgh Pirates por 125 000 dólares. Su velocidad nunca llegó a la exhibida en Cuba (98 millas). Atravesó problemas de visado y además lidió con un fragmento de hueso en su hombro. No pasó de Clase-A avanzada. Entre 2007 y 2008 totalizó 7-9, 4.70 en nivel Rookie y Clase-A. En la temporada 2009-2010 lanzó sin mucha efectividad (5.93) para los Tigres de Cartagena en la Liga Profesional de invierno de Colombia. En 2015, un lustro después de su retiro, su vida culminó con un oscuro trance tras balear a su novia en una peluquería de Miami y luego suicidarse.

Yosvani Madera (33), C, Pinar del Río. Integró varios equipos Cuba para asistir a torneos como Haarlem (Holanda, 1998), Copa del Mundo (1998) y Juegos Centroamericanos (1998). En 14 temporadas con los Vegueros de Pinar del Río conectó para .280 con 80 cuadrangulares. Pese a que no existen muchas noticias sobre su vida como emigrado, se cree que hizo intentos por jugar en alguna liga.

Osmany Massó (24), INF, Industriales. Salió de Cuba en una embarcación junto a Allen Guevara, Osbek Castillo, Yoankis Turiño y Francisley Bueno. Fue elegido en la ronda 32 del draft de 2006 por Arizona Diamondbacks, aunque nunca llegó a jugar en las ligas menores. Estuvo por espacio de dos semanas en la American Association (Liga Independiente) con Pensacola Pelicans.

Michel Medina (21), RHP, Metropolitanos, Liga Independiente. Lanzó por breve tiempo con Metropolitanos en la Serie Nacional de Cuba. Tiró 13.2 innings en la temporada de 2002. Por medio de sus padres, salió de Cuba en 2004 gracias a la lotería de visas y jugó durante tres años en el nivel del College, aunque no logró firmar ningún contrato profesional.

Leonel Mendoza (26), OF, Industriales. Estuvo representado por Bill Rego, junto con Michel Abreu, Bárbaro Cañizares y Yosandy Ibáñez, con quienes había escapado de Cuba en una lancha. Fueron directamente hacia Estados Unidos y a la hora de buscar la residencia en un tercer país Mendoza no tuvo garantías de Rego. Si no firmaba un contrato, Rego no se hacía responsable de regresarlo a Estados Unidos, por lo que Mendoza eligió no salir. Debido a la mala gestión de su agente estuvo en un limbo migratorio por tres años, sin permiso de trabajo ni residencia, lo cual le obstaculizó jugar béisbol en alguna liga.

RICARDO MIRANDA (37), C, Industriales, Liga Holandesa. Durante 13 temporadas fue un bateador muy respetado en Series Nacionales, y además poseía un reconocido brazo. Entre 2004 y 2005 jugó en la Liga Holandesa con Instant Holland Almere 90; allí lideró al equipo con .303 average y 16 impulsadas. Era el cuarto bate de Almere y confiesa que esa fue una de sus mejores experiencias: cobraba 800 euros por mes, un salario que nunca tuvo oportunidad de ganar en Cuba.

KENDRYS MORALES (21), INF/OF, Industriales, Major League Baseball: 5 equipos. Irrumpió con fuerza en el béisbol de Cuba: fue el mejor prospecto de su generación y ganó el Novato del Año en 2001-2002 con Industriales, donde fijó marca de jonrones e impulsadas para novato. Participó con el equipo Cuba en la Copa Intercontinental de 2002 y en los Juegos Panamericanos de 2003. Partió de la Isla hasta Estados Unidos en junio de 2004, en un bote junto a 16 personas. Tras asentarse en República Dominicana recibió un bono de 3 millones de dólares por firmar con Los Angeles Angels of Anaheim. En 2006 debutó en Grandes Ligas, aunque no se convirtió en jugador de todos los días hasta 2009. Tuvo una magnífica campaña de 34 jonrones y 108 impulsadas, línea de .306/.355/.569, y fue quinto en la votación por el Jugador Más Valioso de la Liga Americana. Cuando iba en ritmo de superar la campaña de 2009, una desafortunada lesión que lo afectó mientras celebraba un jonrón lo dejó fuera del béisbol durante 2010 y 2011. En diciembre de 2012 fue cambiado a Seattle Mariners por Jason Vargas.

En 2013 dio indicios de mejoría en Seattle bateando .270, 23 jonrones y 80 impulsadas; sin embargo, un año más tarde tendría su peor campaña (.218 y 8 jonrones). Firmaría con Kansas City Royals por 17 millones de dólares más incentivos por dos años en 2015. Allí aportó 4 cuadrangulares en la postemporada y conquistó el anillo de Serie Mundial. En la temporada regular impulsó 106 carreras, lo que le hizo ganar el Bate de Plata como el mejor bateador designado de la Liga Americana. Fue el primer miembro de la franquicia de Kansas que recorrió 15 bases en un juego, con 3 vuelacercas (12 bases) y su triple (3 bases) ante Detroit en Comerica Park. Fue el séptimo hombre en la historia de las Mayores que logró 3 jonrones y 1 triple en un mismo juego. En 2017 firmó un contrato de 33 millones de dólares y tres años con Toronto Blue Jays. En 2018 pegó jonrón en 7 juegos consecutivos, con lo que se quedó a un partido de igualar el récord en Grandes Ligas. Además, arribó a la marca de 200 jonrones, con lo cual se ubicó quinto en el listado de cubanos que han jugado en Major League Baseball.

Maikel Neninger (24), RHP, Industriales, Liga Profesional de Nicaragua. Integró el equipo Cuba juvenil en 1998. Sufrió prisión dos años tras un intento de salida ilegal por Santiago de Cuba, junto al también lanzador Yosandy Ibáñez. Después de participar en 3 Series Nacionales, partió definitivamente de Cuba. Entre 2005 y 2006 lanzó en la Liga Profesional de Nicaragua con Indios del Bóer (2005) y Leones de León (2006). Entre 2008 y 2012 lanzó 5 temporadas con el Transtica-Santo Domingo en la Liga de Costa Rica, un país sin mucha tradición de béisbol, y logró coronarse en 2 ocasiones.

Osbiel Oiz (24), INF, Metropolitanos. Era parte del equipo Metropolitanos cuando emigró en 2004 mediante un sorteo de visas. Llegó a Estados Unidos y se mantuvo entrenando por un año. Pese a lucir bien en las presentaciones no conseguía ningún contrato con su agente Joe Cubas. Sobre lo que ocurrió en 2005, contó para esta investigación: «Me llamaron un día para verme con la condición de que me presentara sin mi agente y así fue como firmé un contrato de liga menor con los Tigres de Detroit». Llegó al campo de entrenamiento y reparó en que varias especificidades en el contrato no estaban explicadas, como el salario mensual y el alquiler para alojarse. Se desilusionó, regresó a Miami y su carrera terminó abruptamente. Sobre esto, concluyó: «Hoy en día sé que a lo mejor no tomé la mejor decisión, pero también pude ser asesorado mucho mejor».

Joel Pérez (21), OF, Isla de la Juventud, Rookie: New York Yankees. Se marchó de Cuba en una embarcación junto a José Cordero, Yamel Guevara, Rafael Galbizo, Yunel Escobar y Johan Limonta. Fue drafteado en la ronda 14 por los Yankees en 2005. No avanzó más allá de nivel Rookie a causa de una lesión en la espalda. En 42 juegos bateó .242 de average, 4 dobles, 2 triples y 5 jonrones. Sobre el bono de su contrato respondió para esta investigación: «A mí se me dio un contrato. Y luego de estar jugando me enteré que no era lo mismo que me habían ofrecido. Prefiero no hablar de eso». No continuó en el béisbol después de 2005.

Ernesto Puñales* (11), RHP, Villa Clara, Liga Independiente. Pasó por las categorías inferiores del béisbol en Cuba, pero en 2004 se marchó a Estados Unidos junto a sus padres. Estuvo en la Champagnat Catholic School en Hialeah,

Florida, y terminó su etapa escolar en Western Nebraska Community College, donde jugó 2 temporadas como lanzador y torpedero. Fue invitado por el *scout* Fred Ferreira al entrenamiento extendido de primavera con Baltimore Orioles, pero recibió la liberación. Luego transitó por Ligas Independientes hasta que en 2018 decidió regresar a Cuba y jugar la Serie Provincial con vistas a integrar el equipo de Villa Clara para la temporada de 2019-2020.

YIMY QUEIPO-RODRÍGUEZ (17), RHP, Isla de la Juventud, Rookie: Los Angeles Dodgers. Fue elegido por Los Angeles Dodgers en la ronda 27 del draft de 2010 desde Perú State College. Estuvo dos años en ligas menores, siempre en el nivel Rookie. En total acumuló 5-3, 4.02 de efectividad y 54 ponches en 65. En abril de 2012 fue despedido por la franquicia.

YUNESKY SÁNCHEZ (20), INF, Matanzas, Doble-A: Arizona Diamondbacks. Se convirtió en un reconocido bateador en México y ligas independientes. No producía muchos jonrones y quizá por eso Arizona Diamondbacks lo liberó luego de firmarlo en 2007 por 40 000 dólares y luego de él batear .296, 20 dobles sin jonrones en Mobile BayBears de Doble-A. Luego de su ruptura con el sistema de Major League Baseball, se convirtió en un auténtico trotamundos del béisbol. Ha jugado en las ligas invernales de República Dominicana, Venezuela y México. Representó al equipo de España en el III Clásico Mundial de 2013 después de ser una de las claves, con un hit decisivo en el torneo clasificatorio. Se proclamó campeón de la Serie del Caribe de 2014 con Naranjeros de Hermosillo y fue elegido dentro del equipo Todos Estrellas. Entre 2013 y 2015 bateó más de .300 de average con los Guerreros de Oaxaca en la Liga Mexicana de Béisbol. Estuvo en 2017 en la American Association (Liga Independiente) con Cleburne Railroaders. Su campaña más notable a la ofensiva ha sido la de 2014 con los Guerreros de Oaxaca en México. Para ellos bateó .337, 22 dobles, 1 triple y 12 jonrones, además de impulsar a 68 compañeros.

AMAURY SANIT (25), RHP, Industriales, Major League Baseball: New York Yankees. Desde su salida de Cuba atravesó por países como México, Costa Rica, Panamá y República Dominicana. En 2008 firmó un contrato de liga menor con New York Yankees. En 2009 afrontó problemas en Triple-A con 0-3, 4.13 de efectividad, y en 2010 tiró para 3-2, 6.35 en las menores, antes de enfrentar una suspensión de 50 partidos por uso de sustancias prohibidas. Parecía que su arribo a Grandes Ligas rozaba lo imposible hasta que recibió el llamado de los Yankees en 2011. Le anotaron 10 carreras en 7 entradas. A partir de 2012 centró su carrera en México, tanto en la liga de invierno como en la de verano. Fue elegido Pitcher del Año de la Liga Mexicana en 2013 tras postear 12-4, 2.87 con Tigres de Quintana Roo. En 2014 consiguió ser el Pitcher del Año nuevamente con marca de 11-1 y efectividad de 2.00. Entre 2015 y 2016, continuó entre México y Venezuela, aunque sus números no fueron los mismos.

YENNIER SARDIÑAS (22), 1B, Matanzas, Texas Rangers. Compitió con Miami-Dade College en la campaña de 2004-2005, junto a Raidel Costa y Hanseld Díaz; tuvo average de .396, 1 jonrón y 15 impulsadas. Firmó con Texas Rangers en noviembre de 2007, aunque el equipo decidió liberarlo en marzo de 2008 sin asignarlo a ningún nivel en las menores.

[2004 cont.]

YOANKIS TURIÑO (25), RHP, Industriales, Liga Independiente. Partió de Cuba en una embarcación junto a Osbek Castillo, Allen Guevara, Osmany Massó y Francisley Bueno. Tuvo una experiencia profesional efímera. En 2007 lanzó para San Diego Surf Dawgs de la Golden Baseball League (Liga Independiente) con 20 innings y 0-1, 4.79 de efectividad, además de intervenir en la American Association con Lincoln Saltdogs (0-0, 3.60) en 5 entradas. Su agente fue Gus Domínguez.

ALEJANDRO ZUAZNABAR (20), 3B, Metropolitanos, Rookie: New York Mets. Integró el equipo Cuba para el Campeonato Mundial Juvenil de Canadá, en 2002. Jugó entre 2005 y 2006 en nivel Rookie de las menores con los Mets. Su average ofensivo no pasó de .245.

2005

FAUSTO ÁLVAREZ (45), DH, Santiago de Cuba, Liga Holandesa. Aunque muchos creen que jugó por última vez béisbol en Cuba, esto no es cierto. Después de archivar 17 temporadas con las Avispas de Santiago (295 average, 210 jonrones, 327 dobles y 1096 impulsadas) en la Liga Cubana, marchó hacia Holanda en 2005 buscando progreso económico. Sin tenerlo planeado se le presentó la oportunidad de continuar en el béisbol y se insertó en 2006 como jugador activo en la Liga Holandesa, máximo nivel del béisbol en ese país. No flaqueó y en la campaña de 2007 fue elegido el Jugador Más Valioso de la liga con los Piratas de Ámsterdam. Bateó para .365/.484/.722 con 28 anotadas, 12 jonrones, 35 impulsadas y 29 boletos en 38 juegos. Además, se coronó con los Piratas de Ámsterdam en el Campeonato Europeo de Clubes de ese mismo año.

«Cuando llegué a Holanda me encontré con el clima frío y las estaciones eran diferentes a las de Cuba. Llegué, me inserté y vi que tenía que entrenar con nieve. Desde febrero se entrena bajo techo para el torneo que comienza en abril. El primer año no pude jugar en la liga porque no tenía el permiso de trabajo, pero al próximo ya pude insertarme hasta que en 2012 paré de jugar», dijo para este libro. Su aventura en 2007 hizo que se convirtiera en el único beisbolista cubano y latino elegido Jugador Más Valioso desde el surgimiento de la Liga Holandesa en 1953.

Roberto Álvarez (22), OF, Matanzas, Clase-A avanzada: Atlanta Braves. Integró el equipo Cuba para el Campeonato Mundial Juvenil de Canadá, en 2002. Estuvo en el mismo equipo Cuba juvenil de Kendrys Morales y Yulieski Gurriel. Firmó en 2006 y arribó a Clase-A avanzada (Myrtle Beach Pelicans) en 2007, donde bateó .291 en 101 juegos y fue sexto de la liga. En 2007 fue liberado por Atlanta tras promediar .107 (3 en 28) en 7 choques. Entre 2009 y 2010 jugó en Ligas Independientes.

Maikel Azcuy (23), INF, Pinar del Río, Liga Alemana de Béisbol. Proviene de una familia con linaje de beisbolistas: su padre, Fidel Azcuy, lanzó 5 Series Nacionales en Cuba. Al moverse hacia Inglaterra continuó jugando béisbol y entre 2005 y 2010 vistió la camiseta de Croydon Pirates en la Liga Nacional de Inglaterra. Debutó con el equipo nacional de Gran Bretaña en el Campeonato Europeo de 2012. Sus temporadas como uno de los mejores bateadores de Inglaterra fueron reconocidas cuando le llegó el llamado con la selección al Pre-Clásico Clasificatorio de New York en 2016. Allí solo registró un turno al bate (fue doble ante Pakistán) por hallarse lesionado. Después de romper el liderazgo histórico de la liga de Inglaterra en jonrones e impulsadas, firmó en 2018 un contrato en la German Baseball-Bundesliga con Berlín Flamingos. Ha expresado su deseo de continuar jugando béisbol hasta pasados los 40 años.

Reinier Bermúdez (20), RHP, Industriales, Clase-A corta: Texas Rangers. Salió de Cuba el 27 de agosto de 2005 en una embarcación hasta las costas de Miami, en compañía de su compañero en Industriales y también lanzador Hassan Pena. En Miami vivió alrededor de nueve meses hasta que se trasladó a República Dominicana, país donde firmó un contrato profesional de 120 000 dólares con Texas Rangers. «En ese entonces tenía 19 años y estaba tirando entre 97 y 98 millas. Se escapaban algunas de 100, pero el caso fue que tuve que esperar casi dos años para poder firmar», dijo para esta investigación. «Me decepcioné. No quería entrenar. No quería hacer nada, pero después cuando conseguí la agencia libre ya mi valor había bajado», agregó. Bermúdez destruyó a los bateadores con su recta entre nivel Rookie y Clase-A. En 78 innings ponchó a 111 rivales con efectividad de 1.95. Sin embargo, Texas lo liberó en marzo de 2010 y su talentoso brazo quedó en el plano de lo que pudo ser y no fue. Luego de su liberación estuvo entrenando en Miami, arrastrando una lesión en su hombro. Su abogada tenía colegiado un contrato en Japón, pero Bermúdez no regresó al juego. «Es una historia larga y de frustración [...]. Nunca intenté operarme del hombro porque le tenía miedo a esa operación y mucha gente intentaron ayudarme con eso, pero ya estaba decepcionado», comentó.

Smaily Borges (21), OF/INF, Ciudad Habana, Clase-A avanzada: Chicago Cubs. Salió de Cuba junto a Juan Miranda, Donell Linares, Ayalen Ortiz y Omar Llapur. Tras su llegada a República Dominicana causó interés en San Francisco Giants, quienes lo firmaron en 2008 a la espera de su desbloqueo (proceso que autoriza el permiso de trabajo en Estados Unidos). Esto demoró un año y medio, por lo que Borges se frustró y los Giants anularon el pacto. Chicago Cubs lo contrató un año más tarde y entre 2009 y 2011 colocó línea ofensiva de .264/317/.415, 14 jonrones, 65 remolques. El 27 de enero de 2012 fue suspendido por 50 partidos en las menores pues dio positivo en el programa de drogas de la liga.

Alejandro Castro (12), RHP, Ciudad Habana, Clase-A corta: New York Mets. Lanzó 2 temporadas con New York Mets en las menores para 2-3, 3.96 de efectividad, 41 ponches en 50 entradas. En 2016 se salió del contrato con los Mets por problemas económicos: «Me tuve que ir por cuestión del pago que era muy bajo y no tenía quién me ayudara. Nunca tuve un mánager para firmar ni nada», expresó. Utilizó su firma para tomar el bono, pero una vez que en las menores no pudo subsistir con el salario restante abandonó el béisbol en contra de su voluntad.

Amaury Cazaña-Martí (27), OF, Matanzas, Triple-A: St. Louis Cardinals. Abandonó Cuba en 2005 junto a Oscar Macías. Existen algunas inconsistencias sobre su fecha de nacimiento (1974, 1976 o 1978) desde su salida de Cuba. El matancero disfrutó de una sólida carrera en las menores con los St. Louis Cardinals, equipo que lo eligió en 2006 en la ronda 18 del draft. Una vez que fue liberado en 2012 (sin llegar a Grandes Ligas) continuó su carrera en tierras mexicanas. Cazaña-Martí (como prefiere que lo llamen como recuerdo al apellido de su madre) fue un trotamundos del béisbol. El poder de su bate llegó a la Liga Invernal Dominicana (Tigres del Licey), a Nicaragua (Indios del Bóer) y a circuitos en México como la Liga Mexicana del Pacífico, la Liga Mexicana de Béisbol (Verano) o la liga Invernal Veracruzana.

WILLIAMS DURRUTHY (11), RHP, Ciudad Habana, Rookie: Arizona Diamondbacks. Emprendió un largo viaje desde Cuba hacia Israel en 2005. Llegó a Estados Unidos en 2006 con 12 años y se inició en el mundo del béisbol. Fue elegido en la ronda 31 del draft de 2016 por Arizona Diamondbacks y asignado a nivel Rookie. Presentó múltiples problemas de localización (35 boletos en 40.2 innings) y dejó marca de 1-1, 6.86 de efectividad entre 2016 y 2017. Pese a propinar 40 ponches en igual cantidad de entradas, los Diamondbacks lo liberaron en 2017.

JOSÉ GACIEL CANO (26), 3B, Metropolitanos, Liga Independiente. Salió de Cuba legalmente por medio de un sorteo de visas. Estuvo en 2005 con El Paso Diablos en la Central League (Liga Independiente). Allí bateó 343 de average en 37 juegos. Se fracturó un dedo jugando primera base y no continuó en el béisbol. En la Liga Independiente le pagaban 1 500 dólares cada 15 días, pero por aquel entonces recibió una oferta de trabajo con un primo y esta superaba el salario que cobraba en el béisbol. Tiempo después recibió una oferta para marchar a la Liga Profesional de Nicaragua con los Indios del Bóer, pero la declinó. En 2006 otro equipo de la Central League trató de contactarlo y desistió igualmente.

EDGAR HERNÁNDEZ (26), C, Metropolitanos, División de Honor, España. Disputó varias temporadas en el béisbol de

España luego de hacerlo en Cuba con Metropolitanos. En 2008 y 2009 representó a Viladecans. Entre 2010 y 2012 estuvo con Sant Boi hasta regresar a Viladecans en 2013.

YOSLÁN HERRERA (24), RHP, Pinar del Río, Major League Baseball: 2 equipos. Se marchó de Cuba en julio de 2005 y luego de asentarse en República Dominicana, no sin antes atravesar problemas de documentos y representación, firmó un contrato de 750 000 dólares con Pittsburgh Pirates en 2007. Llevaba dos años de inactividad. Tuvo dificultades en Altoona Curve (Doble-A) con 6-9, 4.69 de efectividad. Sin embargo, el 12 de julio de 2008 contó con la confianza de la gerencia y fue subido a Grandes Ligas. No presentó su mejor nivel y bajó a las menores rápidamente después de 18 innings y balance de 1-1, 9.82. El año 2009 lo pasó entre Doble-A y Triple-A, donde marcó 12-2, 3.10. Cortó relaciones con Pittsburgh para 2010 y fue a intentarlo con Minnesota Twins en Triple-A. Entre 2011 y 2012 se acogió a una temporada de descanso en su residencia de Tampa, con esporádicas incursiones en la Liga Profesional de Nicaragua. Mientras, se preparaba con el afamado entrenador de pitcheo Orlando Chinea. En 2013 regresó a los terrenos, esta vez en la Atlantic League (Liga Independiente) con Lancaster Barnstormers (2-1, 3.74). El pinareño volvió a su rol de relevista, el cual eliminó desde su partida de Cuba. Con 14 salvados en la Liga Mexicana del Pacífico para Algodoneros del Guasave llamó la atención de Los Angeles Angels of Anaheim, quienes le dieron un contrato de liga menor. Fue así como luego de una ausencia de cinco años regresó a Grandes Ligas, primero brillando en Triple-A (4-4, 2.52), con 47 ponches en 50 innings. Posteó 1-1, 2.70 con 13 ponches en 16.2 en

Major League Baseball, y para 2015 firmaría contrato de 250 000 dólares con Yokohama Bay Stars de la Liga Profesional de Japón. Se convirtió en uno de los mejores set-up (preparadores) de la liga (5-4, 2.96), con 53 ponches en 51.2 innings.

DONELL LINARES (19), INF, Industriales, Doble-A: Atlanta Braves. En 2004 las autoridades cubanas lo suspendieron luego de ser atrapado en un intento de fuga. Salió definitivamente del país en febrero de 2005 junto a Juan Miranda, Ayalen Ortiz, Smaily Borges y Omar Llapur. Perdió tres años en República Dominicana intentando firmar un contrato. «Me faltaban unos documentos para poder firmar un contrato, teniendo siempre ofertas millonarias y no se podía realizar ningún acuerdo», dijo para esta investigación. En 2008 acordó con Atlanta Braves y en su segunda campaña en el béisbol de las menores conectó 32 dobles, 15 jonrones y bateó .287 en Myrtle Beach Pelicans, Clase-A avanzada. Entre 2010 y 2011 promedió .259 y 18 jonrones en Mississippi Braves, Doble-A. «Me prometieron ascenderme el año siguiente a Triple-A y al final me dijeron que iba a repetir de nuevo en Doble-A y como reemplazo. Les pedí que me dejaran libre», agregó. Desde 2012 comenzó su camino por ligas invernales de México, República Dominicana y Nicaragua.

OMAR LLAPUR (18), INF, Ciudad Habana, Rookie: Atlanta Braves. De un grupo de cinco peloteros (Juan Miranda, Donell Linares, Smaily Borges y Ayalen Ortiz) que emigró el 14 de febrero de 2005, fue el único sin haber intentado previamente una salida ilegal del país. Cerró un pacto con Atlanta Braves y luego de seis encuentros le anunciaron su liberación. Se trasladó luego al béisbol de Puerto Rico, sin llegar al primer nivel. En 2012 jugó la Liga Invernal Veracruzana con Jicameros de Oluta, average de .202, 8 jonrones y 35 impulsadas.

OSCAR MACÍAS (36), INF, La Habana, Liga Independiente. Abandonó Cuba junto al matancero Amaury Cazaña-Martí. Un pelotero de 18 Series Nacionales, 286 jonrones y 310 de average, subcampeón olímpico de Sidney en 2000, que emigra a los 36 años, hace pensar que su motivo final era escapar de Cuba y comenzar una nueva vida en Estados Unidos, en vez de jugar béisbol profesional. Estuvo en 2005 en la Liga Independiente (Central League) con El Paso Diablos. En pocos turnos al bate (67) promedió .350/.388/.467, 4 extrabases y 11 impulsadas.

JUAN MIRANDA (21), INF, Pinar del Río, Major League Baseball: 2 equipos. Intentó salir de Cuba en siete oportunidades sin éxito. En la octava logró la fuga junto a cuatro peloteros (Ayalen Ortiz, Donell Linares, Smaily Borges, Omar Llapur) y firmó contrato profesional con New York Yankees por 2 millones de dólares. Su ascenso fue más que vertiginoso, defendido por 16 jonrones y .265 de average entre Clase-A avanzada y Doble-A, así como .295 y 5 jonrones en la Liga Otoñal de Arizona. En 2008 recibió el primer llamado a Grandes Ligas con los Yankees y participó en cinco encuentros. Siguió por el camino adecuado en Triple-A y para 2009 pegó su primer bambinazo en las Mayores ante Dale Thayer, de Tampa Bay Rays. En 2010 contó con más oportunidad de juegos (33) y 3 cuadrangulares (frente a Josh Becket, James Shields y Scott Shields). Fue cambiado el 18 de noviembre de 2010 por Scottie Allen hacia Arizona Diamondbacks y cuando parecía que estaría una temporada completa en Major League Baseball fue bajado a las menores con línea ofensiva de .213/.315/.402, 7 jonrones y 27 impulsadas. Intentó regresar en 2012 con Tampa Bay Rays sin éxito, luego de batear .187 y 2 jonrones en 44 partidos de Triple-A. Se fue a la Liga Mexicana con Vaqueros Laguna y en 2013 pegó 26 vuelacercas con portentoso average de .367/.498/.633. Los Nippon Ham Fighters de la Liga Profesional de Japón le dieron contrato para 2014, pero Miranda no pudo lucir en Asia, en donde pegó 14 cuadrangulares con promedio de .227. Entre 2015 y 2017 estuvo en ligas invernales de Dominicana y Venezuela, además de actuar el verano en México.

Roberto Noriega (27), RHP, Industriales/Metropolitanos, División de Honor, España. Lanzó 8 temporadas en Cuba entre Metropolitanos e Industriales con balance de 20-28, 5.58 de efectividad. Debutó en la División de Honor del béisbol de España en 2005 con CBS Sant Boi. Entre 2006 y 2009 se cambió a El Llano de Gijón para regresar nuevamente a Sant Boi en 2010. Además de lanzar se desempeñó como bateador y fue elegido el jugador más ofensivo de 2010. Ha trabajado como entrenador desarrollando las categorías inferiores en suelo ibérico.

Ayalen Ortiz (22), OF, Industriales, Liga Invernal de Colombia. Salió de Cuba en febrero de 2005 junto a Juan Miranda, Donell Linares, Smaily Borges, Omar Llapur y tres acompañantes. En la travesía estuvieron cerca de perder la vida, pues era una embarcación pequeña que estuvo siete días en el mar. Tras llegar a Dominicana fueron apresados por seis días. El cazatalentos de Philadelphia Phillies en Dominicana, Wilfredo Tejada, evaluó a Ortiz como el pelotero más completo del grupo. Sin embargo, e irónicamente, fue el único de los cinco que no firmó con una organización de Grandes Ligas. Después de concluir un dilatado proceso buscando la legalidad de sus documentos, viajó a la Liga Profesional de Invierno en Colombia y jugó con los Caimanes de Barranquilla entre 2011 y 2012. Allí bateó .268 de average en 30 partidos, 3 dobles, 3 triples y 17 impulsadas. Reside en República Dominicana hasta hoy.

HASSAN PENA (20), RHP, Industriales, Triple-A: Washington Nationals. En agosto de 2005 salió de Cuba junto a Reinier Bermúdez en una embarcación de 28 pies que llegó a Miami, Florida, tras 15 horas de viaje. Fue elegido en la ronda 13 del draft en 2006 por Washington Nationals y allí estuvo 6 temporadas en ligas menores sin poder saltar a Grandes Ligas. «Desgraciadamente llegué de Cuba creyendo que lo sabía todo, en otras palabras, mi actitud no era la correcta; gracias a Dios esa experiencia me ayudó a entender y ser mejor atleta», dijo para este libro. Se convirtió en un trotamundos del béisbol: lanzó en México, Atlantic League (Liga Independiente) y Taiwán (Eda Rhinos, 2016). Sin embargo, su verdadera gloria la conquistó en la Liga Profesional de Venezuela con los Navegantes del Magallanes. Quebró el récord de salvados para una temporada (23). Ha sido líder en salvados durante 5 campañas consecutivas (2013-2017) y nombrado Mejor Cerrador del Año en cuatro oportunidades.

YOHANNIS PÉREZ (23), SS, Matanzas, Doble-A: Milwaukee Brewers. Emigró de Cuba en julio de 2005 y firmó con Milwaukee Brewers en noviembre del mismo año por 450 000 dólares. Luego de 3 temporadas en las menores no superó el nivel Doble-A, y promedió línea ofensiva de .245/.301/.314, 36 dobles, 8 triples y 6 jonrones.

[2005 cont.]

Ryde Rodríguez (17), OF, Ciudad Habana, Clase-A avanzada: St. Louis Cardinals. Su padre contactó con un amigo en Argentina y ambos partieron hacia tierras sudamericanas pensando en su futuro profesional. Llegaron a Nicaragua, un país con tradición de béisbol: Rodríguez se insertó en la Liga Profesional y cautivó a *scouts* de St. Louis Cardinals, organización con la que acordó contrato de 460 000 dólares. En 4 campañas en ligas menores no logró rebasar el nivel de Clase-A avanzada (.253 sin jonrones en 45 partidos) y tuvo que naufragar por el béisbol de ligas independientes. Desde 2011 ha contado con aceptables temporadas, aunque no ha bastado para regresar al sistema Major League Baseball.

2006

Nguyen Boulet (35), OF, Matanzas, División de Honor, España. Estuvo 6 temporadas en Cuba vistiendo la camiseta de los Cocodrilos de Matanzas y promedió de por vida .309. En 1999 fue líder en triples (9) en la temporada, además de contar con .348 de average, lo que le valió integrar el equipo Cuba B para la Copa LG en Panamá durante 2001. Bateó .407 en el béisbol profesional de España con los Marlins de Tenerife. Un año antes jugó en la Primera División del béisbol en Bélgica con Mortsel Stars y produjo para 350/.406/.524, más 42 impulsadas.

Waly Castro Palomino (27), C, Habana. Participó en varios equipos Cuba en categorías menores. Para llegar al béisbol profesional debía salir de Estados Unidos y buscar residencia en un tercer país, y no quiso arriesgarse.

Duniesky Flores (18), RHP, Ciudad Habana, Liga Invernal de Puerto Rico. No logró ningún acuerdo con organizaciones de Major League Baseball. Transitó sin éxito por la Liga Invernal de Puerto Rico con los Gigantes de Carolina en 2008. Cuatro años después lo intentó en la Atlantic League (Liga Independiente) con Sugar Land Skeeters, donde posteó 1-1, 6.75 de efectividad.

ELIO FUNDORA (19), OF, Camagüey, Liga de Bélgica. Practicó béisbol en Cuba hasta la categoría 13-14. Tras salir del país se reencontró con el béisbol en Bélgica, donde aún juega la Primera División con el Mortsel Stars. En 2017 compiló .325 de average, 2 dobles y 17 impulsadas. «Aquí en Bélgica fue donde empecé a jugar serio de nuevo para llenar el vacío que nos deja Cuba», dijo.

REINIER HERNÁNDEZ (26), RHP, Industriales/Metropolitanos. Lanzó 2 temporadas en Cuba con los desaparecidos Metropolitanos y con los Leones de Industriales, con marca de 2-2, 4.35 de efectividad. No firmó contrato profesional.

EDEL LUACES (12), OF, Artemisa, Rookie: New York Yankees. Salió de Cuba en septiembre de 2006. Fue elegido por los New York Yankees en el draft de 2016 (ronda 25). En 3 temporadas de ligas menores no superó el nivel Rookie con average de .235 y 23 extrabases en 56 partidos.

ERNESTO MARTÍNEZ (33), C, Holguín, Liga Francesa de Béisbol. Desde su salida de Cuba por vía legal realizó su carrera en la División Élite de Francia con Templaries de Senart, donde ganó dos títulos de líder en jonrones y representó a la selección francesa en múltiples torneos internacionales. También estuvo en torneos clasificatorios para el Clásico Mundial de Béisbol con la selección de Francia; el último fue el clasificatorio de Panamá en 2016, donde pegó hit (recta de 92 millas) al lanzador cubano prospecto de Houston Astros Rogelio Armenteros, quien lanzó con

España. En ese clasificatorio de Panamá, Martínez bateó .375 (3 hits en 8 turnos) con 3 impulsadas a la edad de 43 años. Él y su hijo Ernesto Martínez Jr. hicieron historia en aquella competición. Ambos se convirtieron en la primera pareja de padre e hijo que juegan para un país en un mismo torneo internacional de béisbol.

Yonimiler Martínez (27), INF, Granma, Swiss Baseball League. Jugó desde las categorías 9-10 años hasta mayores en su provincia Granma. Se insertó en el béisbol de Suiza desde su llegada y ganaba una licencia por 500 francos aproximadamente, porque el béisbol aún no es profesional en Suiza. En 2009, con Zurich Challengers, bateó .333/.380/.533, 12 dobles, 2 jonrones y 16 impulsadas. En la campaña de 2010 se clasificó segundo entre los bateadores con .392 de average y recibió el premio de Jugador Más Mejorado.

Ernesto Pino (9), RHP, Camagüey. El lanzador derecho incursionó en el béisbol colegial de Estados Unidos con Miami-Dade College Sharks, sin ser seleccionado en el draft. De ahí pasó a St. Thomas University y propinó un juego sin hit ni carrera, Se encuentra a la espera de pasar al profesionalismo por la vía del draft.

Yasiel Pino (23), RHP, Camagüey, División de Honor, España. Lanzó una temporada en Cuba con Camagüey y luego se marchó a España de manera legal. Había intentado más de veinte salidas ilegales de Cuba sin resultados; e incluso, en una de esas ocasiones, llegó a estar a 10 millas de las costas de la Florida y fue atrapado junto a otros pasajeros. Fue sancionado indefinidamente de la universidad donde cursaba estudios y separado del equipo de béisbol de Camagüey. Al llegar a España se insertó en la División de Honor con

El Llano de Gijón y tras una lesión que lo apartó tres años del béisbol (2008-2010) regresó con San Inazio en 2017.

Kenny Rodríguez (21), RHP, La Habana, Doble-A: Toronto Blue Jays. Asistió al Mundial Juvenil de Sherbrooke, Canadá, en 2002. Tras algunas temporadas en Cuba con los Vaqueros de La Habana pensó quedarse en un viaje que realizó con el equipo Cuba a Holanda en 2005, pero no lo hizo. En julio de 2006, en otro torneo que tuvo lugar en Ecuador, dejó el equipo durante un día de descanso en medio del campeonato. Un mes después se marchó a Perú, donde fue acogido por algunos amigos y trabajó como *bartender.* Pactó con Toronto Blue Jays en 2007 y pese a poseer velocidad y destreza como lanzador nunca superó el nivel de Doble-A en las menores. En total registró 22-20, 4.32 de efectividad y 247 ponches en 289.2 innings. En 2017 volvió a lanzar en un campeonato de nivel, esta vez en béisbol élite de Italia (Serie A1), con Tommasin Padova (1-0, 1.00 de efectividad).

Roberto Sabatés (21), C, Industriales, Rookie: Chicago Cubs. Viajó a México con visa de turista y decidió permanecer por un año allí hasta que en 2009 la franquicia de Chicago Cubs lo eligió en la ronda 37 del draft. Asignado a nivel Rookie, posteó .276/.333/.398, 7 dobles y 3 triples. Al año siguiente fue despedido y experimentó en la Frontier League (Liga Independiente) con Rockford RiverHawks, donde se convirtió en el primer bateador que conectaba jonrón como emergente en la historia del equipo. En 2 campañas bateó .273, 11 jonrones, 76 remolcadas; sin embargo, después de 2009 no regresó al béisbol activo.

Daniel Sarría (18), RHP, Ciudad Habana, Clase-A media: San Diego Padres. Firmó en 2010 con San Diego Padres por un bono de 100 000 dólares. El derecho posteó récord de 1-4, 5.65 de efectividad, y después de tres años entre Rookie y Clase-A no recibió más oportunidades en las menores.

2007

Aurelio Angarica (29), RHP, Matanzas, Serie-A2: Liga de Béisbol Italiana. Lanzó 7 temporadas en Cuba con los Cocodrilos de Matanzas y destacó en 1999 con 10-4, 2.07 de efectividad, pero nunca más logró lanzar para menos de 4.42 en el máximo nivel de Cuba. En 2007 emigró hacia Italia y a partir de 2009 se insertó en el béisbol de ese país, tanto en la Serie A-2, como en los niveles B y C, hasta 2015.

Luis Avilés Jr. (12), INF, Ciudad Habana, Doble-A: Milwaukee Brewers. A punto de entrar en el béisbol colegial con una oferta de Miami-Dade, tuvo que decidir entre ir al College o firmar con Milwaukee Brewers en el draft. Eligió pasar al profesionalismo sin ningún puente y fue firmado en la ronda 30 del draft en 2013. En 2018 bateó .254, 25 dobles, 2 triples y 6 jonrones entre Clase-A y Doble-A, donde concluyó la temporada asignado en la sucursal de Biloxi Shuckers. La revista *Baseball America* lo eligió el torpedero más defensivo en Clase-A avanzada durante 2018.

Leovet Cardoso (30), LHP, Cienfuegos, Liga Independiente. No se tienen muchas coordenadas de este lanzador ambidextro, una especie de Pat Venditte cubano. Radicó en Washington cuando llegó a Estados Unidos en 2007 y jugó por un tiempo indeterminado para Everett Merchants en la Pacific International League, una liga semiprofesional.

Raynel Delgado (7), INF, Ciudad Habana, Rookie: Cleveland Indians. Es un infielder que batea a las dos manos y se encuentra entre los 100 mejores prospectos de Estados Unidos. Integró el equipo de ese país que se proclamó campeón en el Mundial Juvenil 2017 (sub-18) en Thunder Bay, Canadá. Fue elegido en la ronda 6 del draft de 2018 por Cleveland Indians, con los que firmó una bonificación de 900 000 dólares. Bateó .306, 10 dobles y 1 cuadrangular en su campaña de debut en las menores.

YURI FRANK DESPAIGNE (14), INF, Ciudad Habana, División de Honor, España. Hermano de Odrisamer Despaigne. Salió de Cuba después de jugar en categoría escolar, pues su padre se radicó en España. Allí jugó entre 2010 y 2013 con Viladecans, donde actuaba como inicialista y lanzador.

JOEL GALARRAGA (23), C, Industriales, Triple-A: Oakland Athletics/Toronto Blue Jays. Es uno de los casos de infortunios más sorprendentes de un pelotero cubano en ligas menores. En 2005 fue atrapado en un intento de salida ilegal y suspendido del béisbol en Cuba. El 17 de marzo de 2007 abandonó la Isla en una embarcación rumbo a México. Entre 2007 y 2008 masacró la Liga Mexicana de Béisbol con Petroleros de Minatitlán, con una temporada de .318, 26 dobles, 5 triples y 3 jonrones en 2008. La franquicia de Oakland Athletics compró su contrato al equipo mexicano y aún Galarraga ni siquiera sabe el monto de la transacción. «Nunca supe. Nunca me dijeron exactamente cuánto fue», aclaró para esta investigación. En 2009 fue asignado a Sacramento River Cats, Triple-A, y bateó .357 en un lapso de 13 encuentros. Se sometió a una operación en el hombro derecho que lo alejó notablemente de su rendimiento. Compartió casilleros con Yadel Martí en Sacramento durante 2011. «Pues fíjate que yo creo que lo que nos pasó a Yadel y a mí fue la barrera del idioma. No sabíamos nada. No sabíamos qué pasaba. Ni cuál era la estrategia de ellos para con nosotros», agregó. Presentó problemas con su visa desde México y no pudo llegar a tiempo a los entrenamientos de primavera en 2011. Cuando llegó su visado, fue asignado a Triple-A nuevamente y bateó .406 en 8 partidos. Al siguiente año no estaba entre los invitados a los entrenamientos primaverales y se decepcionó. Se bajó del avión en una gira, agarró su auto y se fue hasta su residencia de Phoenix. Luego de varias vicisitudes, fue cambiado a Toronto Blue Jays donde en Doble-A bateó .351 y en Triple-A .320. «En ese invierno solicité mi residencia y no pude viajar a ninguna parte. Tuve que trabajar para poder sustentar a mi familia», dijo. Laboró en Omco Solar, una fábrica de paneles solares. El apodado Pocholo reconoció sus errores y por eso le pidió a la gerencia de Toronto su liberación, tras comprobar que no estaba entre los invitados a los entrenamientos de primavera. En 2013 volvió a Minatitlán con .317 de average. En 2014 estuvo algunos partidos con Camden Riversharks de la Atlantic League (Liga Independiente) y luego de 2015 estuvo con los Rojos del Águila de Veracruz, en México. No ha regresado al béisbol.

Rei Martínez (15), RHP, Ciego de Ávila, Liga de Béisbol de Inglaterra. Llegó a Inglaterra junto a su madre. Su pasión por el béisbol continuó y poco a poco se fue incorporando al juego en el país británico, hasta consagrarse como uno de los mejores lanzadores de la Liga de Inglaterra. Su mayor alegría llegó en 2016 cuando fue seleccionado a participar en el Clasificatorio al IV Clásico Mundial de Béisbol con Gran Bretaña. Trevor Hoffman, legendario cerrador que salvó 601 juegos en Grandes Ligas y además miembro del Salón de la Fama, fue el coach de pitcheo del equipo en aquel clasificatorio. Allí Martínez tuvo dos salidas desde el bullpen, ambas ante Israel: en la primera ponchó a Ike Davis (7 temporadas en Major League Baseball) y no permitió carreras en una entrada; en la segunda, en el partido que definía la clasificación ante Israel, Ryan Lavarnway le conectó jonrón, única carrera concedida en el inning. Martínez finalizó el Clasificatorio de New York con dos entradas y efectividad de 4.50. «En un futuro me gustaría jugar en otra liga más fuerte. Lo he pensado mucho. Es por eso que quiero trabajar con el hombro y subir más millas», dijo para esta investigación.

YORIDAN MARTÍNEZ (12), CF, Ciudad Habana. Empezó en el béisbol con siete años de edad en Cuba. Salió del país y se insertó en el béisbol universitario con San Diego City College, pero la tentativa de llegar al draft y firmar un contrato profesional no se materializó.

HASELY MEDINA (26), INF, Ciudad Habana, Liga Francesa de Béisbol. Se insertó en la División Élite del béisbol en Francia a partir de 2009. Ha jugado durante 10 temporadas divididas entre Paris Université Club, Chartres French Cubs y Saint Just Saint Rambert Duffy Ducks. Se ha proclamado campeón del torneo francés en 2 ocasiones, además de coronarse en Polonia en 2015. Promedia más de .300 de average con más de 200 impulsadas en su extenso recorrido por Francia.

REINIER OROZCO (27), C, Metropolitanos. Jugó en 6 Series Nacionales en Cuba, la mayoría de las veces con los desaparecidos Metropolitanos. Incluso en la campaña 2004-2005 pegó 10 jonrones con .266 de average y 36 impulsadas. Se asentó en Dominicana e intentó firmar un contrato profesional, pero el experimento resultó vano. «Salí, lo intenté ya con algunos años y lesiones, pero no pude. Decidí otro rumbo. Me casé en Dominicana, tengo dos hijos y esa es la historia», dijo para este libro.

ANDY PAZ (14), C, Ciudad Habana, Doble-A: Oakland Athletics. Se nacionalizó en Francia tras emigrar muy joven de Cuba. Desde 2010 ha participado en múltiples torneos internacionales como el Clasificatorio al Clásico Mundial en 2016, con la selección francesa. Firmó con Oakland Athletics y allí pasó 7 años en las menores hasta ser agente libre en 2017. Promedió .259/339/323, con solo 5 jonrones sin pasar de Midland, Doble-A. Jugó en la Liga Invernal de Nicaragua en 2017 y firmó para 2018 en la American Association (Liga Independiente) con la novena Gary SouthShore RailCats, acumulando .283, 19 dobles, 3 triples y 1 cuadrangular.

MAIKEL PEÑA (27), OF, Holguín. Registró .339 de average, 10 jonrones y 36 impulsadas en la temporada 2002-2003 con los Cachorros de Holguín. En 2007 llegó a República Dominicana por vía legal mediante una visa de turismo. Su representante Jaime Torres declaró a la página digital de ESPN que Peña estaba siendo observado y que firmaría pronto, después de recibir la agencia libre en 2008. Pero Peña no firmó con ninguna organización de Major League Baseball y estuvo en Dominicana por siete años y medio, según afirmó para esta investigación. Participó en campos de entrenamiento para la temporada invernal con Tigres del Licey y Toros del Este.

ESDIANIS PUENTE (25), RHP, Metropolitanos. Asistió con la selección de Cuba a 2 Campeonatos Mundiales de la categoría juvenil entre 1999 y 2000. Lanzó en 3 Series

Nacionales con Metropolitanos. Pese a realizar alguna que otra tentativa, no logró firmar contrato profesional luego de enfrentar lesiones en su brazo de lanzar.

José Pupo (13), RHP, Habana. Incursiona actualmente en el béisbol colegial con St. Thomas University, centrado en la ilusión de pasar al draft y ser elegido por alguna organización de Grandes Ligas. En 2018 lanzó para 1-0, 6.11 de efectividad.

Alexei Ramírez (26), INF, Pinar del Río, Major League Baseball: 3 equipos. Fue campeón olímpico en 2004 y subcampeón del I Clásico Mundial de Béisbol en 2006. En 2007 decidió partir en vuelo legal hacia República Dominicana con su esposa, quien había estudiado en Cuba la carrera de Medicina. Acordó por 4,75 millones de dólares para 4 años con Chicago White Sox. Su arribo a Grandes Ligas ocurrió sin pasar por las menores; donde nunca jugó en más de nueve años de carrera. En 2008 bateó .290/.317/.475, 22 dobles, 1 triple y 21 jonrones, más 13 bases robadas. Fue votado para el segundo puesto entre los mejores novatos de la Liga Americana, solo superado por Evan Longoria. El pinareño se convirtió uno de los cubanos más consistentes en Grandes Ligas y a principios de 2011 recibió una extensión del contrato de 32,5 millones de dólares por 4 años con White Sox. Fue elegido al Juego de las Estrellas en 2014 y sustituyó a Derek Jeter en su último choque de estrellas. Ganó en 2 ocasiones el Bate de Plata como torpedero más ofensivo de 2010 y 2014. Además, fue nominado en 2 ocasiones al Guante de Oro, que se le hizo esquivo a pesar de liderar a los de su posición en asistencias y acumular un WAR (victorias sobre el reemplazo) defensivo de 3.1 en 2010, como segundo de la liga.

En 9 temporadas bateó .270 con 249 dobles y 115 cuadrangulares. En 2016, Chicago White Sox no ejerció la opción de último año y Ramírez firmó por una campaña con San Diego Padres por 4 millones. Su rendimiento ofensivo y defensivo comenzó a entrar en declive. Después de un año 2017 como agente libre en el limbo, se presentó en la Liga Mexicana de Béisbol con Diablos Rojos de México y bateó .303, 6 jonrones y 59 impulsadas.

Coleyanko Rancol (23), INF, Isla de la Juventud, División de Honor, España. Salió legalmente hacia España en 2007. Entre 2010 y 2011 jugó para el F.C. Barcelona de béisbol, con los que acumuló un promedio de .286 (20 hits en 70 turnos), 2 dobles, 1 triple y 8 remolcadas en 2011. Previamente había permanecido dos años (2008 y 2009) en República Dominicana intentando firmar contrato con alguna organización de Grandes Ligas. Esto se malogró, en buena medida por la mala promoción de sus inversionistas. Compartió esa etapa en Dominicana con peloteros como Félix Pérez, Juan Carlos Moreno, William Arcaya, Yosmany Guerra, Alexei Gil y Ángel Argüelles.

Rangel Ravelo (15), INF/OF, Ciudad Habana, Triple-A: St. Louis Cardinals. Fue elegido en la ronda 6 del draft de 2010 por Chicago White Sox y luego cambiado a Oakland Athletics junto a Marcus Semien, Chris Bassit y Josh Phegley por Jeff Samardzija. Mejoró su poder al bate y su disciplina en home y resultó nombrado Productor del Año en la Liga Invernal de Venezuela con Cardenales de Lara en 2015. Fue liberado en Oakland y acordó con St. Louis Cardinals para jugar liga menor en 2017 y buscar el salto a Grandes Ligas. El cubano bateó .314/.383/.480, 25 dobles, 1 triple y 8 jonrones con Memphis Redbirds, Triple-A, y no fue subido. «Mi único deseo es que me den una oportunidad para demostrar mi talento y con el favor de Dios quedarme arriba [Major League Baseball], que es la aspiración de todo pelotero», dijo para esta investigación.

Jose Carlos Thompson (21), INF, Holguín, Doble-A: Houston Astros. Salió legalmente de Cuba en 2007. Para 2011 acordó con Houston Astros un pacto de liga menor. Destruyó a los lanzadores en Clase-A avanzada cuando fue asignado a Lancaster JetHawks con .303, 14 dobles y 10 jonrones. Sin embargo, obtuvo la liberación tras no superar el nivel de Doble-A (.117 en 36 partidos). Se ha mantenido jugando en ligas de México con breves apariciones en 2015 con Yaquis de Obregón y Tecolotes de Dos Laredos en 2018, con quienes promedió .261 y 6 dobles.

Yusdel Tuero (25), RHP, La Habana, Clase-A avanzada: Chicago Cubs. Debutó en la Serie Nacional con marca de 11-1, 2.57 de efectividad para los Vaqueros de La Habana. Firmó con Chicago Cubs y solo jugó para ellos 1 temporada en las menores. En esa campaña posteó marca de 1-5, 3.51 de efectividad entre nivel Rookie y Clase-A avanzada.

Ramón Varela (12), CF, Ciudad Habana, División de Honor, España. Salió de Cuba en 2007. Jugó en la División de Honor del béisbol de España en 2013, con el Barcelona. Luego ingresó al sistema del béisbol universitario en Estados Unidos con Miami-Dade College, aunque no fue elegido en el draft amateur y decidió dejar el béisbol.

2008

William Arcaya (23), C, Isla de la Juventud. Fue cátcher de Isla de la Juventud por 4 temporadas en Cuba. Partió junto a su hermana y otros 26 pasajeros en un barco hacia

Cancún, México, sin tener quien pagara el viaje. Llegó a República Dominicana a finales de septiembre y entrenó con un grupo de cubanos representado por Tomás Eladio Collado Báez; entre ellos se encontraban Félix Pérez, Coleyanco Rancol, Alexei Gil, Ángel Argüelles, Yosmany Guerra y Juan Carlos Moreno. En un *tryout* New York Mets ofreció una cifra de 300 000 dólares por firmarlo y Collado Báez no aceptó. Todo se malogró cuando Major League Baseball sancionó por 12 meses a Félix Pérez por alteración de edad (declaró cuatro años menos) y esto invalidó un contrato 3,5 millones de dólares con New York Yankees. Collado Báez tenía todos sus jugadores «mochados» (es decir, que habían declarado años de menos) y sabía que no resultaría con los demás tampoco, por lo que los dejó en la calle. Arcaya tuvo que sobrevivir durmiendo en un carro que le prestó un amigo por dos meses y luego en un cuarto de ínfimas condiciones. De allí pudo salir por el canal de la isla de Mona y llegó a Puerto Rico en 2012 para acogerse a la Ley de Ajuste Cubano.

Ángel Argüelles (21), RHP, Metropolitanos. Estuvo en República Dominicana intentando una firma profesional hasta que varios inconvenientes, sobre todo con el inversionista que poseía, le fueron apartando del béisbol. Luego se estableció en Dominicana y desde que dejó el béisbol se dedicó al tráfico de personas desde ese país hacia Puerto Rico. El 3 de junio de 2018 fue víctima de varios disparos por agentes corruptos de la policía dominicana mientras era detenido intentando escapar de una prisión. Murió dos días más tarde.

Noel Argüelles (18), LHP, La Habana, Doble-A: Kansas City Royals. Decidió abandonar la selección juvenil de Cuba que participaba en el Campeonato Mundial de Edmonton en Canadá, en 2008. La organización de Kansas City Royals le dio un contrato de 6,9 millones de dólares (más 2 millones en incentivos) por 5 años. No pudo ascender con Kansas. Llegó hasta el nivel Doble-A, lanzando para 6-24, 6.16 de efectividad, la cual se afectó por su extremo descontrol de 5.8 boletos por cada 9 entradas. Lanzó muy poco tiempo para los Navegantes del Magallanes en la Liga Profesional de Venezuela y 2016 lo hizo en la liga invernal de Colombia con Leones de Montería (1-2, 2.61 de efectividad).

Dimitri Camareno (29), RHP, Holguín, Liga Independiente. Salió de Cuba por medio de la reunificación familiar hacia Estados Unidos. Entre 2009 y 2010 lanzó en ligas independientes. Inició en la American Association con Grand Prairie AirHogs (4-3, 4.42 de efectividad) y en 2010 pasó a la United League Baseball con Laredo Broncos, posteando 1-4, 5.59. «Me cansé luego de eso. No hallaba un agente. Pienso que fallé porque debí quedarme en Florida, donde había más oportunidades», dijo para este libro.

Jean Carlos Cárdenas (14), INF, La Habana, Doble-A: Toronto Blue Jays. Fue elegido en la ronda 6 del draft de 2015 por Toronto Blue Jays desde Barry University. No encontró la senda para escalar en ligas menores. Llegó hasta el nivel Doble-A (disputó 9 partidos). En 2 temporadas en Clase-A avanzada bateó .207 con 79 ponches en 72 partidos. En junio de 2018 fue liberado.

Leonel Céspedes (13), RHP/OF, Ciudad Habana, Liga Francesa de Béisbol. Se marchó de Cuba gracias a su padre, que poseía la ciudadanía francesa. En 2016 volvió a la Isla y participó en la Preselección de Industriales a la Serie 56, pero no integró el equipo. También juega los jardines y ha estado con tres equipos en la Liga de Francia (Toulouse, Templaries Senart y Rouen Huskies). En 2015 participó en el Europeo de Béisbol de Rotterdam, Holanda, temporada en la que dejó balance de 5-1, 1.75 de efectividad con los Templaries de Senart.

YESNIER CORBALÁN (20), C, Isla de la Juventud. Transitó por las categorías inferiores del béisbol en Cuba hasta llegar a edad juvenil. Salió de la Isla en 2008, en una embarcación, junto a Félix Pérez y Juan Carlos Moreno. En República Dominicana realizó varias presentaciones sin lograr una firma profesional. En 2012 arribó a Estados Unidos.

JOSÉ DELFÍN FERNÁNDEZ (15), RHP, Villa Clara, Major League Baseball: Miami Marlins. Se inició en el béisbol en su ciudad natal de Santa Clara. Registró dos salidas ilegales de Cuba, en una de las cuales fue detenido (junto a los demás pasajeros) a 10 millas de Miami. En el tercer intento logró llegar a Miami, no sin antes sufrir la caída de su madre de la embarcación y lanzarse al mar a socorrerla. Una vez llegado a Estados Unidos continuó trabajando y fue clave su preparación con el pitching coach Orlando Chinea. Miami Marlins lo eligió en la ronda 1 (selección 14) del draft de 2011, desde el nivel High School (Braulio Alonso, Tampa). En 2012 demostró su excepcional prodigio y posteó 14-1, 1.75 de efectividad, entre Clase-A media y avanzada. Pasó directamente del nivel Clase-A a Grandes Ligas con los Marlins en la temporada de 2013. Allí aplastó a los bateadores con marca de 12-6, 2.19 de efectividad, y se ganó el Novato del Año (26 votos contra 4 para Yasiel Puig). Quedó en el tercer puesto para el Cy Young, detrás de Clayton Kershaw y Adam Wainwright, en parte por ser el pitcher menos bateado de la liga ese año, con .183. Mantuvo un récord de 17-0 y 1.40 de efectividad en el Marlins Park, la racha más larga de victorias en casa en la historia de las Grandes Ligas. Requirió de una cirugía Tommy John en 2014 y a su regreso en 2015 volvió a ser el mismo. La noche del 25 de septiembre de 2016, después de archivar 16-8, 2.86 y 253 ponches (segundo de la liga), murió en un accidente fatal que consternó al mundo del béisbol. Su bote se estrelló contra un rompeolas en Miami Beach y murieron además en el suceso sus amigos Emilio Macías y Eduardo Rivero. La muerte de Fernández significó la pérdida irreparable de alguien que entregaba vida y alegría al béisbol. Fue 2 veces elegido al Juego de las Estrellas (2013 y 2016), 4 veces jugador de la Semana en la Liga Nacional, 1 vez Pitcher del Mes y su número, el 16, fue retirado por la franquicia de los Marlins.

José Garriga (24), RHP, Pinar del Río. Incursionó en el béisbol a los 20 años pues su formación deportiva fue como jugador de Polo Acuático. Logró integrar el equipo de Pinar del Río en Series Nacionales y luego de su complicada adaptación migratoria a Estados Unidos dejó a un lado el béisbol. «Pasé mucho trabajo para llegar aquí [Estados Unidos] y, al verme tranquilo y estable en un trabajo normal, creo que preferí quedarme así. No sé. Es algo que ni yo mismo entiendo por qué no salí de aquí a continuar intentándolo», dijo para esta investigación.

Alexei Gil (23), RHP, Industriales, Liga Independiente. Salió de Cuba con Yosmany Guerra. Estuvo en República Dominicana y tiró en la Liga Invernal de ese país con Leones del Escogido en 2010 y 2011, pero tuvo problemas con su agente Jaime Torres. «Yo tenía una firma segura con Tampa y él [Jaime Torres] no quiso aceptar el dinero porque decía que era muy poco», aseveró para este libro. Gracias a unos abogados que encontró (Richard Carter y César Padilla) pudo firmar con Laredo Lemurs, equipo de la liga independiente American Association. Continuó su carrera en McAllen Thunder de la North American League, posteando 5-5, 4.59, y en Trinidad Triggers de la Pecos League, 1-0, 1.88. En 2014 lanzó 1.1 innings para los Cangrejeros de Santurce en la Liga Profesional de Puerto Rico. «El brazo ya no me dio para más. Salí con molestias de Cuba», agregó.

Yasser Gómez (28), OF, Industriales, Doble-A: Atlanta Braves. El pequeño jardinero zurdo y número 5 de los equipos Industriales participó en 11 Series Nacionales (en 10 bateó .300 o más). En su primera serie, con los Metropolitanos, bateó para un excelso .358 de average, que le valió ganar el Novato del Año en 1997. En la memoria de los cubanos están sus jugadas en Sidney (2000) y sus acostumbradas carreras de velocidad hasta primera base cuando alcanzaba un boleto. A partir del año 2003 no fue llamado al equipo Cuba-A. El 22 de diciembre de 2008 abandonó la Isla junto al lanzador y amigo Yadel Martí. Registró una efímera pasantía por la Liga Invernal Dominicana con las Estrellas Orientales, donde produjo para .311 con 11 impulsadas en 36 juegos. Firmó en 2010 con Atlanta Braves por un bono de 25 000 dólares, luego de que su agente Jaime Torres rechazara ofertas, entre ellas una de 220 000 dólares con Chicago Cubs. En Mississippi Braves (Doble-A) actuó de maravillas, con línea ofensiva .311/.364/.352. «Al año siguiente y en el último día de Spring Training en Triple-A me avisaron que estaba despedido», dijo para esta investigación. Para más desgracia, el suceso de 2011 ocurrió el día de su cumpleaños. Se encontraba bateando en gran forma y venía de una temporada de .311 en Doble-A. «De seguro a ningún pelotero le han dado el *released* el día de su cumpleaños», agregó. Participó con España en el III Clásico Mundial de Béisbol (2013) donde ocupó el segundo turno al bate. Desde 2012, jugó en ligas independientes hasta 2015 bateando más de .300 en tres de los cuatro años que disputó. Durante marzo de 2016 en Panamá participó junto a otros cinco cubanos en el torneo clasificatorio al Clásico Mundial de Béisbol con España, pero fallaron en el intento.

YOAN GONZÁLEZ (16), LHP, Santiago de Cuba, Rookie: New York Mets. Aunque nació en Guantánamo, jugó con Santiago de Cuba en la categoría 15-16 años en la Isla. Salió del país por la vía legal y su padre lo acompañó en la estancia de más de un año en República Dominicana. «Era todas las semanas tirando para que un equipo te firmara. Tú ver cómo en los juegos les caías a ponches a todos y que el agente se te parara adelante y te dijera que has hecho un buen trabajo, pero al final también te diga que no ofrecieron nada por uno. Eso por lo menos a mí me frustraba», dijo para este libro. San Diego Padres le ofreció 375 000 dólares de contrato, que luego bajaron a 85 000 dólares cuando salió una lesión en su brazo de lanzar. Tras más de cuatro años en Quisqueya decidió firmar por 30 000 dólares con New York Mets. Estuvo tres años en ligas menores y dejó balance de 7-9, 3.70 de efectividad. No continuó en el béisbol. Reconoció que no contaba con el tiempo para entrenar y para a la vez pagar sus cuentas y gastos personales.

YOSMANY GUERRA (25), INF, Metropolitanos, Doble-A: Miami Marlins. Salió de Cuba con Alexei Gil. Estuvo en República Dominicana intentando un acuerdo con alguna franquicia de Grandes Ligas y consiguió un contrato con Miami Marlins, aunque solo estuvo un año en las menores. Entre nivel Rookie, Clase-A y Doble-A, bateó .284/.396/.432, pero su edad de 31 años no ayudó mucho a mantenerse en la organización. A partir de 2016, se convirtió en un trotamundos del béisbol y juega principalmente en México y Nicaragua.

JOSÉ IGLESIAS (18), SS, La Habana, Major League Baseball: 2 equipos. Decidió abandonar la selección juvenil de Cuba que participaba en el Campeonato Mundial de Canadá, en 2008. Firmó un pacto de 8,2 millones, incluido 6 millones de dólares de bonificación con Boston Red Sox en 2009. Debutó en Grandes Ligas con Boston en 2011 y dos años después pasó a Detroit Tigers en un triple cambio que incluyó a Jake Peavy y Avisail García. En 2015 fue seleccionado al Juego de las Estrellas y bateó .300/.347/.370 con 22 extrabases. Reconocido por sus brillantes cualidades defensivas, el apodado Candelita ha liderado (2016 y 2017) a los torpederos de la Liga Americana en promedio defensivo.

JOSÉ LUIS LARRINAGA (30), RHP, Metropolitanos, Liga de Bélgica. Lanzó en 2006 con Metropolitanos en Cuba y emigró en diciembre de 2008 buscando una mejor vida, sin desligarse del béisbol. Su aventura de emigrado en Bélgica ha continuado a la par del béisbol, insertado en la liga por más de una década. En 2017 lanzó para Borgerhout Squirrels con marca de 5-1, 3.16 de efectividad.

Yadel Martí (29), RHP, Industriales, Triple-A: Oakland Athletics. Fue elegido entre los tres mejores lanzadores del I Clásico Mundial de Béisbol, donde lideró el apartado de efectividad al no permitir carreras en 12.2 innings. Su casi perfecta localización y efectivos rompientes fueron un enigma sin descifrar. El federativo y mánager de los equipos Cuba, Higinio Vélez, determinó que Martí no estaría más en la selección nacional porque tenía 27 años y era muy veterano; así, no recibió un tratamiento acorde con su rendimiento. Salió de la Isla el 22 de diciembre de 2008 en una embarcación junto a su compañero y amigo Yasser Gómez. Pasaron la frontera de México con Estados Unidos el 8 de enero de 2009 y luego de unos meses se establecieron en República Dominicana. Su agente Jaime Torres rechazó ofertas pidiendo por Yadel cantidades millonarias; dejó ir una de 700 000 dólares con Los Angeles Dodgers y otra de 475 000 con Milwaukee Brewers. En el invierno de 2009-2010 marcó 3-1, 2.30 de efectividad con Tigres del Licey. «Nos metimos Yasser y yo tres meses haciendo *tryouts* por 20 pesos», dijo para esta investigación. Se le presentó la oportunidad con los Rojos del Águila de Veracruz y llegó a México en mayo de 2010 con balance 2-2, 4.19. Finalmente, en julio de 2010 firmó un contrato de liga menor por 60 000 dólares de bono con Oakland Athletics. Lució en Doble-A con 2-0, 0.75 en 12 innings, y en Triple-A posteó 5-1, 4.92. Los problemas comenzaron cuando fue bajado a Doble-A. El derecho recogió sus maletas y dejó el equipo, exigiendo su liberación. En el invierno de 2011 se presentó en inmejorable forma con Leones de Ponce en la Liga Profesional de Puerto Rico, donde lideró a los lanzadores en innings (56.0) y quedó sublíder de efectividad con 1.93. Continuó en ligas de Venezuela y México, hasta que luego de 2015 se retiró del béisbol.

Juan Carlos Moreno (33), SS, Isla de la Juventud. Estuvo en el Campeonato Mundial Juvenil de Canadá en 1993. Durante 15 temporadas con los Piratas de Isla de la Juventud promedió .288 de average, 104 jonrones y 659 impulsadas. Su seguridad a la defensa y su solidez ofensiva hicieron de él uno de los mejores torpederos de la época, de manera que integró por más de una década las selecciones nacionales para distintos torneos. Fue parte del equipo Cuba en el I Clásico Mundial de Béisbol de 2006 como torpedero de reemplazo. Escapó de la Isla en 2008 junto a Félix Pérez y Yesnier Corbalán, en una embarcación que los llevó hasta República Dominicana. Pese a intentarlo por más de dos años no atrapó la atención de los *scouts* debido a su edad y al mal manejo de los inversionistas y agentes. Su principal inversionista fue Manuel Azcona. Este lo vendió a Tomás Eladio Collado Báez y la edad de Moreno fue alterada en un año: «Les dije que no me alteraran la edad pues eso aparecería en los registros de Major League Baseball por haber participado en el I Clásico Mundial», dijo para este libro. «Y aun así lo hicieron», agregó. En efecto, tras una investigación Major League Baseball le negó la agencia libre y su desbloqueo (proceso que autoriza el permiso de trabajo en Estados Unidos) en la Oficina del Tesoro, pues no coincidían las fechas. Actualmente vive en República Dominicana. Lleva diez años sin poder visitar a su familia en Cuba.

Sandy Ojito (30), RHP, Industriales, Liga Independiente. Tuvo varias temporadas en Series Nacionales en las que lanzó para efectividad inferior a 3.00. Se movió a la Canadian-American Association (Liga Independiente) con Quebec Capitales en 2010, pero su participación se redujo a 2 aperturas y marca de 0-0, 8.64 de efectividad.

YASSER OTAMENDI (27), OF, Industriales, Liga de Béisbol de Ecuador. Salió de Cuba en 2008 y probó suerte en la Liga de Ecuador con el club Fatty, en el cual se proclamó campeón ese mismo año.

FÉLIX PÉREZ (24), OF, Isla de la Juventud, Triple-A: Cincinnati Reds. Salió de Cuba el 26 de abril de 2008 junto a Juan Carlos Moreno y Yesnier Corbalán, y enfrentó la suspensión de un año luego de que se alterara su edad. Tuvo la posibilidad de llegar a un acuerdo millonario con New York Yankees antes de detectarse el incidente. Era un pelotero de bajo perfil, pero su talento fue subiendo a medida que pasaba el tiempo, con apreciables saltos de calidad. Viajó de República Dominicana hacia Puerto Rico por el peligroso canal de la isla de Mona en una moto acuática durante cinco horas. «Por poco pierdo la vida en ese viaje», expresó para esta investigación. Una vez en Estados Unidos acordó con Cincinnati Reds un contrato de 550 000 dólares y llegó hasta Louisville Bats, sucursal de Triple-A. Mientras jugaba en las menores iba afirmando su consistencia en las Ligas Invernales del Caribe, principalmente en Venezuela. Los Reds lo liberaron después de 2014, a pesar de pegar 36 dobles, 3 triples y 12 jonrones con 74 impulsadas. Curiosamente, fue líder en impulsadas del equipo en esa campaña, por encima de Rubén Gotay (59), y no recibió la ansiada promoción. Triunfó en Venezuela, donde fue Jugador Más Valioso con los

Caribes de Anzoátegui tras ganar en 2015; además se llevó premios como Productor del Año y Guante de Oro. Jugó en la Liga Profesional de Japón con las Águilas de Rakuten (.239 average, 5 jonrones). En 2018 fue líder de jonrones de la Liga Mexicana de Béisbol, en donde pegó 34 estacazos en 2 temporadas con Rieleros de Aguascalientes y Sultanes de Monterrey, con quienes se coronó campeón.

Yem Prades (20), OF, Industriales, Doble-A: Kansas City Royals. Firmó con Kansas City Royals un contrato de 285 000 dólares, pero tras una aceptable temporada en Clase-A avanzada su rendimiento se paralizó en Doble-A. Allí en Northwest Arkansas Naturals, y pese a batear .269, 30 dobles, 3 triples y 8 jonrones, dejó una elevada tasa de ponches (114 en 118 partidos). En 2013 promedió .225 y bajo embasamiento de .253, por lo que fue liberado por la organización.

Harold Quiala (20), RHP, Metropolitanos. Lanzó una temporada en Cuba con los desaparecidos Metropolitanos. Resaltaba por la velocidad de su recta. Estuvo en México y República Dominicana intentando una firma profesional. Sin embargo, no pudo lograrlo. Tampoco lanzó en ligas invernales ni independientes.

Rodney Quintero (18), RHP, Villa Clara, Rookie: Houston Astros. Salió de Cuba hacia Chile y vivió allí durante un tiempo. Luego emigró a Estados Unidos. Firmó con Houston Astros en la ronda 25 del draft en 2010 por 250 000 dólares. Su entrenador le había aconsejado que esperara un año más para firmar, con el objetivo de ser elegido en las primeras rondas del draft. Quintero decidió pactar en 2010 y en 3 temporadas lanzó para 0-4, 5.67 de efectividad, y ponchó a 52 en 46.0 innings. Tras ser liberado no volvió al béisbol y se concentró en estudiar la carrera de enfermería.

Leonel Santiago Reina (20), OF, Ciudad Habana, Liga de Bélgica. En 2008 salió de Cuba y se estableció en Bélgica. En el continente europeo ha continuado jugando béisbol con Deurne Spartans, equipo vencedor del campeonato belga en 2018.

Raydel Sánchez (18), RHP, La Habana, Doble-A: Los Angeles Dodgers. Decidió abandonar la selección juvenil de Cuba que participaba en el Campeonato Mundial de Canadá, en 2008. Llegó a ligas menores mediante un contrato que firmó con Los Angeles Dodgers de 250 000 dólares y en 4 campañas dejó balance de 11-22, 4.71 de efectividad. Incursionó en ligas independientes como American Association con Joplin Blasters (2015) y Canadian-American Association con Ottawa Champions (2017), pero no tuvo éxito.

Dayán Viciedo (18), OF, Villa Clara, Major League Baseball: Chicago White Sox. Llegó a Estados Unidos y firmó un contrato de 10 millones de dólares por 4 años con Chicago White Sox, luego de ser el mejor talento de su categoría en Cuba. Cual promesa, había debutado en Series Nacionales a los 15 años de edad y en Grandes Ligas con 21 años, tras ser considerado el prospecto no. 66 de Major League Baseball, según la revista *Baseball America*. Por 5 campañas en Chicago bateó .254 y 66 jonrones, pero se marchó a Japón cuando su nivel de embasamiento decayó junto a su defensa y sus habilidades como corredor. Se ha mantenido en Asia los últimos tres años vistiendo el uniforme de Dragones de Chunichi. En 2018 encabezó a los bateadores en la Liga Central de Japón, con promedio de .348 y 178 hits, además de 26 jonrones y 99 impulsadas. Ese invierno firmó una extensión con los Dragones de tres años, por un estimado de 10 millones.

2009

HENRY ABAD (24), OF, Santiago de Cuba, Liga Independiente. Salió de Cuba junto a José Miguel Pérez, Lester Benavides y su compañero de equipo en Santiago de Cuba, Frangel Lafargue. No firmó con ningún equipo de Major League Baseball. En cambio, jugó en 2012 en la North American League (Liga Independiente) con McAllen Thunder, donde bateó para .231 en 9 juegos sin extrabases.

HERNÁN ÁLVAREZ (19), RHP, Metropolitanos. Lanzó 4.2 innings con los desaparecidos Metropolitanos en la temporada de 2008-2009. Estuvo más de cuatro años en República Dominicana intentando una firma profesional que nunca llegó.

LESLIE ANDERSON (27), 1B-OF, Camagüey, Triple-A: Tampa Bay Rays. Fue un talento genuino desde que debutó en Cuba a principios del año 2000 y bateó más de .300 en 8 de 9 temporadas. Integró el equipo Cuba a los Clásicos de Béisbol de 2006 y 2009. Quizá emigró un poco tarde para realizar una corrida hacia Grandes Ligas. Firmó un convenio de 3,75 millones de dólares por 4 años y destruyó el nivel Triple-A; sin embargo, la organización de Tampa nunca reclamó sus servicios en el primer equipo. En Durham Bulls, Triple-A, demostró su nivel bateando más de .290 y hasta 42 extrabases en una temporada. Fue 2 veces al Juego de las Estrellas de Triple-A y fue seleccionado entre las Estrellas de la postemporada en 2012. Inexplicablemente no subió a Grandes Ligas, lo que lo convirtió en uno de los casos de beisbolistas cubanos más subestimados en las menores. Ni siquiera obtuvo un llamado en septiembre, como reconocimiento por sus cuatro años en Durham. Se fue a Japón contratado por Yomiuri Giants donde estuvo entre 2014 y 2016. Allí promedió .319/.382/.515, 15 jonrones y 50 impulsadas en 2014, su año más sólido en Japón. Tuvo una exigua aparición de 17 juegos en la Liga Mexicana de Béisbol con Bravos de León, en 2017.

Jorge Arabey Rivero (20), INF, Metropolitanos, Clase-A media: New York Mets. Abandonó Cuba rumbo a México en una embarcación con más de 30 personas, entre las cuales se encontraban los peloteros Elieser Bonne, Juan Carlos Linares, Rodolfo Fernández, Yadier Torres y Bárbaro Puente. Acordó con New York Mets y jugó por 4 temporadas en ligas menores sin superar el nivel de Clase-A media. En 2014 fue liberado tras jugar con Savannah Sand Gnats (.235/.318/.332, 9 dobles, 1 triple y 5 jonrones) en la South Atlantic League.

Rigoberto Arrebato (23), LHP, Industriales, Doble-A: New York Yankees. Abandonó Cuba junto a sus compañeros de equipo David Remedios y Frank del Valle Arrebato. Acordó por una bonificación de 20 000 dólares con New York Yankees, pero su hombro estaba lesionado. Aun así, lanzó con dolores durante 2 temporadas en ligas menores. «Estamos adaptados a eso desde Cuba», confesó para esta investigación. En 2012 mostró la potencia de su brazo con 68 ponches en 65.1 innings entre Clase-A media y avanzada. En 2013 fue ascendido a Doble-A, Trenton Thunder, y como relevista marcó 2-1, 3.50 de efectividad, más 24 ponches en 18 innings. Sin embargo, las dolencias de su hombro llegaron al extremo y tuvo que someterse a una cirugía que lo inhabilitó todo el año 2014. En 2015 regresó con invitación al campo de entrenamiento de los Yankees, pero fue dado de baja antes de iniciar la campaña. Continuó en la American Association (Liga Independiente), balance de 0-1, 7.82 en 12.2 innings. «Con la edad que tenía [29 años] y esa operación no había mucho chance», explicó.

ALEXANDER BARRIOS* (26), OF, Isla de la Juventud/Metropolitanos. Escapó de Cuba en una embarcación junto a Sergio Espinosa y Denis Stewart. En 3 Series Nacionales bateó .249/302/304 entre los Piratas de Isla de la Juventud y Metropolitanos. Sin embargo, luego de una estancia de dos meses en México fue deportado a Cuba por las autoridades de inmigración del país azteca.

LESTER BENAVIDES (25), OF, Villa Clara. Jugó con los Leopardos de Villa Clara entre 2005 y 2007. Se marchó de Cuba dos años más tarde, en octubre de 2009, junto a José Miguel Pérez, Henry Abad y Frangel Lafargue. A pesar de intentarlo en República Dominicana se vio afectado por retrasos en sus documentos legales, entre ellos el de su residencia, y no pudo cumplir su objetivo de llegar al profesionalismo.

ELIESER BONNE (22), OF, Santiago de Cuba, Clase-A avanzada: Chicago Cubs. Salió en un barco hasta México junto a Jorge Arabey Rivero, Juan Carlos Linares, Rodolfo Fernández, Yadier Torres y Bárbaro Puente. De ahí fue llevado a República Dominicana, pero con el paso del tiempo entendió que debía valerse por sí mismo pues los inversionistas que lo representaban pedían sumas exageradas de dinero en las negociaciones. También estaba sin documentos legales. El apodado Ciclón llegó a Estados Unidos gracias a un amigo que le consiguió una visa. Allí se mantuvo entrenando y logró firmar con Chicago Cubs por un bono de 50 000 dólares. «Me recogieron en Santiago y los choferes le dieron sin parar hasta La Habana. Nos metieron en una casa donde había otro pelotero. Nos quedamos a dormir un rato y de ahí hasta Pinar del Río. Estuvimos caminando ocho horas para llegar al lugar de salida. Te cuento que el lugar decían los guías que estaba perfecto, pero era puro mangle. Después de caminar mucho tiempo estuvimos casi dos días en la costa esperando la famosa lancha. Sin agua, con hambre y peste; hasta que pudimos salir por la noche, nadar hasta la lancha. Había más personas que recogieron en otro punto junto a otros peloteros. Éramos en total, contando peloteros y personas, alrededor de 24 y entre esos 24 había una niña de 10 años», dijo para esta investigación. En 2012 fue asignado a Daytona Cubs en Clase-A avanzada y bateó .275/.293/.360, 17 dobles, 2 triples, 3 jonrones y 40 impulsadas. No regresó al béisbol organizado luego de esa campaña.

Yaniel Cabezas (20), C, La Habana, Clase-A avanzada: Chicago Cubs. Firmó por 500 000 dólares con Chicago Cubs en diciembre de 2010 y allí estuvo 3 temporadas en ligas menores. Su ofensiva no le ayudó a establecerse (.215 y 2 jonrones en 172 partidos) y después de ser liberado se fue a la Canadian-American Association (Liga Independiente) con New Jersey Jackals (.216 y 2 dobles en 21 juegos). En 2015, firmó con Tampa Bay Rays intentando cubrir las necesidades en ligas menores, aunque solo duró un par de semanas. En 2016 pactó con Detroit Tigers y fue liberado antes de iniciar la temporada.

Ramón Cairoz Jr. (24), LHP, Metropolitanos, Liga Norte de México. En 2010 ganó el campeonato de la Liga Invernal

Veracruzana con los Chileros de Xalapa. Fue subcampeón de la Liga del Norte de México con los Marineros de Ensenada en 2011. También participó en la Liga Tabasqueña de Verano.

Reinier Casanova (22), RHP, Pinar del Río, Clase-A avanzada: New York Yankees. Salió de Cuba en una embarcación y en México se unió al grupo de Adeiny Hechavarría, Jorge Padrón, Reinier Roibal, César López y otros más. Firmó por 50 000 dólares un bono con New York Yankees en 2011 y llegó a Clase-A avanzada posteando 2-1, 5.19 de efectividad. No pudo eliminar los problemas de descontrol que traía desde Cuba y además sufría una operación en su hombro. Tras recuperarse, fue liberado con velocidad de 97 millas en su recta. «Me lastimé mi hombro y después de la operación y rehabilitación me liberaron», expresó para esta investigación. Intentó continuar y tuvo actuaciones efímeras en la Liga Mexicana del Pacífico con Cañeros de los Mochis y Piratas de Sabinas de la Liga del Norte de Coahuila, en México.

Aroldis Chapman (21), LHP, Holguín, Major League Baseball: 3 equipos. En junio de 2009, escapó de la concentración del equipo Cuba en el Torneo de Interpuertos de Rotterdam. De allí marchó a Andorra, donde estableció su residencia. El 11 de enero de 2010 firmó un acuerdo de 6 años y 30,25 millones de dólares con Cincinnati Reds. Venía de participar en el III Clásico Mundial con Cuba, impactar a los *scouts* y romper el récord de velocidad de Maels Rodríguez con 102 millas. El 31 de agosto de 2010 debutó en Grandes Ligas luego de 95.2 innings en las menores. Al mes siguiente quebró el récord de velocidad en Major League Baseball con un envío de 105,1 millas, igualado por Jordan Hicks en 2018. Fue convocado en 5 ocasiones a los Juegos de las Estrellas, donde se consolidó como cerrador. En diciembre de 2015 fue cambiado a New York Yankees por cuatro jugadores y en la temporada de 2016, cuando los Yankees dejaron de ser contendientes, fue movido a Chicago Cubs por Billy McKinney, Gleyber Torres y Adam Warren. En Chicago dejó marca de 1-1, 1.01 de efectividad, con 46 ponches en 26 innings; luego en la postemporada contribuyó con dos victorias a que ese equipo obtuviera la Serie Mundial, tras más de cien años sin alcanzarla. El 15 de noviembre de 2016 se convirtió en el cerrador mejor pagado de la historia, con un contrato de 86 millones de dólares por 5 años con New York Yankees. Aunque el Misil Cubano no ha llegado aún a 40 salvados en una campaña, ya atesora 6 campañas con más 30; además ha sido el rey de la velocidad en la última década.

Joan Chaviano (22), C, Isla de la Juventud. Salió en una embarcación de Cuba junto a Israel Soto y Luis Yadier Fonseca. Nació en Villa Clara y se trasladó hacia Isla de la Juventud con 18 años buscando más tiempo de juego en Series Nacionales. Estuvo cerca de debutar en la Atlantic League (Liga Independiente) con Laredo Lemurs, junto a los también cubanos Alexei Gil, Henry Abad, Frangel Lafargue y José Julio Ruiz. Sin embargo, problemas con la directiva del equipo y los entrenadores desvanecieron las posibilidades.

Roberto Collazo (19), 3B, Ciudad Habana. Salió de Cuba en una embarcación hacia México, junto a Yasmany Torres y los hermanos Erick y José Carlos Griffith. Se fue de México a República Dominicana en 2012, cuando los inversionistas encargados de su salida de la Isla lo abandonaron. Por un espacio de tres años vivió, entrenó y buscó su firma profesional con José Canó, padre de Robinson Canó. Su principal dificultad fue la falta de documentos legales. El viaje a Dominicana lo realizó con pasaporte falso y las autoridades, una vez allí, se lo retuvieron. En 2012 llegó a Puerto Rico por el conocido canal de la isla de Mona. Se acogió a la Ley de Ajuste Cubano y se movió a Estados Unidos.

Dariel Delgado (16), RHP, Villa Clara, Clase-A avanzada: Baltimore Orioles. Salió de Cuba en 2009 junto al santiaguero Ronnier Mustelier y firmó con Baltimore Orioles para llegar hasta Clase-A avanzada. En 2016 estuvo con los Toros de Sincelejo en la Liga Profesional de Colombia. Totalizó 15-10, 3.47 de efectividad en las menores con Baltimore, franquicia a la que no regresó después de una lesión en 2017.

Sergio Espinosa (23), LHP, Isla de la Juventud, Doble-A: Tampa Bay Rays. Se marchó de Cuba en una embarcación que iba rumbo a México junto a Alexander Barrios y Denis Stewart. El zurdo de Isla de la Juventud llegó hasta Doble-A con Tampa Bay Rays y en 2 temporadas entre Clase-A y Doble-A tiró para 6-3, 3.88 de efectividad. Además, lanzó en las cuatro principales ligas de invierno: Dominicana (Gigantes del Cibao), Venezuela (Caribes de Anzoátegui), México (Venados de Mazatlán) y Puerto Rico (tres equipos). En 2014 registró 7-2, 3.15 con los Pericos de Puebla en la Liga Mexicana de Béisbol (verano), pero luego de esa campaña, y con 28 años, no volvió a lanzar.

Ricardo Estévez (25), RHP, Camagüey, Rookie: Chicago Cubs. Lanzó en la Liga Invernal Dominicana para las Estrellas Orientales mientras se preparaba para una firma con alguna organización de Grandes Ligas. Chicago Cubs le dio la oportunidad de entrar al sistema Major League Baseball y fue asignado a nivel Rookie. Quedó suspendido 50 juegos en las menores tras dar positivo por sustancias prohibidas. Una vez liberado participó en 2012 en la North American League (Liga Independiente) con Rio Grande Valley WhiteWings (1-2, 6.38 de efectividad) y el mismo año con Lincoln Saltdogs (0-1, 5.40) en la American Association.

Rodolfo Fernández (19), RHP, Industriales, Clase-A avanzada: Milwaukee Brewers. Integró el equipo Cuba juvenil para el Campeonato Mundial de Edmonton, Canadá, en 2008. Abandonó la Isla un año más tarde, en una embarcación, junto a Yadier Torres, Jorge Arabey Rivero, Elieser Bonne y Bárbaro Puente. En 2013 lanzó para 4-4, 2.35 de efectividad con Wisconsin Timber Rattlers en Clase-A media; ese mismo año acordó contrato de liga menor con Milwaukee Brewers. Tras esa campaña, Milwaukee lo cambió en julio de 2014 hacia Oakland Athletics por 339 000 dólares de bono internacional. Sufrió una lesión que le hizo perder 2 temporadas y Oakland lo despidió en 2016, aun cuando solo le bateaban para .234 en las menores y ostentaba 100 ponches en 117.1 innings.

Luis Yadier Fonseca (25), OF, Isla de la Juventud, Liga Mexicana de Béisbol. Salió de Cuba en una embarcación junto a Joan Chaviano e Israel Soto. Este pelotero es la demostración de que no siempre es necesario firmar con una organización de Grandes Ligas para triunfar en el béisbol profesional fuera de Cuba. Por casi una década ha mostrado sus habilidades en México, tanto en el torneo invernal como el de verano. Fue quinto de los bateadores en 2013, .376 con los Petroleros de Minatitlán. Integró el roster de los Naranjeros de Hermosillo y se coronó campeón en la Serie del Caribe en 2014. En 2018 regresó a su mejor nivel en la Liga Mexicana con Saraperos de Saltillo y Vaqueros de Unión Laguna, donde bateó .324/.370/.428, 17 dobles, 1 triple y 5 jonrones. En el invierno firmó con los Mayos de Navojoa y en 19 encuentros bateó .290, 2 dobles y 1 cuadrangular.

FÉLIX FUENTES (22), RHP, Holguín, Clase-A avanzada: Tampa Bay Rays. En 2011 firmó con Tampa Bay Rays, pero solo estuvo un año con el equipo en la sucursal de Clase-A avanzada (Charlotte Stone Crabs). Eso fue lo más lejos que llegó. Dejó efectividad de 1.93 en 9.1 innings.

ERICK GRIFFITH (19), RF, Ciudad Habana. Salió de Cuba junto a su hermano José Carlos, Yasmany Torres y Roberto Collazo. Se asentó en México con la idea de firmar un contrato profesional. El bateador zurdo no pudo probarse en el máximo nivel del béisbol azteca, pero sí lo hizo en varios torneos locales de menor renombre, como la Liga Estatal Campechana de Béisbol.

JOSÉ CARLOS GRIFFITH (25), INF, Isla de la Juventud, Liga Invernal Veracruzana. Participó 3 temporadas en la Serie Nacional con los Piratas de Isla de la Juventud e Industriales, sin establecerse. Acompañado de Roberto Collazo, su hermano Erick y Yasmany Torres, salió de Cuba rumbo a México. En el país azteca ha jugado en varias ligas regionales, la más importante de todas ha sido la Liga Invernal Veracruzana. También se ha desempeñado en la Liga Norte de Coahuila junto a otros compatriotas como Ernesto Molinet, Reinier Casanova, Maikel Serrano, Amaury Cazañas y Osdanis Montero.

ADEINY HECHAVARRÍA (20), SS, Santiago de Cuba, Major League Baseball: 3 equipos. Se marchó de Cuba en una embarcación en la que temió por su vida. Era uno de los torpederos más prometedores de su generación, junto a José Iglesias; ambos coincidieron en el Campeonato Mundial Juvenil de Edmonton, Canadá, en 2008. Estableció su residencia en México y en abril de 2010 llegó a un acuerdo de 10 millones de dólares por 4 años con Toronto Blue Jays. El 19 de noviembre de 2012 lo cambiaron a Miami Marlins en una operación que concentró más de 12 jugadores. Ha brillado en Grandes Ligas como un defensor de primer nivel, nominado a Guante de Oro en 2016. No se ha consagrado como un sólido bateador en la liga y archiva temporadas de .276 (2014) y .281 (2015). Traspasado a Tampa Bay por dos prospectos en 2017, un año más tarde Tampa lo cambió hacia Pittsburgh Pirates y de Pittsburgh pasó a New York Yankees el 31 de agosto de 2018: o sea, participó de tres cambios en una misma temporada.

ADALBERTO IBARRA (22), C/INF, Camagüey, Clase-A avanzada: Boston Red Sox. Fue parte de los equipos Cuba en categorías inferiores, donde se destacó en las facultades ofensivas. Antes de jugar varias temporadas con los Ganaderos de Camagüey, estuvo en el Mundial Juvenil de Taiwán, en 2004. Luego de emigrar, firmó un contrato de 4,3 millones de dólares por 5 años con Boston Red Sox; pero tras una resonancia en su hombro de lanzar le apareció una lesión que le rebajó el bono a 500 000 dólares. No logró sobrepasar el nivel de Clase-A avanzada, en parte debido a su nula producción de cuadrangulares. No conectó vuelacercas en ninguna de las 3 temporadas en que participó con Boston en las menores, aunque demostró excelente embasamiento (69 boletos y 67 ponches) y average de .274.

FRANGEL LAFARGUE (23), INF, Santiago de Cuba, Liga Independiente. Salió de Cuba junto a José Miguel Pérez, Henry Abad y Lester Benavides. Firmó con Laredo Lemurs de la American Association (Liga Independiente), pero no duró mucho tiempo allí y fue liberado junto a sus compatriotas José Julio Ruiz, Henry Abad, Joan Chaviano y Alexei Gil.

JUAN CARLOS LINARES (25), OF, La Habana, Triple-A: Boston Red Sox. Fue parte del equipo Cuba juvenil en 2002, junto a Yulieski Gurriel y Yoenis Céspedes. En sus últimas 4 temporadas con los Vaqueros de La Habana bateó al menos más de .300 y 14 jonrones en cada año. Salió de Cuba rumbo a México junto a Elieser Bonne, Jorge Arabey Rivero, Rodolfo Fernández, Yadier Torres y Bárbaro Puente. Acordó con Boston Red Sox en 2010 por 750 000 dólares y estuvo entre los principales prospectos del sistema de granjas en 2010, bateando .397 y 3 jonrones en la Liga Otoñal de Arizona (Arizona Fall League), la mejor liga de prospectos de Major League Baseball. Sufrió una desafortunada lesión que lo separó del terreno en 2011 y su producción en Triple-A no fue convincente, con .270 de average y .309 de OBP. Después de 2013 no volvió con Boston y se convirtió en un trotamundos de ligas invernales, pues jugó en Venezuela, República Dominicana y México. Sus temporadas más notorias fueron en la Liga Mexicana de Verano durante 2014 (.297 y 18 jonrones) y 2015 (.301 y 14 jonrones). En 2016 se presentó en la Atlantic League (Liga Independiente) con Sioux Falls Canaries, donde promedió .314, 10 dobles y 4 bambinazos.

César de Jesús López (19), RHP, Industriales, Clase-A avanzada: Pittsburgh Pirates. Emigró de Cuba y se radicó en México. Llegó a Clase-A avanzada con Pittsburgh Pirates tras firmar un pacto de 600 000 dólares. En 4 temporadas archivó marca de 9-7, 4.62 de efectividad. Al principio su velocidad no pasó de las 90 millas, pero a finales de la primera campaña tocó las 94 millas. En 2014 jugó para Rome Braves en Clase-A de Atlanta Braves y en la American Association (Liga Independiente) con Grand Prairie AirHogs.

Yunesky Maya (28), RHP, Pinar del Río, Major League Baseball: Washington Nationals. Integró el equipo Cuba desde 2005 hasta 2009, año de su salida del país. En sus inicios fue recogedor de pelotas y trabajador del estadio Capitán San Luis en Pinar del Río. A los 18 años su vida dio un giro cuando comenzó a intentar ser lanzador. Su historia parece un boceto de guion para una película de Hollywood, pues pasó de recogepelotas a nivel de Grandes Ligas y ganó al menos un juego. Su autosuperación y ascenso se dieron a la velocidad de la luz. En 2003 debutó en Series Nacionales, para 2005 ya estaba en la selección nacional y para 2009 (II Clásico Mundial) era el pitcher más confiable de Cuba. En el verano de 2009 salió de Cuba en una embarcación y luego de once meses en República Dominicana firmó un contrato de 6,5 millones de dólares con Washington Nationals. Lanzó para 1-5, 5.80 de efectividad en las Mayores con Washington en un espacio de 59.0 innings. Continuó su carrera en ligas del Caribe. Ha sido 2 veces (2010 y 2015) el Pitcher del Año en la Liga Invernal de Dominicana. El 9 de abril de 2015 lanzó un no hit no run en la Liga Profesional de Corea con Doosan Bears, y se convirtió en el segundo extranjero que logró la hazaña en la historia de la liga. En 2016 regresó al sistema de Major League Baseball tras acordar un contrato de liga menor con Los Angeles Angels, aunque después de 24 entradas y balance de 2-3, 5.92, debió someterse a una cirugía Tommy John que lo alejó de un posible regreso a Grandes Ligas. En el invierno de 2017 regresó en el circuito invernal dominicano con las Águilas Cibaeñas y ayudó a conseguir el título. En 2018 se fue a la Liga Mexicana con Rieleros de Aguascalientes y en invierno repitió con las Águilas Cibaeñas.

Víctor Mederos (7), RHP, Villa Clara. Se incorporó al sistema del béisbol en Estados Unidos. Bajo la tutela de Maels Rodríguez, entre otros entrenadores, fue seleccionado al Under Armour All-America Game de 2018, dos años antes de su graduación en 2020. Su recta ha tocado las 95 millas, lo cual hace a Mederos un prospecto más que sólido para llegar al béisbol profesional mediante el draft.

Carlos Mesa (21), OF, Matanzas, Clase-A avanzada: Pittsburgh Pirates. Firmó en mayo de 2011 por un bono de 490 000 dólares con Pittsburgh Pirates. Sin embargo, su rendimiento en las menores no fue sólido y quedó libre en 2014, sin superar el nivel de Clase-A avanzada donde promedió .222 de average. En 2015 Boston Red Sox le dio un contrato de ligas menores con el objetivo de fungir como mentor y amigo del superprospecto Yoan Moncada. Dos años después asumió el retiro y trabajó como coach de Arizona Diamondbacks en la Liga Dominicana de Verano.

Rolexis Molina (31), OF, Isla de la Juventud, Liga de Béisbol Italiana. Ha jugado 5 temporadas en el béisbol profesional de Italia. En 2010, con Catania Warriors, bateó 288 y 18 impulsadas. En 2012, con Montepaschi Orioles Grosseto, ligó 14 dobles, 1 jonrón y average de .363. En 2013 vistió la camiseta de Novara United y tuvo .329 de average, 5 dobles y 2 jonrones.

YADIL MUJICA (24), SS, Matanzas, Triple-A: New York Yankees. Representó al equipo Cuba en el Mundial Juvenil de Taiwán, en 2004. Estuvo en la preselección del equipo nacional para el II Clásico Mundial de Béisbol en 2009. Poco tiempo después salió de la Isla y firmó con New York Yankees por 35 000 dólares en 2011. Su oportunidad en Triple-A llegó un año más tarde, pero fue liberado cuando bateaba .308 en Scranton/Wilkes-Barre. «Eso de los Yankees me desanimó un poco. Pasé un año sin jugar prácticamente. No quería seguir. A raíz de eso dejé a mi "agente", que no creo que haya hecho nada por mí. Después de eso yo mismo me consigo mi trabajo pues yo no me voy a mentir a mí mismo ni me voy a esconder nada», dijo para esta investigación. Continuó viajando por el mundo en busca de su lugar en el juego. Primero estuvo en el béisbol de Taiwán. En la Liga Invernal Veracruzana de 2016 aportó al campeonato de los Tobis de Acayucan, junto a otros dos cubanos: Yoan Carlos Pedroso y Yadir Drake. Según confiesa, esta experiencia fue una de las más emotivas. Jugó todo el año 2018 en los Rojos de Caborca de la Liga Norte de México. Allí quedó segundo en hits (125), quinto en impulsadas (62) y séptimo en promedio (.335).

RONNIER MUSTELIER (25), OF/3B, Santiago de Cuba, Triple-A: Atlanta Braves. Salió de Cuba junto a Dariel Delgado. Estuvo en República Dominicana bajo la tutela de Orlando *el Duque* Hernández y solo pudo firmar por un bono de

50 000 dólares con New York Yankees, equipo que lo invitó en 2013 a su campamento de primavera. Destacó en ligas menores con sus dos primeras temporadas en las que bateó por encima de .300. Los Yankees lo liberaron en 2014 y se fue a México. Allí estuvo hasta que Atlanta lo contrató a finales de 2015, con un acuerdo de liga menor. En Gwinnett Braves (Triple-A) bateó .291/.353/.394, 21 dobles, 4 triples y 5 jonrones, lo que le valió una promoción a Grandes Ligas el 3 de junio de 2016, aunque sin participación en el juego. Al día siguiente fue bajado a Triple-A y se convirtió en «jugador fantasma», que es la denominación del pelotero que se encuentra en el roster activo de 25 en Major League Baseball y no ve acción. Desde 2017 se ha dedicado a jugar en México, lo mismo en el circuito de invierno que de verano, y nunca ha bateado por debajo de .300. Tiene el récord de dobles (28) para una temporada invernal con los Tomateros de Culiacán y también se robó 2 veces el home en una misma campaña, algo que no se lograba desde 1975.

YOANNER NEGRÍN (25), RHP, Matanzas, Triple-A: Chicago Cubs. Llegó a Iowa Cubs, sucursal de Triple-A de Chicago Cubs, tras firmar por un bono de 20 000 dólares. En 4 temporadas lanzó para 6-11, 4.28 de efectividad. Sin embargo, el nacido en Nueva Paz, Mayabeque, que había brillado con los Cocodrilos de Matanzas en Cuba, eligió continuar su carrera en México donde recibía una compensación económica más alta que en el nivel de Triple-A. En 2016 tuvo el mejor año de su carrera al ser seleccionado como Pitcher del Año en México con los Leones de Yucatán (18-1, 2.29 de efectividad), más tres victorias en la postemporada. Fue tan brillante que estuvo 38.1 de innings sin permitir carreras en esa campaña. Ha lanzado en seis ediciones de la Liga Profesional de Béisbol de Venezuela, donde archiva 18-17, 4.06. Participó en el III Clásico Mundial de Béisbol (2013) representando a España.

JORGE PADRÓN (23), OF, Pinar del Río, Doble-A: Boston Red Sox. Firmó con Boston Red Sox por un bono de 350 000 dólares en 2010 tras salir en bote de Cuba. Sin embargo, tuvo que pagar 140 000 entre la operación de contrabando, la salida de Cuba y los porcentajes de ganancias de Bart Hernández y Julio Estrada. Bateó .286 con 10 dobles en 47 partidos con Portland Sea Dogs, sucursal de Doble-A de Red Sox. «No me fue muy bien. No tuve la dicha de llegar a lo más lejos que un pelotero sueña, pero fue una experiencia muy linda que nunca olvidaré», dijo para esta investigación. El año 2011 fue el último en ligas menores, donde dejó línea ofensiva de .247/.310/.350, 19 dobles, 4 triples y 7 jonrones. «Todo afecta cuando no tienes la familia y su apoyo, pero una de las cosas que más me golpeó fue el frío. Había mucho frío y uno no está adaptado a ese clima», agregó. Se desligó del béisbol durante tres años. En ese tiempo trabajó instalando aires acondicionados por un modesto salario. Volvió a entrenar con su amigo y excompañero de equipo Alexei Ramírez y atrapó la atención de los Centinelas de Mexicali en la Liga Norte de México. Volvió por sus fueros: tercero en average (.374), líder en hits (123), segundo en anotadas (69) e impulsadas (65). En 2016 se desmontó uno de sus hombros y no regresó más al béisbol, entre otros motivos por lo costoso de la operación.

JOSÉ MIGUEL PÉREZ (23), INF, Cienfuegos. Fue campeón con el equipo Cuba en el Mundial Juvenil de Taiwán en

2004, junto a otros que llegaron a Grandes Ligas como José Abreu y Miguel Alfredo González. Era un tercera base prospecto desde edades tempranas. Partió de Cuba hacia México en octubre de 2009 junto a Frangel Lafargue, Henry Abad y Lester Benavides. Desde allí viajó a República Dominicana y estuvo entrenando durante dos años, manejado por Orlando *el Duque* Hernández. La constante demora de sus documentos impidió cualquier tipo de negociación. Cuando el Duque se retiró de la inversión, Pérez tuvo que sobrevivir. «Estuve comiendo una vez al día durante cinco meses», dijo para esta investigación. Volvió a intentarlo con Rudy Santín, famoso inversionista y agente. Sin embargo, Santín desechó varias ofertas y Pérez cambió de representación hasta que sufrió una fractura en el pie derecho mientras cumplía un *tryout*. Decidió entonces apartarse del béisbol para entrenar niños dominicanos en una academia de pelota.

YORDANYS PÉREZ (24), CF, Ciego de Ávila, Triple-A: Cincinnati Reds. Salió de Cuba en una embarcación junto a sus coequiperos Alfredo Unzué y Yaibel Tamayo. Recibió 85 000 dólares al firmar en la ronda 28 del draft en 2011 con Cincinnati Reds. Enfrentó problemas con documentos legales como el pasaporte y esto le impidió salir de Estados Unidos hacia República Dominicana, lo cual lo obligó buscar su firma por la vía del draft sin aspirar a la residencia en un tercer país. Un año antes, en 2011, jugó para McAllen Thunder en la North American League (Liga Independiente), aunque no lució con su bate: .224 y 7 extrabases en 30 juegos. Cincinnati lo ubicó en el nivel Doble-A (Pensacola Blue Wahoos) para 2012 y exhibió promedio de .225, 7 dobles, 1 triple y 4 bambinazos.

«Después que me dejaron libre jugué en Nicaragua. Allí me fue muy bien y luego regresé y me hablaron para que fuera a México, pero ya estaba muy decepcionado y decidí dedicarme a trabajar con niños y peloteros profesionales como entrenador y me ha ido bastante bien», aseveró para la investigación.

Martín Portuondo (20), INF, Santiago de Cuba, Liga Alemana de Béisbol. Firmó en 2018 con Berlín Flamingos de la Liga Alemana de Béisbol, donde compartió vestuario con el pinareño Maikel Azcuy.

Bárbaro Puente (23), RHP, Metropolitanos. Salió de Cuba en una embarcación hacia México junto a Yadier Torres, Elieser Bonne, Jorge Arabey Rivero y Rodolfo Fernández. Durante 3 temporadas había lanzado con Metropolitanos e Industriales, y puso marca de 4-4, 5.47 de efectividad. No llegó al profesionalismo pese a intentarlo.

David Remedios (22), C, Industriales, Rookie: New York Yankees. Pegó jonrón en su primera vez al bate en Series Nacionales con los Industriales. Abandonó Cuba junto a sus compañeros de equipo Rigoberto Arrebato y Frank del Valle Arrebato. Tres años más tarde firmó con New York Yankees por un bono de 25 000 dólares y en 19 partidos bateó .292 y 5 jonrones en la Gulf Coast League, nivel Rookie. Atravesó por una lesión de rodilla y luego de la recuperación lo dejaron libre. Al año siguiente, en 2013, militó con Normal CornBelters en la Frontier League (Liga Independiente), donde disputó solo 10 encuentros.

Mayke Reyes (22), OF, Industriales, Rookie: Chicago Cubs. Salió de Cuba en una embarcación junto a Reinier Roll y Deynis Suárez. Jugó en la Liga Dominicana de Verano con Chicago Cubs en 2011 y durante 55 juegos bateó

.297/.456/.424, con 11 extrabases. Luego de esa experiencia, no volvió al béisbol profesional.

Kleyvert Rodríguez (30), INF/RHP, La Habana, Serie-A2: Liga de Béisbol Italiana. Jugó en la Serie-B de la Liga de Béisbol Italiana con el Cagliari Baseball Club. En 2018, cuando la estructura cambió de Serie-B a Serie-A2, bateó .435 (tercero en la liga) y además actuó como lanzador.

René Rodríguez (29), C, Matanzas, Liga Quintanarroense de Béisbol, México. Fue un cátcher ofensivo y con excelente brazo. No obtuvo mucho juego como receptor en Series Nacionales pues se hallaba a la sombra de Juan Manrique. En la temporada de 2002 vio bastante acción y bateó .290/.355/.497 con 31 impulsadas, 10 dobles, 2 triples y 6 jonrones. Al año siguiente no contó con la misma oportunidad. En 2005 tuvo un intento de salida ilegal por Pinar del Río, donde fue atrapado tras estar 21 días en el monte escondido. Luego de eso, estuvo en una prisión por 19 días más. Emigró en 2009, se incorporó a la Liga Quintanarroense (semiprofesional) y allí jugó para los Bravos de Chemax.

Reinier Roibal (20), RHP, Santiago de Cuba, Triple-A: Philadelphia Phillies. Firmó con San Francisco Giants por 425 000 dólares en 2010. Salió hacia México y tuvo que pasar por complejas vicisitudes, incluyendo encuentros con carteles de drogas; además tuvo que pagar de su contrato unos 170 000 dólares por su salida de Cuba. Su agente fue Bart Hernández. «La partida de Cuba fue un poco difícil, pero prefiero no dar detalles», dijo para la investigación. Puso marca de 6-1, 1.66 de efectividad en Reading Fightin Phils, Doble-A, y cuando no contó con el mismo rendimiento en Triple-A fue dejado en libertad.

Lanzó en la Liga Profesional de Venezuela en 2017 con Águilas del Zulia (5-2, 2.03 efectividad) así como en la Atlantic League (Liga Independiente) y México.

REINIER ROLL (21), RHP, Industriales, Liga Profesional de Nicaragua. El 13 de marzo de 2009 salió de Cuba en una embarcación que arribó a México el día siguiente, junto a Deynis Suárez y Maike Reyes. Firmó con Atlanta Braves en 2012, pero enfrentó problemas con el desbloqueo (proceso que autoriza el permiso de trabajo en Estados Unidos) y no se pudo solucionar su situación. «Me tocó encontrarme con Jaime Torres [agente], que acabó con mi carrera después de yo haberlo ayudado», dijo para este libro. Ha tenido breves incursiones en la Liga Invernal de Nicaragua con los Indios del Bóer.

YORKY LA ROSA (27), OF, Villa Clara. Asistió al equipo Cuba del Campeonato Juvenil celebrado en Taiwán en 1999 y al año siguiente en Canadá. Promedió .290 de average en 9 temporadas con Leopardos de Villa Clara. En abril de 2009 fue dado de baja del conjunto de su provincia, tras conocerse que visitaría a su novia en España. Varios dirigentes declararon que la exclusión se debió a razones políticas. No registró actuaciones en el béisbol profesional.

JOSÉ JULIO RUIZ (24), 1B, Santiago de Cuba, Triple-A: Texas Rangers. Firmó con Tampa Bay Rays un inusual contrato en la primavera de 2010, donde se le daba al santiaguero un salario de 20 000 dólares mensuales y una opción de firma en noviembre de 4 millones. Fue dejado libre al finalizar la temporada, pese a batear .331 y 2 jonrones. Quizá la gerencia de Tampa creyó que no valía la pena la inversión de millones en Ruiz. Al año siguiente pactó con Texas Rangers y recibió invitación para los campos de primavera. Quedó asignado a Doble-A, donde pegó 27 dobles y 12 jonrones en 106 partidos, con .246 de average tras una subida a Triple-A. Sin convencer para llegar a Grandes Ligas, el zurdo se convirtió en un trotamundos del béisbol. Llevó su bate hasta las ligas invernales de Puerto Rico, Dominicana, Venezuela, México, Nicaragua y Colombia. Ha gozado de notables campañas en la Liga Mexicana de Béisbol con 56 cuadrangulares en tres años. En 2018 bateó .299, 17 dobles, 1 triple, 4 jonrones y 33 impulsadas con Road Warriors de la Atlantic League (Liga Independiente).

Ángel Sarduy (12), OF, Ciudad Habana, Rookie: Los Angeles Dodgers. Hijo de Antonio Sarduy, exjugador de Industriales, salió de Cuba de niño, se asentó en España y jugó la División de Honor en tierras ibéricas durante un tiempo. Luego se trasladó a República Dominicana y firmó con Los Angeles Dodgers por 7 años y un bono de 25 000 dólares. En la Liga Dominicana de Verano bateó .180 de average y 7 extrabases en 43 partidos. En enero de 2018 fue liberado.

Juan Yasser Serrano (21), RHP, Villa Clara, Doble-A: Chicago Cubs. Fue una de las mayores promesas del béisbol cubano en la década de 2000-2010. Integró el equipo Cuba para el Campeonato Mundial Juvenil de Sancti Spíritus en 2006. Su talento no pudo cristalizar. Firmó con Chicago Cubs por 250 000 dólares y no pudo mantenerse más de 2 años en las menores con 11-6, 4.27 de efectividad en 139 innings. En el invierno de 2012 fue a la Liga Mexicana del Pacífico sin lograr imponerse a ese nivel (0-6, 5.23). En 2013 tampoco se estableció marcando 1-1, 8.22 con los Petroleros de Minatitlán. Continuó lanzando en tierras aztecas, aunque en ligas de menor impacto y calidad.

Rubi Silva (20), OF, La Habana, Triple-A: Chicago Cubs. Fue campeón con los Vaqueros de La Habana en la temporada 2008-2009, irónicamente la última que jugó en Cuba. En diciembre de 2010 firmó con Chicago Cubs por 1 millón de dólares en bono. Amparado por la rapidez de su swing, su velocidad y el alto volumen de extrabases, se adaptó al nivel de las menores hasta llegar a Triple-A; en 5 campañas promedió .282/.305/.429, 97 dobles, 41 triples y 42 jonrones, pero la gerencia de los Cubs no mostró mucho interés en su promoción y Silva terminó solicitando la liberación. Se ha mantenido en el béisbol desde ligas invernales de Venezuela, México y Colombia hasta nivel independiente como Atlantic League, American Association y Canadian-American Association.

Israel Soto (23), RHP, Isla de la Juventud. Estuvo en la preselección de Cuba para el I Clásico Mundial de Béisbol de 2006, pero quedó fuera del equipo. En 2009 partió hacia México en una embarcación junto a sus compañeros de equipo Joan Chaviano y Luis Yadier Fonseca; luego de algunos inconvenientes se asentó en República Dominicana. Existen reportes que lo ubican realizando presentaciones ante organizaciones de Grandes Ligas. En noviembre de 2009 marcó entre 97 y 99 millas en un *tryout* con Boston Red Sox. Fue rescatado por José Canó, quien lo hizo volver a su mejor forma tras un período desvinculado del béisbol. Cleveland Indians le ofreció a Soto un contrato de 300 000 dólares. Sin embargo, no superó los exámenes médicos ni antidoping y se esfumó así su oportunidad de llegar al béisbol profesional.

DENIS STEWART (24), SS, Isla de la Juventud. Participó en una Serie Nacional con Isla de la Juventud. En 2009 abandonó Cuba en una embarcación junto a Sergio Espinosa y Alexander Barrios. No jugó a nivel profesional en ninguna liga de béisbol.

DEYNIS SUÁREZ (25), RHP, Industriales, Triple-A: Minnesota Twins. El mismo día de su cumpleaños 25 salió de su casa y horas más tarde abandonó Cuba en una embarcación de 31 pasajeros donde iban otros dos peloteros: Reinier Roll y Mayke Reyes. El viaje hasta México duró veinte horas y después de un mes se trasladó a República Dominicana. Allí no pudo firmar ningún acuerdo. Gracias a una visa de seis meses arribó a Estados Unidos y con la ayuda de un amigo llamó la atención de Minnesota Twins, quienes le dieron un contrato de 150 000 dólares. Pero ya no era el mismo de antes. Su velocidad había bajado casi 10 millas. En 2011 tiró entre Doble-A y Triple-A para 1-9, 5.76 de efectividad, por lo que resultó liberado. Ese mismo año, en el invierno, lanzó en la Liga Profesional de Puerto Rico con los Leones de Ponce. En 2012 repitió con los Gigantes de Carolina. Después de recibir su liberación se fue a la Atlantic League (Liga Independiente) con Southern Maryland Blue Crabs y estuvo un breve período en la Liga Intercounty de Canadá. «Salí de Cuba primero para ayudar a mi familia, luego por si podía firmar un contrato mejor, pero ante todo la familia», dijo para este libro.

YAIBEL TAMAYO (26), INF, Ciego de Ávila, Liga Independiente. Fue seleccionado juvenil en 2001, en el mismo equipo de Kendrys Morales y Yulieski Gurriel. Partió junto a Alfredo Unzué y Yordanys Pérez, compañeros de equipo en Ciego de Ávila. El viaje en embarcación fue sumamente peligroso: «Alfre [se refiere a Alfredo Unzué] llegó deshidratado y en muy mal estado y Yordanys y yo nos preocupamos mucho. Las olas estaban a 15 pies de altura, algo sorprendente y aterrador, pero gracias a Dios llegamos bien», dijo para este libro. No logró firmar con ninguna organización y en 2011 lo intentó en dos ligas independientes (Atlantic League y North American League). Promedió .340 con McAllen Thunder en la North American, mientras que en la Atlantic League (liga con mayor nivel) bateó .208 con 2 jonrones.

YADIER TORRES (25), LHP, Metropolitanos/Industriales, Liga Invernal Dominicana. Partió de Cuba hacia México en una embarcación con más de 30 personas y donde se encontraban los peloteros Elieser Bonne, Juan Carlos Linares, Rodolfo Fernández, Jorge Arabey Rivero y Bárbaro Puente. Sufrieron una rotura en medio del mar y el viaje se extendió más allá de las 24 horas. Comenzaron a entrenar en Cancún, pero el inversionista que se encargaba de ellos fue secuestrado y asesinado. Torres recuerda los tiroteos. Vivía en un hotel llamado Coti e ingirió solo tostadas y jugos durante diez días. Finalmente, y con la ayuda de un compañero, logró salir de México hacia República Dominicana. Durante su estancia de casi seis años en Quisqueya asistió a cinco *showcases* (presentaciones ante *scouts*) y a más de 15 academias de organizaciones de Major League Baseball. Inobjetablemente siempre ocurría algo. En ocasiones su brazo no le respondió, pero cuando lo hizo, las negociaciones nunca se materializaron. En 2010 lanzó con los Toros del Este en la Liga Invernal Dominicana y dos años después lo hizo con los Tigres del Licey, aunque sin mantenerse mucho tiempo. En la temporada 2014-2015 viajó a Nicaragua y vistió la camiseta de los Gigantes de Rivas. Sin embargo, reconoce que tenía dolores en su brazo de lanzar y por eso pidió la liberación. «Me dejó incompleto no haber firmado y no jugar profesional en los Estados Unidos. Por lo demás no me siento mal. Jugué en la Liga Dominicana con muchos Grandes Ligas, también en Nicaragua. Recorrí parte del camino, pero me faltó el empuje final», dijo para esta investigación.

YASMANY TORRES (20), OF, Ciudad Habana. Abandonó la Isla en una embarcación hacia México en compañía de Roberto Collazo, Erick Griffith y José Carlos Griffith. No logró el salto al béisbol profesional.

ALFREDO UNZUÉ (25), LHP, Ciego de Ávila, Rookie: Los Angeles Dodgers. Salió de Cuba en una embarcación junto a Yordanys Pérez y Yaibel Tamayo, una aventura que casi les cuesta la vida. Fue drafteado por Oakland Athletics en 2011 en la ronda 34 y no firmó. Un año después, Los Angeles Dodgers lo atraparon en la ronda 32 del draft y aceptó. Finalmente, solo lanzó en las menores (Arizona League, nivel Rookie) por espacio de 3.1 innings sin permitir carreras.

FRANK DEL VALLE ARREBATO (20), LHP, Industriales, Clase-A avanzada: Chicago Cubs. Salió de Cuba junto a Rigoberto Arrebato y David Remedios. Firmó por 800 000 dólares con Chicago Cubs y no pudo superar el nivel de Clase-A avanzada. Entre 2011 y 2013 tiró para 11-12, 3.21 de efectividad y 195 ponches en 207.1 innings. Su principal problema fue el descontrol de 5.3 boletos cada 9 entradas. Mantuvo el paso por la Liga Profesional de Venezuela con Bravos de Margarita y en ligas independientes como la American

Association. En 2016 contribuyó al triunfo de los Criollos de Caguas en la Serie del Caribe, tras una temporada de 2-2, 1.67 y 31 ponches en 32.1 innings de la Liga Profesional de Puerto Rico. Intentó continuar en la Liga Can-Am (Canadian American Association) y en la Liga Norte de México en 2017.

ADONIS ZAMORA (28), OF, Sancti Spíritus, Serie A2: Liga de Béisbol Italiana. Debutó en la campaña de 2005 en Cuba con los Gallos de Sancti Spíritus y bateó .321, por lo que fue segundo en la votación por el Novato del Año. «Implanté una marca para mi provincia en average de bateo para un novato con .321 y no me estimularon. Ese año salieron hasta cuatro equipos al exterior, incluso uno universitario y no me llamaron a ninguno. Después de eso, todo cambió, no fue igual para mí el sentir por el béisbol», dijo para esta investigación. Emprendió el viaje hacia Italia tras contraer matrimonio. Se reencontró con el béisbol y participó en la Serie B en el mismo año 2009. Actuó con varios equipos como Old Rags Lodi y en 2016 recaló en Codogno Baseball'67. En la campaña de 2018 (la Serie B pasó a ser Serie A2) promedió .375 (39 hits en 140 turnos), 7 dobles, 1 triple, 1 cuadrangular y 20 impulsadas, con lo cual lideró a su conjunto en todos los apartados ofensivos.

2010

INDALECIO ALEJANDREZ JR. (19), INF, Granma. Llegó a Estados Unidos mediante el proceso de reunificación familiar. Buscó ayuda con el agente Carlos Pérez, radicado en Miami. Este apunta que Alejandrez Jr. debía entrar en el sistema del draft dada la imposibilidad de firmar como agente libre internacional. Pérez no supo más del pelotero, que se mudó de Miami y a quien no se le registra ninguna actuación en ligas profesionales.

Selme Ángulo (25), C, Holguín, Clase-A avanzada, Los Angeles Dodgers. Fue un receptor ofensivo de los Cachorros de Holguín que bateó .340, 16 dobles y 8 jonrones en su última temporada en Cuba. Firmó un contrato de liga menor con Los Angeles Dodgers y empezó su carrera en las menores con Rancho Cucamonga Quakes, Clase-A avanzada. Sin embargo, solo registró dos turnos oficiales al bate y se alejó del béisbol profesional luego de 2012.

Kenen Bailly (25), OF, Guantánamo, Triple-A: Toronto Blue Jays. Sus últimas 3 campañas en Cuba fueron excepcionales. En 2009 terminó ubicado en cuarto lugar entre los mejores bateadores de la liga con .377, solo superado por José Abreu, Alfredo Despaigne y Henry Urrutia. Salió de Cuba en compañía del infielder pinareño Rafael Valdés Casola y un año más tarde firmó con Toronto Blue Jays por un bono de 40 000 dólares. Entre 2011 y 2012 recorrió todos los niveles en las menores sin recibir muchas oportunidades en Triple-A, pese a batear .323 en 12 partidos. Pidió su liberación por inconformidades en el manejo de la gerencia. Después de 2012 nunca más volvió al béisbol.

Yasiel Balaguert (17), INF, Ciudad Habana, Doble-A: Chicago Cubs. Integró el equipo Cuba juvenil en 2010, fecha en que abandonó la Isla. En diciembre de 2011 fue contratado por Chicago Cubs mediante un bono de 400 000 dólares. Pese a superar el nivel en Clase-A avanzada con .263, 25 dobles y 19 jonrones en 2016, su rendimiento no ha sido igual en Doble-A, lo que ha frustrado su avance en las menores. En 2 temporadas con Tennessee Smokies su elevada tasa de ponches (185 en 250 juegos) ha dañado su ascenso en Doble-A, donde mostró una línea ofensiva de .243/.289/374, 51 dobles, 1 triple y 23 jonrones entre 2017 y 2018.

Marcos Barrios (18), RHP, Habana. Se inició en el béisbol de Cuba desde los 7 años hasta edad juvenil. Se insertó en el béisbol colegial de Estados Unidos, pero no fue elegido en el draft.

Leugim Barroso (25), INF, Industriales, Liga Independiente. Dejó la Isla en 2010, mismo año en que se proclamó campeón de Cuba con los Industriales. En República Dominicana estuvo intentando firmar contrato profesional. Entre 2011 y 2012 jugó en ligas independientes y a pesar de batear .317 con 10 dobles y 4 triples, su escaso poder quizá lo limitó en el béisbol de Estados Unidos. Intentó continuar en 2013 con Sioux City Explorers de la American Association (Liga Independiente) y su línea ofensiva fue de .260/.288/307, 9 dobles, 1 triple y 2 jonrones, además de 24 bases robadas. No extendió su carrera luego de 2013 y comenzó en funciones de entrenador.

Yosvani Bell (20), C, Industriales. Emigró de Cuba junto al zurdo Alexander Carreras. Pese a varios años pretendiendo un contrato profesional, el fornido receptor falló en el intento. Realizó cuatro presentaciones y no encontró la ruta para una firma. «No fui del gusto de los *scouts*», dijo para esta investigación. Se quedó a vivir en República Dominicana, donde ha trabajado como entrenador en varias academias.

Wilfredo Carmenate (23), INF, Cienfuegos. Salió de Cuba el 20 de abril de 2010 rumbo a Miami, Florida. Tras no insertarse en alguna liga profesional abandonó la ilusión de continuar jugando béisbol.

Alexander Carreras (20), Industriales, Clase-A avanzada: Arizona Diamondbacks. Salió de Cuba en octubre de 2010 junto a su compañero de equipo Yosvani Bell y se asentó en República Dominicana. Firmó un contrato de liga menor con Arizona Diamondbacks sin poder pasar de Clase-A avanzada. Aunque fue dejado en libertad pasó al sistema de fincas de Miami Marlins y en 2014 colocó marca de 5-3, 2.38 de efectividad entre Clase-A corta y Clase-A media. Cuando parecía que mejoraba en su localización recibió la liberación: «No tuve ninguna lesión. Me dejaron libre y luego nació mi hijo. Entonces decidí no seguir en el béisbol», dijo para esta investigación.

Jorge Félix Castillo (20), LHP, Industriales. El zurdo estuvo en República Dominicana intentando una firma profesional y aunque no existen muchas informaciones sobre su caso, parece que nunca pudo lograr el tan ansiado salto al sistema de béisbol en Estados Unidos.

Daniel Ceballos (18), RHP, Habana. Llegó a Estados Unidos mediante reunificación familiar con su padre. Se mantuvo entrenando hasta que presentó una lesión en su brazo y no logró recuperarse.

Yunier Colón (26), RHP, Guantánamo, Liga Independiente. Después de postear 10-4, 3.47 de efectividad en Cuba con los Indios de Guantánamo en 2008-2009, emigró. Aunque no logró firmar con organizaciones de Grandes Ligas, tiró en 2012 para McAllen Thunder (2-2, 3.27 de efectividad) en la North American League (Liga Independiente). Ese mismo año pasó por la Liga Invernal Veracruzana y posteó 2-1, 2.45 de efectividad con Marlins de Boca del Río. En 2013 desfiló por tres equipos en dos ligas independientes: Sioux City Explorers en American Association y

Edinburg Roadrunners y McAllen, quienes pertenecían a la United Baseball League.

Roenis Elías (22), LHP, Guantánamo, Major League Baseball: 2 equipos. Salió de Cuba en una embarcación hacia México. El zurdo llamó la atención de los *scouts* de Seattle Mariners y firmó por un bono de 350 000 dólares. Un buen desempeño en ligas menores durante 2011, 2012 y 2013 hizo que ganara un puesto en la rotación de Seattle para la temporada de 2014. Allí se estableció con 29 aperturas y balance de 10-12, 3.85 de efectividad. Se convirtió en el quinto novato zurdo en la historia de la franquicia que lograba 10 triunfos en una campaña. En 2015 tiró para 5-8, 4.14 de efectividad, y en diciembre de ese año fue cambiado a Boston Red Sox por Wade Miley. Se ha mantenido en las Mayores gracias a una recta estable entre 93-95 millas y una curva exacta. En 2018 regresó a Seattle y posteó 3-1, 2.65 en 23 salidas, 19 desde el bullpen. También ha lanzado en temporada invernal con Cardenales de Lara en Venezuela y Águilas Cibaeñas en República Dominicana.

Carlos Espinosa (21), OF, Ciego de Ávila. No logró jugar a nivel profesional pese a varios intentos. Abandonó el béisbol un año después de su arribo a Estados Unidos.

Eugenio Galbán (21), C, Guantánamo, Serie B: Liga de Béisbol Italiana. Fue mundialista juvenil con peloteros como José Abreu, Alfredo Despaigne, José Miguel Pérez, Yuniet Flores y Yadier Pedroso entre 2003 y 2004. Salió hacia República Dominicana, conoció a su futura esposa y madre de sus hijos y emprendió viaje hacia Italia donde decidió dejar el béisbol, aunque tuvo una breve incursión en 2017 en la Serie B de la Liga de Béisbol Italiana.

ADONIS GARCÍA (25), INF, Ciego de Ávila, Major League Baseball: Atlanta Braves. Emigró hacia México y estuvo un escaso tiempo por Guatemala con la intención de alcanzar la residencia en un tercer país. Era representado por Bart Hernández, con quien no continuó al regresar a México. Firmó un contrato de 400 000 dólares con New York Yankees, pero no destacó mucho con su bate en los dos primeros años en ligas menores. En 2014 dejó línea ofensiva de .319/.353/.474, 20 dobles, 3 triples y 9 jonrones en Scranton/Wilkes-Barre, sucursal de Triple-A de Yankees. El 1.° de abril de 2015 fue liberado y seis días después Atlanta Braves le dio contrato, ubicándolo en Triple-A. En mayo recibió el ascenso a Grandes Ligas donde bateó 10 jonrones y .277 en su campaña de novato. Su mejor temporada llegó en 2016: 29 dobles, 14 jonrones y promedio de .273 en 134 partidos. Luego de un año 2017 entre lesiones y escepticismo, los Braves decidieron liberarlo para que marchara al béisbol de Asia. García acordó con LG Twins en la Liga Profesional de Corea y bateó .330 y 8 jonrones. Su historia se agrandó en Venezuela, donde estableció marca histórica al jugar 6 temporadas en la Liga Invernal. Se convirtió en uno de los estandartes de los Navegantes del Magallanes, donde bateó de por vida .317.

DANYELLS GARCÍA (26), INF, Camagüey, Liga de Béisbol de Ecuador. Jugó con los Ganaderos de Camagüey en la Serie Nacional 49 y en 2010 se marchó legalmente de Cuba. Representó a Ecuador en la Serie Sudamericana de Béisbol celebrada en Argentina, durante 2019.

ONELKI GARCÍA (21), LHP, Guantánamo, Major League Baseball: 2 equipos. Emigró de Cuba por vía marítima y al llegar a México su agente fue Bart Hernández. «Venir en lancha de Cuba para acá es lo más difícil que existe. Y pasar todo lo que pasé, es más difícil todavía. La cosa no se me dio tan fácil», dijo para este libro. Junto a Adonis García y Raudel Lazo estuvo en Guatemala, como estrategia para buscar la residencia en un tercer país. El experimento no funcionó y al retornar a México buscó la frontera de Estados Unidos; dejó atrás a Bart Hernández y se desligó de su representación. Se radicó en Los Angeles, donde jugó en una liga recreacional mientras esperaba el draft de 2012. Fue elegido en la ronda 3 por Los Angeles Dodgers, con un bono de 382 000 dólares. La revista *Baseball America* lo calificó como el prospecto no. 9 de la franquicia y la mejor curva del sistema de fincas. Debutó en septiembre de 2013, pero solo lanzó 1.1 innings como relevo. Después de un comienzo errático fue reclamado en *waiver* por Chicago White Sox y pasó el año 2015 en ligas menores. En 2016 ningún equipo lo contrató y se fue a México, donde lanzó en verano e invierno. Preparó su regreso a Grandes Ligas con la firma de un contrato de liga menor con Kansas City Royals y luego de siete triunfos en Triple-A fue subido al equipo grande, con el cual lanzó en 6 entradas. Puso marca de 3-2, 3.23 de efectividad con Tigres del Licey en la Liga Invernal Dominicana y los Dragones de Chunichi le dieron 441 000 dólares para irse a la Liga Profesional de Japón. Allí aportó 13 victorias y efectividad de 2.99, como líder de la rotación.

Yuskiel García (31), INF, Camagüey, Serie A2: Liga de Béisbol Italiana. Fue un destacado segunda base de los Ganaderos de Camagüey y bateó más de .302 en 6 campañas en Cuba. Emigró hacia Italia en 2010 y comenzó en el béisbol de la Serie A2. En 2015 bateó .298, 5 dobles y 3 triples en Patterno Red Sox de la Serie Federal, actualmente Serie A2. En la temporada siguiente (2016) perfeccionó su producción al punto de terminar cuarto entre los mejores bateadores de la liga con .402, por detrás del líder bateador, el también cubano Yosvany Peraza (.489). En 2017 promedió .359, 11 dobles, 2 triples y 2 cuadrangulares, y ancló tercero en bases robadas con 13.

Yunier Germán (26), RHP, Camagüey. Llegó a Estados Unidos luego de 5 temporadas en Series Nacionales con los Ganaderos de Camagüey. El abogado que tenía lo ubicó en una liga local en Miami con el objetivo de buscar un contrato, pero Germán no realizó ninguna presentación y las esperanzas de lanzar a nivel profesional se esfumaron.

Román Hernández (21), OF, Matanzas, Doble-A: Kansas City Royals. Participó en 3 Series Nacionales con los Cocodrilos de Matanzas entre 2007 y 2009, antes de marcharse de Cuba. Impresionaba por su brazo y su poder al bate. Luego de una estadía de un año en República Dominicana firmó por un bono de 750 000 dólares con Kansas City Royals y fue asignado a ligas menores. En 2012 promedió .223 con 11 extrabases en Wilmington Blue Rocks, Clase-A avanzada. Pese a una notable mejoría en Doble-A (.262/.323/.332, 12 dobles, 2 triples y 1 jonrón), fue liberado en 2013 al no demostrar sus potencialidades y ausentarse su poder (solo un jonrón en 160 encuentros). Se movió hacia Normal CornBelters de la Frontier League (Liga Independiente) en 2014 y sus números palidecieron con average de .244, 9 dobles y 1 cuadrangular en 41 partidos.

Raudel Lazo (21), LHP, Pinar del Río, Major League Baseball: Miami Marlins. Salió de Cuba por Taco Taco, San

Cristóbal, localidad de Pinar del Río; estuvo casi un día en el mar hasta llegar a Cancún. Era el único pelotero de una embarcación de nueve pasajeros. Después de un mes fue movido hacia Monterrey y de allí se trasladó dos meses a Guatemala junto a Leonys Martín, Adonis García y Onelki García, con el fin de aplicar a la residencia en un tercer país, la cual nunca llegó. Cruzó la frontera por Nuevo Laredo, Texas, y llegó a Estados Unidos. En 2012 firmó con Miami Marlins por un bono de 60 000 dólares y debutó con 7-1, 2.43 de efectividad entre Clase-A avanzada y Triple-A. Entre 2013 y 2014 se lastimó su brazo de lanzar y tuvo que ser intervenido quirúrgicamente. Para la temporada de 2015, retornaría con suficiente poder como para poner marca de 4-3, 1.96 y 44 ponches en 41.1 innings, y eso le valió la promoción a Grandes Ligas en septiembre. En 5.2 entradas con los Marlins ponchó a 5 y dejó efectividad de 3.18 trabajando como especialista ante zurdos. Sin embargo, la suerte no le sonreiría en 2016. Repitió otra espectacular campaña en Triple-A (2-0, 1.78) y no recibió el llamado. La organización de los Marlins decidió liberarlo en 2017 y continuó en las menores con Baltimore Orioles, asignado a Doble-A. Lanzó en Venezuela con los Tigres de Aragua y en 2016 protagonizó una racha de 21 entradas consecutivas sin permitir carreras. Después de un largo descanso el pinareño regresó al juego en la Liga Mexicana del Pacífico con las Águilas de Mexicali en el invierno de 2018.

Lázaro Leyva (16), Las Tunas, Clase-A: Baltimore Orioles. Salió por la vía legal hacia España. Firmó como agente libre internacional un contrato de 725 000 dólares con Baltimore Orioles. Varias páginas webs especializadas en béisbol como *Fangraphs* y *Baseball America* exaltaron su poderosa recta, la cual podía tocar las 100 millas. Sin embargo, el derecho no superó el nivel de Clase-A, en parte por lesiones que sufrió, unido a un accidente de auto. En 2017 regresó al nivel Rookie sin mucha consistencia: en total dejó balance de 0-4, 3.42 de efectividad en 3 campañas en las menores y 44 ponches en 50 innings. Fue liberado a principios de 2018 y se fue a la Serie-A1 de Italia con el Tomassin Padova.

ARLEY LORENZO (28), INF, Sancti Spíritus, Liga de Béisbol de Inglaterra. Ha jugado en 6 temporadas con Southampton Mustangs de la primera división de Inglaterra. En 2017 bateó .371, 9 dobles y 2 jonrones, con 28 impulsadas. No ha sido convocado a la selección de Inglaterra, a diferencia de Maikel Azcuy y Rei Martínez.

LEONYS MARTÍN (22), OF, Villa Clara, Major League Baseball: 3 equipos. Fue ayudado a salir de Cuba por el agente Bart Hernández, el mismo que en 2016 enfrentaría cargos por tráfico humano y que recibiría una condena de 46 meses de prisión sumado a tres años de libertad condicional. La historia de Martín es muy semejante a la de otros peloteros, como Yasiel Puig. La operación para salir de Cuba tuvo lugar en la costa norte de Villa Clara, donde el pelotero subió a un bote de 45 pies junto a su novia y su padre. No imaginaba que tiempo después le esperaba un proceso de litigio y disputas sobre las ganancias de su contrato con Hernández. El veloz jardinero firmó un acuerdo de 15,5 millones de dólares por 5 años con Texas Rangers. En 5 campañas con Rangers fue jugador de todos los días en 2013 y 2014, y sobresalieron sus .274/.325/.364, 13 dobles, 7 triples y 7 jonrones de 2014, más 31 bases robadas.

Luego de un bajón ofensivo en 2015, la franquicia texana eligió cambiarlo a Seattle Mariners (con Anthony Bass) por James Jones, Tom Wilhelmsen y Patrick Kivlehan. Martín conectó 35 extrabases en 2016 para Seattle, aunque al inicio de 2017 fue puesto en asignación y bajado a las menores. El 31 de agosto llegó a Chicago Cubs por la vía del canje y el 4 de septiembre pasó a la historia como el primer jugador de posición que debuta en una organización en papel de lanzador. Tras su peor campaña (.172 de average y 3 jonrones) firmó como agente libre un contrato de 1,75 millones de dólares más incentivos de rendimiento con Detroit Tigers, hasta que fue movido a Cleveland Indians. A causa de una infección bacterial, no pudo terminar la temporada. Ha robado 122 bases en sus 8 años de Grandes Ligas y sus habilidades defensivas (7.5 victorias sobre el reemplazo) han aumentado su valor como jardinero por encima del promedio.

Carlos Martínez-Pumarino (19), RHP, Industriales, Clase-A corta: Chicago Cubs. Firmó un contrato de 250 000 dólares con Chicago Cubs respaldado en su velocidad. También lanzó en Nicaragua con Indios del Bóer. En su primera temporada en nivel Rookie posteó 5-0, 3.53 de efectividad. Sin embargo, sus problemas comenzaron en 2013 cuando pasó a Boise Hawks en Clase-A corta. Enfrentó varias lesiones en su brazo y luego de un 4-2, 6.51, la organización de Chicago decidió liberarlo en enero de 2014.

Osdanis Montero (24), C, Las Tunas, Liga del Norte de México. Fue cátcher por 4 temporadas en la Isla con los Leñadores de Las Tunas y se asentó en México luego de abandonar al equipo Cuba que participaba en un Tope Bilateral en Ecuador. Se insertó en el béisbol de México e hizo sonar su bate en la Liga Invernal Veracruzana y la Liga Norte de México. En 2018 estuvo en los entrenamientos de primavera con los Rieleros de Aguascalientes de la Liga Mexicana de Béisbol, pero no fue incluido en el primer equipo.

Javier Monzón (17), INF, Ciudad Habana, Rookie: Toronto Blue Jays. Se marchó de Cuba el 28 de julio de 2010 y disputó 2 temporadas en el béisbol de España con C.B. Viladecans. De allí partió a República Dominicana, donde estuvo entrenando durante dos años y esperando por sus documentos para convertirse en agente libre. Los Toronto Blue Jays lo contrataron y luego de una temporada en nivel Rookie con línea ofensiva de .246/.352/.486, 3 dobles, 6 triples y 6 jonrones fue liberado. En febrero de 2018 el C.B. Viladecans se hizo de sus servicios, con lo cual ocurrió su retorno a la División de Honor del béisbol de España. Bateó .380, 6 dobles, 7 triples y 7 jonrones en su regreso al béisbol ibérico.

Alién Mora (28), RHP, Ciego de Ávila, Liga Profesional de Puerto Rico. Emigró con destino a México por medio de una embarcación. Hizo varios *tryouts* y se trasladó a Ponce, Puerto Rico, en donde le comunicaron que había ofertas de organizaciones de Major League Baseball, pero las negociaciones fracasaron por la mala gestión. Estaba lanzando entre 93 y 94 millas. Tiró cinco innings con Leones de Ponce en la Liga Invernal de Puerto Rico sin permitir carreras. Luego se marchó a Estados Unidos y posteó 1-5, 6.92 de efectividad en McAllen Thunder, North American League (Liga Independiente). «Me desilusioné y solté las esperanzas», dijo para este libro.

ANDY OLIVA (18), RHP, La Habana. Lanzó dos años a nivel colegial en Estados Unidos con Lake Land College, en el mismo equipo de Dariel Delgado. No continuó en el béisbol tras culminar esa etapa.

OSVALDO PEDRAZA (21), C, Villa Clara. Estuvo en el equipo Cuba que participó en el Campeonato Mundial Juvenil en Canadá en 2008, junto a otros peloteros que en un futuro serían jugadores de Major League Baseball como Yasiel Puig, Aledmys Díaz, José Iglesias, Yandy Díaz y Erisbel Arruebarruena. Viajó hacia República Dominicana en busca de un contrato profesional que le fue esquivo.

YOGEY PÉREZ-RAMOS (22), INF/OF, Ciego de Ávila, Clase-A corta: Arizona Diamondbacks. Emprendió viaje hacia México por vía marítima. Estuvo retenido por secuestradores que exigían hasta 2 millones de dólares para liberarlo; sin embargo, encontró su libertad luego de dos meses. Desde que tenía 14 años comenzó a salir de Cuba a torneos internacionales. En México recibió ofertas de varias organizaciones, pero sus documentos legales no estaban en regla y no consiguió ningún pacto. Cruzó la frontera de Estados Unidos y se insertó en el béisbol colegial con Miami-Dade College Sharks. En 45 encuentros bateó .444, 9 triples, 2 jonrones, 30 impulsadas y 27 bases robadas. Apenas firmó por 100 000 dólares en la ronda 17 del draft de 2012, elegido por Arizona Diamondbacks. Estuvo 2 temporadas en Clase-A corta. En 2013 fue seleccionado al Juego de las Estrellas de la liga jugando para Hillsboro Hops. En 67 partidos dejó línea ofensiva de .314/.382/.398, 16 dobles, 3 triples, sin jonrones y 15 bases robadas. Sin embargo, tras esa temporada fue liberado por la franquicia de Arizona y no se le archivaron más actuaciones en el béisbol profesional.

ROBERTO RODRÍGUEZ (19), LHP, Industriales/Metropolitanos. Entre 2008 y 2009 lanzó para los desaparecidos Metropolitanos, además de para los Leones de Industriales. Era un zurdo de velocidad que abandonó Cuba y se radicó en República Dominicana, sin poder consumar el sueño de hacerse profesional.

REYNIER ROMERO (21), OF, Ciego de Ávila, Liga Mexicana del Pacífico. El 2 de noviembre de 2010 salió de Cuba en una embarcación hasta México. La travesía, que duró seis horas, se realizó sin ningún inconveniente. Comenzó a entrenar en México y se presentó para Baltimore Orioles durante un mes en Pompano Beach, Miami. Era agosto de 2014 y aún no tenía su agencia libre. Los Orioles prometieron contratarlo cuando llegara el documento; incluso su firma fue publicada en agosto de 2015 por Dan Connolly en *The Baltimore Sun*. Sin embargo, al momento de llegar su agencia libre Baltimore ya no tenía el mismo interés por el cubano y el pacto se congeló. Romero estuvo con Cañeros de los Mochis en la Liga Mexicana del Pacífico y con Tigres de Quintana Roo en 2016, sin pasar de diez encuentros y con promedio ofensivo inferior a los .200.

ANDRÉS SÁNCHEZ (14), RHP, Ciudad Habana, Rookie: Chicago White Sox. Firmó un contrato de liga menor con Chicago White Sox y después de 3 temporadas sin sobrepasar el nivel Rookie (5-12, 4.82 de efectividad) quedó libre en abril de 2018.

YERAL W. SÁNCHEZ (25), OF, Holguín, Doble-A: New York Yankees. Pactó con New York Yankees por 400 000 dólares luego de marcharse de Cuba en una embarcación rumbo a República Dominicana. Fue un contrato de agente libre internacional sin restricciones, porque el holguinero superaba los 23 años y las 5 Series Nacionales requeridas. Sin embargo, Sánchez no hizo valer el amplio arsenal de talento que traía de Cuba y no pasó más de 2 campañas en las menores, en donde promedió .193 y 5 jonrones. En el invierno de 2011 disputó 22 partidos con los Gigantes del Cibao en la Liga Invernal Dominicana.

JOAN SOCARRÁS (18), LHP, Industriales. Era un prometedor lanzador que debutó en el primer nivel de Cuba con 15 años y ayudó al campeonato de Industriales en la 49 Serie Nacional. Sin embargo, no logró firmar contrato profesional con una organización de Grandes Ligas. En 2014 trabajó con el agente Gus Domínguez en la búsqueda de una firma que nunca llegó. Tuvo problemas en su brazo de lanzar. Se realizó una operación en Los Angeles en su hombro izquierdo, pero no recuperó la velocidad y optó por dejar el béisbol.

RAFAEL VALDÉS CASOLA (26), INF, Pinar del Río, Clase-A avanzada: Chicago Cubs. Abandonó Cuba junto al zurdo guantanamero Kenen Bailly. Acordó con Chicago Cubs y en 2011 puso línea ofensiva de .263/.319/.371, 14 dobles, 1 triple, 3 jonrones y 29 impulsadas entre Clase-A media y avanzada. Sin embargo, al año siguiente no regresó al béisbol.

2011

ÁNGEL AGUADO (12), INF, Ciudad Habana. Salió de Cuba hacia España, donde vivió cinco años y se hizo ciudadano de ese país. Un inversionista se interesó en su talento y decidió llevarlo hacia República Dominicana para buscar una firma con alguna organización de Major League Baseball. También pasó por Venezuela y, tras la demora de un contrato, prefirió viajar a Estados Unidos y entrar en el sistema colegial para introducirse en el mundo profesional por la vía del draft.

JORGE ADRIÁN AGUILAR (11), LHP, Camagüey. Salió de Cuba en 2011 mediante una reclamación familiar. Se insertó en el sistema del béisbol de Estados Unidos con la esperanza de ser elegido en el draft. El zurdo fue uno de los mejores prospectos de su escuela John Overton High School en 2017, con 1.45 de efectividad; los rivales le batearon .236.

FRANCO ALEMÁN (11), RHP, Sancti Spíritus. Fue elegido por Arizona Diamondbacks en la ronda 38 del draft amateur de 2018, pero decidió no firmar. «No firmé porque no me ofrecieron lo que yo sé que valgo. Puedo ir a la escuela y mejorar, ponerme fuerte y en dos o tres años volver al draft y coger un contrato que pueda cambiar mi vida y la de mi familia», confesó para este libro. El tirador de futuro promisorio estuvo con Alonso High School y comenzará su viaje por el béisbol colegial con Florida International University.

ALEXANDER CANTALAPIEDRA (23), OF, Isla de la Juventud. Participó en dos Series Nacionales (49 y 50) con Isla de la Juventud y exhibió una aceptable producción de extrabases (31 dobles, 4 triples y 8 jonrones) en 167 partidos. Decidió abandonar la Isla en 2011 en la búsqueda por firmar un contrato con alguna franquicia de Grandes Ligas y para ello se mantuvo cuatro años en República Dominicana. «Mis agentes no supieron manejar bien el negocio y querían mucho más dinero del que me ofrecieron y del que valía», aclaró para esta investigación. Los intentos resultaron nulos y el pelotero salió de Dominicana en 2015. «Me pasé cuatro años allá entrenando de cierta manera por gusto. Nunca se llegaba a un acuerdo con algún equipo y me fui cansando física y emocionalmente. Decidí irme de allá [República Dominicana] pues había comentarios de que quitarían la Ley de Ajuste Cubano [se refiere a la ley de «pies secos, pies mojados»] y así fue. Logré venir [a Estados Unidos] en el último tren», agregó.

WILLIAM CASTELLANOS (23), OF, Metropolitanos, Liga Profesional de Nicaragua. Partió hacia Guatemala y jugó en la liga de ese país con los Huracanes del Caribe. También vistió la camiseta de los Indios del Bóer, en la Liga Profesional de Nicaragua. «Mi mánager trató de hacerme mis papeles rápidos, pero lo estafaron [...] y se demoró más de un año mi permiso de trabajo», dijo para esta investigación. Tras dos años y medio, la organización de Baltimore Orioles le colocó una visa de trabajo para que llegara a Estados Unidos, pero a la hora de la firma faltaba el desbloqueo (proceso que autoriza el permiso de trabajo en Estados Unidos) de la Oficina del Tesoro, por lo que el intento se frustró.

YOENIS CÉSPEDES (26), OF, Granma, Major League Baseball: 4 equipos. Partió de Cuba en un bote junto a otras seis personas hasta República Dominicana. El viaje se extendió por 23 horas. El jardinero sobresalió a los ojos del mundo en el II Clásico Mundial de Béisbol en 2009 y pese a que alguna vez declaró que nunca saldría de la Isla, las cosas cambiaron cuando en 2011 fue asignado al equipo Cuba para los Juegos del ALBA en Venezuela. Esto significó una decepción y por ello se puso en contacto con el agente Edgar Mercedes. En enero de 2012 llegó su agencia libre y un mes más tarde firmaba por 36 millones de dólares y 4 años con Oakland Athletics. Su año de novato fue sobresaliente. Dejó promedio de .292/356/.505, 25 dobles, 5 triples y 23 jonrones. Ancló segundo en la votación por el Novato del Año, detrás de Mike Trout. Estuvo con Oakland en las postemporadas de 2012 y 2013, bateando más de .300 en ambas. El 31 de julio de 2014 fue canjeado a Boston Red Sox en una sorprendente movida por Jonny Gomes y Jon Lester. La Potencia no se mantuvo más de seis meses en Nueva Inglaterra y para diciembre del mismo año volvió a ser cambiado, esta vez a Detroit Tigers por Rick Porcello. Su año 2015 fue rotundamente el mejor desde que llegó a las Mayores. Conectó 35 jonrones e impulsó 105 carreras entre Detroit y New York Mets. En otro 31 de julio, fecha límite de cambios, los Mets capturaron a Céspedes a cambio de los lanzadores Luis Cessa y Michael Fulmer. El cubano protagonizaría entonces una de las mejores segundas mitades de los últimos años: 17 jonrones y 44 impulsadas en 57 partidos. Llegó a la Serie Mundial con los Mets, aunque no pudieron conquistar el título y Céspedes se fue con 20-3, .150 en 6 encuentros frente a Kansas City Royals. En 2016 firmó un contrato de 75 millones de dólares con los Mets y una opción de salida luego de la primera temporada. Ese año marcó .280/354/.530, 31 jonrones y 86 impulsadas, y, como indicaba toda lógica, el granmense se salió de su contrato y volvió a firmar como agente libre, esta vez por 110 millones de dólares con los Mets. Se convirtió así en el cubano más pagado en la historia de las Grandes Ligas. Entre 2017 y 2018 ha sufrido diferentes lesiones (espalda y planta de los pies) que le han privado de su más excelsa forma. En 7 temporadas ha sido 2 veces elegido al

Juego de las Estrellas (2014 y 2016), así como dueño de 1 Guante de Oro (2015) y 1 Bate de Plata (2016).

Gerardo Concepción (19), LHP, Industriales, Major League Baseball: Chicago Cubs. Ganó el Novato del Año en la 50 Serie Nacional de Cuba, en 2010, con Industriales. El zurdo archivó 10-3, 3.36 de efectividad, y como reconocimiento a esa campaña integró el equipo Cuba para el Torneo de Rotterdam, Holanda. El segundo día del torneo abandonó el conjunto y estuvo en Holanda un mes de manera ilegal. Desde allí fue movido a Bélgica (diez días) y Francia (siete días). «No lo tenía pensado. Esperaba regresar y marcharme en una lancha con mi papá», dijo para esta investigación. Demoró ocho meses en su proceso entre República Dominicana, Haití, Panamá, Colombia y México, donde finalmente firmó un contrato de 6 millones de dólares con Chicago Cubs en enero de 2012. Luego de 4 campañas en ligas menores recibió el llamado a Grandes Ligas y debutó la tarde del 21 de junio de 2016 en Wrigley Field con 1.1 entradas y 2 ponches sin carreras ante St. Louis Cardinals. Puso efectividad de 3.86 en 3 apariciones con 2 ponches en 2.1 innings. Sin embargo, fue bajado a las menores y allí su rendimiento comenzó a decaer, hasta que la franquicia optó por liberarlo en mayo de 2017 tras un inicio lento de 1-0, 5.87 de efectividad en Doble-A. El zurdo se acogió a un descanso y en el invierno de 2018 regresó al béisbol con Cañeros de los Mochis de la Liga Mexicana del Pacífico.

Yadir Drake (21), OF, Matanzas, Doble-A: Los Angeles Dodgers. Emigró hacia México en una embarcación junto al holguinero Adrián Durán. Allí permaneció jugando en ligas semiprofesionales hasta obtener su agencia libre.

Firmó con Los Angeles Dodgers y llegó a Doble-A, Tulsa Drillers; sin embargo, su rendimiento (.248 de average y 3 jonrones) no encantó a la organización como para mantenerlo. A partir de ese momento continuó en los circuitos de México hasta que arribó su mejor actuación en 2017. Encabezó a los bateadores de la Liga Mexicana de Béisbol con average de .385 mientras lucía el uniforme de los Generales de Durango. Esto le ganó ser observado por *scouts* japoneses y llevado a la Liga Profesional de ese país con Nippon Ham Fighters (.232 de average y 3 extrabases). En 2018 bateó para .332 en México, con 27 dobles, 4 triples y 12 vuelacercas, lo cual lo coronó en el segundo campeonato con los Sultanes de Monterrey. También ha jugado en el béisbol invernal de México y Venezuela.

ADRIÁN DURÁN (25), OF, Holguín. Salió de Cuba junto a Yadir Drake con destino a México y estuvo entrenando por varios meses. Llegó a ser interés de franquicias como Pittsburgh Pirates y Tampa Bay Rays. Mientras, jugó en una liga local conocida como Liga Meridiana, con los Zorros de Pacabtún. Participó en los entrenamientos de primavera con los Tigres de Quintana Roo, equipo del primer nivel en México. Decidió cruzar la frontera de México con Estados Unidos y una vez en suelo norteamericano no volvió al béisbol organizado.

PEDRO ECHEMENDÍA JR. (20), RHP, Ciego de Ávila, Triple-A: St. Louis Cardinals. Abandonó Cuba en una embarcación, junto a su madre. Después de un año y cinco meses en República Dominicana, cruzó el canal de la isla de Mona, en Puerto Rico, y se acogió a la Ley de Ajuste Cubano. Una vez en Estados Unidos firmó por un bono de 10 000 con St. Louis Cardinals en 2015 y fue elegido Pitcher del Año (marca de 6-1, 2.09 de efectividad) en la sucursal de State College Spikes, nivel de Clase-A corta de St. Louis. En 2016 fue promovido a Triple-A como lanzador de bullpen (1-0, 2.37 de efectividad) sin recibir muchas oportunidades. Después de lanzar en la Liga Invernal de Dominicana con los Tigres del Licey (tres victorias en Round Robin), los Cardinals le dieron liberación en la primavera de 2018. El derecho avileño lanzó en la Liga Norte de México para Rojos de Caborca y en el invierno con Cañeros de los Mochis.

YAIDEL FERNÁNDEZ (22), INF, Ciudad Habana, Liga de Béisbol de Costa Rica. Cursó todas las categorías del béisbol en Cuba. En el mismo año de su salida de la Isla, incursionó en la Liga de Béisbol de Costa Rica entre 2012 y 2014, con Huracanes y Pinoleros, respectivamente. Lideró a los bateadores en average durante la temporada de 2013. Luego emprendió viaje a Estados Unidos y no volvió al béisbol organizado.

YANKIEL FLORES (28), RHP, Camagüey. El 20 de mayo de 2011 llegó a República Dominicana junto a Yoel David Pedroso, por la vía del mar. Pese a no resaltar en la Serie Nacional de Cuba, ambos se aventuraron en el sueño de un contrato profesional rondando los 30 años de edad. Finalmente, su tentativa fracasó y no lograron jugar fuera de Cuba.

SENEL GONZÁLEZ (15), OF, Las Tunas. Salió de Cuba rumbo a España y de allí partió hacia República Dominicana, en busca de un contrato que nunca se materializó. «Me hicieron ofertas varios equipos, pero por muy poco dinero y al final me lesioné y no pude seguir», dijo para esta investigación. Estuvo dos años en Dominicana.

[2011 cont.]

Alejandro Juvier (15), INF, Villa Clara, Doble-A: Baltimore Orioles. Resultó elegido en la ronda 15 del draft de 2014 por Baltimore Orioles. En 2018 rozó el nivel Doble-A con Bowie Baysox, en donde estuvo 3 veces al bate. Ha bateado .233 en 5 temporadas de ligas menores. En el invierno de 2018 probó suerte en el béisbol profesional de Panamá con las Águilas Metropolitanas.

Reydel Medina (19), OF, Ciudad Habana, Doble-A: Cincinnati Reds. Participó con el equipo Cuba 15-16 en el Campeonato Mundial de la categoría celebrado en Taipéi de China, en 2009. En ese torneo se encontraban futuros beisbolistas de Major League Baseball, como el boricua Francisco Lindor o el venezolano Rougned Odor. El bateador cubano brilló con luz propia al promediar de 27-12 en 7 juegos y ostentar una línea ofensiva de .444/.516/.852, con 1 jonrón, 1 triple y 4 dobles. Después de abandonar Cuba en 2011, con solo 18 años, Medina tuvo que imponerse a varias dificultades. En agosto de 2013, Cincinnati Reds firmó al zurdo por un bono de 400 000 dólares. Durante cuatro temporadas en las menores produjo para .247/.284/.440, 59 dobles, 20 triples y 36 jonrones, aunque su tasa de ponches (373 en 305 partidos) no ayudó en el ascenso. Fue liberado por Cincinnati y en el invierno de 2017 apareció en la Liga Profesional de Colombia con los Tigres de Cartagena, donde bateó para .308, 3 bambinazos y 25 empujadas. Pasó su campaña de 2018 en la Frontier League (Liga Independiente) y ostentó línea de .269/.317/.379, 10 dobles, 4 triples y 6 jonrones con Washington WildThings.

Oscar Mesa (25), OF, Metropolitanos, Liga Independiente. Disputó tres temporadas en Cuba con los desaparecidos

Metropolitanos y pese a no firmar con organizaciones de Major League Baseball, pudo continuar jugando fuera de Cuba en la American Association (Liga Independiente). Inició en 2013 con El Paso Diablos (.293 y 17 extrabases) y en 2014 con Sioux City Explorers (.327, 23 extrabases). Entre 2015 y 2016 se movió a Joplin Blasters con un grupo de cubanos como Yasser Gómez, Raydel Sánchez, Rigoberto Arrebato y Frank Del Valle Arrebato, entre otros. Su última temporada profesional fue la de 2017, en Cleburne Railroaders, donde promedió .268/.354/.366, 6 dobles, 1 triple y 1 jonrón.

DANNY MONDÉJAR (16), C, Ciudad Habana. Vivió en España durante 18 meses y de allí partió a República Dominicana en 2015, con la idea de firmar un contrato profesional. Al fallar en el intento, se insertó dentro del béisbol colegial en Estados Unidos y fue elegido en el segundo equipo Todos Estrellas en 2016 y 2017, cuando bateó para .321 con Miami-Dade College Sharks con el objetivo de entrar en el draft amateur de junio.

LUIS MUÑOZ (16), OF/1B, Matanzas, Rookie: Miami Marlins. Salió hacia España en junio de 2011. Allá se unió con Daniel Mondéjar y entrenaron juntos. Vivió en Barcelona alrededor de ocho meses y jugó con el Sant Boi la División de Honor del béisbol español. Luego vivió en la isla de Tenerife (Islas Canarias) hasta que salió hacia República Dominicana en junio de 2013. Los Miami Marlins lo firmaron por 75 000 dólares el 17 de diciembre de 2014, pero no pudo estabilizar su rendimiento. En 20 juegos bateó para 214 y los Marlins terminaron por liberarlo en 2015. «Ellos me avisaron que me dejaban libre faltando dos días para acabar la visa de trabajo y tuve que irme a Dominicana. Cuando llegué, contacté con un agente, hago un *tryout*, pero no le interesé a nadie. Después vine para Miami, me quedé aquí a vivir», dijo para esta investigación. Comenzó a entrenar por su cuenta, aunque no tanto como hubiera querido. Habló de la imposibilidad de ir a México o probar suerte en otra liga, pues aún no tiene su residencia para viajar. También reconoció que cuando una franquicia te libera es muy difícil firmar nuevamente.

YOEL DAVID PEDROSO (27), OF, Camagüey. El 20 de mayo de 2011 llegó a República Dominicana junto a Yankiel Flores, pero no pudo jugar a nivel profesional.

FABIÁN PEÑA (14), C, Ciudad Habana, Rookie: San Francisco Giants. Se insertó rápidamente en el sistema del béisbol de Estados Unidos. Jugó para Manhattan College, New York, y en su última campaña dejó línea ofensiva de .255/.365/.411, además de sobresalir por sus notables cualidades defensivas. Llegó al draft de 2018 y fue escogido por San Francisco Giants en la ronda 25 (selección 736). De inmediato fue ubicado en la Arizona League (nivel Rookie) y no decepcionó. En 28 encuentros masacró a los lanzadores con average de .309/.376/.588, más 10 dobles, 1 triple y 5 cuadrangulares.

ALEJANDRO PILOTO (19), OF, La Habana, Clase-A avanzada: Atlanta Braves. Abandonó Cuba el 16 de agosto de 2011, una semana después que los hermanos Armando y Adrián Rivero. Firmó con Atlanta Braves por un bono de 125 000 dólares, pero nunca encontró su mejor forma y no logró superar el nivel de Clase-A avanzada. Entre 2012 y 2014 posteó línea ofensiva de .239/.285/.323, 13 dobles, 2 triples y 6 jonrones, aunque en Clase-A avanzada solo bateó .133

en 15 partidos. Dejó el béisbol tras ser liberado en 2014 con solo 22 años.

Walfrank David Piñeiro (13), RHP, Ciudad Habana. Representó a Ciudad Habana en los campeonatos nacionales de categorías infantiles. En 2016 lanzó en Florida SouthWestern State College con vistas a ser elegido en el draft. Su recta tocó las 91 millas en su primer año de universidad.

Julio César Ramírez (23), C, Villa Clara. Fue cátcher del equipo Cuba juvenil en 2006. Salió de la Isla legalmente hacia Chile sin la intención de hacer del béisbol una forma de vida. La esperanza emergió de nuevo y comenzó a entrenar en ese país, mientras trabajaba como conductor de camiones. Firmó con Baltimore Orioles un contrato de liga menor en 2016, pero dejó el béisbol a un mes de consumarse el pacto. «Estuve con ellos en el Spring Training de 2016, pero los representantes que acordaron el contrato me engañaron con el tema del pago y solo me mantuve dos semanas en el campo de entrenamiento. Como ya tengo una familia con dos hijos no puedo estar en ese problema y decidí alejarme del béisbol», relató para este libro.

Yuniel Ramírez (23), OF, Ciego de Ávila, Clase-A avanzada: Miami Marlins. Salió de Cuba en una embarcación. Tuvo que pasar quince días en Baracoa, Guantánamo, en el extremo oriental de Cuba, prácticamente escondido para poder escapar. Recuerda cómo estuvo más de 16 horas en el mar. Llegó a República Dominicana en 2011 y tardó casi cuatro años para firmar con Miami Marlins. Al principio lo frenaron problemas con sus documentos migratorios y pasó un año sin jugar. Finalmente, en 2015 acordó con los Marlins por 250 000 dólares sin tener un buen comienzo (2 boletos y 51 ponches) de .261 de average en 61 partidos entre nivel Rookie, Clase-A corta y avanzada. En 2016 bateó .185 con Jupiter Hammerheads (Clase-A avanzada) en 33 juegos y fue liberado.

Humberto Rivera (28), OF/C, Pinar de Río. Cuando salió de Cuba rumbo a Dominicana nunca imaginó que sería traicionado. El inversionista que lo había sacado de Cuba (Víctor Jiménez) le secuestró sus documentos (pasaportes y actas de nacimiento), para exigir por ellos el 50 % del contrato. Con los documentos perdidos, Rivera perdió asimismo diversas oportunidades de firmar con equipos que estaban interesados en sus servicios como Atlanta Braves y Chicago Cubs. Durante ese tiempo, jugó en una liga menor en Dominicana con los Trenes de la Romana, donde fungió como cuarto bate. Allí bateó sobre 300 de average y pegó varios jonrones que demostraron su valía. «Allí me pagaban alrededor de 15 000 pesos dominicanos al mes. Eso es 600 dólares y me tenían en el rango de los que más ganaba porque era regular y cuarto bate pero allí pagaban hasta salarios más bajos que esos», dijo para este libro. Dejó Dominicana luego de cuatro años y tras un tiempo intentándolo en Estados Unidos no logró jugar en modo profesional.

Adrián Rivero (20), LHP, Ciudad Habana, Rookie: Atlanta Braves. Hermano de Armando Rivero. Acordó un pacto de liga menor con Atlanta Braves por 100 000 dólares en 2012. El 20 de junio de 2014 fue cambiado a los Dodgers. Lanzó para 3-2, 3.96 de efectividad y en 3 temporadas en las menores no pudo superar el nivel Rookie. En mayo de 2015 enfrentó la liberación, lo que significó su adiós definitivo del béisbol.

Armando Rivero (23), RHP, Industriales, Triple-A: Chicago Cubs. Hermano de Adrián Rivero, firmó por 3,1 millones de dólares con Chicago Cubs después de pasar un año y medio entre República Dominicana y Haití en el dilatado proceso de obtener la residencia en un tercer país. En una actuación *sui generis*, propinó 303 ponches en 220 innings en 4 temporadas en las menores y nunca fue promovido a Grandes Ligas, pese a un anémico promedio oponente de .199. Atlanta Braves lo reclamó en el draft de Regla 5 (quinta selección) durante diciembre de 2016. Cuando tenía casi asegurado su debut en Grandes Ligas el derecho recibió un inesperado golpe de infortunio que desvirtuó su camino a Major League Baseball. En marzo de 2017, en los entrenamientos de primavera, una lesión en su hombro derecho le privó el debut en las Mayores, cuando estaba en el roster de 40 de la organización. A finales de 2017 fue liberado por los Braves. La temporada de 2016 fue sencillamente una lección de pitcheo desde el bullpen por parte de Rivero. Registró 5-3, 2.13 de efectividad en Iowa Cubs (Triple-A), con 105 ponches en 67.2, mientras los oponentes le bateaban .169. Ni siquiera recibió un llamado de reconocimiento por la gerencia de los Cubs luego de participar tanto en el Juego de las Estrellas de Doble-A (2014) como de Triple-A (2016). Rivero continuó preparándose en Miami durante 2018 y en julio firmó un contrato con los Piratas de Campeche en la Liga Mexicana de Béisbol. En el invierno comenzó a recuperar su mejor forma en la Liga Profesional de Puerto Rico con los Criollos de Caguas.

Brian Ruiz (22), RHP, Metropolitanos/Industriales. Incursionó en la búsqueda de un contrato en República Dominicana.

Sin embargo, el lanzador de dos Series Nacionales en Cuba nunca pudo mostrarse a nivel profesional.

JORGE SOLER (19), OF, La Habana, Major League Baseball: 2 equipos. Estuvo en el equipo Cuba juvenil en 2010. Un año después salió de Cuba y en 2012 firmó un contrato de 30 millones de dólares y 9 años con Chicago Cubs; esto ocurrió semanas antes de cambiarse la política de firmas internacionales. Durante 2013, 2014 y 2015 estuvo considerado entre los primeros 50 prospectos del béisbol por *Baseball America*, *Major League Baseball.com* y *Baseball Prospectus*. Debutó en Grandes Ligas el 27 de agosto de 2014 y pegó jonrón ante Matt Latos en su primer partido. En 2015 tuvo participación en 101 juegos y promedió .262/324/399, 18 dobles, 1 triple, 10 jonrones y 47 impulsadas. Allí completó una notable temporada bateando 3 jonrones en los playoffs, aunque los Cubs cayeron frente a los Mets en la Serie de Campeonato de la Liga. Para 2016 se alzaría con lo más anhelado por un beisbolista: el anillo de Serie Mundial, después de una remontada 3-1 de los Cubs ante Cleveland Indians. Soler aportó 2 hits en esa Serie Mundial. En diciembre de 2016 fue cambiado a Kansas City Royals por el estelar cerrador Wade Davis.

HENRY URRUTIA (24), OF, Las Tunas, Major League Baseball: Baltimore Orioles. Estuvo fuera del béisbol 18 meses, tras un intento de salida ilegal de Cuba que no funcionó. En 2011 abandonó finalmente la Isla por vía marítima y se asentó en República Dominicana. Fue contratado por Baltimore Orioles y firmó por un bono de 778 500 dólares. Abrió su carrera en Doble-A y fue promovido con Baltimore en 2 ocasiones a Grandes Ligas: la primera en 2013 y la última en 2015. Su único cuadrangular en Major

League Baseball fue un walk-off conectado en Camden Yards. Se recuperó de una lesión de hernia, pero no ha regresado a Grandes Ligas. Ha jugado 2 temporadas (2015 y 2016) con los Leones del Caracas en la Liga Invernal de Venezuela y con Charros de Jalisco en la Mexicana del Pacífico. En 2017 los Orioles lo liberaron y firmó con Boston Red Sox, donde bateó .284 en Portland Sea Dogs, Doble-A, 13 dobles y 3 vuelacercas. En el invierno de 2017 terminó como líder de los bateadores en Venezuela, y promedió .385 para los Cardenales de Lara. Durante 2018 se marchó a la Liga Mexicana de Béisbol, donde lució su bate con .361/.454/.557, 24 dobles, 1 triple y 13 jonrones entre Diablos Rojos del México y Guerreros de Oaxaca.

2012

DARIEL ÁLVAREZ (24), OF, Camagüey, Major League Baseball: Baltimore Orioles. Estuvo en el equipo Cuba al Mundial Juvenil de 2006. Abandonó la Isla en septiembre de 2012, cuando atravesaba por su mejor forma deportiva. Pactó un trato de liga menor con Baltimore Orioles por 800 000 dólares en julio de 2013. Casi sin esperar el tiempo de adaptación, comenzó a destruir a los lanzadores en las menores: .342 y 9 extrabases en 2013; y .306, 37 dobles, 3 triples y 15 jonrones entre Doble-A y Triple-A en 2014. La revista *Baseball America* lo colocó como el prospecto no. 5 de Orioles en 2015. El 28 de agosto debutó en Grandes Ligas. En 12 encuentros promedió .240, 1 cuadrangular (frente a Danny Duffy) y solo 31 turnos a home. Continuó sin recibir oportunidades en el equipo grande y mantuvo su bate en ritmo con Norfolk Tides en Triple-A. Allí lideró el casillero de dobles con 38 y bateó .288. Incomprensiblemente la gerencia de la franquicia quiso transformar el papel del cubano en lanzador, pero el experimento no funcionó y Álvarez tuvo que pasar por el quirófano. En el invierno de 2016, viajó a Venezuela y destacó con los Tigres de Aragua, para quienes bateó .308, 11 dobles y 5 jonrones. Volvió en el invierno de 2018 con los Charros de Jalisco. Su caso es uno de los más subestimados en cuanto a cubanos en las menores. En cuatro años, Álvarez no hizo más que ganar honores y solo recibió dos promociones fugaces a las Mayores. Fue selección al Juego de Futuras Estrellas en 2014 y equipo Todos Estrellas de postemporada en 2014 y 2015; además, fue convocado al Juego de las Estrellas de Triple-A. Allí consiguió ganar el Derby de Jonrones frente al infielder Peter O'Brien.

DYAN REY ANGLADA (23), INF, Ciudad Habana. Hijo de Rey Vicente Anglada. Entrenó para presentarse ante *scouts* y ver si podía jugar en alguna liga. «No jugué en ninguna liga. Estuve entrenando. Iba a hacer un *tryout*, pero al final no coordinaron nada y me dediqué a trabajar», expresó para esta investigación.

ROGELIO ARMENTEROS (18), RHP, Industriales, Triple-A: Houston Astros. Salió de Cuba en 2012 con ciudadanía española. En septiembre de 2014 firmó con Houston Astros y recibió un bono de 40 000 dólares. Quien parecía ser un lanzador para rellenar el sistema de ligas menores de Houston se convirtió en cuestión de dos años y medio en una posible opción para el equipo grande. Participó en el Clasificatorio al IV Clásico Mundial de Béisbol de Panamá en 2016 con la selección española. Comenzó a llamar la atención de todos con espectaculares actuaciones en las menores. En 2017 tiró para 10-4, 2.04 de efectividad entre Doble-A y Triple-A; los rivales le batearon .205 y propinó 146 ponches en 123.2 innings. En 2018 fue seleccionado pitcher de la organización en Triple-A al registrar 8-1, 3.74 y 134 ponches en 118 innings. Solo un milagro lo apartaría de saltar a Grandes Ligas en 2019 con Houston. Durante el invierno de 2018, la gerencia le otorgó un permiso de 25 entradas para lanzar en la Liga Invernal Dominicana con los Gigantes del Cibao.

Wandy Borges (32), LHP, Pinar del Río. Lanzó durante 6 temporadas en Cuba para 9-9, 5.15 de efectividad con los Vegueros de Pinar del Río. Tras emigrar realizó gestiones para firmar con algún equipo de liga invernal en el Caribe, bajo la ayuda de Alexei Ramírez, quien era su compañero de cuarto en Pinar del Río. Las negociaciones no se materializaron y no volvió al béisbol, por lo que aceptó el retiro.

Sergio Chil (19), C, Industriales. Atravesó por las categorías del béisbol en Cuba desde que tenía 12 años de edad. Antes de salir de la Isla estuvo en la reserva de los Industriales. Se insertó en el sistema del College y jugó para Florida Memorial University con el objetivo de llegar al draft. En 2017 bateó .282, 8 dobles, 1 triple y 1 cuadrangular pero no fue elegido por ninguna organización.

Aledmys Díaz (22), SS, Villa Clara, Major League Baseball: 3 equipos. Participó en el Campeonato Mundial Juvenil de Edmonton, Canadá, en 2008. Abandonó el equipo Cuba en el verano de 2012 mientras se celebraba la Semana de Béisbol de Haarlem, Holanda. Estableció residencia en México y Major League Baseball descubrió una incongruencia de ocho meses en su fecha de nacimiento, porque con ello él y su agente evitaban entrar en las penalidades para agentes libres internacionales. Major League

Baseball lo suspendió por un año y en marzo de 2014 Díaz firmó por 8 millones de dólares con un contrato de 4 años con St. Louis Cardinals. Entre 2014 y 2015 se mantuvo en ligas menores desarrollando habilidades y madurando como bateador. Cuando llegó su momento de subir a Grandes Ligas ya estaba listo para enfrentar ese nivel. En su año de novato bateó .300/.369/.510, 28 dobles, 3 triples y 17 jonrones. Se convirtió en el primer novato de la franquicia de St. Louis en asistir a un Juego de las Estrellas desde Albert Pujols. Su segunda campaña no fue lo mismo (.259 y 7 jonrones) y terminó en Triple-A. En diciembre de 2017 fue movido a Toronto Blue Jays por J.B. Woodman y con la franquicia canadiense se mantuvo estable con .263 de average, 18 jonrones y solo 62 ponches en 130 partidos. En noviembre de 2018 fue cambiado a Houston Astros por Trent Thornton.

YANDY DÍAZ (21), OF/INF, Villa Clara, Major League Baseball: Cleveland Indians. Estuvo en el equipo Cuba juvenil en Edmonton, Canadá, durante 2008. «Cuando fui a Canadá tenía pensado quedarme, pero no tenía mucha mentalidad para hacerlo, aunque desde ese día en adelante ya quería probarme en otro tipo de béisbol», dijo para esta investigación, Hijo de Jorge Díaz, una de las mejores segunda base defensivas de Cuba en los noventa, tenía 21 años la noche que salió de Cuba (por la costa norte oriental de Holguín), junto al lanzador Leandro Linares. El viaje en lancha duró 12 horas y a las dos de la tarde entraron por Monte Cristi, República Dominicana. Sus inversionistas y su agente (Bart Hernández) le concertaron presentaciones y Cleveland Indians se interesó en él. Díaz firmó por una cifra de

300 000 dólares y desde que llegó a ligas menores en 2014 fue desarrollando sus habilidades a la perfección. Aunque reconoce que le afectó el frío de Ohio al principio, se adaptó a tal punto que fue considerado el mejor tercera defensivo de Clase-A avanzada por la revista *Baseball America*. De súbito, explotó su talento. Para 2017, alcanzaba más boletos (60) que ponches (56) en una campaña de Triple-A, que además dominaba como líder de los bateadores, con .350. En la primavera de 2017 encantó a los dirigentes de Cleveland y obtuvo una plaza en el equipo grande, en el que debutó el 3 de abril de ese año. Recibió muy pocas oportunidades y en 2018 regresó a Grandes Ligas, donde bateó .312/.375/.422, 5 dobles, 2 triples y 1 cuadrangular. Superó el nivel de las menores como pocos cubanos lo han hecho en la última década. Entre otros premios en las granjas conserva el All-Star de la organización en 2015 y 2016, y además en la postemporada de 2015 y 2017. También tiene una participación en el juego de Futuras Estrellas de 2016 y el Novato del Año en la International League (Triple-A). Integró el equipo Todos Estrellas de la revista *Baseball America* durante 2016 en el nivel Triple-A. En diciembre de 2018 fue parte de un triple cambio que lo envió hacia Tampa Bay Rays.

Pablo Ignacio González (21), RHP, Ciudad Habana, Rookie. Los Angeles Dodgers. Estuvo un tiempo muy corto con Los Angeles Dodgers en las menores. Tiró 0-1, 3.60 de efectividad en 25 innings con 22 ponches en la Arizona League en 2013. Allí compartió vestuario con Cody Bellinger y José de León, prospectos de primera clase. En marzo de 2014 fue liberado y no regresó al sistema de las menores.

ROYMAN GONZÁLEZ (20), SS, Mayabeque. Transitó las categorías escolares del béisbol en Cuba con Matanzas. Estuvo en República Dominicana buscando llegar al profesionalismo. Al no conseguirlo, se fue a Estados Unidos. Se le presentó la opción de la Liga Profesional de Colombia, pero las negociaciones se congelaron cuando enfrentó problemas con su visado. «Ya no he jugado más, desgraciadamente en este país no puedes estar sin hacer nada y tuve que dejar de entrenar para poder trabajar y mantenerme aquí», dijo para este libro.

ADRIÁN HERRERA (14), OF, Ciudad Habana, División de Honor, España. Recibió la ciudadanía española a través de sus padres. Participó con España en el Campeonato Europeo de República Checa en 2015, donde bateó .423 de average y lideró los departamentos de hits, dobles y triples, mientras quedó segundo en impulsadas.

ELIER LEYVA NODA (23), OF, Holguín, Clase-A media: Baltimore Orioles. El 27 de octubre de 2012 partió de Cuba con destino a República Dominicana. Alrededor de tres años estuvo batallando para firmar con una organización de Grandes Ligas y lo consiguió en 2015 cuando Baltimore Orioles le otorgó un bono de 180 000 dólares. En Delmarva Shorebirds, nivel de Clase-A media, bateó .238/.311/.324, 22 dobles, 2 triples, 3 jonrones y 43 impulsadas. Fue liberado en marzo de 2016.

LEANDRO LINARES (18), RHP, Villa Clara, Doble-A: Cleveland Indians. Partió de Cuba en una embarcación junto a Yandy Díaz. Era uno de los lanzadores prospectos del país, talento que no ha cristalizado en su accionar por el béisbol de Estados Unidos. Firmó un contrato de 950 000 dólares con Cleveland Indians y durante 5 temporadas en las menores no ha podido rebasar el nivel Doble-A. Su mejor campaña fue en 2017, con balance de 4-3, 2.56 de efectividad entre Clase-A avanzada y Doble-A. La organización lo eligió entre los prospectos a la Liga Otoñal de Arizona en octubre, pero el derecho puso efectividad de 6.43 en 7 innings. En 2018 tuvo balance de 2-2, 6.05, en Akron RubberDucks, Doble-A, y los rivales le batearon para .288.

MICHEL MARTÍNEZ (18), RHP, Cienfuegos, Rookie: Houston Astros. Salió del país en 2012 cuando era categoría juvenil en Cienfuegos y habiendo pasado por la pirámide de rendimiento en Cuba, tanto en la EIDE (Escuela de Iniciación Deportiva) como en la ESPA (Escuela de Superación). Después de entrenar en la academia de Agustín Marquetti Jr., firmó un contrato de liga menor en 2015 con Houston Astros por un bono de 10 000 dólares. Ese mismo año, en nivel Rookie, posteó 4-3, 2.39 de efectividad y 43 ponches en 52.2 innings. Sin embargo, la jefatura de Houston en las menores sufrió una reestructuración y fue liberado luego de esa temporada, quizá por su tasa de boletos 3.9 (BB/9). Aun así no recibió más oportunidades y se decepcionó del béisbol. Nunca más le entusiasmó jugar, pese a las ofertas de otras organizaciones de Major League Baseball y ligas extranjeras.

ROLANDO MERIÑO (40), C, Santiago de Cuba, Liga de Francesa de Béisbol. Fue un renombrado bateador de las Avispas de Santiago de Cuba que además participó en campeonatos internacionales con la selección nacional de Cuba, como el II Clásico Mundial de Béisbol (2009) y los Juegos Olímpicos de Beijing (2008). En 22 temporadas acumuló 215 jonrones, 405 dobles y average de .314. Sin embargo, cuando salió de la Isla, por la vía legal, no estaba decidido a poner fin a su carrera. En 2013 se incorporó a las filas de los Templaries de Senart en la Liga Francesa de Béisbol, con promedio de .350/.419/.470, 4 dobles, 2 triples, 2 jonrones y 31 impulsadas en 30 encuentros. Registró 13 extrabases y .292 en 2014; y para 2015 batearía .350, con 8 dobles sin jonrones. Representó a los Templaries de Senart en el Europeo de Béisbol de Rotterdam en 2015. Integró el equipo de España al Clasificatorio del IV Clásico Mundial de Béisbol en Panamá durante marzo de 2016.

FRANK NAVARRO (14), LHP/OF, Ciudad Habana. Incursionó en el béisbol colegial de Estados Unidos. En mayo de 2017 dijo para esta investigación que buscaría firmar un contrato desde República Dominicana, pero hasta el momento no ha llegado al profesionalismo.

OSBEIDY PÉREZ (25), OF, Villa Clara. Estuvo en Guatemala junto a Erián Rojas, Yuniesky Lagart y Julio Rivera. Desafortunadamente tampoco logró llegar al profesionalismo.

YASIEL PUIG (22), OF, Cienfuegos, Major League Baseball: Los Angeles Dodgers. Integró el equipo Cuba juvenil en 2008 y desde sus primeros años en Series Nacionales se avizoraba el poder y la velocidad de un talento élite. Se marchó de Cuba en junio de 2012 por la costa de Matanzas hacia México, junto a otros tres pasajeros. La operación la diseñó Raúl Pacheco, un empresario de Miami que prometió a los lancheros pagar 250 000 dólares por sacar a Puig de la Isla. Debido al pago del viaje y otras cuestiones, Puig fue extorsionado en México y amenazado. Su vida corrió peligro. Estableció su residencia en México con celeridad y firmó un acuerdo de 7 años y 42 millones de dólares con Los Angeles Dodgers el 28 de junio de 2012. Su progresión fue tan veloz que, de hecho, debutó en Grandes Ligas el 3 de junio de 2013 con dos imparables. Culminado el primer mes de acción, en todo Los Angeles se desató la «Puigmanía», una fiebre de excitación por el apodado Caballo Salvaje. Puig conectó 44 hits en su primer mes de Grandes Ligas, rozando la marca de Joe DiMaggio, con 48 hits en 1936. En 104 partidos terminaría con average de .319 y 19 jonrones, con lo cual fue votado segundo en la carrera por el Novato del Año, que finalmente ganaría su compatriota José Fernández. Al año siguiente tuvo que lidiar con su pasado: varios traficantes e inversionistas lo demandaron y exigieron grandes cantidades de dinero; el jardinero tuvo que pagar un estimado de 1,3 millones. Su rendimiento se mantuvo en alza y en 2014 asistió a su primer Juego de las Estrellas. En 2015 y 2016 le bajaron su progresión 2 temporadas mediocres; sin embargo, el cubano se recuperó en 2017 y 2018. En total ha bateado 108 jonrones en 6 años de carrera y espectacular línea ofensiva de .279/.353/.478. Protagonista de varias trifulcas dentro y fuera del terreno, ha sido pieza central de los Dodgers en sus dos últimas Series Mundiales.

Roberto Carlos Ramírez (25), SS, Metros/Industriales, Liga Independiente. El campocorto inició su carrera profesional en la United League Baseball (Liga Independiente) y El Paso Diablos (American Association) en 2013. Acumuló línea ofensiva de .357/.394/.425, 10 dobles, 4 triples y 33 impulsadas. De Estados Unidos marchó a República Dominicana tras recibir un permiso de viaje con la intención de firmar contrato de Major League Baseball. «No tuve una buena representación», expresó para este libro. Torpedero de excelente ofensiva y mejor defensa, hacia finales de 2014 jugó además en Nicaragua con los Gigantes de Rivas, y en 2015 con los Tigres de Chinandega. Ese mismo año llegó a la Canadian-American Association con Ottawa Champions y en 77 juegos bateó para .267, 15 dobles, 2 triples y 4 jonrones. Viajó en 2016 a Dominicana nuevamente buscando una firma, pero la suerte no lo acompañó; por otro lado, no pudo repetir en 2017 con Ottawa Champions, debido a problemas familiares. Aunque no se considera retirado, no ha regresado más al béisbol.

LÁZARO RODRÍGUEZ (15), INF, Ciudad Habana. Integró el equipo Ciudad Habana en edad infantil. Actualmente juega en el béisbol colegial en Alabama, con la intención de ser elegido en el draft de 2019.

OMAR LUIS RODRÍGUEZ (20), LHP, Sancti Spíritus, Clase-A media: New York Yankees. Participó en el Campeonato Mundial Juvenil de 2010 como el as del equipo Cuba. Luego de una fugaz temporada con los Gallos de Sancti Spíritus en la Serie Nacional, decidió marcharse. Impactó a los *scouts* con una recta de 93 millas y notables envíos rompientes. Fue así como New York Yankees lo firmó por un bono de 4,5 millones de dólares, aunque reprobó el examen médico y la cifra quedó en 1,5 millones. En las menores enfrentó problemas de localización y control. Su tasa de boletos por cada 9 innings en 3 temporadas ascendió a 6.8 (BB/9). En 2014 dejó balance de 2-4, 5.71 de efectividad en Clase-A media, el nivel más alto donde lanzó.

ERIÁN ROJAS (23), C, Villa Clara, Liga de Béisbol de Guatemala. Partió de Cuba en 2012 hacia Guatemala. Allí jugó en la primera liga de ese país con el Municipal y la Universidad de San Carlos. Tenía en mente firmar un contrato con alguna franquicia de Major League Baseball. El 14 de octubre de 2013 entró a Estados Unidos. En 2015 jugó con Hudson County Reds en la New Jersey Amateur League, promediando .444, 2 jonrones y 6 remolcadas. Luego decidió marcharse a República Dominicana. Tras ocho meses de estancia, estuvo cerca de firmar un contrato con Milwaukee Brewers, pero se lesionó el brazo derecho. «La persona que le firmé un contrato para ir a Dominicana me engañó y me dejó a la deriva allá. No cumplió con el contrato», dijo para esta investigación.

Antonio Romero (23), RHP, Industriales, Triple-A: Cleveland Indians. Salió de Cuba rumbo a Italia y tiró la campaña de 2013 con Nettuno para 5-2, 3.40 de efectividad. Los oponentes le batearon .216. No pudo tener el mismo éxito en Estados Unidos, cuando inició su carrera en el sistema de las menores con Cleveland Indians y fue elegido para desarrollarse en la Liga de Prospectos de Arizona. Al comenzar 2016 no exhibió su mejor forma (3-1, 8.59) entre Clase-A y Doble-A, y fue liberado. Después viajó hacia la Liga del Norte de México y jugó en 2017 para Freseros de San Quintín.

2013

José Abreu (26), 1B, Cienfuegos, Major League Baseball: Chicago White Sox. Fue un prodigio desde edades tempranas y con solo 16 años debutó en las Series Nacionales de Cuba con los Elefantes de Cienfuegos. Estuvo en el equipo Cuba juvenil campeón en Taiwán (2004). Apodado Pito, en 2009 estuvo en la preselección de Cuba al

II Clásico Mundial, sin lograrlo. Comenzó a masacrar a los lanzadores y en 2013 ya era uno de los mejores bateadores de la Isla. En agosto del mismo año partió en una embarcación cuyo destino era República Dominicana y a finales de octubre firmó un contrato de 68 millones de dólares por 6 años con Chicago White Sox. De historia y leyenda fue su temporada de novato en 2014: en el mes de abril ya tenía récord de novatos para la franquicia con 10 jonrones y 32 impulsadas. Terminó su primera campaña con 36 bambinazos (récord de la organización) y 107 impulsadas, average de .317 y líder en slugging .581 y OPS ajustado .173. Se llevó una calificación unánime con 30 votos de 30 posibles y asistió al Juego de las Estrellas en Minnesota. Además, concluyó cuarto en la votación por el Jugador Más Valioso y se llevó 1 Bate de Plata. Entre 2015 y 2017 bateó al menos 25 cuadrangulares con 100 impulsadas, único en hacerlo en sus primeras 2 temporadas (junto a Albert Pujols). En las primeras 4 campañas contó con 100 impulsadas o más, lo cual lo unió al club de Joe DiMaggio, Albert Pujols, Al Simmons y Ted Williams. Su legado pasa por ser el beisbolista cubano más estable desde que arribó a las Mayores. Ha sido seleccionado 2 veces al Juego de las Estrellas y archiva 2 Bates de Plata, premio al más ofensivo de su posición. Una lesión a finales de 2018 le impidió llegar a las 100 impulsadas (hizo 78) por quinto año consecutivo.

YAUSMEL ALFARO (17), OF, Ciudad Habana, Campeonato Sudamericano de Béisbol. Transitó por todas las categorías del béisbol en Ciudad Habana, hasta que su padre lo ayudó a viajar, por la vía legal, hacia Bolivia. Al tiempo de estar allá lo contactó un exentrenador de equipos Cuba que se encontraba en Brasil, adonde viajó Alfaro. Se asentó en la liga de aquel país donde jugó el campeonato TACA de Brasil (primera división) y coincidió con otros compatriotas como Irait Chirino, Ernesto Noris y Juan Carlos Muñiz. Con la agencia libre pidió visa para ir hasta República Dominicana como residente boliviano. Le negaron la visa y Alfaro se casó con una ciudadana de Bolivia: al segundo intento le otorgaron la visa para llegar a Dominicana. Tiempo después de estar en Dominicana, en la Academia de Rudy Santín, regresó a Bolivia sin resultados de firma profesional. Representó a Bolivia en el Campeonato Sudamericano de Buenos Aires, Argentina, en 2018. En agosto de ese año volvió a República Dominicana. «El agente que tenía antes no posee profesionalismo ni interés si no es un jugador de más de 10 millones», dijo sobre su anterior agente.

Erisbel Arruebarruena (23), SS, Cienfuegos, Major League Baseball: Los Angeles Dodgers. Era el preferido entre los torpederos de Cuba y eso lo llevó al III Clásico Mundial en 2013, donde participó como regular. En el invierno de ese mismo año abandonó la Isla, estableció su residencia en Haití y llamó la atención de los ojeadores en República Dominicana. Poco tiempo después firmó por 5 años y 25 millones de dólares con Los Angeles Dodgers. Su promoción a Grandes Ligas ocurrió en mayo de 2014: tras una lesión de Juan Uribe, el llamado de Alex Guerrero se congeló por este encontrarse también lesionado luego de una pelea con el cátcher Miguel Olivo. Arruebarruena, apodado Grillo por su destreza defensiva, se incorporó entonces al llamado y debutó el 23 de mayo. Uno de sus mejores momentos en las Mayores llegó el día 25, cuando participó en el juego sin hit ni carreras de Josh Beckett con dos hits y varias jugadas defensivas. Después de 22 partidos (.195, 1 doble y 4 impulsadas) fue bajado a las menores. A partir de ese momento comenzaría la pesadilla de Arruebarruena, pues protagonizó una pelea en Triple-A tras un desencuentro con el cátcher Blake Lalli. Como castigo, la gerencia de los Dodgers lo bajó a Clase-A avanzada. Los problemas continuaron cuando los Dodgers lo sacaron del roster de 40 a finales de año, y en 2015 protagonizó un episodio de indisciplina por el que fue suspendido un mes y que se repitió en mayo de 2016. Esto le causó la suspensión sin derecho a pago todo el año por constantes incumplimientos del contrato. «Después de muchas frustraciones, de malos gestos y de muchas culpas finalmente comprendí que realmente lo que estaba era enfermo. Fui hospitalizado de emergencias cuatro veces, en las cuales se me detectó una diabetes de tipo 1», dijo para esta investigación. El torpedero regresó en 2017 y bateó .519 con 2 dobles, 2 triples y 2 jonrones en nivel Rookie, pero al parecer los Dodgers no quisieron brindarle otra oportunidad y lo liberaron en 2018. Firmó con los Indios del Bóer de la Liga Profesional de Nicaragua para el invierno de 2018, pero abandonó el conjunto antes de debutar debido a desacuerdos económicos.

YENIER BELLO (28), C, Sancti Spíritus, Clase-A avanzada: Atlanta Braves. En 2014 firmó con Atlanta Braves un contrato de liga menor y bateó para .308/.315/.404 entre nivel Rookie y Clase-A avanzada, con solo 3 extrabases en 55 turnos. Después de ser liberado tuvo breves incursiones en la Liga Invernal de Puerto Rico (Cangrejeros de Santurce) y la American Association (Joplin Blasters) en 2015.

Ese mismo año San Diego Padres lo adquirió, aunque no jugó ningún partido con ellos en las menores.

Daniel Carbonell (22), OF, Camagüey, Triple-A: San Francisco Giants. En octubre de 2013 se marchó de Cuba junto a Orlando Pérez. Se asentó en México y los *scouts* reconocieron de inmediato su talento. La organización de San Francisco le dio un contrato de 3,5 millones de dólares por 4 años. El veloz jardinero contaba con altas probabilidades para ascender a las Mayores, pero no logró superar el nivel Doble-A. En 2017, retrocedió en una progresión que iba por buen camino y bateó .242/.288/.374, 11 dobles, 1 triple y 4 jonrones en Richmond Flying Squirrels. El bajo embasamiento (88 boletos en 399 partidos) conspiró en su contra y los Giants lo dejaron libre a principios de la campaña de 2018. Luego de esa decepción, ha jugado en el verano de México con Olmecas de Tabasco y en invierno con Charros de Jalisco.

Rusney Castillo (26), OF, Ciego de Ávila, Major League Baseball: Boston Red Sox. A finales de 2013 salió de Cuba rumbo a República Dominicana y estableció su residencia en Haití. Es un jugador mezcla de velocidad, defensa y poder, por lo que no demoró mucho en impactar a los ojeadores de talento. En agosto de 2014 impuso récord para un cubano mejor pagado en contrato con Grandes Ligas, al acordar con Boston Red Sox por 72,5 millones de dólares y 7 años. Debutó esa misma temporada y en 10 partidos bateó .333 con 2 jonrones. Los problemas del avileño iniciaron en 2015. En 80 juegos con Boston dejó línea ofensiva de .253/.288/.359, 10 dobles, 2 triples y 5 jonrones. La peor muestra fue su escaso embasamiento, con solo 13 boletos. En 2016 recibió una breve promoción y desde ese momento no ha regresado a Grandes Ligas. Bateó .314 de average en 2017 con la sucursal de Pawtucket Red Sox, Triple-A, más 22 dobles y 15 jonrones; producción necesaria para superar el complicado nivel y abrir las puertas de las Mayores. Sin embargo, de agregar al cubano al roster de 40 la nómina salarial de Boston hubiera sobrepasado los 236 millones de dólares en su conjunto (en 2018) y el equipo hubiera tenido penalidades (como perder 10 rondas en el draft y lacerar su presupuesto de firmas de prospectos internacionales con una multa de 1 millón). Por lo tanto, el bloqueo de Castillo obedeció a patrones económicos y no de talento. Lejos de amilanarse, continuó una espectacular temporada en Triple-A. El apodado la Pantera lideró a todos los bateadores en la International League con .329 de average, cuarto en dobles (29) y décimo en bases robadas (13). Ha triunfado en el béisbol invernal y guiado a los Criollos de Caguas a 2 campeonatos consecutivos en Puerto Rico y a la consecución de 2 Series del Caribe.

YOILAN CERSE (26), 2B, Guantánamo, Clase-A avanzada: Boston Red Sox. Después de un intento fallido de salida ilegal, partió definitivamente de Cuba rumbo a República Dominicana. Boston Red Sox le dio un contrato de liga menor al bateador de .321 en 9 temporadas en Cuba con los Indios de Guantánamo. Cerse no puso los números esperados en Salem Red Sox, sucursal de Clase-A avanzada: .243/325/363, 12 dobles, 3 triples y 3 jonrones. Pese a una positiva tasa de boletos y ponches (25 boletos y 31 ponches en 64 juegos) no recibió más oportunidades en las menores y en marzo de 2016 fue liberado por la franquicia de Boston. No ha regresado al béisbol profesional desde entonces.

Irait Chirino (29), OF, Industriales, Preclásico Mundial de Béisbol en 2016, Brasil. En octubre de 2013 salió de Cuba hacia Brasil por la vía legal. El hábil bateador de los equipos Metropolitanos e Industriales atesoró .309 de average en 9 Series Nacionales. Jugó en la Liga Profesional de Panamá con Caballos de Coclé en 2015 y rindió buena campaña tras batear para .270/.379/.378 y ser el tercero en anotadas de la liga, con 19. El jardinero aseguró para esta investigación que se marchó de Cuba para buscar un mejor futuro. En Panamá cobraba un salario de 3 000 dólares mensuales. Al poseer residencia permanente de Brasil, participó con la selección de ese país en el Clasificatorio del IV Clásico Mundial de New York, en 2016.

Yozzen Cuesta (24), 1B, Ciego de Ávila. En agosto de 2013 decidió quedarse en Canadá en el torneo World Baseball Challenge, donde participaba con su equipo Tigres de Ciego de Ávila, que se había titulado campeón ese año en Cuba. Fue un prospecto que no obtuvo el desarrollo necesario debido al escaso tiempo de juego en Cuba. No logró firmar ningún contrato profesional con organizaciones de Major League Baseball.

Odrisamer Despaigne (27), RHP, Industriales, Major League Baseball: 3 equipos. Participó en el Campeonato Mundial Juvenil de Taiwán en 2004. Hijo de Francisco Despaigne, estuvo 8 temporadas con los Leones de Industriales y en 2013 integró el equipo Cuba al III Clásico Mundial, pero fue el único lanzador que no vio acción en el torneo. Abandonó el equipo Cuba cuando se disponía a participar en el torneo de Rotterdam, Holanda: el 2 julio de 2013 prefirió separarse del béisbol cubano en el aeropuerto Charles de Gaulle de París, Francia. Estableció su residencia en España con la ayuda de su padre y se presentó ante los *scouts* en México; allí ganó la atención de San Diego Padres, que lo firmaron por un contrato de 1 millón de dólares. El 23 de junio de 2014 debutó en Grandes Ligas frente a San Francisco Giants, sin permitir carreras en 7 entradas y consumando su primer triunfo en Major League Baseball. El 20 de julio, en su quinta apertura, tiró un partido sin hit ni carreras por 7.2 innings en Petco Park ante New York Mets. La joya se quebró con un doble de Daniel Murphy. Su balance final en 2014 era de 4-7, 3.36 de efectividad. Luego de un plausible inicio en 2015, sus números iban decayendo, principalmente cuando lanzaba fuera de San Diego. En febrero de 2016 llegó a Baltimore Orioles canjeado por Jean Cosme. Allí actuaría como relevista con 27.2 innings en las Mayores y efectividad de 5.60. En septiembre del mismo año, Miami Marlins capturó sus servicios en *waivers* y para 2017 posteó 2-3, 4.01, elevando su velocidad alrededor de 5 millas. Sin embargo, el habanero retrocedió nuevamente en 2018, con marca de 2-3, 6.69, entre Marlins y Los Angeles Angels. Su carrera en Major League Baseball hasta ahora no ha sido de nivel estrella (13-24, 4.94), aunque ha dejado huellas de lanzador talentoso y con variedad de recursos.

ABEL DÍAZ (14), INF/CF, Ciudad Habana. Nacido en el Cotorro, Ciudad Habana, es un jugador versátil que puede actuar lo mismo en la receptoría que en los jardines. Se insertó en el béisbol colegial de Estados Unidos con el objetivo de firmar contrato con alguna organización de Major League Baseball.

YASMANYS FERNÁNDEZ (26), LHP, Cienfuegos, Clase-A avanzada, Los Angeles Dodgers. Firmó un contrato de liga menor con Los Angeles Dodgers y en 2014 registró marca de 1-0, 3.38 de efectividad en Rancho Cucamonga Quakes, nivel de Clase-A avanzada. En el invierno de 2014 trabajó para los Senadores de San Juan en la Liga Profesional de Puerto Rico, aunque su actuación fue de 1-1, 8.31. El 14 de junio de 2015 resultó liberado por los Dodgers.

Onelio Fondín (30), OF, Guantánamo, Liga de Béisbol Italiana. Llegó a Italia por la vía legal en 2013, el mismo año que firmó un acuerdo con Danesi Nettuno y debutó en el primer nivel de béisbol del país europeo. El jardinero de 7 temporadas en Cuba con los Indios de Guantánamo bateó para .352 (octavo de la liga), 4 dobles y 13 impulsadas. Continuó con el Bollate B.C. 1959 de la Serie A y puso average de .364 y 9 extrabases en 2014. En 2015 regresó al primer nivel de la Liga de Béisbol Italiana y dos años más tarde extendió su carrera hasta España. En 2017 jugó en la División de Honor con San Inazio de Bilbao y allí promedió .360 (40 hits en 111 turnos), 5 dobles, 2 triples y 1 cuadrangular. La campaña de 2018 le trajo una nueva alegría, al ser elegido el mejor jardinero derecho del campeonato.

Josué Franco (25), C, Ciego de Ávila. Era receptor de reemplazo en Cuba con los Tigres de Ciego de Ávila. Cualquier tentativa de explorar en el béisbol extranjero quedó nula para él.

Alejandro García (21), OF, Villa Clara, Triple-A: Houston Astros. Abandonó la Isla en una embarcación junto a Raymar Navarro y Yoanys Quiala, lanzadores de Holguín. Firmó con Houston Astros por un bono de 750 000 dólares. «Cuando salí de Cuba fue difícil como para cualquier persona dejar detrás a la familia, país y amigos. Es difícil, pero a la vez cuando hablas con tu familia y te dicen dale duro que tú sí puedes y luchas por tu sueño, las cosas cambian porque entonces sigues empujando hasta no poder y no te rindes», dijo para esta investigación. Después de una temporada en el nivel Rookie de la Liga Dominicana de Verano, arribó a Estados Unidos en 2016 y entre Clase-A avanzada, Doble-A y Triple-A ostentó línea ofensiva de .291/.323/.365, 15 dobles, 1 triple y 1 jonrón. Esto le mereció la participación en la Liga Otoñal de Arizona, la mejor liga de prospectos del sistema Major League Baseball. Sus números decayeron en 2017: .235 de average y 4 jonrones entre Doble-A y Triple-A. Tras un abrupto inicio en 2018 de .225 y 4 extrabases en Triple-A, fue liberado por los Astros.

ALEJANDRO GASTÓN* (20), OF, Cienfuegos. Salió de Cuba el 17 de diciembre de 2013 en una embarcación, acompañado de sus coequiperos Yoasniel Emilio Pérez y Pedro Luis Márquez, y además junto a Yoan López y Raisel Plutín, lanzadores de Isla de la Juventud. Sin causar el impacto esperado en los *scouts* de Grandes Ligas ni contar con buena representación, intentó salir de Dominicana hasta isla de Mona, en Puerto Rico, y buscar llegar a Estados Unidos por la Ley de Ajuste Cubano. Sin embargo, él y Jorge Despaigne fueron atrapados en una embarcación de 39 personas y deportados a Cuba una semana más tarde, exactamente el 25 de noviembre de 2015. «Decidí irme a los Estados Unidos por cosas que pasan en ese negocio que uno nunca se entera de lo que hacen contigo y por eso muchos hemos fracasado», dijo para esta investigación. Buscó la forma de reinsertarse en el béisbol de Cuba con los Elefantes de Cienfuegos, pero las autoridades frenaron su regreso pues había salido de la Isla por la vía ilegal y necesitaba cumplir un año de sanción. Gastón partió hacia Bolivia junto a su esposa, de nacionalidad boliviana, y allá vive actualmente sin jugar béisbol.

MIGUEL ALFREDO GONZÁLEZ (26), RHP, La Habana, Philadelphia Phillies: Major League Baseball. Exhibió el dominio de su recta en Cuba y se proclamó campeón con los Vaqueros de La Habana en la 48 Serie Nacional, en la que ganó 5 partidos en la postemporada y fue nombrado el Jugador Más Valioso. Desde que emigró a México en lancha atrapó todas las atenciones y rápidamente, el 26 de julio de 2013, Philadelphia Phillies le ofreció un contrato de 60 millones de dólares por 6 años; el contrato se renegoció cuando González falló en los exámenes y se le detectó una lesión en su brazo derecho. El pacto se cerró en 12 millones de dólares por 3 años. El portentoso lanzador no pudo demostrar el talento que traía desde Cuba en todo su trayecto por el béisbol profesional. Los Phillies contaban con sus servicios a corto plazo, pero el habanero presentó múltiples problemas, también en su hombro de lanzar. En todo 2015 solo lanzó 16 innings en las menores. Aunque probó el sabor de llegar a Grandes Ligas en 2014 (6.75 de efectividad en 5.1 innings), la organización de Phillies no tuvo más paciencia y lo despidió en 2016. Lanzó en la Liga Profesional de Venezuela con Águilas del Zulia (0-4, 4.13). No pudo cosechar ningún triunfo a nivel profesional desde que salió de la Isla. En noviembre de 2017 murió en un trágico accidente automovilístico en Cuba, donde se encontraba de visita.

ALEXANDER GUERRERO (27), SS, Las Tunas, Major League Baseball: Los Angeles Dodgers. Los Angeles Dodgers firmaron a Guerrero por 28 millones de dólares más incentivos. Unos meses antes, el torpedero se había marchado de Cuba como uno de los peloteros más subestimados de la Isla, con múltiples temporadas de más de 20 jonrones y sin la sombra de integrar la selección nacional para un evento de magnitud. El 22 de marzo de 2014 debutó en Grandes Ligas, en el día inaugural atípicamente celebrado en Sidney, Australia. Al regreso fue bajado a Albuquerque Isotopes, Triple-A, donde sumó 15 dobles, 14 jonrones y .329 de average. El 2014 no fue un año feliz para Guerrero; solo contó con 13 turnos en Major League Baseball, en gran medida porque protagonizó una pelea en Triple-A con su coequipero Miguel Olivo: perdió una parte de su oreja en la riña, por lo que tuvo que someterse a cirugía y por ello perdió casi tres meses. Al día siguiente la gerencia de Dodgers despidió a Olivo. Para 2015 retornaría al equipo grande. En 106 partidos conectó 11 cuadrangulares (2 de ellos para decidir victorias) y remolcó 36 carreras con average de .233. El tunero pegó 5 jonrones en el mes de abril y mereció el premio a Novato del Mes en la Liga Nacional. Su relación con los Dodgers terminaría en 2016, cuando una lesión en una de las rodillas lo envió a la lista de inhabilitados. Fue puesto en asignación y, al no reclamarlo otro equipo, aceptó su liberación el 8 de junio de 2016. Hizo sus maletas y marchó hacia la Liga Profesional de Japón, tras firmar con Dragones de Chunichi por 1,3 millones de dólares y batear .279, 35 jonrones y 86 impulsadas en 2017. Esa estupenda actuación hizo que los Dragones le dieran un contrato de 7,1 millones de dólares por 2 años.

Denis Hernández (21), C, Pinar del Río. Realizó algunos *tryouts* desde que arribó a Estados Unidos y estuvo representado por My3Gsports y el agente Román Rubio, pero las negociaciones no se concretaron. Luego de sufrir una lesión en su rodilla, abandonó el béisbol.

Frank Hernández (12), INF, Ciudad Habana, División de Honor, España. Hijo de Edgar Hernández y hermano de Omar Hernández. Bateó .321 de average, 2 dobles y 4 impulsadas con el C.B. Viladecans en la División de Honor del béisbol de España.

Jesús Hernández (17), RHP, Mayabeque. Continuó su carrera en el béisbol colegial de Estados Unidos con Palm Beach State College, donde promedió 1-1, 2.89 de efectividad en 2017. Como objetivo primario su meta es firmar un contrato profesional a través del draft.

Omar Hernández (12), C, Ciudad Habana, División de Honor, España. Hijo de Edgar Hernández y hermano de Frank Hernández. Fue octavo de los bateadores en la División de Honor de España en 2018 con C.B. Viladecans, donde bateó .434 (42 hits en 97 turnos). Firmó contrato con Kansas City Royals el 17 de agosto de 2018, con lo cual se convirtió en el primer beisbolista del Club Viladecans en acordar con una franquicia de Grandes Ligas.

Royd Hernández* (22), RHP, Matanzas, División de Honor, España. Tuvo un periplo fallido en República Dominicana: «Sobre por qué no firmé, tienes que preguntarle a Rudy Santín, que era mi agente», dijo para esta investigación. Se marchó a España y en 2016 debutó en la División de Honor del béisbol ibérico con los Astros de Valencia, con marca de 4-0, 0.75 de efectividad y .156 de average oponente. Como no logró firmar un contrato profesional, regresó a Cuba para continuar su carrera con los Cocodrilos de Matanzas. Lanzó en forma espléndida y se llevó el liderato en efectividad de la liga con 1.69 y 8 victorias en 96 entradas. Fue uno de los primeros beisbolistas cubanos en intentar el salto al profesionalismo para luego regresar a la Isla y formar parte de un equipo nacional. Eso ocurrió en julio de 2018, cuando integró el equipo Cuba para la Semana de Béisbol de Haarlem, en Holanda.

DALIER HINOJOSA (27), RHP, Guantánamo, Major League Baseball: 2 equipos. No era un prospecto del béisbol en Cuba cuando comenzó con los Indios de Guantánamo en Series Nacionales. Es el típico ejemplo de trabajo y aprendizaje cumpliendo saltos de calidad. En 2010 ya integraba la nómina del equipo Cuba y en febrero de 2013 decidió partir de la Isla para tratar de llegar a Grandes Ligas. En octubre del mismo año acordó con Boston Red Sox por 4,25 millones. Pasó todo 2014 en Pawtucket Red Sox (Triple-A), donde posteó 3-5, 3.79 de efectividad desde el bullpen. Mejoró en 2015 a 3-1, 3.21, y en una noche fría, el 3 de mayo de ese año, debutó en Fenway Park con Boston Red Sox. Fue el cubano número 16 de la historia en jugar con Boston y el tercero que debutaba en 2015. Lució decidido con su recta y atravesó a Alex Rodríguez con un ponche, su primero en Major League Baseball. Sin embargo, no se mantuvo mucho en Boston, que lo puso en *waivers* y el 15 de julio fue seleccionado por Philadelphia Phillies. En 23 innings puso números sobresalientes: 2-0, 0.78 y 21 ponches en 23 entradas. Esto le hizo ganar el puesto de cerrador con Philadelphia en 2016, aunque al desperdiciar un salvamento perdió la función. Los Phillies lo liberaron en mayo de 2016, después de sufrir una lesión en el hombro derecho. Dejó de jugar en abril de 2018. El derecho dejó una notable impresión en su paso por el béisbol profesional: arribó a Grandes Ligas (2-0, 1.51) y, aunque no pudo establecerse del todo, siempre estuvo por encima del promedio.

Mario Ibáñez (26), LHP, Santiago de Cuba. El 2 de mayo de 2013 salió de Cuba por la vía legal, fijó residencia en República Dominicana y en 2015 llegó a Estados Unidos. Participó en varios *showcases* ante *scouts*, pero no consiguió firmar contrato. Nunca más jugó béisbol. «Primero tienes que caer en buenas manos con gente que sepan trabajar y se preocupen por el pelotero; y segundo, el factor suerte: he conocido a muchos con una calidad increíble y los he visto en plenitud de forma y ni siquiera consiguen firmar ni por una visa», dijo para este libro.

Raisel Iglesias (23), RHP, Isla de la Juventud, Major League Baseball: Cincinnati Reds. Su ascenso en el béisbol ocurrió a la velocidad de la luz. En 2011 debutó con los Piratas de Isla de la Juventud y en 2013 ya integraba el equipo Cuba al III Clásico Mundial de Béisbol. En el otoño de ese mismo año emigró hacia República Dominicana y obtuvo su residencia en Haití; luego firmó un contrato de 27 millones de dólares por 7 años con Cincinnati Reds en junio de 2014. Iglesias debutó directamente en Grandes Ligas como abridor y dejó marca de 3-7, 4.15 de efectividad con 104 ponches en 95.1 innings. Se convirtió en el primer novato desde Hideo Nomo en registrar 3 salidas consecutivas con 10 ponches o más. Sin embargo, atravesó la transición de abridor a pitcher de bullpen. Su recta aumentó de 91,7 % en 2013 a 96,4 % en 2017 con una temporada de 30 salvados o más y 3 seguidas por debajo de 2.53 de efectividad.

Leonardo Laffita (22), INF, Las Tunas, Clase-A avanzada: Detroit Tigers. Firmó con Detroit Tigers por un bono de

250 000 dólares. Después de jugar un tiempo en México con Vaqueros de la Laguna, fue contratado por los Tigers y no pudo pasar de Clase-A avanzada en West Michigan Whitecaps. Allí bateó .209, 2 jonrones y 25 empujadas en 75 encuentros.

YUNIESKY LAGART (27), RHP, Metropolitanos. Luego de 2 temporadas con los desaparecidos Metropolitanos, abordó un avión y se marchó a Guatemala por medios legales. Se estableció en ese país desde enero de 2013, junto a Julio Rivera, Erián Rojas y Osbeidy Pérez. Allí obtuvo la agencia libre en agosto, pero las organizaciones no mostraron el interés esperado y además tuvo problemas con su representación. Pudo vincularse con un inversionista que lo ayudó a llegar a Dominicana: «Contacté con esa persona [inversionista], de ahí me sacaron un pasaje hacia Haití y de allí me cruzaron hasta Dominicana», dijo para esta investigación. Nada parecía funcionar para él y eligió tomar rumbo hacia isla de Mona, Puerto Rico, donde se acogió a la Ley de Ajuste Cubano.

ARTURO LARA (22), SS, Habana/Artemisa, Clase-A avanzada: Texas Rangers. Estuvo en República Dominicana para buscar un contrato profesional y lo encontró en enero de 2017, con Texas Rangers. El pacto de liga menor lo llevó a Down East Wood Ducks en Clase-A avanzada y los números de Lara fueron tan inconsistentes que fue liberado al término de esa campaña. El infielder promedió .192, 8 dobles, 1 triple y 2 jonrones.

JAYRON LARRINAGA (27), C, Metropolitanos, Liga de Béisbol de Costa Rica. A los 17 años en un torneo juvenil en México le ofrecieron 4 millones de dólares por abandonar el equipo y no aceptó. Siempre recibía solicitudes para salir de Cuba y nunca le interesó. Cuando bajó su valor, por ser jugador de cambio en los equipos Metropolitanos e Industriales, comenzaron sus intentos por escapar de Cuba. En 2012 quiso salir por Santiago de Cuba junto a otros seis jugadores, pero fue apresado por dos meses y medio, y confinado a una cárcel pequeña: «La familia no sabía que estábamos en esa cárcel; ellos pensaban que ya nosotros habíamos llegado a República Dominicana», dijo. Las autoridades cubanas, además, detuvieron a la persona que los iba a sacar de Cuba. Tiempo después, y gracias a unos amigos, Larrinaga salió legalmente hacia Nicaragua y llegó a Costa Rica por la vía ilegal, pero no tenía ningún agente interesado en él que apurara sus documentos. Mientras trabajaba en la construcción y jugaba los fines de semana en la Liga de Béisbol de Costa Rica recibió ofertas para ir a Nicaragua y debutar en la Liga Profesional con Leones de León. Intentó irse ilegalmente hasta Nicaragua y tuvo problemas para cruzar la frontera. En ese mismo tiempo fue a verlo un *scout* de Baltimore Orioles y le propuso que entrenara más, pero Larrinaga tenía que priorizar su trabajo en la construcción. Era la lucha entre la realidad y el sueño. Actualmente Larrinaga es profesor en una escuela de tenis, donde imparte sus conocimientos sobre deporte y actividad física. Pero nunca pierde la esperanza de volver a un terreno de béisbol. «No estoy frenado en este tema. Cuando yo tenga mis documentos quiero jugar en México, Nicaragua o Panamá, aunque sea par de años más», expresó y resumió: «Ese es mi sueño y me lo debo a mí mismo».

DAYÁN LAZO (29), OF, Artemisa. En 3 temporadas en Series Nacionales entre Vaqueros de La Habana y Cazadores de

Artemisa bateó .303 con 16 jonrones. Llegó a Estados Unidos por la vía de la reunificación familiar. No se le registran actuaciones en el béisbol profesional fuera de la Isla.

Yoan López (21), RHP, Isla de la Juventud, Major League Baseball: Arizona Diamondbacks. Salió de Cuba en una embarcación junto a Raysel Plutín, Pedro Luis Márquez, Yoasniel Emilio Pérez y Alejandro Gastón. En enero de 2015 firmó un contrato de 8,27 millones de dólares con Arizona Diamondbacks, justificado por la potencia de sus pitcheos y su velocidad. Entre 2015 y 2016 fue utilizado como abridor en ligas menores y su promoción a Grandes Ligas pendía de un hilo, porque además abandonó su equipo en Doble-A y se fue hasta Miami alegando problemas emocionales. El veloz lanzador regresó con aires renovados en 2017 y colocó marca de 2-0, 0.85 de efectividad y 59 ponches en 31.2 innings. El 2018 sería su año de cristalización de los sueños: fue convocado al Juego de Futuras Estrellas y el 9 de septiembre recibió la promoción a Grandes Ligas.

Pedro Luis Márquez (20), OF, Cienfuegos, Rookie: Arizona Diamondbacks. Salió de Cuba el 17 de diciembre de 2013 en una embarcación, acompañado por sus compañeros de equipo en Cienfuegos Yoasniel Emilio Pérez y Alejandro Gastón, y además por los lanzadores de Isla de la Juventud Yoan López y Raisel Plutín. Firmó contrato de liga menor con Arizona Diamondbacks luego de casi tres años en República Dominicana. Sin embargo, después de promediar .305/.353/.455, 10 dobles, 2 triples y 3 jonrones en 44 juegos en nivel Rookie, fue liberado en 2017.

Jorge Martínez (29), RHP, Matanzas, Ligas Invernales e Independientes. Estuvo 8 campañas con los Cocodrilos de

Matanzas y lanzó el juego sin hit ni carrera no. 50 del béisbol cubano (frente a Industriales, en su sede del Estadio Latinoamericano de La Habana). Salió legalmente de Cuba. El derecho es un ejemplo de beisbolista que no dependió de un pacto con la Major League Baseball para ser exitoso en el exterior. Ha sido un auténtico trotamundos que ha lanzado en las Ligas Invernales de Puerto Rico, República Dominicana y Venezuela. Además, ha viajado hasta la Atlantic League y la American Association (Ligas Independientes) dentro de Estados Unidos, así como a México e Italia, donde jugó en 2018 con Unipol Bologna (8-1, 1.95 de efectividad) en la Serie A1. Desde que arribó a Puerto Rico, en 2013, con los Cangrejeros de Santurce, labró su reputación de pitcher controlado y efectivo con 2.49 (tercero de la liga) y en 2014 mejoró con 4-1, 2.65 (cuarto de la liga). Sus últimas tres campañas en el béisbol de Venezuela con Cardenales de Lara han sido una reliquia: en 2016 posteó 6-2, 2.33 (tercero de la liga); en 2017, 7-2, 2.43 (líder en victorias); y en 2018 dejó marca de 5-3, 2.26 (lo que le valió para ganar el Lanzador del Año en Venezuela).

DAEL MEJÍAS (27), RHP, Las Tunas. Salió de la Isla legalmente. Demoró cuatro meses en llegar a República Dominicana tras hacer escala en varios países, como Jamaica. Su edad y sus estadísticas de Cuba (31-40, 5.56 de efectividad en 7 temporadas con los Leñadores de Las Tunas) no le ayudaron en demasía para una firma profesional. Sin embargo, estuvo a punto de conseguirlo. Entrenó en la academia de Los Angeles Dodgers, pero tuvo problemas con su documentación legal. Las negociaciones se congelaron y Mejías hizo vida en Dominicana, donde es entrenador en una academia.

Ernesto Molinet (29), INF, Mayabeque, Liga Mexicana del Pacífico. Fue, tal vez, el bateador más integral y talentoso del recordado equipo de Vaqueros de La Habana, que se alzó con el título de Cuba en 2009. Tuvo 2 campañas de 18 jonrones y una línea ofensiva de .300/.418/.473 en 11 temporadas. No jugó más en Cuba después de 2013, pero no se retiró. Buscó nuevas oportunidades fuera de Cuba y en 2014 irrumpió en el béisbol profesional firmando con los Cañeros de los Mochis, en la Liga Mexicana del Pacífico. «La decisión de buscar suerte en otro béisbol estaba más que pensada desde mucho tiempo atrás, pues en Cuba hay una sola ilusión, que es hacer el equipo nacional. Y por mucho que hice y me prometieron, nunca tuve esa posibilidad», dijo para esta investigación. Bateó en 45 juegos para .252/.331/.356, con 2 cuadrangulares, 8 dobles y 11 impulsadas. Allí compartió equipo con el tunero Joan Carlos Pedroso. En 2017, el natural de Santa Cruz del Norte jugó para los Bravos de Agujita en la Liga del Norte de Coahuila, en México. Fue líder de jonrones en la temporada de 2016, cuando sonó 6 vuelacercas. Actualmente el versátil jugador sigue aprovechando cada oportunidad dentro del juego.

Raymar Navarro (24), RHP, Holguín, Clase-A avanzada: Atlanta Braves. Fue lanzador de los Cachorros de Holguín. En 2012 protagonizó un juego sin hit ni carreras, junto al derecho Pablo Millán Fernández. Poco tiempo después saldría de Cuba junto a Yoanys Quiala y Alejandro García en una embarcación marítima desde Guantánamo, punto más oriental de la Isla. «Salí por la vía del mar donde pasé dos días para llegar [a Haití]; estuvimos rotos en el mar, pero tuve fe en Dios de que llegaría a tierra», dijo para esta investigación. No se encontró a sí mismo en las menores; primero en 2016 con 5-3, 5.78 de efectividad en Carolina Mudcats, Clase-A avanzada; y en 2017 con 2-3, 4.56 entre nivel Rookie, Clase-A media y avanzada. Los rivales le batearon para .295. En diciembre de 2017 enfrentó su liberación y el derecho no ha vuelto a lanzar en ninguna liga profesional.

ORLANDO PÉREZ (21), C/INF, Industriales, Liga Meridiana, México. Salió de Cuba junto a Daniel Carbonell rumbo a México, en octubre de 2013. Intentó firmar un contrato con alguna franquicia de Grandes Ligas, pero, después de jugar en la Liga Meridiana de México como trampolín, no logró llamar la atención de los *scouts*.

YOASNIEL EMILIO PÉREZ (22), OF, Cienfuegos. Se marchó de Cuba en una embarcación rumbo a República Dominicana, junto a sus compañeros de equipo Alejandro Gastón y Pedro Luis Márquez, y además junto a Yoan López y Raisel Plutín, lanzadores de Isla de la Juventud. Pese a no establecerse en Series Nacionales con los Elefantes de Cienfuegos (66 partidos en 4 temporadas), intentó el sueño profesional y no lo consiguió. Participó en varias presentaciones y aún reside en Dominicana.

RAISEL PLUTÍN (25), RHP, Isla de la Juventud. El 16 de diciembre de 2013 partió de Cuba en una embarcación junto a Yoan López, Pedro Luis Márquez, Yoasniel Pérez y Alejandro Gastón. Se convirtió en agente libre el 4 de enero de 2016. Realizó varias presentaciones para impresionar a los *scouts* de Grandes Ligas; sin embargo, la posibilidad de una firma no se concretó.

YOANDRI QUIALA (24), RHP, Camagüey. Actuó en 5 Series Nacionales con los Ganaderos de Camagüey, con los que acumuló marca de 3-8, 7.71 de efectividad. Luego de su salida de Cuba no logró insertarse en el béisbol profesional.

YOANYS QUIALA (19), RHP, Holguín, Triple-A: Houston Astros. Junto a Raymar Navarro y Alejandro García salió de Cuba por la parte más oriental: Imías, Guantánamo. «Estuvimos dos días encima de la lancha. No había comida. El motor se rompió a 30 millas de Cuba y anduvimos un día a la deriva. El conductor arregló el motor en el mismo mar, después de desarmarlo», dijo para esta investigación. Los tres beisbolistas llegaron a Puerto Príncipe, Haití, y de allí marcharon hacia República Dominicana. Quiala firmó un contrato de 800 000 dólares con Houston Astros y en 2016 demostró madera de prospecto con 9-5, 2.57 de efectividad entre Clase-A avanzada y Doble-A. Un irregular comienzo en 2018 lo hizo retroceder en Doble-A, cuando dejó balance de 6-5, 5.97. Sin embargo, aún se mantiene en el sistema de granjas y en el invierno debutó en la Liga Mexicana del Pacífico, con Cañeros de los Mochis.

JULIO RIVERA (23), C, Ciudad Habana. No jugó en el primer nivel del béisbol en Cuba y sí en Ligas de Desarrollo. Se marchó de la Isla rumbo a Guatemala con la finalidad de hacerse profesional. No consiguió el tan ansiado objetivo.

EDUARDO RIVES (23), C, Isla de la Juventud. Participó en 3 temporadas de la Serie Nacional con los Piratas de Isla de la Juventud. El 9 de marzo de 2013 salió rumbo a Nicaragua en busca de un contrato profesional. Una grave lesión en su codo de lanzar lo apartó de sus objetivos y debió regresar a Cuba para someterse a una cirugía Tommy John. «Tiempo después me fui a República Dominicana y a punto de firmar, me dieron un pelotazo en la mano y me hice una fractura», expresó para este libro.

Michael Douglas Sánchez (22), RHP, Industriales. Vistió el uniforme de los Leones de Industriales en la temporada 2010-2011. Viajó a República Dominicana y se mantuvo buscando un contrato profesional sin conseguirlo.

Misael Siverio (24), LHP, Villa Clara, Doble-A: Seattle Mariners. Abandonó la selección cubana en un tope bilateral ante Estados Unidos en Des Moines, Iowa. Un año después firmó por 275 000 dólares con Seattle Mariners y fue liberado tras una irregular temporada de 5-12, 4.35 de efectividad con Jackson Generals, Doble-A, en la que le batearon .277 y fue décimo de la liga en ponches, con 110. A partir de 2016 se convirtió en un trotamundos del béisbol, lanzando en ligas invernales e independientes. Ha estado en Venezuela, Dominicana, Nicaragua, Puerto Rico y México. En 2017 debutó en la Liga Mexicana de Béisbol con los Tigres de Quintana Roo y dejó una marca de 4-5, 4.69. El excelente curveador inscribió su nombre como el mejor lanzador de 2018 en la Liga Norte de México, con los Rojos de Caborca. Lideró el departamento de efectividad con 1.64 y quedó segundo en ponches y victorias. Eso le valió ser llamado a las filas de los Mayos de Navojoa de la Liga Mexicana del Pacífico en invierno, además de continuar con los Criollos de Caguas, en Puerto Rico.

Ángel Tamayo (27), C/1B, Holguín, Liga Invernal Dominicana. Tuvo dos intentos de salida ilegal de Cuba y en la tercera ocasión lo logró. Su única experiencia profesional fue con las Águilas Cibaeñas (3-1, 1 impulsada) en la Liga Invernal de Dominicana, lo cual quizá sirvió de consuelo tras no firmar con ninguna franquicia de Major League Baseball.

[2013 cont.]

Dian Toscano (25), OF, Villa Clara, Doble-A: Atlanta Braves. Venía respaldado de batear .356 en su última temporada de Cuba con los Leopardos de Villa Clara. Atlanta Braves le dio un contrato de 6 millones de dólares por 4 años. Contrariamente a las expectativas diseñadas en el bateador zurdo, este no pudo con la escala de aprendizaje de las menores y bateó solo .225/.312/.299, 6 dobles, 6 triples y 1 cuadrangular en 92 partidos. Fue parte de una movida por el lanzador Bud Norris que lo envió a Los Angeles Dodgers a principios de julio de 2016. En los inicios de la campaña de 2017 fue liberado por los Dodgers y desde ese entonces no ha regresado al béisbol organizado.

Dayron Varona (25), OF, Camagüey, Triple-A: Tampa Bay Rays. Escapó de Cuba junto a su madre y se estableció en República Dominicana, el mismo año que fue campeón de la Serie Nacional con los Leopardos de Villa Clara. Tampa Bay Rays le dio un contrato de 3,5 millones de dólares por 3 años con incentivos si llegaba a Grandes Ligas. En 2017 fue liberado por la franquicia al no poder superar el nivel de Triple-A (.237 en 136 encuentros). En ese instante pertenecía al roster de Durham Bulls en Triple-A. Se convirtió en el primer cubano que abandonó Cuba y luego jugó como profesional en la Isla, con un equipo de Grandes Ligas: ocurrió el 22 de marzo de 2016, en el tope Cuba *vs.* Tampa Bay Rays, efectuado en el Estadio Latinoamericano de La Habana. Ha jugado en ligas independientes e invernales luego de su liberación. Ayudó al título de York Revolution en la Atlantic League (Liga Independiente) con .277 y 17 extrabases. En la misma temporada (2017) viajó a Puerto Rico y ganó el título del béisbol boricua con los Criollos de Caguas, así como la Serie del Caribe en Culiacán, México.

Yoelkis Vera (26), LHP, Guantánamo. Salió el 12 de enero de 2013 de Cuba. Con un aval de relevista y discreta participación en 4 Series Nacionales con los Indios de Guantánamo, no consiguió firmar contrato. Aún reside en Dominicana, donde trabaja como entrenador de beisbolistas.

Jorge Luis Záldivar (23), SS, Holguín, Liga de Béisbol de Guatemala. Integró el equipo Cuba para el Campeonato Mundial Juvenil de Edmonton, Canadá, en 2008. Transitó 2 temporadas en Series Nacionales con los Cachorros de Holguín. Luego decidió emigrar hacia Guatemala e intentó firmar contrato profesional durante un año. Se asentó en la liga de béisbol de Guatemala con los Nacionales Mavericks. Allí los extranjeros pueden ganar entre 300 y 500 dólares mensuales.

2014

Orandy Abascal (25), C, Mayabeque. Salió en la misma embarcación de Ramón Tamayo, Dany Hernández y Julio Amador; también iba junto a su esposa. No fue de interés para los inversionistas y tuvo que trabajar por dos años en Dominicana. De allí se montó en una lancha hasta el canal de la isla de Mona, en Puerto Rico, donde pidió asilo y llegó a Estados Unidos. Nunca más jugó béisbol.

Lerys Aguilera* (28), INF, Holguín, Liga Profesional de Nicaragua. Se convirtió en el personaje principal de una historia realizada por ESPN.com en 2017, que contaba con un perfil escrito y con otra parte documental. La versión escrita fue publicada el 20 de junio de 2017, mientras que el documental se presentó a finales de noviembre. En ambos, Lerys aparece centrado en un realismo extremo: sus pobres condiciones de vida y la imposibilidad de realizar sus sueños eran lo que más impactaba. El beisbolista salió de Cuba en 2014. Entre 2014 y 2017 nunca disputó juego oficial alguno. Participó en entrenamientos, escasas presentaciones en *showcases* y algún que otro partido sin regularidad. Sus inversionistas, agentes y la empresa reunida en torno a su figura no vieron ganancia en la posibilidad de invertir en él, por lo que abandonó a quienes lo apadrinaban antes de cumplir un año en Dominicana. El hombre que dirigía los destinos de Lerys era Rudy Santín, reconocida personalidad del negocio que tiene una academia de béisbol (MVP Sports) en Santo Domingo. Cuando todo parecía perdido, Lerys acordó un pacto con los Indios del Bóer en la Liga Profesional de Nicaragua en el invierno de 2017. En Nicaragua bateó por encima de los .300, incluido 3 cuadrangulares. Su carrera continuó en 2018 por tierras italianas, cuando el Citta Nettuno se interesó en sus servicios. A finales de año decidió volver a su Holguín natal y reinsertarse en el béisbol cubano. Se ha mantenido a la espera, pese a no contar con el mejor de los tratos por parte de las autoridades de su provincia. Ha sufrido la adversidad tanto fuera como dentro de su país.

Yadier Álvarez (18), RHP, Matanzas, Doble-A: Los Angeles Dodgers. Apareció como un talento genuino en el Campeonato Nacional sub-23 de 2014 con su provincia de Matanzas. Ni siquiera esperó a acumular un par de temporadas en la Liga Cubana. A finales de año partió de Cuba con una recta que impactaría a los *scouts* en República Dominicana, capaz de llegar a las 100 millas. Firmó contrato de agente libre internacional (con restricciones) de 16 millones de dólares con Los Angeles Dodgers y rápidamente fue calificado como el prospecto no. 2 de la organización en 2016, según la revista *Baseball America*. Su primera temporada en las menores destrozó el nivel de Clase-A, con 81 ponches en 59.1 innings, 1 jonrón permitido y marca de 4-3, 2.12 de efectividad. Sin embargo, sus problemas de localización, los cuales arrastraba desde Cuba, asomaron en el nivel Doble-A, de donde no ha podido pasar. En general, su inconsistencia y descontrol (7.5 boletos por cada 9 entradas en Doble-A) han puesto en duda sus innatas condiciones y su proyección de abridor para Grandes Ligas. En 2017 fue parte del Juego de Futuras Estrellas y pese a problemas de disciplina en las menores, los Dodgers han rechazado varias ofertas de cambio y han creído en el brazo de Álvarez. El 2 de septiembre de 2018 protagonizó otro episodio de indisciplina al negarse a lanzar un partido en Doble-A, pues le argumentó a su mánager que quería abrir el primer partido de la postemporada. A sus 22 años, y más maduro como persona y atleta, tiene el futuro en sus manos para llegar a Grandes Ligas.

Julio Amador (22), OF, Cienfuegos. Partió de Cuba en la misma embarcación de Ramón Tamayo, Orandy Abascal y Danny Hernández, el 25 de julio de 2014, pero no pudo firmar contrato profesional.

Yuset Amador* (29), INF, Industriales/Metropolitanos. Fue elegido Novato del Año en Cuba con los desaparecidos Metropolitanos, para quienes bateó una espectacular línea ofensiva de .334/.402/.545, 20 dobles, 2 triples, 13 jonrones y 63 impulsadas. Al siguiente año la dirección del béisbol en Ciudad Habana apresuró su progresión y lo envió a las filas de los Leones de Industriales, sin contar con el tiempo de juego necesario. Amador tuvo temporadas discretas y decidió emigrar en 2014. Se subió a una embarcación que lo llevó hasta Puerto Príncipe, Haití, y de ahí cruzó ilegalmente la frontera con República Dominicana. Fue deportado el 18 de octubre de 2015 hacia Cuba, según informaron las autoridades en Santiago de los Caballeros. En la 56 Serie Nacional (2016-2017) volvió con los Leones de Industriales y en su última presentación en clásicos nacionales el nacido en Regla, en Ciudad Habana, dejó average de .344/.429/.492, 4 dobles, 1 triple y 1 cuadrangular en 19 partidos.

JOEL ÁVALOS (27), INF, Camagüey. Bateó .262 de average, 25 dobles, 3 triples y 3 jonrones en 6 Series Nacionales con los Ganaderos de Camagüey. Estuvo un tiempo en República Dominicana sin poder firmar un contrato profesional. Después de su arribo a Estados Unidos desistió de continuar en el béisbol. «Tengo que salir adelante y no tengo quien me apadrine», dijo para este libro.

RAIKO BALBOA (24), RHP, Camagüey. Salió de Cuba en noviembre de 2014 y vivió por tres años en República Dominicana sin conseguir su objetivo de hacerse beisbolista profesional.

ROBERTO BALDOQUÍN (20), SS, Las Tunas, Clase-A avanzada: Los Angeles Angels of Anaheim. Integró los equipos Cuba en categorías inferiores a partir de los 9 años de edad. Abandonó la Isla en febrero de 2014 y desde finales de octubre fue perseguido por el equipo de *scout* de Anaheim. El mismo Jerry Dipoto, un *general manager* que ha firmado a jugadores como Mike Trout, Josh Hamilton o Albert Pujols, fue a República Dominicana por tres días a observar a Baldoquín. Los Angeles Angels of Anaheim pagaron un bono de 8 millones de dólares por el torpedero de Las Tunas, que en 4 temporadas no ha logrado rebasar el nivel de Doble-A. Ha estado en los entrenamientos de primavera de Grandes Ligas y en 2018 asistió a la Liga Otoñal de Arizona, como prospecto de la organización.

Tailan Boza (17), OF/3B, Ciudad Habana. Integró el equipo Cuba infantil y tras llegar a High School firmó para la Universidad de Clarendon College en Texas, para así intentar llegar al draft y firmar con alguna franquicia de Major League Baseball. Sin embargo, viajó a República Dominicana para intentar buscar un contrato como agente libre internacional.

Ángel Rigoberto Cabrera (27), RHP, Las Tunas, Liga Profesional de Venezuela. Tras salir de Cuba en 2014 y no contar con la esperada suerte en República Dominicana, se fue en 2016 a la Liga Profesional de Nicaragua y tiró con los Indios del Bóer. «En Dominicana solo entrenaba dos meses y luego paraba las prácticas por diversos problemas. Así he estado casi dos años. Problemas primero de papeles y luego engaños del inversionista», dijo para este libro. Actualmente solo quiere continuar trepado en el box y mostrando su velocidad de 95 millas en la recta y su calidad como lanzador en cualquier liga donde se le presente la oportunidad. En el invierno de 2017 integró la nómina de los Toros de Herrera en la Liga Invernal de Panamá con marca de 2-0, 1.24 de efectividad y 33 ponches en 29 entradas. Además, fue pedido como refuerzo en la final por Caballos Coclé. Antes había experimentado una breve estancia en la Liga Profesional de

Venezuela con los Navegantes del Magallanes. «Cuando salí del Magallanes me quedé tranquilo, pero inconforme, porque no era justo lo que me pasó en ese gran equipo», agregó. El tunero de 28 años no recibió muchas oportunidades en Venezuela, donde lanzó 5 entradas y permitió igual cantidad de carreras para efectividad de 9.00. En el invierno de 2018 regresó al béisbol de Panamá, con los Toros de Herrera.

DIOSDANY CASTILLO (27), RHP, Villa Clara, Liga Mexicana de Béisbol. Integró el equipo Cuba al III Clásico Mundial de Béisbol en 2013. Luego de emigrar por mar se estableció en México y allí jugó la Liga Mexicana de Béisbol con Tigres de Quintana Roo y los Rieleros de Aguascalientes, adonde llegó por la vía del cambio. Fue liberado y en total acumuló balance de 2-1, 5.40 de efectividad. Tiró 2.1 innings en la American Association (Liga Independiente) con Gary SouthShore RailCats. En 2017 partió a la Liga Profesional de Nicaragua, con los Indios del Bóer.

MARCO ANTONIO CASTILLO (11), RHP, Cienfuegos. Estableció su residencia en México y ha estado entrenando en Miami, Florida, con vistas a firmar contrato con alguna franquicia de Grandes Ligas.

PEDRO WILLIAM CASTILLO (26), OF, Mayabeque. Entre 8 temporadas en Cuba con los Vaqueros de La Habana y los Huracanes de Mayabeque bateó .307 de average, hasta que decidió salir hacia República Dominicana en compañía del lanzador camagüeyano Nelson Sosa. Aún vive en Dominicana y continúa entrenando en busca de un contrato profesional que se le ha hecho esquivo.

JORGE DESPAIGNE* (23), RHP, Isla de la Juventud, Rookie: Arizona Diamondbacks. Salió de Cuba por primera vez en

2014, pero fue deportado a la Isla y luego volvió a marcharse en 2015. Firmó un contrato de liga menor con Arizona Diamondbacks por un bajo bono de 50 000 dólares en 2016 y fue invitado a la Liga Otoñal de Arizona, la mejor liga de prospectos del sistema Major League Baseball. «Firmé por 50 000 dólares por 7 años. Fue algo absurdo, pero lo que quería era firmar para demostrar mi talento», dijo para esta investigación el veloz lanzador. Puso marca de 3-0, 3.19 de efectividad en la Liga Dominicana de Verano, y luego de ser asignado a las menores en Estados Unidos, se le detectó una sustancia prohibida en su organismo y fue suspendido 72 partidos. Sufrió una lesión en su hombro de lanzar y los Diamondbacks optaron por dejarlo en libertad.

Ángel Miguel Fernández (24), INF, Isla de la Juventud, Doble-A: Cleveland Indians. Hijo de Gervasio Miguel Govín. El 5 de septiembre de 2014 salió legalmente de Cuba y estuvo en República Dominicana un año y siete meses hasta que firmó un contrato de liga menor con Cleveland Indians por un bono de 50 000 dólares. «Fue una época muy dura aquella, pero muy productiva para mí porque aprendí muchos detalles y pulí cosas mías que me hacían falta para que los *scouts* me vieran y se interesaran en mí», dijo para esta investigación. Llegó a ligas menores en 2016. Primero fue asignado a Doble-A, Akron RubberDucks, donde promedió .138 (4 hits en 29 turnos) en 12 partidos, y luego descendió a Clase-A media, Lake County Captains, con .215 y 6 dobles en 36 encuentros. Fue liberado en 2017 y aún no pierde sus esperanzas de continuar en el béisbol.

Pablo Millán Fernández (25), RHP, Holguín, Clase-A avanzada: Los Angeles Dodgers. Llegó en lancha a República

Dominicana. El relevista acordó un contrato de 8 millones de dólares con Los Angeles Dodgers, pero no sobrepasó el nivel Clase-A avanzada en ligas menores. Atravesó por una cirugía Tommy John y tras su regreso en 2018 fue liberado en marzo, sin siquiera tocar el nivel Doble-A. El holguinero lanzó 14 partidos como abridor y posteó 3-3, 5.98 de efectividad entre el nivel Rookie y Clase-A.

YOANDY FERNÁNDEZ (26), RHP, Villa Clara, Rookie: Pittsburgh Pirates. En 2015 jugó en la Frontier League (Liga Independiente) con Normal CornBelters, donde registró marca de 2-0, 8.25 de efectividad. El apodado Cancaleca logró firmar un contrato de liga menor con Pittsburgh Pirates en 2017, y dominó el nivel de Clase-A corta en West Virginia Black Bears (5-0, 2.95 y 53 ponches en 36.2 innings), pero fue liberado en noviembre del mismo año. Asistió a la Liga Mexicana del Pacífico con Venados de Mazatlán, pero en 5 aperturas fue bateado (8.02 de efectividad) y solo pudo lanzar 21 entradas.

YOSVANI FONSECA (35), LHP, Matanzas, Liga de Béisbol de Rusia. En 2014 jugó en el primer nivel del béisbol ruso con CSKA PVO Balashikha y lanzó para 6-0, 0.23 de efectividad, con 39 innings y 68 ponches propinados. Dominó a la perfección este béisbol, pese a su edad. Mientras tanto, alternaba al término de cada campaña entre Cuba y Rusia. En 2015 puso marca de 7-2, 1.50 de efectividad. Se mantuvo en la liga para 2016 cuando posteó 4-1, 1.50, y 39 ponches en 36 entradas. Apareció en la preselección de 60 jugadores de Cuba al II Clásico Mundial de Béisbol en 2009.

ALEXANDER GAMBE (20), OF, La Habana, Liga del Norte de México. Estuvo en la Liga Norte de México con los

Centinelas de Mexicali, especie de Triple-A de la Liga Mexicana de Béisbol. «Recibí la noticia de que mi agencia libre había sido negada porque ellos [Major League Baseball] decían que yo mentí acerca de cómo había salido de Cuba. Entonces tenía que esperar seis meses para volver a presentar todos mis documentos y después esperar a ver nuevamente si me la daban o no. En fin, decidí venir para los Estados Unidos. Estuve entrenando cuando llegué, pero al final desistí de todo y hoy me encuentro trabajando y estudiando», dijo para esta investigación.

DAYAN GARCÍA* (27), 2B, Artemisa. Regresó a Cuba luego de casi cuatro años en República Dominicana sin lograr un contrato profesional. De vuelta a casa, se incorporó a su conjunto de los Cazadores de Artemisa y fue seleccionado al Juego de las Estrellas de la Liga Cubana en 2018.

EDDY ABEL GARCÍA* (22), RHP, Industriales. Salió de Cuba en un vuelo comercial hasta Ecuador en compañía de David Mena y desde allí llegaron a República Dominicana. Regresó a la Isla tras ser deportado y fue readmitido para lanzar con Industriales en la Serie 56. Ha jugado en Italia mediante contratos con la Federación Cubana de Béisbol.

PEDRO LUIS GARCÍA (26), RHP, Matanzas. Emigró hacia República Dominicana pese a no destacar mucho en Cuba durante 6 Series Nacionales con los Cocodrilos de Matanzas (4-11, 6.57 de efectividad). No ha podido debutar en el nivel profesional.

YOSVANI GARCÍA (24), INF, Camagüey. El 8 de noviembre de 2014 salió de Cuba y para mantenerse en forma jugó en la Liga de Verano del Cibao con los Tabaqueros del Bonao. Los años pasaron y no firmó con ninguna organización de Major League Baseball. «Me han estacado esta gente [agentes] pidiendo millones», dijo para la investigación.

Carlos Olexis González (24), RHP, Holguín. Poseía velocidad en su recta y con esta logró cierto triunfo en Series Nacionales para los Cachorros de Holguín. Su partida de Cuba no le aseguró un final feliz dentro del béisbol, al no conseguir arribar al profesionalismo. Estuvo en Costa Rica, pero no logró negociar y el derecho no ha registrado actuación alguna en ligas profesionales.

Darián González (26), SS, Cienfuegos, Liga Profesional de Nicaragua. Integró el equipo Cuba juvenil de 2006 junto a Dayan Viciedo, Aroldis Chapman, Leonys Martín y Dariel Álvarez. En 6 Series Nacionales divididas entre Leopardos de Villa Clara, Gallos de Sancti Spíritus y Elefantes de Cienfuegos, promedió .245. Estuvo más de cuatro años en República Dominicana, adonde llegó por vía marítima, para intentar una firma profesional que se le hizo esquiva: «Siempre supe que sería difícil y que había que trabajar bien duro, pero no me imaginé que demorara tanto la situación de los papeles, eso se me ha demorado mucho», dijo para este libro. Ha mejorado en su ofensiva de poder desde que emigró. «Nunca me arrepiento de haberme ido, antes de dar el paso lo pensé muy bien y siempre supe que sería difícil pero no imposible, si no se da la oportunidad pues ya buscaré otra forma de salir adelante y luchar por un futuro mejor tanto para mí como para mi familia», agregó. En invierno de 2018, la directiva de los Indios del Bóer en la Liga Profesional de Nicaragua le otorgó un contrato como torpedero en sustitución de Erisbel Arruebarruena.

Javier González (20), RHP, Cienfuegos. Salió de Cuba antes de iniciar la 53 Serie Nacional. Lanzaba para los

Elefantes de Cienfuegos. Firmó un contrato con Miami Marlins tasado en 150 000 dólares, pero la suerte le fue adversa y en el examen médico le encontraron una lesión en su hombro, lo cual anuló el pacto. «Yo no me doy por vencido tan rápido. He estado jugando béisbol desde que tengo siete años y no voy a dejar ir mi sueño así tan fácil», dijo para esta investigación. Se mantiene entrenando y recuperándose de su hombro con la ilusión de regresar al béisbol.

Kuglai González (25), RHP, Metropolitanos/Industriales. Lanzó en 4 temporadas con los desaparecidos Metropolitanos y en 1 con los Leones de Industriales. A mediados de 2014 salió de Cuba y se asentó en México. Pese a jugar en varias ligas locales, nunca pudo lanzar al máximo nivel en tierras aztecas ni conseguir un pacto Major League Baseball.

Danny Hernández (23), RHP, Cienfuegos, Rookie: Pittsburgh Pirates. Abandonó Cuba en una embarcación el 25 de julio de 2014 junto a Ramón Tamayo, Orandy Abascal y su coequipero en los Elegantes de Cienfuegos, Julio Amador. Estando en República Dominicana acordó por 30 000 dólares con Pittsburgh Pirates y fue asignado a nivel Rookie, pero no logró despegar con una efectividad de 9.90 y marca de 1-2. Fue liberado en noviembre de 2017.

Jorge Hernández (23), RHP, Cienfuegos, Liga Invernal Dominicana. En 2012 ya había integrado el equipo Cuba para el torneo de Rotterdam, en Holanda. Ese año consagratorio lanzó con los Elefantes de Cienfuegos para 13-6, 2.78 de efectividad. A la pregunta de si los tres años que estuvo en Dominicana valieron la pena para intentar firmar algún contrato, respondió:

«Yo creo que sí. A pesar de cometer muchos errores y muchas cosas por la inexperiencia y muchos problemas que pasé, también me sirvieron de experiencia para todo». En 2014 probó suerte con los Tigres del Licey, equipo histórico del béisbol dominicano. Allí no tuvo muchas oportunidades (tiró para 1.86 de efectividad en 9.2 innings), lo cual es una constante en este tipo de béisbol invernal donde los extranjeros no son muy valorados sin currículo previo. Cuando las luces se le apagaban, encendió su brazo y firmó con Boston Red Sox un contrato de liga menor en enero de 2017. El lanzador lateral fue liberado dos meses más tarde.

ROYMAN HERNÁNDEZ (22), OF, Habana. Procedía de las categorías inferiores en la provincia de La Habana. Aunque existen escasas informaciones sobre él, es seguro que el jardinero no ha logrado su sueño de saltar al profesionalismo.

YASMANI HERNÁNDEZ ROMERO (23), LHP, Villa Clara, Liga Independiente. Salió de Cuba por medio de una embarcación. En 2016 estuvo por la Liga Norte de México, especie de Triple-A de la Liga Mexicana de Béisbol. En 2018 firmó contrato con New Jersey Jackals en la Canadian-American Association (Liga Independiente) y en 94 innings de actuación dejó una positiva marca de 6-6, 3.92 de efectividad y 74 ponches, nada despreciable si se tiene en cuenta que estuvo varios años sin lanzar a un nivel organizado con sistematicidad.

RAFAEL HIDALGO (27), 2B, Granma. Disputó 4 temporadas con los Alazanes de Granma en Series Nacionales. Salió de Cuba en una embarcación junto al holguinero Alexis Leyva. Tampoco pudo conseguir su objetivo.

Yosvani Hurtado (24), INF, Santiago de Cuba. En 6 Series Nacionales con las Avispas de Santiago de Cuba, bateó .297, 29 dobles, 4 triples y 15 jonrones. La mayoría del tiempo actuó como jugador de reemplazo. Escapó de Cuba junto al lanzador Carlos Portuondo. Decidió perseguir el sueño del profesionalismo, pero tras cuatro años en República Dominicana no logró firmar ningún contrato.

Andy Ibáñez (21), 2B, Isla de la Juventud, Triple-A: Texas Rangers. Fue la segunda base titular del equipo Cuba en el Campeonato Mundial Juvenil de 2010, en Thunder Bay, Ontario. Un notable rendimiento en la 52 Serie Nacional con los Piratas de Isla de la Juventud (.300 de average, 29 dobles y 4 jonrones) lo llevó al equipo nacional en 2013, con el que representó a Cuba en el III Clásico Mundial de Béisbol. Luego de emigrar legalmente pasó por la Liga Profesional de Colombia y bateó .370, 3 dobles, 3 triples y 1 cuadrangular para los Tigres de Cartagena. Firmó un contrato de 1,6 millones de dólares por 5 años con Texas Rangers. En 2016 clasificó como el prospecto no. 2 de la franquicia, según *Major League Baseball Pipeline.* Un año más tarde, en 2017, cayó al puesto no. 16. En la campaña de 2018 estuvo a punto de superar el nivel Triple-A en la sucursal de Round Rock Express, con línea ofensiva de .283/.344/.410 y amplia producción de extrabases de 21 dobles, 1 triple y 12 jonrones. Se quedó esperando su promoción para 2019 y en invierno tuvo una breve actuación con las Águilas Cibaeñas de la Liga Invernal Dominicana.

Gelkis Jiménez* (22), RF, Santiago de Cuba. Participó en el Campeonato Mundial Juvenil de 2010 en Canadá, junto a peloteros como Jorge Soler y Lourdes Gurriel Jr. Se marchó de Cuba, obtuvo la agencia libre, pero regresó tras no firmar un contrato profesional. «No vi nada claro allá en Dominicana», dijo para esta investigación. Regresó a Cuba y jugó la 57 y 58 Series Nacionales con las Avispas de Santiago de Cuba. En 2017 bateó .348, 9 dobles, 1 triple, 4 cuadrangulares y 21 carreras impulsadas para su equipo.

ADRIEL LABRADA* (24), INF, Santiago de Cuba. Después de lucir en varias presentaciones realizadas en República Dominicana, regresó a Cuba y se insertó en la Serie Nacional con las Avispas de Santiago de Cuba. En 2017 bateó .245, con 10 dobles y 4 jonrones.

CARLOS ORLANDO LEÓN (21), SS, Cienfuegos. «Estaba claro que debía jugar más tiempo en Cuba y tratar de tener un mejor resultado y mejores números, porque esas estadísticas valen mucho aquí [República Dominicana]. Sin embargo, estaba en situaciones difíciles –la economía, sabes cómo es eso– y no tuve otra que probar suerte y sacrificarme por un sueño y por el bien de mi familia», dijo el habilidoso torpedero para esta investigación. En diciembre de 2014 partió de Cuba en una embarcación y se estableció en República Dominicana con el agente Edgar Mercedes de la empresa Born to Play. Cuando nada funcionó en Dominicana, partió hacia Puerto Rico en busca de asilo político. Una vez en Estados Unidos continuó entrenando tarde y noche mientras alternaba con diferentes trabajos para sobrevivir. Realizó una presentación para *scouts* de Miami Marlins en 2018 y aún se mantiene a la espera de jugar béisbol profesional.

ALEXIS LEYVA (26), OF, Holguín. Salió de Cuba en una embarcación con el infielder de Granma, Rafael Hidalgo. Intentó conseguir contrato profesional en República Dominicana sin encontrar fortuna. A su llegada a Estados Unidos no dejó el béisbol: «Lo intenté, pero no tenía ni representante ni otro tipo de ayuda. Solo no podía porque tengo mi hija que mantener. Así es la vida, dura en ocasiones», dijo para esta investigación en 2018.

Yunier Leyva* (27), RHP, Cienfuegos. Regresó a Cuba en 2016 después de tres años en República Dominicana. Lanzó con los Elefantes de Cienfuegos en la 58 Serie Nacional (2018-2019).

Ernesto Wilson Martínez Jr. (15), OF/INF, Holguín, Clase-A: Milwaukee Brewers. Hijo del exreceptor de los Cachorros de Holguín Ernesto Martínez, brilló en el Campeonato Mundial sub-15 de Sinaloa en 2014, en México, y alcanzó con ello el reinado de Cuba. Salió de la Isla por la vía legal para reunirse con su padre, quien desde 2006 radica en Francia. En marzo de 2016 ocurrió un hecho histórico entre hijo y padre cuando ambos representaron a Francia en el Clasificatorio de Panamá al IV Clásico Mundial de Béisbol. Se convirtieron en la primera pareja de padre e hijo que participaba en una misma competición internacional y por un equipo de otra nación. «Para mí representó algo grande. Jamás pensé que algo así podría sucederme. Tuve una experiencia con él, pero fue en el campeonato francés. Imagínate yo en tercera y mi papá impulsó la carrera», dijo para esta investigación. Luego de una estancia prolongada en República Dominicana firmó por un bono de 800 000 dólares con Milwaukee Brewers. En 2017 bateó .232/383/368, 10 dobles, 1 triple y 3 jonrones en nivel Rookie, y en 2018, en la Arizona League, se fue con .224 y 6 entrabases.

YAISEL MEDEROS (25), INF, Camagüey, Clase-A avanzada: Baltimore Orioles. El fornido y atlético inicialista de los Ganaderos de Camagüey realizó un corto viaje en las menores, donde solo permaneció una temporada en 2016, luego de firmar contrato de liga menor con Baltimore Orioles. Ese mismo año jugó para Frederick Keys, sucursal de Clase-A avanzada, donde promedió .218/.256/303, con 6 extrabases y 40 ponches en 32 partidos. En marzo de 2018 fue liberado.

DAVID MENA* (21), RHP, Industriales. Salió de Cuba en un vuelo comercial hasta Ecuador en compañía de Eddy Abel García y desde allí llegaron a República Dominicana. Un año después fue deportado desde Quisqueya y readmitido para lanzar con los Leones de Industriales en la 56 Serie Nacional.

ARIEL MIRANDA (25), LHP, Mayabeque, Major League Baseball: 2 equipos. El 26 de mayo de 2015 firmó un acuerdo de 778 000 dólares con Baltimore Orioles y fue asignado a ligas menores, donde destacó en Bowie Baysox, Doble-A, con 5-2, 3.60 de efectividad. El ascenso a Triple-A no se hizo esperar y en Norfolk Tides registró 4-7, 3.93 y los rivales le batearon .249. El 3 de julio de 2016 debutó en Grandes Ligas en un partido al que entró como relevo. Esos dos innings serían los únicos que lanzaría en Baltimore porque el día 31 del mismo mes fue cambiado a Seattle Mariners por Wade Miley. La gerencia de Seattle le dio la oportunidad de realizar 10 aperturas y el zurdo posteó 5-2, 3.54. En 2017 retrocedió algunos pasos en su progresión al marcar 8-7, 5.12, con 137 ponches en 160 innings. Su principal dolor de cabeza estuvo en el descontrol, con 3.5 boletos por cada 9 innings. Fue así como en la primavera de 2018 no se ganó el puesto en el equipo grande y apareció el interés de Fukuoka SoftBanks en la Liga Profesional de Japón, donde Miranda impactó con 6-1, 1.89 en la temporada, y contribuyó al segundo campeonato en línea.

RAYDEL MIRANDA (32), RHP, Pinar del Río. Aunque no salió de Cuba para continuar su carrera como beisbolista, intentó lanzar en la Liga Invernal de Nicaragua en 2015 con los Tigres de Chinandega y tuvo problemas en su brazo. Actualmente se desempeña como entrenador de pitcheo en Nicaragua.

YOAN MONCADA (19), 2B, Cienfuegos, Major League Baseball: 2 equipos. Era quizá el mejor prospecto de Cuba a la hora de su salida legal hacia Ecuador. Por aquel entonces solicitó un permiso de viaje a las autoridades cubanas y estas se lo negaron durante ocho meses. Finalmente abordó un vuelo comercial hacia Ecuador y desde allí se dirigió a Guatemala. Su amigo Carlos Mesa lo puso en contacto con un contador llamado David Hastings, quien terminó siendo su agente. En febrero de 2015, Boston Red Sox pagó un contrato récord por los servicios de Moncada, al que le abonaron 31,5 millones de dólares como agente libre internacional con restricciones. Comenzó su carrera en Greenville Drive, Clase-A media, donde produjo para .280 de average, 8 jonrones y 49 bases robadas en 52 intentos, lo que le valió ser considerado el prospecto no. 1 de Boston Red Sox, según *Major League Baseball Pipeline* y votado por la organización como el Jugador del Año en las menores. En 2016 levantó aún más su producción con .294/.407/.511, 31 dobles, 6 triples y 15 jonrones, más 45 robadas en 52 intentos. Encantaba con su juego y la revista *Baseball America* lo eligió el Jugador del Año en las menores. Participó en el Juego de Futuras Estrellas en Petco Park, San Diego, y tras aportar 1 cuadrangular, 2 impulsadas y 1 robada resultó el Jugador Más Valioso y se llevó el premio Larry Doby (fue el primer cubano en obtenerlo desde que comenzaron estos partidos en 1999). El 2 de septiembre del mismo año recibió el llamado a Grandes Ligas y en 8 partidos dejó average de .211 con 1 extrabase. En diciembre su futuro daría un vuelco al ser cambiado hacia Chicago White Sox junto a los prospectos Víctor Díaz, Luis Basabe y Michael Kopech por el zurdo Chris Sale. Al iniciarse la campaña de 2017 fue asignado a Charlotte Knights, Triple-A, y en 80 partidos (.282 de average y 12 jonrones) superó el nivel de las menores y comenzaría su andar en Grandes Ligas. Fue líder en ponches de Grandes Ligas en 2018 con un total de 217. Su línea ofensiva fue de .235/.315/.400, 32 dobles, 6 triples y 17 jonrones.

José Luis Moulin (27), RHP, Guantánamo. Salió de Cuba al culminar la 53 Serie Nacional de Béisbol en el mes de abril. Se radicó en República Dominicana y estuvo un año y medio en ese país. Realizó más de cuatro *showcases*. Cuando ninguna franquicia de Major League Baseball se interesó en su talento y las negociaciones se estancaron, buscó la vía de llegar a Estados Unidos, en donde ha intentado insertarse en alguna liga independiente sin éxito.

Víctor Muñoz (27), OF, Metropolitanos/Industriales/Artemisa, Liga Profesional de Nicaragua. Bateador de poder y de habilidades en los jardines, abandonó Cuba en noviembre de 2014. Se encontraba bateando .293 de average y 10 extrabases para los Cazadores de Artemisa en la 54 Serie Nacional. Luego de cuatro años bloqueado (sin permiso de trabajo en Estados Unidos) en República Dominicana y sin poder firmar un contrato profesional, en noviembre de 2018 acordó con los Indios del Bóer en el béisbol de Nicaragua.

Adrian Negrín (17), 3B/1B, Sancti Spíritus. Estuvo en la preselección nacional con miras al Campeonato Mundial sub-15 de 2012. «Realmente no tuve muchos resultados, eso fue lo mejor que llegué a hacer», dijo para la investigación. Llegado a Estados Unidos intentó incursionar en el béisbol colegial, pero una lesión en el muslo derecho le impidió iniciar la temporada con Miami-Dade College y se dio por vencido.

Mario Luis Neyra (23), LHP, Ciego de Ávila. Estuvo atascado en República Dominicana, adonde había llegado por medio de una embarcación, por dos años. Allá se unió a un grupo de beisbolistas conformados por Pedro Luis García, Ángel Rigoberto Cabrera, Ángel Tamayo, Rafael Hidalgo y Alexis Leyva. La mala representación puso fin a sus sueños. Llegó a Estados Unidos en 2016 y lanzó en una liga semiprofesional en New York.

Héctor Olivera (29), OF, Santiago de Cuba, Major League Baseball: Atlanta Braves. Despuntó a partir de 2007, año en que sustituyó a Alexei Ramírez en el equipo Cuba. Integró la selección nacional a los Juegos Olímpicos de Beijing en 2008 y al II Clásico Mundial de Béisbol en 2009. Se ausentó de la Serie Nacional en 2012 debido a una trombosis en uno de sus brazos, pero volvió en 2013 y produjo para .316 con 7 cuadrangulares. En 9 de sus 10 temporadas en Cuba bateó al menos .315 de average o más. En septiembre de 2014 escapó de la Isla en una lancha hacia República Dominicana y obtuvo su premio con un sobrevalorado contrato de 62,5 millones de dólares por 6 años con Los Angeles Dodgers. Sin embargo, ni siquiera debutaría en Grandes Ligas con Dodgers. El 30 de julio fue parte de un cambio que lo envió hacia Atlanta Braves junto a Paco Rodríguez y Zach Bird por Alex Wood, José Peraza, Luis Avilán y Jim Johnson. El 1.º de septiembre realizó su debut en Major League Baseball y en 24 partidos del mes de septiembre promedió .253/.310/.405, 4 dobles, 1 triple y 2 cuadrangulares. Para 2016 la gerencia de los Braves decidió moverlo a los jardines y fue enviado a los Criollos de Caguas en Puerto Rico, con el fin de entrenarse en la posición. El 13 de abril de 2016, luego de un inicio de temporada discreto con .211 en 6 encuentros, fue arrestado en Arlington, Virginia, por agredir a una mujer con la que tenía algún tipo de vínculo. Major League Baseball investigó el suceso y suspendió a Olivera durante 82 partidos por violencia doméstica. El 30 de julio de 2016, San Diego Padres lo adquirió a cambio de Matt Kemp, en un pacto que obedeció a cuestiones financieras y no deportivas. Los Padres no tenían interés en que pisara el terreno y lo liberaron en la segunda semana de agosto. Olivera no regresaría nunca más con una organización de Grandes Ligas. Intentó continuar en el campo de juego en 2017, primero con los Cangrejeros de Santurce en Puerto Rico y luego con Sugar Land Skeeters (.289, 11 extrabases), que fue su última participación en el béisbol organizado.

Reynaldo Oliveros (26), INF, Guantánamo. Participó en una Serie Nacional con los Indios de Guantánamo en la temporada de 2012. Estuvo en Costa Rica con un grupo de peloteros cubanos integrado por Víctor Baró, Freddy

Portilla y Carlos Olexis González, según reportó Jorge Ebro del *Nuevo Herald*. Todos eran representados por Gus Domínguez; sin embargo, ninguno firmó contrato profesional.

ALEJANDRO ORTIZ (24), OF, Isla de la Juventud. Promedió .327, 9 dobles y 8 triples en 2014 con los Piratas de Isla de la Juventud. Ese mismo año decidió partir de Cuba. «El problema viene de las personas que te representan», dijo para esta investigación. Participó en varias presentaciones y en una con Baltimore Orioles sufrió un esguince en el pie izquierdo. El jardinero no ha logrado insertarse en ninguna liga profesional hasta el momento.

JAVIER ORREYES (21), OF, Camagüey. Salió de Cuba el 22 de octubre de 2014 junto a Orestes Solano y Lednier Ricardo. Sus vidas corrieron peligro en una travesía que duró dos noches y tres días. El viaje se realizó desde Puerto Padre, Las Tunas, provincia oriental de Cuba, hasta un sitio turístico de Haití. En el movimiento constante de las olas y la falta de alimentos, Orreyes vomitó sangre, quizá por la deshidratación del viaje. «Dios nos dio una oportunidad más a todos», comentó para este libro. Desde su arribo a República Dominicana ha pasado por tres inversionistas. Todavía mantiene esperanzas de firmar con alguna organización de Grandes Ligas.

YUSSEF PAGÉS (28), RHP, Matanzas. Participó en 7 temporadas al máximo nivel de Cuba con los Cocodrilos de Matanzas. Antes, había integrado los equipos Cuba en categoría juvenil. Una vez que se marchó de la Isla buscó la manera de firmar un contrato, aunque todas las esperanzas se desvanecieron: «Intenté jugar cuando llegué. Mi amigo Jorge Alberto Martínez me ayudó con su representante.

Asistí a una presentación y no me escogieron. Vivía solo con mi esposa y tuve que empezar a trabajar», dijo para esta investigación.

Joan Carlos Pedroso (33), 1B, Las Tunas, Liga Mexicana del Pacífico. Conectó 300 jonrones en 16 temporadas con los Leñadores de Las Tunas en Series Nacionales. En 2014 salió de la Isla en busca de mejores oportunidades y firmó con Nettuno 2 en la máxima división del béisbol italiano. Acumuló .232 de average, 5 dobles y 1 cuadrangular. El fornido bateador que estuvo en los equipos Cuba de 2003, 2006 y 2009 (I y II Clásico Mundial de Béisbol) se fue a la Liga Mexicana del Pacífico en el invierno de 2014, luciendo con Cañeros de los Mochis con .282, 8 cuadrangulares (décimo de la liga y líder del equipo) y 26 impulsadas. Al año siguiente regresaría, aunque solo en 16 partidos, con .308 y 1 bambinazo. En enero de 2016 se proclamó campeón en la Liga Invernal Veracruzana con los Tobis de Acayucan. Recibió la negativa de jugar en 2018 con su amado conjunto de los Leñadores de Las Tunas. Quizá hubiera sido la despedida perfecta para el líder histórico en jonrones de esa provincia. Se ha desempeñado como coach de bateo de los Leones de Yucatán y los Saraperos de Saltillo en la Liga Mexicana de Béisbol.

Gabriel Pierre Jr. (22), INF, Santiago de Cuba. A finales de 2014 emprendió viaje hacia República Dominicana y pese a realizar algunos intentos de presentaciones y firmas, el hijo del estelar antesalista Gabriel Pierre fracasó en el intento.

Carlos Portuondo (27), RHP, Santiago de Cuba, Doble-A: Cincinnati Reds. Salió de Cuba rumbo a República Dominicana junto a su compañero de equipo Yosvani Hurtado.

Aun sin números impresionantes en 8 temporadas con las Avispas de Santiago de Cuba, llamó la atención del gurú y *scout* internacional de Atlanta Gordon Blakeney. Atlanta Braves firmó a Portuondo por un bono de 990 000 dólares, con la intención de promoverlo a Grandes Ligas en el mismo año 2016. Totalizó 2-1, 3.63 de efectividad entre Clase-A avanzada y Triple-A. En febrero de 2017 fue movido a Cincinnati Reds como parte de un cambio que envió a Brandon Phillips hacia Atlanta. «No hay de otra que pelear y seguir positivo», dijo para esta investigación el mismo día del canje. No recibió muchas oportunidades con Cincinnati en la sucursal de Doble-A, Pensacola Blue Wahoos, y luego de 0.2 innings con 4 carreras permitidas fue liberado. Ha intentado regresar al béisbol. Pese a sufrir algunos contratiempos como un accidente de auto y problemas familiares, el santiaguero no da su carrera por terminada.

PAVEL QUESADA* (26), 3B, Cienfuegos, Liga Invernal Dominicana. Volvió a Cuba en 2017 después de intentar por tres años su firma con alguna organización de Grandes Ligas. «Estuve un tiempo en Dominicana por mis medios, yo tenía que pagarme todos mis gastos incluyendo comida, entrenamiento y gimnasio. Cargué con eso yo solo», dijo para este libro. El agente de Quesada negoció a sus espaldas: «Nunca supe el gran interés de los Mets porque él no me lo dijo. Me enteré después. Estuve muy decepcionado un tiempo. Ni jugar quería», agregó. Las Águilas Cibaeñas de la Liga Invernal Dominicana le dieron una breve oportunidad de 5 turnos al bate, promedió .200 y remolcó 2. Antes de regresar a Cuba, hizo el intento por debutar en la Liga Profesional de Venezuela, pero los Bravos de Margarita no lo subieron al primer equipo, así como tampoco ocurrió en Nicaragua. Su historia está llena de nubes y espirales: es el perfecto caso de un muchacho lleno de talento, pero mal representado de principio a fin. «No encontré un buen manejo. Tuve varios equipos interesados en mí y los que me representaban querían más dinero. Negociaban por detrás de mí», agregó. No pudo jugar en la Isla en la temporada de 2017, pero la situación con los documentos se resolvió y regresó con los Elefantes de Cienfuegos en 2018, cuando promedió .301, 11 dobles y 6 cuadrangulares.

LEDNIER RICARDO (26), C, Camagüey, Clase-A avanzada, New York Mets. El 22 de octubre de 2014 salió de Cuba en una embarcación marítima junto a Orestes Solano y Javier Orreyes. «Es un béisbol de pocas oportunidades con peloteros que tienen mucha calidad y pocos recursos materiales», dijo para la investigación refiriéndose al béisbol cubano, poco tiempo después de haber salido de la Isla. Firmó por un bono de 350 000 dólares con New York Mets. Ofensivamente, no logró vencer el nivel de Clase-A avanzada por una mezcla de *slump* y poca oportunidad. Bateó .175 entre nivel Rookie y Clase-A avanzada en 2015. Para 2016, con St. Lucie Mets, Clase-A avanzada, dejó línea de .205/.267/305, 9 dobles, 2 jonrones y 14 impulsadas en 46 partidos. La gerencia de los Mets se impacientó y lo dejaron libre al finalizar la temporada.

VÍCTOR RIVAS (23), INF, Isla de la Juventud, Liga Mexicana de Béisbol. Integró el equipo Cuba juvenil en 2010. Fue atrapado en un intento de salida ilegal del país en 2013 y sancionado a dos años de inactividad en Cuba. Abandonó la Isla definitivamente en 2014 y se asentó en México. El 7 de junio de 2016 firmó un contrato con Rojos del Águila de Veracruz en la Liga Mexicana de Béisbol y tras batear .048 (1 hit en 21 turnos) fue liberado seis días más tarde.

Alexis Rodríguez (21), OF, Ciudad Habana. Participó en las categorías juveniles del béisbol en Ciudad Habana. En septiembre de 2014 partió de Cuba hacia República Dominicana. Luego de cuatro años no ha logrado su objetivo.

Michel Rodríguez López (37), 3B, Artemisa, División de Honor, España. Emigró a República Dominicana, pero volvió a Cuba en 2015 tras la imponente falta de interés y oportunidad. Intentó jugar de nuevo en Series Nacionales, pero las autoridades de su provincia Artemisa le negaron la posibilidad. Entonces emigró hacia España y se insertó en el béisbol de la División de Honor como parte de los Astros de Valencia, donde se coronó campeón en 2017. También se proclamó líder de los bateadores con average de .440 (40 hits en 91 turnos), 9 dobles y 11 jonrones a sus 40 años. En 2018 conectó para .436 (sexto de la liga), 8 dobles, 5 jonrones y 39 impulsadas.

Glaidier Román (24), INF, Las Tunas, Liga Independiente. En 2016 estuvo en la Pecos League (Liga Independiente) con Ohio Wranglers. Allí bateó .300 de average y 1 vuelacerca en solo 10 veces al bate.

Elier Sánchez (28), LHP, Camagüey, Doble-A: San Diego Padres. Fue el mejor zurdo de su categoría e integró el equipo Cuba juvenil en 2003 y 2004. Después de varias temporadas con los Ganaderos de Camagüey, integró la selección nacional en los Juegos Panamericanos de 2007 y en los Olímpicos de 2008. Enfrentó lesiones en su brazo que limitaron el rendimiento. Luego de emigrar hacia República Dominicana legalmente, firmó con San Diego

Padres un pacto de liga menor y alternó en 2016 entre Clase-A y Doble-A, con números de 1-4, 7.26 de efectividad. Se acogió al retiro voluntario en 2017. En el invierno de 2015 había lanzado una entrada con las Águilas Cibaeñas de la Liga Invernal Dominicana.

ORESTES SOLANO (24), OF/INF, Metropolitanos. Abandonó Cuba el 22 de octubre de 2014 junto al receptor Lednier Ricardo y el jardinero Javier Orreyes. Firmó un acuerdo de liga menor con Arizona Diamondbacks, pero el pacto se anuló cuando se le detectó una rotura en los ligamentos de la rodilla derecha. «Ya dejé de intentarlo», dijo para esta investigación. «Uno intenta hasta donde se pueda. No pasó. La vida es larga», agregó.

NELSON SOSA (23), RHP, Camagüey. Salió de Cuba en compañía del jardinero Pedro William Castillo el 19 de abril de 2014. «No intenté jugar en otra liga pues en República Dominicana conmigo todo fue un engaño», dijo para esta investigación. El lanzador de 3 temporadas en Cuba con los Ganaderos de Camagüey estuvo 11 meses en Dominicana. Aseveró que realizará un último intento de volver al béisbol cuando obtenga su residencia de Estados Unidos, país adonde llegó por la vía de Puerto Rico.

RAMÓN TAMAYO (34), 2B, Granma. El infielder de 34 años bateó .292 y 104 en 11 temporadas en Cuba. Apodado el Travieso, integró el equipo Cuba al Torneo de Rotterdam, Holanda, en 2011, y es el cuarto mejor bateador (.362) en las postemporadas del béisbol cubano. Se subió erróneamente a una embarcación el 25 de julio de 2014, cuando los buscones equivocaron su apellido con el de Alain Tamayo, pitcher y compañero de Ramón en los Alazanes de Granma. Él salía con la ilusión de al menos jugar en alguna liga invernal o independiente. Pero a su llegada a República Dominicana ningún inversionista se interesó, en parte por la edad, y Tamayo trabajó en una academia entrenando niños hasta que partió hacia Puerto Rico, atravesando el archiconocido canal de la isla de Mona, en busca de asilo político. Una vez en territorio de Estados Unidos, no pudo continuar con su carrera.

YASMANY TOMÁS (24), OF, Industriales, Major League Baseball: Arizona Diamondbacks. Tuvo un acelerado salto de calidad a partir de 2011 que lo puso en territorio del equipo Cuba para el III Clásico Mundial de Béisbol en 2013. Abandonó la Isla de forma ilegal mediante una embarcación. En junio de 2014 estableció su residencia en Haití y en septiembre recibió el desbloqueo de la Oficina del Tesoro (proceso que autoriza el permiso de trabajo en Estados Unidos), lo cual le permitió convertirse en agente libre. El 26 de noviembre firmó un contrato de 68,5 millones de dólares con Arizona Diamondbacks y luego de una corta asignación en Reno Aces, Triple-A, fue llamado a Grandes Ligas el 15 de abril de 2014. En 118 partidos bateó .273/305/.401, 19 dobles, 3 triples, 9 jonrones y 48 impulsadas. Su aporte más convincente llegó en 2016, con 30 dobles, 31 cuadrangulares y 83 impulsadas, unido a .273 de promedio ofensivo. En 2017 atravesó problemas de lesiones y en 47 encuentros sus números descendieron a .241 con 8 jonrones. En la primavera de 2018 fue sacado del roster de 40 de Diamondbacks y bajado a Triple-A, donde pasó toda la temporada con 101 ponches en 106 partidos, .260 de average y 14 vuelacercas.

MICHEL TRAVIESO* (25), OF, Mayabeque. Estuvo en República Dominicana intentando firmar un contrato profesional que le fue esquivo. Atravesó problemas de retraso en sus documentos y una lesión en el brazo. Algunas organizaciones como San Diego Padres mostraron interés dado su poder desplegado al bate; sin embargo, nada se concretó y Travieso regresó a Cuba.

Edwin Vassell* (23), INF, Cienfuegos, Liga Profesional de Venezuela. Firmó con los Bravos de Margarita de la Liga Profesional de Venezuela en el invierno de 2016. Sin recibir muchas oportunidades (9 turnos sin hits en 3 partidos) los Bravos prescindieron de sus servicios. Luego fue atrapado en Colombia con documentos falsos y enfrentó la deportación hacia Cuba. En 2018 reapareció en Series Nacionales con los Elefantes de Cienfuegos.

2015

Yansiel Agete (23), INF, Pinar del Río, Liga Meridiana, México. Aunque el infielder pinareño no ha logrado llegar al primer nivel del béisbol mexicano, sus actuaciones en ligas locales han sido exitosas. En 2015 lideró a los bateadores en la Liga Naxon-Zapata y, además, ha dejado su huella en la Liga Meridiana de Béisbol. En la primavera de 2018 estuvo con los Olmecas de Tabasco en los entrenamientos de pretemporada con vistas a la Liga Mexicana de Béisbol sin ser elegido. Aguarda su oportunidad para escalar en el béisbol azteca.

Lázaro Águila* (23), RHP, Cienfuegos. Lanzó en 2 Series Nacionales con los Elefantes de Cienfuegos (0-1, 5.85 de efectividad) antes de marcharse a República Dominicana. Fue deportado a Cuba y no regresó al béisbol.

Osmel Águila (26), OF, Camagüey, Triple-A: Philadelphia Phillies. Fue de los primeros peloteros que salieron de

Cuba legalmente (en noviembre de 2015) por la vía de Haití hasta República Dominicana. Firmó contrato con Philadelphia Phillies como agente libre internacional por un bono de 100 000 dólares y en 2 campañas en las menores exhibió línea ofensiva de .234/.318/.394, 17 dobles, 1 triple y 8 jonrones. Fue liberado en julio de 2017 por la gerencia de los Phillies luego de atravesar varios problemas internos con la organización.

Leónides Aguilar* (16), RHP, Santiago de Cuba. Participó en el Campeonato Mundial sub-15 de 2014, donde Cuba se proclamó campeón. Salió del país hacia República Dominicana con solo 16 años, en compañía de su hermano. El lanzador derecho optó por regresar y continuar su carrera en Cuba debido a las dificultades existentes en Quisqueya para firmar un contrato profesional.

Yusniel Aguilar (18), OF, Ciudad Habana. Participó en el Campeonato Mundial sub-18 de Osaka, Japón, en 2015. Salió en una embarcación de Cuba junto a Yanio Luis Pérez hacia República Dominicana y luego pasó hacia México. Estuvo por siete meses en México D.F. junto a Jorge Félix Sabio, Dayán González y Pedro Reyes. «Estuve en México tratando de obtener una firma y aquello fue muy duro. El agente se desesperó y casi que nos abandonó a nosotros cuatro», dijo para esta investigación. Cruzó la frontera de Estados Unidos y demoró alrededor de dos años en obtener la agencia libre. Decepcionado y con pocas esperanzas de continuar, se encontró con el entrenador Marcos Hernández, que lo hizo volver al béisbol. Además pudo entrar al sistema colegial con Asa College. Intentará firmar con alguna organización de Grandes Ligas a través del draft en 2019. «La verdad es que trabajaron mal con nosotros. Estábamos superbién en todos los sentidos», agregó.

DANIEL AGUILERA (27), INF, Santiago de Cuba. Salió de la Isla en marzo de 2015 enfocado en la posibilidad de firmar un contrato de liga menor. El torpedero de 5 Series Nacionales en Cuba con las Avispas de Santiago (bateó .223 con 10 jonrones) no logró su objetivo.

LÁZARO ALONSO (21), INF/OF, Pinar del Río, Clase-A media: Miami Marlins. Salió de Cuba junto a Yoel Rojas y Osniel Madera. El atlético y portentoso inicialista pinareño pactó con Miami Marlins un contrato de liga menor por un bono de 100 000 dólares. Asignado a Batavia Muckdogs, Clase-A corta, tuvo en 2017 un año de intermitencia con .258 de average y 2 jonrones en 37 encuentros. En 2018, a pesar de algunas lesiones que lo separaron del juego, resultó elegido al Juego de las Estrellas de la Clase-A media con Greensboro Grasshoppers, tras imponerse con .336 de average, 15 dobles y 4 jonrones. Cuando fue ascendido a Clase-A avanzada de Júpiter Hammerheads retrocedió su rendimiento con .194 y 3 jonrones.

BRAYAN ÁLVAREZ* (21), RHP, Matanzas. Salió en agosto de 2015 junto al también lanzador de Matanzas, Carlos Nuviola. Un año después de arribar a República Dominicana le llegó su agencia libre. El 30 de abril de 2017 regresó a Cuba. «Yo en lo particular terminé con el béisbol», dijo para esta investigación en noviembre de 2018.

YORDAN ÁLVAREZ (18), INF/OF, Las Tunas, Triple-A: Houston Astros. Debutó en la Serie Nacional de Cuba con los Leñadores de Las Tunas a los 16 años. Era un diamante en bruto cuando despegó de la Isla en 2015. «Creo que vine bien porque aquí el béisbol está en un nivel diferente, tú sabes. Es todo lo contrario de allá en Cuba que solo es un nivel: la Serie Nacional», aclaró para esta investigación. Firmó por 2 millones de dólares con Los Angeles Dodgers, pero fue cambiado por el lanzador Josh Fields hacia Houston Astros en 2017. Ha crecido ostensiblemente en lo físico y deportivo. En sus 2 temporadas de ligas menores no ha hecho más que demostrar ser un producto casi terminado para llegar a Grandes Ligas. En 2017 bateó .304 de average, 17 dobles, 3 triples y 12 jonrones entre Clase-A media y avanzada. Superados ambos niveles, en 2018 se apareció con .293/.369/.534, 21 dobles, 20 jonrones y 74 impulsadas entre Doble-A y Triple-A. Ha sido seleccionado al Juego de Futuras Estrellas en 2017 y 2018. El tunero fue el prospecto no. 62 del béisbol en 2018, según la revista *Baseball America.*

DIOSBEL ARIAS (19), INF, Artemisa, Clase-A corta: Texas Rangers. Su primer jonrón en Series Nacionales ocurrió cuando estaba acabado de llegar del equipo Cuba sub-18; fue el primer jonrón de la 54 Serie Nacional contra Isla de la Juventud. «Se me presentó en ese momento la oportunidad y conté con el apoyo incondicional de mi familia», recordó para esta investigación. Decidió emigrar con solo 2 Series Nacionales. Arribó a Estados Unidos como un torpedero de excelentes atributos que si lograba mejorar su ofensiva, podía dar un vuelco a su futuro. Y así fue. Luego de firmar un contrato de 700 000 dólares de bono con Texas Rangers, fue el líder de los bateadores en Clase-A corta con Spokane Indians. Dejó línea ofensiva de .366/.451/.491, 15 dobles, 2 triples y 3 jonrones. Fue elegido jugador estrella de la liga en mitad de temporada, así como en los playoffs.

LÁZARO ARMENTEROS (16), OF, Ciudad Habana, Clase-A media: Oakland Athletics. Despuntó como uno de los mejores talentos del béisbol en el Campeonato sub-15 de México, en 2014, donde Cuba se llevó el título. «Los 30 equipos de la Major League Baseball están interesados en mí. Salí de Cuba porque confié siempre en mi talento y porque soy de otro planeta», dijo para esta investigación en 2015. Es una mezcla explosiva de velocidad, poder y destreza atlética. En el período de firmas internacionales de julio de 2016, Oakland Athletics se llevó al solicitado prospecto por un bono de 3 millones de dólares. Fue víctima de una extorsión de elementos corruptos de la policía dominicana. Estos se dirigieron hasta el Residencial Villa Olga, donde paraban Armenteros y Jonathan Machado, para realizar un soborno o chantaje por sumas considerables de dinero. Las familias de Armenteros y Machado fueron avisadas y evacuadas antes del suceso y los policías encontraron en su lugar al zurdo Raisel Poll, quien siete días más tarde fue deportado a Cuba. Armenteros confirmó para este libro que él pudo haber obtenido un contrato más elevado, pero que no quiso esperar más en Dominicana. «Uno en Cuba jugaba sin dinero, jugaba porque ama el béisbol», agregó. Durante 2018, en Beloit Snappers, nivel de Clase-A media, registró línea ofensiva de .277/374/.401, 8 dobles, 2 triples y 8 cuadrangulares, además de 39 impulsadas.

RANDY AROZARENA (20), INF/OF, Pinar del Río, Triple-A: St. Louis Cardinals. Fue parte del equipo Cuba al Campeonato Mundial Juvenil de Taiwán en 2013. Dada su velocidad, polivalencia y poder en aumento, St. Louis Cardinals firmó al pinareño por un bono de 1 250 000 dólares. «Mi objetivo es jugar béisbol y probarme en otra liga. Mi familia siempre está conmigo, ellos me dan fuerza», dijo para esta investigación. Luego de establecerse en México, donde jugó 5 encuentros con los Toros de Tijuana, rubricó un excelente primer año en ligas menores con .266/.346/.437, 32 dobles, 4 triples y 11 jonrones, más 18 bases robadas. En el invierno no se detuvo y se fue a la Liga Mexicana del Pacífico con los Mayos de Navojoa, donde dejó línea ofensiva de .292/.366/.558 y lideró el departamento de jonrones con 14 (fue el primer cubano en hacerlo, desde Bárbaro Cañizares en 2011). Inició 2018 directamente en Triple-A, con Springfield Cardinals. Fue elegido al Juego de Futuras Estrellas en Washington. Registró average de .274, 12 jonrones y 26 bases robadas, en lo que parece un producto terminado para arribar a Major League Baseball en 2019. Ganó el premio a Jugador más Valioso en la final de Triple-A, donde se coronó con la sucursal Memphis Redbirds y pegó 2 bambinazos en el partido decisivo.

Michel Báez (19), RHP, Mayabeque, Doble-A: San Diego Padres. Llegó a República Dominicana sin nada que perder. «Pasé por mucho. Cuando salí de Cuba estuve tres meses en Ecuador y después estuve un mes en Haití con condiciones no muy buenas», dijo para esta investigación. En menos de un año entre preparación, búsqueda de la agencia libre, *showcases* ante *scouts* y lejanía de su familia, firmó un contrato de 3 millones de dólares con San Diego Padres, cuyos ojeadores quedaron impresionados por la velocidad del espigado lanzador de 6,8 y 220 libras.

«En Dominicana tuve una preparación especial que me llevó a subir mucho la velocidad y con el control que tenía, eso fue lo que me hizo mejorar tan rápido», aseguró para esta investigación. Sin complejos ante el debut en ligas menores, estuvo a la altura de confirmar su promesa. Posteó 7-2, 2.54 de efectividad en 2017, entre nivel Rookie y Clase-A media, dos de los niveles más elementales de las menores, donde quien falla tiene pocas esperanzas de ascender. Su recta de 97 a 99 millas y la rompiente slider le llevaron a ser considerado como uno de los 100 mejores prospectos, según la página de *Major League Baseball Pipeline* o revistas especializadas en Estados Unidos como *Baseball America*. Esta última, en abril de 2018, lo calificó como el prospecto no. 28, pese a que retrocedió un poco luego de atravesar problemas con el control (1.33 de WHIP) entre Clase-A avanzada y Doble-A. Aunque posteó 4-10, 3.69, Báez permitió average oponente de .242 y ponchó a 113 en 105 entradas.

Jesús Balaguer (22), RHP, Industriales, Clase-A avanzada: Houston Astros. Emprendió el viaje fuera de la Isla por la vía legal junto a los lanzadores Maikel Taylor, Yoandri Portal y Yosibel Castillo. Firmó con Houston Astros en 2017 por un bono de 10 000 dólares. Antes, había lanzado en la Liga Profesional de Colombia en 2015. Registró un año 2017 más que positivo, al punto de ser elegido el Relevista del Año de los Astros en Clase-A, con marca de 5-2, 2.73 efectividad y 53 ponches en 33 innings. Al año siguiente fue liberado mientras lanzaba para Buies Creek Astros, Clase-A avanzada. Solo le bateaban para .174, aunque otorgó 33 boletos en 33.2 innings. Días después acordó con Washington WildThings de la Frontier

League (Liga Independiente), donde posteó 1-0, 3.50 en 18 entradas. En el invierno el derecho capitalino viajó hasta el béisbol de Puerto Rico, con los Indios de Mayagüez.

José Carlos Barbosa* (18), RHP, Santiago de Cuba. Se subió a un vuelo comercial en agosto de 2015 desde La Habana a Perú, Ecuador, Guyana y Haití. El lanzador derecho iba acompañado de sus padres. Estuvo alrededor de un año y medio en República Dominicana, país al que entró ilegalmente. El 13 de marzo de 2017 regresó a Cuba tras contrastar las escasas oportunidades de firmar un contrato. «Sentí una gran alegría y tranquilidad», dijo para esta investigación sobre su regreso. Los pasajes de retorno los costearon él y sus padres, además de una multa de 120 dólares que pagó en el aeropuerto de Santo Domingo por haber entrado ilegalmente al país. Se incorporó a las Avispas de Santiago de Cuba en 2017.

Antonio Baró* (23), RHP, Industriales. Salió de la Isla en julio de 2015. Regresó a Cuba y en 2016 lanzó con los Leones de Industriales para 2-1, 3.04 de efectividad.

Víctor Baró (21), RHP, Ciego de Ávila, Liga Invernal Dominicana. Dejó marca de 11-3, 4.56 de efectividad con los Tigres de Ciego de Ávila en 4 temporadas. Se asentó en Costa Rica después de salir de Cuba a finales de 2015. Pese a su velocidad natural, las cosas no fueron según lo planificado. Sin embargo, archivó su primera experiencia profesional con los Toros del Este de la Liga Invernal Dominicana a finales de 2018.

Orlando Barroso (24), RHP, Santiago de Cuba, Liga Invernal Veracruzana. Escapó de Cuba en febrero de 2015 y según alegó en varias entrevistas el motivo más fuerte para su éxodo fue la falta de oportunidades y la necesidad económica. Entre 2015 y 2016 lanzó en los circuitos de México como la Invernal Veracruzana con Tucanes de Chiapas y la Norte de México con Toritos de Tijuana.

Darys Bartolomé (31), INF, Camagüey. El slugger zurdo tuvo 8 temporadas en Cuba con los Ganaderos de Camagüey en las que pegó 65 jonrones y bateó para .274. En 2010 (en la 49 Serie Nacional) conectó 20 vuelacercas y dejó línea ofensiva de .269/.342/.560. El 28 de enero de 2015 dejó Cuba en un vuelo comercial con destino a Puerto Príncipe, Haití. Con la asistencia de los inversionistas que poseía cruzó la frontera y se asentó en República Dominicana. Un reporte del colega Scott Eden, de ESPN, confirma que el inversionista abandonó a Bartolomé un año más tarde y que este tuvo que ingeniárselas para subsistir. No logró el tan esperado salto al profesionalismo.

Yordan Batista (32), INF, Las Tunas. En 7 temporadas en Cuba con los Leñadores de las Tunas promedió .321 con 33 jonrones. No firmó contrato profesional ni registró actuaciones luego de emigrar.

Enrique Bicet (27), INF, Santiago de Cuba. Estuvo en República Dominicana intentando una firma profesional. Según algunos de sus excompañeros de Santiago de Cuba, el infielder se casó y fijó residencia en Quisqueya.

Ronald Bolaños (18), RHP, Mayabeque, Clase-A avanzada: San Diego Padres. El veloz derecho firmó un pacto de 2 250 000 de dólares con San Diego Padres y en 2 temporadas en ligas menores no ha encontrado la forma de superar los distintos niveles. Registró marca de 5-2, 4.41 de efectividad en 2017 con Fort Wayne Tin-Caps, Clase-A media, pese a 118 ponches en 125 innings en 2018 con Lake Elsinore Storm. Atravesó problemas al postear 6-9, 5.11, 10 jonrones permitidos y .282 de average oponente.

Jorge Bordón (22), INF, Ciego de Ávila. Participó en 3 Series Nacionales con los Tigres de Ciego de Ávila como reemplazo. «Salí en 2015 y no he jugado en ninguna liga. Solo he entrenado para tratar de firmar», dijo para esta investigación.

Delvis Borges* (25), LHP, Pinar del Río. El zurdo estuvo en República Dominicana sin conseguir la agencia libre necesaria para firmar con algún equipo de Grandes Ligas. En 2017 regresó a Cuba y volvió a las Series Nacionales con los Cocodrilos de Matanzas.

Oriesel Borges (19), RHP, Pinar del Río. Lanzó 7 innings en Cuba entre 2014 y 2015 con los Vegueros de Pinar del Río. Dueño de una recta que toca las 90 millas, además de una slider por encima del promedio, al derecho se le demoró la agencia libre un tiempo prolongado. Aún acumula esperanzas de firmar un contrato con alguna franquicia de Major League Baseball.

Jorge Luis Bravo (26), RHP, Santiago de Cuba. Fracasó en el intento de pasar al profesionalismo. El derecho de 5 Series Nacionales en Cuba se casó en República Dominicana, donde reside actualmente, según le confirmaron a esta investigación algunos de sus excompañeros.

Raúl Bueno (18), RHP, Ciudad Habana. Salió de Cuba rumbo a República Dominicana y ha tenido varios inconvenientes. Actualmente se encuentra en plenitud de forma, aunque le aseguró a esta investigación que aún no cuenta con la documentación legal para firmar un contrato profesional.

YOEL CABALLERO (19), OF, Ciudad Habana, División de Honor, España. Había integrado la selección de Mayabeque al I Campeonato Nacional sub-23, pero emigró hacia España. Bateó .346 (36 hits en 104 turnos), 6 dobles, 2 triples y 2 jonrones en la División de Honor de España con Viladecans. «Tuve que dejar mis raíces porque mi madre vivía hace años acá y nada, en busca de un futuro mejor», dijo para esta investigación.

YUNIEL CABRERA (27), INF/OF, Villa Clara. Casi siempre como reemplazo, participó en 7 Series Nacionales con los Leopardos de Villa Clara. Pese a la escasez de oportunidades mostró habilidades como bateador de contacto (.272). Salió de Cuba por la vía legal y llegó a República Dominicana en 2015. Nunca obtuvo su residencia en un tercer país y, por ende, tampoco la agencia libre. Esto lo llevó a salir de Dominicana en una embarcación hasta Puerto Rico y acogerse a la Ley de Ajuste Cubano. «Los equipos que me veían lo primero que me preguntaban era por los documentos y como sin eso no podía hacer nada me fui de Dominicana», dijo para este libro. Actualmente se encuentra a la espera de su residencia en Estados Unidos para intentar jugar en alguna liga invernal o independiente. «Si se puede jugar y se me da la posibilidad no me daré por vencido», agregó.

MAIKEL CÁCERES* (32), INF/OF, Holguín, Liga Invernal de Venezuela. Salió de Cuba legalmente luego de 8 temporadas con los Cachorros de Holguín. Estuvo cuatro meses entrenando en República Dominicana. Sin tiempo que perder pactó con los Bravos de Margarita en el béisbol invernal de Venezuela. «Mi principal objetivo es jugar aquí en Venezuela, tratar de hacer un buen papel y buscar un contrato de Grandes Ligas», le dijo a esta investigación en noviembre de 2015. Tuvo varias ofertas para salir ilegalmente de la Isla, pero no estuvo de acuerdo. La abogada y agente Charisse Dash Espinosa lo contactó y realizó el proceso. En 31 encuentros con los Bravos de Margarita puso línea ofensiva de .371/.426/.454, 5 dobles, 1 cuadrangular y 12 impulsadas. Contaba con la desventaja de su edad. Encontró la posibilidad de probar en el béisbol de Italia con Rimini en 2017 y continuó bateando por encima de .300. En 123 turnos al bate consiguió 38 hits para average de .309, además de 6 dobles, 1 cuadrangular y 20 impulsadas (fue líder del equipo). Entre 2016 y 2017 contribuyó a la causa de los Indios del Bóer en la Liga Profesional de Nicaragua. Después de no recibir ofertas, regresó al béisbol de Cuba en 2018 con los Cachorros de Holguín y bateó .416 de average (fue segundo de la liga). En el invierno pactó nuevamente con el Bóer en Nicaragua, pero bajo el amparo de la Federación Cubana de Béisbol. Fue el primer beisbolista que, luego de intentar llegar a Major League Baseball, a su regreso las autoridades cubanas le asisten en un contrato profesional.

Marlon Cairo (20), OF, Ciudad Habana, Major League Baseball: Los Angeles Dodgers. En 2006 participó en el Mundialito de Las Américas en Venezuela, donde representó al equipo Cuba de 9-10 años. Desde allí continuó su desarrollo hacia la meta de hacerse profesional. El jardinero cubano llegó a un acuerdo con Los Angeles Dodgers para iniciar su carrera profesional en el sistema de Major League Baseball. El habanero emigró de Cuba a finales de 2015 y luego de tres años en República Dominicana alcanzó uno de los objetivos de todo beisbolista que sale de la Isla: firmó en septiembre de 2018 con Los Angeles Dodgers.

JOAQUIN CARBONELL* (26), OF, Santiago de Cuba. Estuvo 6 temporadas con las Avispas de Santiago de Cuba y eligió emigrar en un momento donde su ofensiva había caído de .289 en 2012 a .234 en 2014. Partió de Cuba por la vía legal y regresó luego de dos años fallidos en República Dominicana. Participó en varias presentaciones exhibiéndose como bateador de contacto, pero la edad no lo ayudó, sobre todo porque fue una época donde emigró mucho talento joven de Cuba.

YOANDI CARO (20), RHP, Matanzas. Participó en el Mundial Juvenil de Taiwán en 2013. Luego debutó en Series Nacionales con los Cocodrilos de Matanzas en una breve actuación de 8.1 innings. El lanzador derecho de múltiples cualidades para realizar una carrera en el béisbol profesional no encontró la ruta del profesionalismo.

LUIS MANUEL CASAMAYOR (24), INF, Santiago de Cuba. Arribó a República Dominicana en abril de 2015. Durante dos años aproximadamente buscó la firma con un equipo de Major League Baseball, pero no lo consiguió.

JAVIER NORBERTO CASTELLANOS (23), OF, Santiago de Cuba, Rookie: Houston Astros. Firmó con Houston Astros por un bono de 75 000 dólares por 7 años. Fue asignado a la Liga de Verano en Dominicana, donde promedió .172, 1 bambinazo y 18 boletos en 25 encuentros. Mientras se encontraba en el campamento extendido de primavera de West Palm Beach, Florida, la gerencia de los Astros decidió otorgarle la liberación. «Ellos me dijeron que no encontraron un hueco en su sistema para mí», dijo para esta investigación.

Yasmani Castelló (21), RHP, Pinar del Río. Emigró en septiembre de 2015 en un vuelo comercial La Habana-Panamá-Haití, hasta que fue cruzado por la frontera hacia República Dominicana. Su recta ha llegado a marcar las 95 millas. «Las oportunidades han estado, pero no sé qué ha pasado después. No sé si es que no llegan a un acuerdo. Siento que el interés en mí ha existido por firmarme. Seguiré fajado y entrenando a ver si lo logro con Dios delante», dijo para esta investigación el pinareño, que se mantiene en Quisqueya.

David Castillo (29), INF, Pinar del Río, Liga Profesional de Colombia. Participó con el equipo Cuba en el Panamericano Juvenil de México, en 2005. Fue campeón en 2 ocasiones de la Serie Nacional con los Vegueros de Pinar del Río (2011 y 2014), entre las 10 en las que estuvo. Luego de asistir a la Serie del Caribe (2015) y terminada la campaña, decidió no continuar con el béisbol cubano y partió rumbo a República Dominicana. Casi entrado en los 30 años de edad y lejos de su mejor forma, una firma con alguna franquicia de Major League Baseball parecía más que complicada. Probó en el béisbol invernal de Colombia con los Tigres de Cartagena durante 2017, sin presentar el nivel de antaño.

Yosibel Castillo (22), RHP, Granma. Integró el equipo Cuba juvenil de 2010. Emprendió el viaje fuera de la Isla por la vía legal junto a los lanzadores Maikel Taylor, Yoandri Portal y Jesús Balaguer. El granmense estaba previsto para lanzar con los Tigres de Cartagena de la Liga Profesional de Colombia y un accidente lo imposibilitó. Recibió una oferta de Milwaukee Brewers, pero las negociaciones no se materializaron.

YUNIER CASTILLO* (24), LHP, Mayabeque. El zurdo salió en 2015 hacia República Dominicana, pero tras atravesar problemas con la documentación decidió regresar a Cuba. En 2017 salió nuevamente como parte de un grupo que viajó por la vía legal hacia Uruguay, exactamente a Maldonado, Punta del Este, a dos horas de la capital. De allí se fue a Venezuela a continuar intentándolo. Uno de sus inversionistas se llamaba Yoyo Amaro. Castillo estuvo en Maiquetía, estado de Vargas, al norte de la capital de Venezuela. Bloqueado por la ausencia de terrenos, por las mínimas posibilidades de ser visto y por la desesperanza del tiempo perdido, decidió desligarse de los inversionistas; una persona desde Maracaibo los ayudaba con la alimentación. Esos dos meses ni siquiera entrenó. Regresó a Cuba en junio de 2018 y volvió a las Series Nacionales con los Alazanes de Granma. En 10 entradas de actuación compiló efectividad de 8.10 sin victorias ni derrotas.

LUIS ABEL CASTRO* (29), C, Isla de la Juventud/Pinar del Río. Fue preseleccionado del equipo Cuba al III Clásico Mundial de 2013. El receptor salió de la Isla por vías legales. Cuando se obstruyeron todas las posibilidades de jugar en el exterior retornó a Cuba y vistió el uniforme de los Vegueros de Pinar del Río en las Series Nacionales 56 y 57.

RAIDEL CHACÓN (21), OF, Mayabeque, Rookie: Los Angeles Dodgers. Luego de dos años sin poder jugar al béisbol de forma activa, volvió de la manera más impensada: como tercer bate del equipo Panamá en la Serie Latinoamericana de Béisbol (2018) en un día que bateó de 5-2 ante la selección de Curazao y además pegó cuadrangular dentro del terreno contra México. El jardinero se asentó en República Dominicana y estuvo muy cerca de una firma con Oakland Athletics. Un año más tarde, en el verano de 2018, firmó por un bono de 8 000 dólares con Los Angeles Dodgers como lanzador.

Julio Chibás (23), RF, Artemisa. Emigró de Cuba el 12 de octubre de 2015. Su tiempo en el béisbol intentando una firma profesional fue bastante reducido. Se mantuvo en los terrenos como entrenador.

José Antonio Columbie* (22), OF/INF, Matanzas. Debutó en Series Nacionales con los Cocodrilos de Matanzas a los 17 años. Disputó 4 temporadas en Cuba antes de partir hacia República Dominicana. El que vino a continuación lo recuerda como un período turbio por tener que lidiar con los inversionistas encargados en el proceso de su firma. Recibió varias ofertas. «Me ocultaron una oferta de Oakland», dijo para esta investigación. «Fui encima de los que me tenían pasando hambre, sed y miles de trabajos porque estaban incumpliendo todos los términos del contrato», agregó el zurdo, quien había comprometido el 45 % de una futura firma. La agencia libre se demoró más de lo pensado y perdió otra oferta de los Dodgers en mayo. Su agencia le llegó en octubre de 2016. «Fíjate si estaba pasando trabajo que en un mes y medio bajé de 210 libras a 185», dice. Quiso romper nexos con los inversionistas que tenía, pero estos no se pusieron de acuerdo con Andy Motta, agente que lo representaba. Se marchó hacia Panamá, donde siguió intentando realizar su sueño. En 2019 regresó a Cuba y se reincorporó a los entrenamientos con su equipo de Matanzas.

LISBÁN CORREA* (26), C, Metropolitanos/Industriales. En 10 temporadas en Cuba entre los desaparecidos Metropolitanos e Industriales pegó 79 jonrones y average de .285. Fue sacado de la Isla por avión hacia Haití y de allí a República Dominicana. Corría el mes de julio de 2015. En una entrevista con el colega Scott Eden de ESPN, Correa afirmó que había pasado por más de cuatro inversionistas sin éxito alguno. Se mantuvo entrenado en la academia de José Canó, padre de Robinson Canó, a la espera de un contrato no ya con alguna franquicia de Major League Baseball, sino con ligas invernales. Regresó a Cuba en 2019.

MARIO LUIS COSME (29), INF, Artemisa. Estuvo en 3 Series Nacionales, 1 con los Vaqueros de La Habana y 2 con los Cazadores de Artemisa. Partió de Cuba rumbo a México, pero después de 2016 quedó en el intento su sueño de pasar al profesionalismo.

NAVID LUIS COSME (21), RHP, Artemisa, Liga Norte de México. Partió de Cuba luego de coronarse en el primer Campeonato Nacional sub-23 con los Cazadores de Artemisa en 2014. Puso marca de 2-4, 5.14 de efectividad con los Tiburones de Puerto Peñasco en la Liga Norte de México, especie de Triple-A del béisbol azteca. Los oponentes le batearon para .270. «En Cuba no tenía muchas oportunidades de lanzar y decidí que debía buscar otras vías», dijo para esta investigación.

PEDRO LUIS COSME* (26), OF, Artemisa, Liga de Béisbol de Ecuador. Salió de Cuba en un vuelo comercial rumbo a Ecuador. Allí se insertó en el béisbol ecuatoriano, pero en mayo de 2016 decidió volver a Cuba. El bateador de 3 Series Nacionales (2 con los Cazadores de Artemisa y 1 con los Huracanes de Mayabeque entre

2012 y 2015) se insertó a su regreso en el béisbol de la Isla, al integrar la preselección de los Vegueros de Pinar del Río en 2018.

DARIEL CRESPO (23), C, Artemisa, Liga Mexicana de Béisbol. Integró el equipo Cuba juvenil en 2010. Ya en 2014 había madurado lo suficiente para ser el receptor titular de los Cazadores de Artemisa y uno de los mejores de Cuba. Emigró por la vía de México y allí participó en un partido del invierno de 2015 con Cañeros de los Mochis. Firmó con Minnesota Twins por un bono de 10 000 dólares, pero fue liberado en los entrenamientos extendidos de ligas menores de 2018, sin apenas recibir la oportunidad de realizar un debut. Actualmente se prepara en la ciudad de Miami a la espera de la residencia para incursionar en ligas independientes o invernales.

HANSEL DELGADO (23), RHP, Industriales. Lanzó con los Leones de Industriales en las Series Nacionales 50 y 51, donde dejó balance de 0-1,10.38 de efectividad en 43.1 innings. El derecho viajó a República Dominicana y, pese a entrenar con el objetivo de una firma con Major League Baseball, enfrentó diversos problemas. «Viví diez meses allá y tuve oportunidad de firmar, lo que me hicieron la residencia falsa», dijo para este libro. En 2016 arribó a Estados Unidos y aunque es su deseo retornar al béisbol en un futuro cercano, no lo ha hecho.

LENCY DELGADO (17), INF, Ciudad Habana, Rookie: Chicago White Sox. Estuvo en el sistema del béisbol en Cuba; incluso, fue excluido de un equipo nacional categoría 11-12. Salió del país buscando una oportunidad en el béisbol de Estados Unidos y cumplió el sueño cuando resultó elegido (selección 108) en la ronda 4 del draft de 2018 por Chicago White Sox. Firmó por un bono de 525 000 dólares después de brillar con su bate y guante en Doral Academy, Florida. Destrozó el nivel con Doral Academy Firebirds, Miami, donde bateó .480 con 13 jonrones y 33 impulsadas. La mejoría del tercera base fue notable de un año a otro, sobre todo con su poder (dio 1 bambinazo en 2017). Sin embargo, en su primera temporada en el nivel Rookie no pasó de .233 y 6 extrabases con 40 ponches en 38 encuentros.

Alberto Diaz* (24), C, Santiago de Cuba. Estuvo en República Dominicana por espacio de dos años y medio. Se convirtió en agente libre, pero ninguna franquicia mostró interés y tuvo una pésima representación. En 2018 volvió a Cuba y vistió el uniforme de las Avispas de Santiago de Cuba. En 2019 firmó un contrato con los Tigres de Quintana Roo en la Liga Mexicana de Béisbol y pegó cuadrangular en su primer partido en la liga.

Marcos Díaz (18), INF, Ciudad Habana, Serie A1: Liga de Béisbol Italiana. Salió de Cuba hacia Italia cuando tenía 9 años; sin embargo, regresó luego de unos meses, para emigrar definitivamente en 2015. «He podido continuar lo que tanto me gusta hacer, que es jugar pelota», dijo para esta investigación. Conformó el conjunto de Padule Sesto Fiorentino en la Serie A1 durante la temporada de 2018, aunque no bateó más de .146 (6 hits en 41 turnos), 1 doble y 4 impulsadas.

René Díaz (17), OF, Ciego de Ávila. Atravesó por todas las categorías del béisbol en su provincia, Ciego de Ávila. Salió de Cuba con edad juvenil y se asentó en República Dominicana. Aún no ha podido firmar un contrato profesional.

YUSNIEL DÍAZ (19), OF, Industriales, Triple-A: Los Angeles Dodgers. Fue integrante del equipo Cuba en el Mundial Juvenil de Taiwán, en 2013. Tuvo una excelente campaña de novato en 2014-2015 con los Leones de Industriales, pero la dirección nacional del béisbol le privó del premio a mejor Novato del Año una vez que se supo su abandono de la Isla. El apodado Yupi radicó en República Dominicana y recibió una bonificación de 15,5 millones de dólares con Los Angeles Dodgers. En 2017 adquirió la madurez necesaria para ser considerado un prospecto de élite con línea ofensiva de .292/.354/.433, 23 dobles, 3 triples y 11 jonrones. Además, bateó .303 y 4 extrabases en 17 partidos de la Liga Otoñal de Arizona. A mitad de temporada de 2018 participó en el Juego de Futuras Estrellas de 2018 en Washington y pegó 2 jonrones. Semanas después fue la pieza clave en el cambio que llevó a Manny Machado de Baltimore Orioles a Los Angeles Dodgers.

PEDRO DURÁN (21), LHP, Industriales. En 3 temporadas con los Leones de Industriales lució marca de 8-4, 3.60 de efectividad, al igual que en el II Campeonato Nacional sub-23, donde ayudó a su equipo de Ciudad Habana a conseguir el título con actuación de 7-1, 1.74. En alguna ocasión el zurdo declaró haber salido de Cuba pues en la Isla no tenía futuro dentro del béisbol. Sin embargo, no pudo firmar contrato con una organización de Grandes Ligas pese a intentarlo más de dos años.

YADIER ECHEVARRÍA (20), RHP, Las Tunas. Integró el equipo Cuba juvenil al Mundial de 2013. Sus envíos laterales y pegados causaron efecto de inmediato en las 3 Series Nacionales que lanzó para los Leñadores de Las Tunas, con marca de 6-5, 2.72 de efectividad y average rival de

.255. Luego de un proceso harto demorado de tres años fuera de Cuba, aún no poseía la agencia libre. «El problema es que como no tengo los papeles completos no puedo estar haciendo los *showcases*», dijo en abril de 2018 para esta investigación.

Moisés Esquerre* (20), INF, Matanzas, Liga Invernal de Panamá. Fue el torpedero estrella del Mundial Juvenil de Taiwán en 2013. Participó en 2 Series Nacionales con los Cocodrilos de Matanzas, aunque no recibió muchas oportunidades por encontrarse en su misma posición José Miguel Fernández y Dayner Moreira, quienes finalmente terminaron emigrando de Cuba. Esquerre bateó solo .190 en 21 escasos turnos al bate. Su salida de Cuba no se hizo esperar. En 2015 debutó en la Liga Invernal de Panamá, con los Indios de Urracá, y más tarde pasó por el béisbol de Guatemala. El matancero estuvo algún tiempo ilocalizable, pero nunca dejó atrás la esperanza de firmar con una franquicia de Major League Baseball y llegar al profesionalismo. En 2018 estuvo entre Guatemala y República Dominicana, representado por Action Sport Montreal. Finalmente decidió regresar a Cuba.

Omar Estévez (17), INF, Matanzas, Clase-A avanzada: Los Angeles Dodgers. Firmó un contrato de 6 millones de dólares con Los Angeles Dodgers como agente libre internacional con restricciones. Luego de integrar los equipos Cuba en categorías inferiores y de un breve debut en Series Nacionales con los Cocodrilos de Matanzas, el joven prospecto no logró lucir en sus 2 primeras temporadas en ligas menores. Sin embargo, mejoró para 2018. Fue asignado a Rancho Cucamonga Quakes, Clase-A avanzada, donde tuvo una devastadora campaña de 60 extrabases, con lo cual lideró el casillero de dobles, con 43. El matancero además bateó .278 con 15 bambinazos y 84 impulsadas (fue tercero en toda la liga).

Luis Estrada* (19), RHP, Artemisa. Solo participó en 1 Serie Nacional con los Cazadores de Artemisa en 2014 (4-2, 4.67 de efectividad), antes de emigrar rumbo a República Dominicana en busca de un contrato de Grandes Ligas. Como no obtuvo ninguna posibilidad, el derecho que alcanzaba hasta 92 millas regresó a Cuba en octubre de 2018.

José Miguel Fernández (28), 2B, Matanzas, Major League Baseball: Los Angeles Angels. Fue despuntando como bateador de primer nivel con los Cocodrilos de Matanzas. Finalmente acumuló .318 en 8 temporadas. Para 2013 ya estaba establecido con el equipo Cuba y en el III Clásico Mundial de Béisbol de ese año fue tercero en hits (11), detrás de Robinson Canó y Ángel Pagán. En octubre de 2014 intentó una fuga ilegal del país junto a su primo y receptor de Matanzas, Lázaro Herrera. La operación fallida trajo consigo un largo período de inactividad, hasta que pudo escapar a finales de 2015, ilegalmente. Lo que se suponía fuera una firma millonaria se quedó en 200 000 dólares cuando Los Angeles Dodgers contrataron al bateador zurdo. Estuvo con las Águilas Cibaeñas en el béisbol invernal dominicano y en 2017 comenzó su andar por ligas menores. Fue asignado a Doble-A, sucursal de Tulsa Drillers, y conectó para .306/.367/.496, 17 dobles y 16 jonrones. Sin embargo, estos números no bastaron y los Dodgers lo sacaron de sus planes en noviembre, al otorgarle la liberación. Fernández acordó con Los Angeles Angels y siguió con la misma fuerza en Triple-A, hasta ganarse la promoción a Major League Baseball el 8 de junio de 2018. En 36 partidos con el equipo grande bateó 2 jonrones, 8 dobles y average de .267. Su campaña en Triple-A ratificó que el antillano superó el nivel (.333, 19 dobles y 17 jonrones) en Salt Lake Bees. Los de Anaheim lo liberaron finalizada la temporada, mientras se encontraba en el béisbol invernal de Dominicana con las Estrellas Orientales.

Eduardo Ferrer (21), RHP, Villa Clara. Salió de Cuba en septiembre de 2015 junto a Ronny Valdés, en un vuelo comercial desde La Habana hasta Haití. De allí fueron cruzados por la frontera hacia República Dominicana. Ferrer sufrió un duro golpe en contra cuando Ronny Valdés decidió regresar a Cuba a los dos días de estar en Dominicana: el inversionista que los representaba lo abandonó y tuvo que empezar una lucha por la supervivencia. Luego de tres años ha dado un giro a su carrera y ha mejorado su forma deportiva. Actualmente es interés de varias organizaciones de Grandes Ligas.

Leonis Figueredo* (22), OF, Las Tunas. Salió de Cuba en una embarcación, de manera ilegal. El jardinero regresó a la Isla por medios propios, luego de un tiempo perdido en República Dominicana: con la ayuda de su familia pagó el pasaje de vuelta y se reincorporó al béisbol, tras un año de sanción. «En Cuba estoy mejor que en Dominicana», dijo para esta investigación. En la 57 Serie Nacional, en 2017, con los Leñadores de las Tunas, bateó por encima de los .300.

Yuniet Flores (29), OF, Villa Clara, Clase-A avanzada: San Diego Padres. Integró el equipo Cuba juvenil para Taiwán, en 2004. Contribuyó al primer campeonato de los Leopardos de Villa Clara en 18 años, logrado en 2013. Participó en la Serie del Caribe en Venezuela durante 2014 y resultó seleccionado en el equipo Todos Estrellas del torneo. El mismo año que salió de Cuba estuvo escaso tiempo en la Liga Invernal Dominicana con las Águilas Cibaeñas. Luego de firmar con San Diego Padres un pacto de liga menor en agosto de 2016, fue asignado a la Liga de California (Clase-A avanzada), donde solo jugó 24 partidos. Pegó 5 dobles y promedió .247. Sin más oportunidades, la organización lo liberó a mitad de campaña. No ha vuelto al béisbol desde entonces.

FELIX FUENTES* (28), RHP, Matanzas. Partió de Cuba por la vía legal hacia Ecuador. Estuvo intentando la firma de un contrato profesional que se le hizo imposible y por ello regresó a Cuba. Se incorporó a las filas de los Cocodrilos de Matanzas en la 57 Serie Nacional de 2017.

RUDELDIS GARCÍA (30), C, Ciego de Ávila/Santiago de Cuba. Bateó .274 con 21 jonrones en su etapa de beisbolista en Cuba. Después de 10 temporadas divididas entre las Avispas de Santiago de Cuba y los Tigres de Ciego de Ávila, el fornido receptor emigró a República Dominicana. Actualmente vive y funge como entrenador en Dominicana, luego de serle imposible realizar el sueño profesional.

YANDY GARCÍA (21), RHP, Villa Clara. Lanzó en la 54 Serie Nacional de 2014-2015 con los Leopardos de Villa Clara y reforzó en la segunda fase a los Cocodrilos de Matanzas. Con una recta que tocaba las 90 millas y una curva por encima del promedio, salió de Cuba hacia Estados Unidos por la vía de la reclamación familiar. «Tuve muchas propuestas para venir por el mar, pero mi mamá no quiso porque me había puesto la reclamación», dijo el derecho para esta investigación. Se ha presentado ante varias organizaciones de Grandes Ligas en la ciudad de Miami, aunque aún no logrado firmar contrato.

YUNIESKI GARCÍA* (22), RHP, Artemisa. Realizó un sobresaliente trabajo como relevista y contribuyó al triunfo de los Cazadores de Artemisa en el I Campeonato Nacional sub-23 de 2013. En la 53 Serie Nacional posteó 10-2, 2.24 de efectividad y 58 ponches en 60 innings. Con semejante hoja de servicios cualquier experto pensaría que iba a lograr un contrato profesional, pero la realidad fue muy distinta. Salió legalmente hacia Ecuador y desde allí continuó hasta República Dominicana, donde se convirtió en agente libre entre 2016 y 2017. La nebulosa sobre su futuro persistió y eligió regresar a Cuba en 2018.

YOSBEL GARMURI (18), INF, Ciudad Habana. Primero estuvo con el equipo de Mayabeque en el Campeonato Nacional sub-18. Luego emigró de Cuba con destino a República Dominicana y aún espera su oportunidad de llegar al béisbol profesional.

MICHEL GELABERT (18), LHP, Ciudad Habana, Rookie: Arizona Diamondbacks. Lanzador zurdo nacido en La Habana que emigró de Cuba para intentar abrir su carrera y luchar por el sueño común de muchos peloteros: llegar a Grandes Ligas. «He luchado muchísimo para lograr esto que además ha demandado bastante sacrificio, pero al final se dio», dijo para esta investigación tras firmar un contrato de liga menor con Arizona Diamondbacks en mayo de 2018. En su primera campaña en nivel Rookie lanzó para 4-1, 1.92 de efectividad y 77 ponches en 61 entradas.

YOSUAN GIL (19), RHP, Mayabeque. Emigró luego de una 54 Serie Nacional discreta con los Huracanes de Mayabeque de 1-5, 7.15 de efectividad. Hasta el momento no ha logrado firmar contrato profesional. Según algunos de sus excompañeros, estuvo en República Dominicana y de allí fue trasladado a México, donde rompió lazos y escapó del inversionista que poseía los derechos de sus futuros contratos.

DANIEL GÓMEZ (22), RHP, Santiago de Cuba. Tuvo balance de 3-0, 1.86 de efectividad en la 55 Serie Nacional de 2015 con las Avispas de Santiago de Cuba. En diciembre de ese año emigró de Cuba y se asentó en República Dominicana. No ha firmado un contrato profesional.

REINIER GONZÁLEZ (28), OF, Las Tunas. Salió de Cuba en mayo de 2015. Había estado en 3 Series Nacionales con los Leñadores de Las Tunas en función de reemplazo. Sin embargo, la temporada en que más jugó, en 2013, bateó .336 en 59 partidos. El zurdo atravesó problemas con sus representantes y también la edad lo ponía en una situación desfavorable. Cansado de esperar y de perder el tiempo partió desde República Dominicana, en una embarcación, hasta la isla de Mona, territorio de Puerto Rico, y allí solicitó asilo político. Una vez en Estados Unidos no continuó en el béisbol.

DAYÁN GONZÁLEZ (21), OF, Artemisa. Estuvo 3 temporadas en Cuba con los Cazadores de Artemisa. Salió en una embarcación junto a su compañero de equipo Yanio Luis Pérez. Según algunos reportes, rechazó una oferta de 10 000 con Texas Rangers. Permaneció en México durante siete meses junto a Yusniel Aguilar, Jorge Sabio y Pedro Reyes; sin embargo, el agente que los asesoraba los abandonó. El jardinero central no ha logrado firmar a nivel profesional.

Julio César González (21), INF, Matanzas, Liga Invernal de Venezuela. El matancero volvió al béisbol organizado en octubre de 2018, luego de un largo período de inactividad en República Dominicana. Encontró en Venezuela el lugar para regresar y demostrar todo su talento. Sin embargo, luego de 9 turnos con 3 imparables, .333 de average y 1 triple, el utility que juega todas las posiciones del infield y outfield fue bajado del equipo principal. «Quiero lograr el sueño de todo el mundo, llegar a Grandes Ligas», dijo para esta investigación.

Carlos González Fong (26), RHP, Santiago de Cuba. Salió de Cuba rumbo a República Dominicana junto a su coequipero en las Avispas de Santiago de Cuba Yoel Yanqui. Emigró a Estados Unidos desde una embarcación que lo llevó hasta Puerto Rico por el conocido del canal de la isla de Mona.

Yaser Julio González* (23), OF, Metropolitanos/Pinar del Río. Abandonó la Isla cuando comenzaba a establecerse con los Vegueros de Pinar del Río. Bateaba .288 de average, 10 jonrones y 34 impulsadas. «Se me dio la oportunidad y la aproveché, pero no lo tenía en mente, solo se me dio», dijo para esta investigación días después de marcharse de Cuba. Tras asentarse en República Dominicana el jardinero aún no ha logrado pasar al profesionalismo.

Urmanis Guerra (28), OF, Granma. Sus habilidades con el bate le llevaron a ser el líder de jonrones (21) e impulsadas (76) de la 54 Serie Nacional (2014-2015). Los rumores de su salida comenzaron a ventilarse en septiembre de 2015. Tal vez su edad fue la principal razón por la que no pudo firmar un contrato de Major League Baseball. Según algunos de sus compañeros, atravesó problemas con su documentación en República Dominicana, lo que impidió que participara en la Liga Profesional de Nicaragua en el invierno de 2018.

VLADIMIR GUTIÉRREZ (20), RHP, Pinar del Río, Doble-A: Cincinnati Reds. Demostró ser un prospecto de avanzada desde edad juvenil. Integró el equipo Cuba que asistió al Mundial Juvenil de Taiwán en 2013. Su temporada de debut con los Vegueros de Pinar del Río en Series Nacionales no pudo ser mejor: Campeón y Novato del Año en 2013, con marca de 5-5, 3.90 de efectividad. El derecho abandonó la selección cubana en febrero de 2015 durante la Serie del Caribe celebrada en Puerto Rico. Dueño de un excelente repertorio y una recta de 95 millas, firmó un contrato de 4,75 millones de dólares con Cincinnati Reds en septiembre de 2016. En la sucursal de Daytona Tortugas, Clase-A avanzada, el pinareño tuvo su debut en el sistema de Estados Unidos. Mostró dominio en un año irregular (7-8, 4.46 de efectividad) y logró un impulso en 2018: solo le batearon .246 y exhibió marca de 9-10, 4.35, 145 ponches en 147 entradas. Fue el prospecto no. 9 del sistema de los Reds en 2018.

LUIS GUZMÁN (25), RHP, Cienfuegos, Liga Independiente. Emigró y estuvo en República Dominicana. Luego de no conseguir ningún contrato llegó a territorio de Puerto Rico y se acogió a la Ley de Ajuste Cubano. Continuó entrenando hasta firmar con York Revolution de la Atlantic League (Liga Independiente) en 2017 y posteó 0-1, 5.40 de efectividad en 6.2 innings. El lanzador de 5 temporadas en Cuba no ha registrado más actuaciones hasta el momento en el béisbol profesional.

Guillermo Heredia (23), OF, Matanzas, Major League Baseball: Seattle Mariners. Tuvo un meteórico ascenso con los Cocodrilos de Matanzas en el béisbol cubano y para 2013 ya era el jardinero central de Cuba en el III Clásico Mundial de Béisbol. Cuando partió de la Isla estableció su residencia en México y rápidamente los Seattle Mariners lo firmaron por 500 000 dólares. Aunque comenzó en las menores, demostró superar los distintos niveles. En 2016 debutó en Grandes Ligas con Seattle, donde dejó average de .250. Entre 2017 y 2018 ha sido el jardinero central regular de la franquicia con 123 y 125 juegos, respectivamente. Sin embargo, su asignatura pendiente está en batear más de .250 y elevar su poder (solo 6 jonrones en una temporada). En el invierno de 2018 probó suerte en el béisbol invernal de Dominicana con las Águilas Cibaeñas; en el mismo mes fue anunciado su cambio a Tampa Bay Rays junto al receptor Mike Zunino por el veloz Mallex Smith.

Andrés Hernández* (19), OF/INF, Industriales, Liga Mexicana de Béisbol. Tras salir de Cuba pasó por la incertidumbre y el entrenamiento. Luego de un periplo en República Dominicana fue movido a México y allí, junto a Yanier Herrera, fue contratado por los Delfines del Carmen de la Liga Mexicana de Béisbol. Conectó para .179 en 11 juegos y finalmente fue liberado al finalizar la campaña. Un año después regresó a Cuba e integró la nómina de los Leones de Industriales de la 57 Serie Nacional, bajo la dirección de Víctor Mesa. En 2018 continuó su mejoría y promedió .352 con 2 jonrones en la primera fase del béisbol de Cuba

Jesús Hernández (25), OF, Artemisa, Liga Profesional de Panamá. Disputó 3 Series Nacionales con los Cazadores de Artemisa y bateó .232 con 8 extrabases y 151 asistencias a home. Salió junto a su compañero Norielvis Padrón hacia Ecuador en un vuelo comercial. Llegaron a Panamá y se insertaron en el béisbol invernal del país en la campaña 2015-2016. Hernández bateó .302 de average con las Águilas Metropolitanas en una liga donde ganaba alrededor de 800 dólares a la quincena. Ha presentado problemas con su documentación para continuar jugando béisbol.

JOSUÁN HERNÁNDEZ (21), C/SS/OF, Industriales, Liga Mexicana de Béisbol. Se convirtió en uno de los pocos cubanos de su tiempo capaz de jugar todas las posiciones del campo. Tras asentarse en México y brillar en varias ligas locales, fue a la Liga Norte de México y destruyó a los lanzadores vistiendo el uniforme de los Algodoneros en San Luis. En el circuito puente del máximo nivel del béisbol mexicano, bateó .359 (sublíder), 11 jonrones y 74 anotadas (tercero). Este rendimiento no pasó desapercibido y los Saraperos de Saltillo de la Liga Mexicana de Béisbol compraron su contrato. El exreceptor de los Leones de Industriales en Cuba descolló con Saltillo, al punto de batear .332/.407/.458, 18 dobles, 3 jonrones y 21 impulsadas. En el invierno de 2018 se mantuvo en México y pasó a la temporada invernal con Cañeros de los Mochis. Desde que salió de Cuba en busca de un futuro más convincente y sólido ha tenido que navegar en contra de la corriente todo el tiempo. Es un ejemplo de cómo puede triunfar un beisbolista cubano sin tener que firmar con una organización de Grandes Ligas.

LÁZARO HERNÁNDEZ* (22), INF, Artemisa. Fue el antesalista del equipo Cuba en el Mundial Juvenil de 2010 en

Thunder Bay, Ontario. Tras varias temporadas con los Cazadores de Artemisa emigró a República Dominicana. «Esto es un negocio, si no estás con la gente indicada se pasa trabajo», dijo para esta investigación en junio de 2017. Decidió regresar a Cuba para el inicio de la campaña 2017-2018 y destruyó a los lanzadores de la liga con .313, 16 dobles, 2 triples, 12 jonrones y 42 impulsadas. En 2018 volvió a salir de Cuba para unirse a su esposa y su hijo en República Dominicana y realizó varias presentaciones ante *scouts* de Grandes Ligas.

YADIEL HERNÁNDEZ (28), OF, Matanzas, Triple-A: Washington Nationals. Abandonó la selección nacional en el verano de 2015 cuando se encontraba en Carolina de Norte para enfrentar a Estados Unidos en un Tope Bilateral. Firmó con Washington Nationals por un bono de 200 000 dólares y en su primera temporada en ligas menores superó el nivel Doble-A, en Harrisburg Senators, con promedio de .292, 21 dobles, 1 triple, 12 bambinazos y 59 impulsadas. En el invierno de 2017 actuó con los Cangrejeros de Santurce en el béisbol de Puerto Rico, línea ofensiva de .288/.348/.339 en 18 partidos. Con 30 años inició el año 2018 en Harrisburg nuevamente y tras una mitad de temporada de 315 y 7 cuadrangulares fue promovido a Triple-A, Syracuse Chiefs, donde hizo .277/.348/.431, 15 dobles, 1 triple y 11 jonrones, sin ascender a Grandes Ligas. En 2018 las Estrellas Orientales del béisbol invernal de Dominicana adquirieron sus servicios.

YANIER HERRERA (22), OF, Industriales/Isla de la Juventud, Liga Mexicana de Béisbol. Apodado el Jet por su velocidad, partió de Cuba y apareció con los Delfines del Carmen en la Liga Mexicana de Béisbol en 2016. Su debut profesional no pudo ser mejor. Dejó línea ofensiva de .362/.403/.534, 4 dobles y 2 jonrones. Emigró hacia Estados Unidos y estuvo un tiempo entrenando en suelo norteamericano sin poder impresionar a los *scouts*. En 2018 regresó a México con un puesto asegurado en los Tecolotes de Dos Laredos y su temporada se malogró tras dilatarse el proceso de la naturalización como mexicano. «Me siento en óptimas condiciones y estoy día a día puliendo los detalles pues para eso son los entrenamientos. Me siento bastante bien y contento de regresar al terreno de juego», dijo para esta investigación en septiembre de 2018, cuando firmó con los Tigres de Cartagena en el béisbol invernal de Colombia. El infortunio continuó rondando su carrera: fue liberado tras 6 encuentros donde bateó .300 (6 hits en 20 turnos) con 2 bases robadas y 3 anotadas.

OMAR HOJAS (21), OF/INF, Artemisa. Totalizó 3 Series Nacionales en Cuba con los Cazadores de Artemisa entre 2012 y 2014. Para 2015 se asentó en República Dominicana, donde actualmente intenta firmar un contrato con alguna organización de Grandes Ligas.

DUNIEL IBARRA (35), RHP, Cienfuegos, Liga de Béisbol Italiana. Lanzó por 14 temporadas en Cuba con los Elefantes de Cienfuegos, a quienes les aportó 124 juegos salvados (92 en un lapso de 4 campañas). Lanzó con Angel Service Nettuno con marca 0-2, 9.42 de efectividad. Estuvo en el staff de entrenadores del club Al Godo desde la temporada de 2018.

YACIEL JIMÉNEZ (27), OF, Granma. En 5 Series Nacionales el zurdo promedió .302 de average. Llegó hasta Estados Unidos y luego de varios intentos dejó el béisbol sin poder incursionar en alguna liga profesional.

Lester Jova (26), INF, Villa Clara. Promedió un bajo .210 en 4 temporadas en Cuba. Llevaba algún tiempo sin integrar la nómina de los Leopardos de Villa Clara cuando decidió emigrar. Estuvo en República Dominicana sin ser la gran atracción para los *scouts* de Grandes Ligas. Arribó a Estados Unidos a través del canal de la isla de Mona y se acogió a la Ley de Ajuste Cubano en territorio de Puerto Rico. Aun así, estuvo entrenando en West Palm Beach, Florida, en busca de un contrato que nunca llegó.

Luis Yander La O (24), INF, Santiago de Cuba, Doble-A: Texas Rangers. Abandonó el equipo Cuba que se encontraba en la sede de Carolina del Norte para enfrentar a Estados Unidos en un Tope Bilateral. El infielder de contacto y velocidad firmó un contrato de 110 000 dólares con Texas Rangers. Superó sin problemas el nivel de Clase-A avanzada con Down East Wood Ducks, a razón de 23 dobles, 2 triples, 8 jonrones y .293 de promedio ofensivo. Finalizada la campaña de 2017 fue promocionado a la Liga Otoñal de Arizona y en 14 partidos no pasó de .196. Volvió a cumplir en Doble-A durante 2018, .290/.332/.367, 9 dobles, 2 triples y 2 cuadrangulares.

Lunin Santiago Laffita* (20), RHP, Santiago de Cuba. Regresó a la Isla luego de un recorrido fallido en República Dominicana.

Alay Rafael Lago (23), INF, Metropolitanos/Artemisa, Doble-A: Atlanta Braves. Empezó en la Liga Mexicana de Béisbol con Rojos del Águila de Veracruz hasta ser sancionado por dopaje. Firmó contrato de liga menor con Atlanta Braves y en 2017 brilló con la sucursal Florida Fire Fogs en Clase-A avanzada. Allí bateó .303, 20 dobles, 4 triples y 6 jonrones. Tras superar el nivel fue ubicado en Doble-A con Mississippi Braves. Atravesó por un slump en mitad de temporada y la gerencia se aprovechó para liberarlo. En ese momento bateaba .247, 13 dobles, 2 triples, 2 jonrones y solo 34 ponches en 80 partidos. No se quedó de manos cruzadas y partió a la American Association (Liga Independiente) con Kansas City T-Bones, donde promedió .283, 10 dobles y 2 cuadrangulares.

Albert Manuel Lara (18), INF, Ciudad Habana, Liga Norte de México. El 12 de noviembre de 2015 la Comisión Nacional informó que causaba baja del equipo Habana cuando era considerado para participar en el Campeonato Nacional sub-23. Salió de Cuba con el mismo sueño de muchos peloteros cubanos: llegar al profesionalismo. Es agente libre desde el 1.º de diciembre de 2016. Se asentó en México, representado por David Hastings y la prestigiosa agencia Tampa Bay Sport. Luego de un año 2017 entre ligas regionales como la Estatal de Quintana Roo, inició su andar de 2018 en la Liga Norte con los Indios de Tecate, dirigidos por el también cubano Michel Enríquez. Luego de la destitución de este, Lara no obtuvo mucho tiempo de juego y a sus 20 años se cambió a los Algodoneros de San Luis.

Miguel Ángel Lastra* (22), RHP, Isla de la Juventud, Liga de Béisbol de Ecuador. A modo de preparación, en lo que llegaba la oportunidad de una firma profesional, el derecho participó en el béisbol de Ecuador junto a Pedro Luis Cosme y Michel Martínez Pozo. Nada se concretó y regresó a Cuba. Para la temporada de 2018 fue seleccionado al Juego de las Estrellas de la Liga Cubana con los Piratas de Isla de la Juventud.

Raudelín Legrá (30), INF/OF/C/RHP, Holguín, Liga de Francesa de Béisbol. Salió de Cuba temporalmente y jugó con Templaries de Senart de la División 1 de Francia en 2014 y con CSKA PVO Balashikha en Rusia en 2015. Después de ese año regresó a Cuba y se vinculó a su equipo Holguín en la 57 Serie Nacional de 2017. Con la novena de Balashikha en Rusia bateó .400 (34 hits en 85 turnos), 12 dobles, 1 triple y 25 impulsadas. Además, lanzó en 6 partidos para 2-2, 1.59 de efectividad. El jugador todoterreno volvió al circuito francés en el verano de 2018 y participó en el Europeo de Clubes en Ostrava, República Checa, en el que bateó .368, 2 jonrones y 7 impulsadas en 5 encuentros.

Damián Leyva (21), INF, Camagüey. Estuvo por espacio de 3 temporadas con los Ganaderos de Camagüey. Salió de Cuba en junio de 2015 hacia República Dominicana. Ha estado trabajado durante más de tres años por una firma profesional que aún no ha conseguido. No pierde las esperanzas todavía. Es representado por Eliezer Guerrero, hermano de Vladimir Guerrero.

Elián Leyva (26), RHP, Mayabeque, Triple-A: Atlanta Braves. Participó en 7 temporadas de la Serie Nacional de Cuba entre Vaqueros de La Habana y Huracanes de Mayabeque, con solo 2 aperturas. Dejó marca de 14-8, 5.68 de efectividad. Realizó un viaje inusual para lograr firmar con un equipo de Grandes Ligas: emigró a España y tomó la División de Honor del béisbol ibérico como puente. En 2016 lanzó para el C.B. Barcelona y lideró el circuito en efectividad con 0.70 y average rival de .127. «Nunca dejé de creer, solo que tenía que darle un giro de este tipo a mi vida y tuve la oportunidad y la aproveché», dijo para esta investigación. Dio un salto cualitativo que dejaba atrás su pasado. Firmó un contrato de liga menor con Atlanta Braves en noviembre de 2016 y la organización lo asignó a la Liga Norte de México. Tras un efímero paso por los Navegantes del Magallanes en el invierno de 2017, debutó en las menores en 2018. Su presentación fue excelente con balance de 4-3, 2.69 de efectividad entre Doble-A y Triple-A. Permitió 3 jonrones en 87 innings en los que ponchó a 79 y le batearon para .248. En el invierno continuó desarrollándose en la Liga Mexicana del Pacífico, con los Charros de Jalisco. Allí consiguió la Triple Corona del Pitcheo, con lo cual se convirtió en el quinto lanzador en lograrlo dentro de la historia de la liga.

YORDANYS LINARES (26), OF, Villa Clara, Liga Mexicana del Pacífico. Natural de Remedios en Villa Clara, debutó en Series Nacionales con 23 años. Tuvo un ascenso meteórico con su mezcla de velocidad y poder. Contribuyó al primer campeonato de los Leopardos de Villa Clara en 18 años, logrado en 2013. Participó en la Serie del Caribe en Venezuela durante 2014. Cuando emigró, su edad no era la más indicada para firmar un pacto de Major League Baseball. El jardinero mantuvo su carrera en México, donde destacó en el invierno y el verano. En 2017 bateó .307/.351/.421, 17 dobles, 6 triples y 1 bambinazo con los Olmecas de Tabasco de la Liga Mexicana de Béisbol. En el invierno se mantuvo activo y produjo .319 y 5 extrabases con los Charros de Jalisco.

RAMON LUNAR (27), OF, Villa Clara, Liga Mexicana de Béisbol. En 7 temporadas con los Leopardos de Villa Clara dejó .309 de average con 65 jonrones. Integró el conjunto para la Serie del Caribe de Venezuela en 2014 y fue seleccionado el mejor inicialista del torneo. Emigró a México luego de una salida ilegal fallida en la que las autoridades de su provincia lo suspendieron por dos años. Se insertó en el primer nivel del béisbol azteca con Tigres de Quintana Roo y Leones de Yucatán. Su rendimiento de .256/.351/.293 y 3 dobles en 23 partidos no iluminó ninguna firma potencial con equipos de Grandes Ligas. En 2018 actuó en la Liga Meridiana de Invierno, circuito semiprofesional.

Sergio Luzardo (22), RHP, Artemisa. El derecho, cuñado de Adrián Morejón, fue el tercer abridor de los Huracanes de Mayabeque en Cuba durante 2011 y 2015. Optó por emigrar en busca de mejor futuro y se asentó en República Dominicana sin poder llegar al profesionalismo.

Jonathan Machado (16), INF, Ciudad Habana, Clase-A media: St. Louis Cardinals. Fue uno de los talentos más valorados en República Dominicana durante el período de firmas internacionales del 2 de julio de 2016. La franquicia de St. Louis Cardinals apostó un contrato de 2 350 000 dólares. Luego de 3 campañas en ligas menores solo ha podido batear .250 con 4 jonrones entre el nivel Rookie y Clase-A media.

Lester Madden (16), INF/OF, Ciudad Habana, Liga Invernal Dominicana. Emigró de Cuba por la vía legal cuando aún estaba en categoría juvenil. Fue ubicado en República Dominicana. En la temporada 2018-2019 debutó con los Toros del Este en el circuito invernal dominicano. En noviembre de 2018 firmó un contrato de 300 000 dólares con Oakland Athletics.

Osniel Madera (30), OF/INF, Pinar del Río, Liga Mexicana de Béisbol. Hijo de Lázaro Madera. El punto inflexión en

antes de su deportación, había debutado en la Liga Invernal Dominicana con los Leones del Escogido. «Bueno, lo primero es que quiero jugar en Grandes Ligas. Es el mayor deseo de cualquier jugador de béisbol. Lo otro es que soy joven pero ya tengo 24 años, me pasaban los años en Cuba y no veía ninguna mejora económica teniendo resultados en mi deporte, por lo tanto, decidí salir del país a probarme en ese nivel o tratar de llegar», dijo para esta investigación en 2015. El bicampeón de Cuba con los Vegueros de Pinar del Río (2011 y 2014) ha perdido tres años de su carrera, la cual piensa retomar después de llegar a Estados Unidos mediante la reunificación familiar.

ORIEL MARTÍNEZ (23), RHP, Artemisa. Tiró en 3 Series Nacionales con los Cazadores de Artemisa. En noviembre de 2015 emprendió el viaje hacia el sueño de Grandes Ligas. Los problemas comenzaron en República Dominicana: «Me intentaron hacer la residencia en Haití en tres ocasiones: dos veces estafaron al encargado del proceso y este perdió el dinero; la última vez me la hicieron y salió falsa», dijo para esta investigación. En la tardanza irreparable, Martínez marcaba hasta 95 millas en las presentaciones. «Creo que no lo intentaré más. Estoy aquí casado y con una familia y esperar a que salgan los papeles legales todavía demora un poco», agregó. Afirma resueltamente que no volverá al béisbol. Su principal anhelo ahora es reencontrarse con su familia: «Cuando tenga la residencia lo primero que haré será visitar a mi familia en Cuba. Ver a mi mamá que hace ya tres años que no la veo».

ORLANDO MARTÍNEZ (18), INF, Ciudad Habana, Clase-A media: Los Angeles Angels. Representó a Cuba en el Mundialito 11-12 de 2010 en Venezuela, donde fue elegido el Jugador

Más Valioso. También participó en el Mundial sub-15 de México en 2012. Casi en el momento de saltar al primer nivel del béisbol en la Isla emprendió el viaje hacia el profesionalismo. Se convirtió en agente libre durante el mes de septiembre de 2016. Un año más tarde, en septiembre de 2017, el nacido en Ciudad Habana firmó un contrato de liga menor con Los Angeles Angels por 250 000 dólares. Cuando fue asignado a Clase-A media en 2018, sucursal Burlington Bees, obtuvo números interesantes de .289/340/394, 12 dobles, 1 triple, 3 cuadrangulares y 6 bases robadas en 53 partidos.

MAIKEL MARTÍNEZ OLIVA (17), OF, Las Tunas. Hermano de Eddy Julio Martínez, integró varias preselecciones nacionales y categorías inferiores. En octubre de 2015 partió hacia República Dominicana: «He demorado en firmar por problemas personales», dijo el jardinero para esta investigación. Continúa esperanzado con una ilusión que aún no llega, pero que alimenta cada día desde los entrenamientos: «Yo solo quiero entrar en el juego. Lo mío es jugar», agregó.

MICHEL MARTÍNEZ POZO* (29), RHP, Pinar del Río, Liga de Béisbol de Ecuador. Intentó un contrato profesional luego de 11 temporadas en Cuba entre los Vegueros de Pinar del Río y los Leones de Industriales. No se tiene mucha información sobre su proceso migratorio. El derecho estuvo por Ecuador y jugó en el béisbol de ese país hasta que regresó a Cuba en 2017 y continuó su carrera con los Vegueros de Pinar del Río.

YOEL MESTRE* (29), INF, Metropolitanos/Mayabeque. Disputó 8 Series Nacionales con 4 equipos en Cuba. Bateaba .245 con 45 jonrones antes de moverse a República

Dominicana, donde fracasó en el intento por hacerse profesional. Aunque no queda claro si su regreso fue voluntario o forzoso por medio de la deportación, el apodado Chino retornó a la Isla y vistió el uniforme de los Leones de Industriales en 2017.

MARIO GUILLERMO MIRANDA JR.* (21), OF, Isla de la Juventud. Atravesó la pirámide de rendimiento del béisbol en Cuba. Estuvo en las selecciones nacionales categoría 15-16 y juvenil. Durante la 53 Serie Nacional de 2013 debutó con los Piratas de Isla de la Juventud. Salió de Cuba en agosto de 2015. Varios reportes lo ubicaban entre los mejores talentos cubanos en Dominicana: capaz de correr 6.4 en las 60 yardas y con un reconocido poder en su bate. Sin embargo, según George Ortiz, un ex Major League Baseball Supervisor de Scouteo, el agente del habanero comenzó a pedir cifras de dinero exorbitantes que llegaban a los 10 millones de dólares. Ortiz estima que Miranda pudo firmar en un estimado de 150 000 dólares de bono, pero la ineptitud del agente acabó por hundirle la carrera al cubano. Una publicación de noviembre de 2015 en la página *Major League Baseball.com* situaba a Miranda entre los mejores prospectos cubanos en República Dominicana. Finalmente, el nacido en el Cerro, Ciudad Habana, no contó con el viento a su favor y regresó a Cuba, en donde se mantuvo activo en el béisbol.

DANY MONTERREY (21), RHP, Industriales. Participó en 2 Series Nacionales con los Leones de Industriales sin lanzar más de 15 entradas. Luego de contribuir a la victoria de Ciudad Habana en el II Campeonato Nacional sub-23, partió hacia República Dominicana esperando hacerse profesional.

JULIO MONTESINOS* (25), RHP, Industriales. Sobrepasaba con facilidad las 90 millas. No obstante, su periplo en República Dominicana no fue muy placentero: fue extorsionado y enviado de vuelta a Cuba, en donde se incorporó con los Leones de Industriales en la 56 Serie Nacional (2016-2017).

HUMBERTO MORALES* (24), INF, Ciego de Ávila. Volvió a Cuba luego de un período de escepticismo en el que no pudo sacar provecho de su estadía en República Dominicana. Se destacó ofensivamente con los Tigres de Ciego de Ávila y fue elegido al Juego de las Estrellas en 2018.

DAINER MOREIRA (30), INF, Guantánamo, Liga Invernal de Puerto Rico. Abandonó el equipo Cuba en la Serie del Caribe de Puerto Rico en febrero de 2015. Viajó a Estados Unidos y tramitó su residencia en un tercer país (en México). El habilidoso bateador (.314 de average en 9 temporadas en Cuba) tuvo el factor de la edad en contra. Debutó con los Cangrejeros de Santurce en la Liga Profesional de Puerto Rico y en 13 encuentros bateó .289. Varios reportes confirman un pacto de liga menor con Seattle Mariners, aunque Moreira nunca puso estadísticas oficiales en las menores. Con el sueño de Grandes Ligas casi imposible de ejecutar, comenzó a viajar por diferentes ligas independientes e invernales. Primero en la American Association (Liga Independiente) con Lincoln Saltdogs (.274 y 2 dobles en 41 juegos) en 2016 y luego en la misma liga con Cleburne Railroaders (solo un encuentro). El invierno de 2017 fue a Nicaragua con los Indios del Bóer y en 5 partidos de la Liga Norte de México, en 2018, bateó .111 con los Tiburones de Puerto Peñasco.

Adrián Morejón (16), LHP, Artemisa, Clase-A avanzada: San Diego Padres. Era el pitcher de 17 años más talentoso del béisbol cubano en el momento en que emigró. Era dueño de una impresionante hoja de victorias desde edades tempranas, como la conseguida ante Estados Unidos en el Mundial sub-15 de México en 2014, donde se alzó con el cetro y con el premio de Jugador Más Valioso del torneo, tras lanzarle a Estados Unidos 9 innings y ponchar a 12 bateadores en 124 pitcheos. Debutó en Series Nacionales con 15 años (récord) en 2014-2015 y posteó 2-1, 4.88 de efectividad para los Huracanes de Mayabeque. «Salí del país con mis padres y mi hermano. Para mí fue algo un poco complicado dejar atrás a casi toda mi familia», dijo para este libro. Firmó un contrato de 11 millones de dólares con San Diego Padres avalado en una recta de entre 93 y 95 millas y en una curva entre las mejores para un lanzador de su edad. El transcurso del zurdo en ligas menores ha mejorado progresivamente: de 3-4, 3.86, entre Clase-A corta y media en 2017, a 4-4, 3.30 en Clase-A avanzada en 2018. De igual manera, solo le han bateado .243 y exhibe su dominancia de 132 ponches en 128 innings. En 2018 fue considerado el prospecto no. 66 del béisbol, según la revista *Baseball America*.

Adrián Moreno (26), INF, Granma, Liga Profesional de Nicaragua. Quien lo vio jugar en las últimas 2 temporadas en Cuba con los Alazanes de Granma comprobó que su bate iba en ascenso. El bateador zurdo decidió emigrar en busca de un contrato profesional con alguna franquicia de Grandes Ligas, hasta ahora esquivo. Sin embargo, en el invierno de 2018 se gestionó, a través de un amigo, un acuerdo con los Leones de León de la Liga Profesional de Nicaragua. «No he tenido el apoyo de un agente», dijo para esta investigación.

LUIS MIGUEL NAVA (33), INF, Santiago de Cuba, Liga de Béisbol de Chile. Fue uno de los mejores torpederos de Cuba a partir del año 2000. A tal punto que integró la nómina del equipo nacional al II Clásico Mundial de Béisbol de 2009. En 17 temporadas con las Avispas de Santiago de Cuba promedió .298 y 45 jonrones. Salió a probar suerte en 2015 por la vía legal y con aspiraciones de jugar en el béisbol de México. Sin embargo, atravesó varios problemas. «Dicen los dueños del equipo que como yo todavía resido en Cuba y no tengo agencia libre, existe una ley que los cubanos sin esos documentos no pueden jugar porque multan a los equipos», dijo para esta investigación en 2017. Ante la negativa, se fue al béisbol de Chile junto con el habanero Irait Chirino.

DARIÉN NÚÑEZ (22), LHP, Las Tunas, Clase-A media: Los Angeles Dodgers. Integró el equipo Cuba juvenil en 2010. También representó a Cuba en el III Clásico Mundial de Béisbol de 2013. En 4 temporadas con los Leñadores de Las Tunas registró 19 victorias y 28 victorias, 4.26 de efectividad. Los números de Núñez descubren que su gran falencia fue el descontrol (239 boletos en más de 300 innings), pues los rivales solo le batearon para .239. «Pensaba que a esta altura ya estaría firmado, pero las cosas no salieron así. Tuve que cambiar mi mecánica completa para mejorar el control y esa es la razón por la que me he demorado más», dijo para esta investigación. En abril de 2018 firmó un contrato de liga menor con Los Angeles Dodgers y su debut en el béisbol de las menores en Estados Unidos no pudo ser mejor. Posteó 1-2, 2.67 en Great

Lakes Loons, Clase-A media, y congeló con su recta a 46 bateadores en 30.1 innings.

EDISLEYDIS NÚÑEZ* (23), LHP, Santiago de Cuba. Pocas informaciones se tienen sobre este zurdo de Santiago de Cuba, exactamente de Palma Soriano. Estuvo por unos meses en República Dominicana y regresó a Cuba, donde incursionó en la Serie Nacional de 2016. Según varios compañeros cercanos, tenía las condiciones para firmar un contrato profesional, pero no poseía el enfoque necesario para lograrlo.

CARLOS NUVIOLA* (19), RHP, Matanzas. Estuvo en la Preselección del equipo Cuba sub-18 que participó en el Campeonato Panamericano de México, en septiembre de 2014. Luego de 2 esporádicas apariciones en Series Nacionales con los Cocodrilos de Matanzas salió de Cuba en agosto de 2015 junto a su coequipero Brayan Álvarez. Sin embargo, decidió regresar a la Isla un año más tarde, cuando fracasaron sus sueños en República Dominicana.

RAIKO OLIVARES (29), INF, Industriales. Salió legalmente hasta Estados Unidos. Es recordado por ser un bateador de contacto, defensivo y versátil que atrapó el premio al Novato del Año en la temporada 2006-2007 con los Leones de Industriales. En 9 temporadas promedió .260. Intentó continuar su carrera en el exterior; sin embargo, ese intento se frustró. «Entré a los Estados Unidos, no pude conseguir la agencia libre y me desencanté. Y además en este país no se puede estar parado», dijo el infielder para esta investigación.

JORGE OÑA (19), OF, Industriales, Clase-A media: San Diego Padres. Firmó con San Diego Padres por un bono de 7 millones. «Yo deseo probarme en la mejor liga del mundo.

Salí legal de Cuba y amo a mi país, pero esta es una nueva etapa de mi futuro», dijo para esta investigación en 2015. Su debut en 2017 ocurrió en Clase-A media, sucursal de Fort Wayne TinCaps. Estuvo a la altura con .277/.351/.405, 18 dobles, 1 triple y 11 jonrones. Aunque retrocedió en su progresión en 2018, al ser asignado a Lake Elsinore Storm. Tiene talento para revertir sus .239 de average con 110 ponches y pegar más extrabases que 34 en 100 encuentros.

RAIDEL ORTA (19), RHP, Industriales, Rookie: Chicago Cubs. Firmó en diciembre de 2017 con Chicago Cubs por un bono de 10 000 dólares. Con 1 sola temporada en Cuba (54 Serie Nacional) tiró para 3-0, 4.76 de efectividad con los Leones de Industriales. Integró varios equipos Cuba de categorías inferiores y a pesar de su estatura posee una slider bastante rápida de considerable efecto. Posteó 1-3, 4.55 de efectividad en nivel Rookie. En el invierno de 2018 debutó en el béisbol invernal con los Criollos de Caguas de Puerto Rico.

NOEL ORTIZ (22), LHP, Matanzas, Liga Meridiana, México. Fue uno de los lanzadores elegidos a participar en el Campeonato Mundial Juvenil de Taiwán en 2013. Se hizo agente libre en enero de 2016, aunque no llamó la atención de ningún *scout* de Grandes Ligas y ha continuado su carrera lanzando en torneos de México, como la Liga Estatal de Quintana Roo.

JOHAN OVIEDO (17), RHP, Ciudad Habana, Clase-A media: St. Louis Cardinals. Integró los equipos Cuba en las categorías inferiores para el Campeonato Panamericano de México; el último fue en 2014. «La verdad que todo esto de firmar trae mucha presión por todas partes. Lleva un sacrificio que nadie se imagina, no es tan fácil como todos pensábamos», dijo para esta investigación. Emigró hacia República Dominicana con parte de su familia y mejoró algunos errores en su mecánica de lanzar. St. Louis Cardinals lo firmó por un bono de 1,9 millones. El derecho, que atesora una potente recta superior a las 95 millas, ha estado entre los 30 mejores prospectos de la organización, según *Major League Baseball Pipeline*. En 2018, posteó 10-10, 4.22 de efectividad en Peoria Chiefs, Clase-A media. Los oponentes le batearon para .238 y ponchó a 118 en 121.2 innings.

ANDY PACHECO (20), INF, Ciudad Habana. Fue el segunda base de Ciudad Habana, equipo campeón del II Campeonato Nacional sub-23 de 2014-2015. Emigró por la vía legal. Arribó a República Dominicana, donde ha estado más de tres años intentando una firma profesional.

NORIELVIS PADRÓN (24), INF, Artemisa, Liga Profesional de Panamá. Tuvo un debut tardío en Series Nacionales con los Cazadores de Artemisa, a los 25 años. En 2015, salió de Cuba en un vuelo comercial hasta Ecuador con su compañero de equipo Jesús Hernández. Llegaron a Panamá y Padrón tuvo una breve experiencia en el béisbol profesional de ese país, con las Águilas Metropolitanas. Un año más tarde arribó a Estados Unidos y, mientras buscaba la posibilidad de un contrato Major League Baseball, se fracturó la tibia y el peroné, por lo que se apartó del béisbol.

YUSNIEL PADRÓN (18), RHP, Ciudad Habana, Rookie: Boston Red Sox. Fue elegido en la ronda 22 del draft de 2018 por Boston Red Sox desde Miami Dade-College Sharks. Posteó 8-3, 2.17 de efectividad, con lo cual demostró el talento necesario para convertirse en profesional. Acordó por un bono de 75 000 dólares y fue entrenado por el también cubano y ex Major League Baseball Liván Hernández, en la ciudad de Miami. Debutó en las menores en 2018 y archivó 3-1, 3.74 en la Gulf Coast League, nivel Rookie de Boston Red Sox.

ENRRY FÉLIX PANTOJA (20), OF, Santiago de Cuba, Clase-A media: Oakland Athletics. El 3 de octubre de 2015 Pantoja salió de Cuba en un vuelo comercial que hizo escala en Panamá. Ningún otro beisbolista lo acompañaba. «Llegué a Haití ese mismo día 3 de octubre. Y el día 4 crucé para República Dominicana», dijo para esta investigación. En febrero de 2017 firmó por un bono de 650 000 dólares con Oakland Athletics. Esa misma temporada acumuló una línea ofensiva de .248/.353/.302 en el nivel Rookie. El año 2018 lo inició en Clase-A corta, con la sucursal de Vermont Lake Monsters. Una lesión en su codo derecho lo inhabilitó por toda la campaña. Debió someterse a una cirugía Tommy John. Solo registró 18 turnos con 4 hits y promedio de .222.

JAVIER PEDROSO* (23), RHP, Mayabeque. El derecho participó en 4 Series Nacionales, entre 2011 y 2014, con los Huracanes de Mayabeque. Emigró hacia República Dominicana, pero después de un año regresó a Cuba.

DENIS PEÑA* (19), INF, Las Tunas. Salió de Cuba por la vía legal en 2015 y pasó por varios países hasta llegar a República Dominicana. Se incorporó a los Leñadores de Las Tunas en la 58 Serie Nacional de 2018 y aportó en la conquista del primer campeonato (2018-2019) en la historia de los Leñadores.

CIONEL PÉREZ (19), LHP, Matanzas, Doble-A: Houston Astros. Salió de Cuba en una embarcación con el también lanzador prospecto Norge Luis Ruiz. Houston Astros lo firmó inicialmente por 5,15 millones, cifra que se quedó en 2 millones de dólares al presentar algunas irregularidades en su examen físico. El año 2017 del zurdo entre Clase-A media, avanzada y Doble-A fue más que lento con 4-3, 4.39 de efectividad y promedio rival de .266. Pero un año más tarde se presentó en su forma más destructiva y se burló de los bateadores entre Doble-A y Triple-A, con marca de 7-1, 2.08, 89 ponches en 73.2 innings y average oponente de .216. El 11 de julio de 2018 debutó con 22 años en Grandes Ligas. En 11.1 entradas de actuación dejó efectividad de 3.97.

Darién Pérez (18), RHP, Mayabeque. Lanzó en 2015 para 3-2, 2.39 de efectividad con los Huracanes de Mayabeque y fue elegido en la ronda de refuerzos de la 55 Serie Nacional por los Leones de Industriales. No obstante, dos días después salió de Cuba y se ubicó en República Dominicana, donde ha tenido varios inversionistas y todavía no encuentra la manera de firmar un contrato de Major League Baseball. «La ambición ha jodido el futuro de muchos peloteros cubanos. Es la ambición de las personas que nos tienen», dijo para esta investigación.

Ramón Ernesto Pérez (16), LHP, Guantánamo, Clase-A corta: San Diego Padres. Fue uno de los lanzadores cubanos que aportó a la consecución del título en el Campeonato Mundial sub-15 de 2014 en México. Un año después no esperó siquiera a debutar con su provincia de Guantánamo y partió de Cuba por la vía legal. «Me fui por varios motivos. Uno de ellos es el deseo de ayudar a mi familia y a la gente que me ayudó hacer posible mi carrera», dijo para esta investigación desde República Dominicana, adonde llegó en noviembre de 2015. Firmó por un bono de 400 000 dólares en diciembre de 2016 con San Diego Padres. Ha superado con relativa facilidad sus dos primeros años en ligas menores. En 2017 posteó 2-2, 2.66 de efectividad en nivel Rookie. En 2018 puso marca de 2-1, 2.48 en Tri-City Dust Devils, Clase-A corta. Durante 90.2 innings ha propinado 93 ponches y los rivales le batean para .217.

YANIO LUIS PÉREZ (20), OF/INF, Artemisa, Clase-A avanzada: Texas Rangers. Salió en una embarcación de Cuba junto a Dayán González hacia República Dominicana y luego pasó hacia México. Texas Rangers se interesó por él y lo firmaron por un bono de 1,1 millón de dólares. El utility de los Cazadores de Artemisa en Cuba entró fuerte a su primera campaña en las menores con 23 dobles, 4 triples y 14 jonrones, más average de .280 entre Clase-A media y avanzada. Sufrió lesiones en 2018, que no solo limitaron su tiempo de juego sino también ralentizaron su desarrollo. Fue promovido a Doble-A, Frisco RoughRiders, y en 13 partidos promedió .227. Integró el equipo Todos Estrellas en la Liga Otoñal de Arizona de 2017, mejor torneo de prospectos del sistema Major League Baseball.

LUIS MANUEL PERICHE (22), SS, Guantánamo. En 5 campañas con los Indios de Guantánamo en Cuba bateó .202 con 7 dobles sin jonrones. Pasó por Nicaragua y se radicó en la capital, Managua. Buscó la manera de firmar un contrato profesional entrenando con los Tiburones de Granada; sin embargo, hasta el momento no lo ha logrado.

PAVEL PINO* (24), LHP, Metropolitanos/Industriales. Viajó a República Dominicana en busca de una posibilidad en el béisbol profesional, la cual se ha dilatado más de lo previsto. Ha recibido ofertas para lanzar en Nicaragua. Sin embargo, el zurdo de 6 Series Nacionales regresó a Cuba, luego de casi tres años en Quisqueya intentando una firma con alguna franquicia de Grandes Ligas.

RAISEL POLL* (27), LHP, Ciego de Ávila. El zurdo emigró de Cuba en abril de 2015 mediante un vuelo comercial desde La Habana a Haití y fue cruzado por la frontera hacia República Dominicana por sus inversionistas. En junio de 2016 fue deportado a Cuba tras ser extorsionado por elementos corruptos de la policía dominicana y luego de que su inversionista no quisiera pagar el rescate. No obstante, el avileño no se rindió y partió nuevamente en abril de 2017. «Nos tocó venir para este país donde no hay oportunidades de nada», dijo para la investigación, refiriéndose a Venezuela. Allí se encontró con nuevos inversionistas. El 6 de julio de 2018 regresó a Cuba por segunda vez, sin el objetivo cumplido y en compañía del también zurdo Yunier Castillo.

YOANDRI PORTAL (28), LHP, Industriales, Liga Profesional de Colombia. El zurdo salió de Cuba junto a Maikel Taylor, Yosibel Castillo y Jesús Balaguer. En la temporada 2015-2016 debutó en Colombia con los Tigres de Cartagena. Las autoridades y la prensa en Cuba no reconocieron su labor, pese a su salida legal: «Por supuesto eso es lo más doloroso que puede haber. Solo el saber que en tu tierra no eres bienvenido solo porque saliste de una forma que no es la que ellos quieren. Pero nada, hay que seguir adelante y nunca dejarse vencer por las adversidades», dijo para esta investigación. Su actuación fue excelente y dominante. Encabezó el registro de ponches de la liga con 68 en 59.1

innings y también dejó marca de 2-5, 3.49 de efectividad. Mientras sus compañeros continuaban el viaje por México hasta Estados Unidos, decidió hacer vida en Colombia. Afrontó algunos percances con el inversionista que lo sacó de Cuba; no obstante, regresó al juego en 2018 y representó a Colombia en los Juegos Centroamericanos y del Caribe, además de lanzar en la Liga Profesional con los Toros de Sincelejo.

FREDDY PORTILLA (21), C, Holguín. Salió el 12 de enero de 2015. Junto a otros tres cubanos se radicó en Costa Rica e intentó llamar la atención de los *scouts*. De hecho, realizó varias presentaciones sin materializarse contrato alguno.

PEDRO PORTUONDO* (16), RHP, Santiago de Cuba. Integró la nómina del equipo Cuba que se proclamó campeón en el Mundial sub-15 de México en 2014. El lanzador de 1.91 de estatura y una recta entre 88 y 92 millas no tuvo la suerte de firmar un contrato en República Dominicana. Sus representantes exigían cuantiosas sumas de dinero y el guantanamero, criado en el municipio de La Maya en Santiago de Cuba, regresó a la Isla sin el sueño cumplido.

ROGELIO QUESADA (22), RHP, Mayabeque. A casi cuatro años de su partida de Cuba, el derecho Quesada persiste en su intento de hacerse profesional. Ha entrenado en República Dominicana y acudido a entrenamientos invernales con equipos del béisbol de la liga profesional dominicana, pero su principal objetivo de firmar con un equipo Major League Baseball no se ha cumplido.

FRANKLIN QUINTANA (20), LHP, Isla de la Juventud. Estuvo 2 temporadas con los Piratas de Isla de la Juventud entre 2013 y 2014. Un año más tarde emigró y actualmente se encuentra en República Dominicana intentando la firma profesional.

Lorenzo Quintana (26), C, Pinar del Río, Doble-A: Houston Astros. Este exreceptor pinareño firmó un contrato de liga menor con Houston Astros por 200 000 dólares. Bateó .310 de average en 7 temporadas con los Vegueros de Pinar del Río y, además, formó parte activa en los campeonatos que ganaron los Vegueros tanto en la 50 Serie como en la 53. Desde su salida de Cuba en 2015, mismo año en que emigraron 17 jugadores de su provincia, estuvo enfrentando muchas demoras en su proceso para convertirse en agente libre en República Dominicana. Aún en enero de 2017 no le había llegado su agencia, después de casi un año y medio fuera de Cuba. En su primera campaña en ligas menores fue asignado a Corpus Christi Hooks, sucursal de Doble-A de Houston. Exhibió una línea ofensiva de .254/.316/.484, 19 dobles, 2 triples y 11 jonrones. Conectó 3 bambinazos en una noche, lo que le valió para ganar el Jugador de la Semana el 15 de julio de 2018. En el invierno viajó al béisbol invernal de Puerto Rico con los Cangrejeros de Santurce.

Camilo Quintero (18), SS, Santiago de Cuba, Rookie: Chicago White Sox. Tras salir de Cuba en 2015 pasó un periplo complicado en tierras dominicanas, pero finalmente el acuerdo llegó a buen puerto y firmó por un bono de 300 000 dólares con Chicago White Sox. Tuvo una corta aparición con las Avispas de Santiago de Cuba en la 54 Serie Nacional de 2014, en la que bateó para .250 de average (8 en 32) con 1 doblete, 9 boletos y 6 ponches. Promedió .280/.427/.313, 2 dobles, 1 cuadrangular y 11 bases robadas en su debut en nivel Rookie de 2018.

Henry Quintero (21), INF, Camagüey, Rookie: Atlanta Braves. Se marchó de Cuba legalmente y se radicó en República Dominicana. «Yo vine por problemas económicos y por ayudar a mi mamá y mi familia», dijo para esta investigación. Dos años más tarde, Atlanta Braves le dio un contrato de liga menor en julio de 2017. El camagüeyano recibió la asignación a Danville Braves de la Appalachian League, nivel Rookie, y en 2018 bateó .262/.282/363 y 12 extrabases en 44 encuentros. Llamó la atención el alto índice de ponches (39) en contraste con los boletos (3), lo cual Quintero debe mejorar en la rampa de las menores si no quiere ser liberado.

Yadir Rabí (25), RHP, Ciego de Ávila. Fue uno de los relevistas más seguros de los Tigres de Ciego de Ávila en 6 Series Nacionales. Varios reportes lo ubicaron en República Dominicana, apresado junto al jugador de cuadro de Las Tunas, Jeans Rodríguez. En 2016 reapareció en México intentando firmar con los Rojos del Águila de Veracruz, posibilidad que se desvaneció finalmente. Entre idas y vueltas no ha logrado lanzar a nivel profesional y actualmente reside en Miami, Florida.

Luis Ángel Ramos (18), LHP, Matanzas. Integró el equipo Cuba categoría sub-15 que participó en el Mundial de 2012. Partió rumbo a República Dominicana y después de varios años aún no ha conseguido llegar al béisbol profesional.

Robersy Ramos (26), OF, Sancti Spíritus, Liga Norte de México. «Salí de Cuba hacia Ecuador en junio de 2015 y llegué a México el 23 de octubre de 2015», dijo para esta investigación. Jugó en los Naranjeros de Oxkutzcab, equipo de la Liga Estatal Yucateca Naxon Zapata, un torneo local. «Pienso abrir un nuevo camino en mi vida y buscar que se me dé la oportunidad de poder probarme en Major League Baseball», dijo en aquel momento. En junio de 2016, el apodado Taxi Ramos (por su reconocida velocidad) estuvo con los Centinelas de Mexicali en la Liga Norte de México. Sin embargo, sus sueños de firmar un contrato Major League Baseball se diluyeron.

RAFAEL REYES (23), OF, Pinar del Río. El zurdo participó en tres Series Nacionales con los Vegueros de Pinar del Río, y alzó la corona en 2013, año en que bateó .273, con 3 dobles en 51 encuentros. Salió de Cuba rumbo a México y fue representado por Yonah Carrera y Román Rubio. «Estoy entrenando duro y esperando que llegue ese día para que se cumplan mis sueños que es el de jugar en la mejor liga del mundo y no voy a parar hasta llegar ahí», dijo para esta investigación en enero de 2016. «Si no es en ese *showcase* será en el otro, pero yo triunfo. Sé que tengo para llegar allí a pesar de solo tener tres Series Nacionales y de jugar poco. Sé que puedo y lo lograré», agregó. Contrariamente a sus ilusiones, el jardinero no logró la firma profesional.

IRVIN DEL RÍO (24), RHP, Villa Clara, Liga Invernal de Venezuela. El derecho emigró en 2015 de manera legal y se asentó en República Dominicana. Se movió hacia México, donde se inició en la Liga Norte, especie de Triple-A del béisbol azteca. Allí vistió los colores de los Tiburones de Puerto Peñasco, Centinelas de Mexicali y Algodoneros de San Luis. Estuvo en la pretemporada del torneo invernal con equipos como Yaquis de Obregón y Águilas de Mexicali, aunque no hizo el grado. Los Leones del Caracas de la Liga Profesional de Venezuela le dieron contrato en la campaña 2016-2017, aunque no recibió muchas oportunidades más allá de 2.2 innings y 3.38 de efectividad.

YAMIL RIVALTA* (24), INF, Industriales/Villa Clara. Fue el segunda base titular del equipo Cuba en el Campeonato Mundial Juvenil de 2010. Saltó al máximo nivel del béisbol en la Isla y no dispuso del tiempo de juego necesario para adquirir el desarrollo esperado. Entre 2010 y 2015 alternó con los Leones de Industriales, Cazadores de Artemisa y Leopardos de Villa Clara. Se marchó de Cuba, por la vía legal, el 23 de diciembre de 2015. Luego de dos años retornó a Cuba e integró la nómina de Industriales en la 58 Serie Nacional de 2018.

ALEJANDRO RIVERO (18), SS, Matanzas. Natural de Matanzas, estuvo entre los mejores talentos de Cuba en el período 2012 y 2015. Integró varios equipos nacionales: uno para el Campeonato del Mundo sub-15 en México durante 2012 y otro para el Mundial Juvenil en Osaka, Japón, en 2015. Tras rechazar una oferta de 150 000 dólares con una organización de Grandes Ligas, se insertó en el sistema del béisbol de Estados Unidos mediante una firma con St. Thomas University, en busca de llegar al profesionalismo por la vía del draft. En 2017 bateó .291, 2 jonrones y 15 impulsadas con Broward College.

MANUEL ALEJANDRO RIVERO (23), OF, Ciudad Habana. Estuvo en República Dominicana y tras no fructificar ninguna firma profesional partió hacia Estados Unidos.

ALFREDO RODRÍGUEZ (21), INF, Isla de la Juventud, Doble-A: Cincinnati Reds. Fue elegido Guante de Oro y Novato del Año con los Piratas de Isla de la Juventud en la 54 Serie Nacional de 2015. En una extraña movida de la Federación Cubana de Béisbol, se le otorgó el premio de Mejor

Novato en lugar de al industrialista Yusniel Díaz tras confirmarse por las autoridades que este último había emigrado. Días después Rodríguez también se marchó de Cuba. «Yo me fui porque tengo que aprovechar ahora y para que después no me pasen los años. También influyeron mi talento y la necesidad», dijo para esta investigación el elegante torpedero. Desde República Dominicana firmó por un bono de 7 millones de dólares con Cincinnati Reds. Los números ofensivos de Rodríguez han sido discretos en 2 temporadas de ligas menores. Batea .241/.294/.298, 27 dobles, 1 triple y 4 jonrones entre Clase-A y Doble-A. Esto deberá incrementar en el futuro si no quiere que se esfume su potencial arribo a Grandes Ligas.

ELIÁN RODRÍGUEZ (19), RHP, Camagüey, Rookie: Houston Astros. Perteneció a los equipos Cuba en las categorías de cadete y juvenil. Abandonó la Isla en septiembre de 2015. El veloz derecho cautivó a los *scouts* de Houston Astros, quienes pagaron por su firma un bono de 1,9 millones de dólares. La gerencia de Houston lo asignó al nivel Rookie en 2018 y allí posteó 1-4, 5.09 de efectividad con 26 boletos en 23 entradas.

JEANS RODRÍGUEZ* (21), INF, Las Tunas. Fue líder jonronero del Campeonato Nacional sub-23 de 2015. La aventura de la emigración no resultó una experiencia placentera para él. «El sueño de cada pelotero cubano es jugar en las Grandes Ligas, y lo otro es que a la juventud no le están dando oportunidades», aseguró para esta investigación. Por su parte, Dael Mejías recordó en abril de 2016: «A Jeans Rodríguez, Yadir Rabí y dos peloteros más los apresaron y no sé qué habrá pasado. Los detuvieron en migración y estaban por deportarlos. Les pedían mucho dinero por soltarlos y al parecer ellos no tenían la cantidad. Los cogió la Marina, eso quiere decir que se iban en lancha para Puerto Rico». Tras averiguaciones realizadas, resulta que Rodríguez se encuentra en Cuba desvinculado del béisbol.

RANGEL RODRÍGUEZ (27), INF, Industriales/Metropolitanos/ Artemisa. Fue mundialista juvenil en 2006 con el equipo Cuba. No tuvo los mismos resultados cuando llegó a la categoría grande y en 6 temporadas promedió .240 y 3 cuadrangulares. En enero de 2015 arribó a República Dominicana y allá ha estado luchando un contrato por más de tres años. «Te diré que buscar un contrato no es nada fácil, hay que sacrificarse y entrenar bastante para superarte y llegar a la perfección. Y solamente estar alejado de tu familia es algo bien difícil», dijo para esta investigación en diciembre de 2015. Todavía no ha logrado su propósito.

SERGIO RODRÍGUEZ (22), LHP, Cienfuegos. En 2 Series Nacionales con los Elefantes de Cienfuegos promedió 0-1, 4.81 de efectividad. Estuvo en República Dominicana y llegó a Estados Unidos, pero no continuó jugando béisbol.

YORLIS RODRÍGUEZ (16), INF, Guantánamo, Rookie: San Francisco Giants. Exhibió su talento en el Campeonato Mundial sub-15 de 2014 en México. Allí se coronó campeón con Cuba como campo corto titular. En 2015 se dirigió a República Dominicana. El hábil torpedero firmó un contrato de 300 000 dólares con San Francisco Giants. «Me siento muy agradecido de ser parte de esta franquicia de los Gigantes de San Francisco. Me dio la oportunidad de cumplir uno de mis sueños, que es la firma para pasar al profesionalismo», dijo para esta investigación en mayo de 2017. Destrozó la Arizona League, nivel Rookie, con línea ofensiva de .323/.409/.445, 9 dobles, 2 triples y 2 jonrones, más 26 impulsadas y 25 bases robadas.

YOEL ROJAS (22), C, Pinar del Río. Disputó 2 Series Nacionales (53 y 54) con los Vegueros de Pinar del Río antes de marcharse de Cuba. El receptor no contó con mucho tiempo de juego, lo cual impidió su desarrollo. Salió de la Isla junto a Osniel Madera y Lázaro Alonso. Se radicó en México y realizó varias presentaciones en tierras aztecas. «Estoy muy bien. El bateo no me preocupa mucho porque yo bateo, pero me estoy preparando para este día. Espero que me llegue la agencia libre esta semana ya», dijo para esta investigación. Aún no ha jugado en ninguna liga profesional.

FIDEL ROMERO (26), RHP, Camagüey. Completó 8 temporadas con los Ganaderos de Camagüey en Series Nacionales antes de partir de Cuba. No se lo registró ninguna actuación en el béisbol profesional.

OSMERI ROMERO* (23), RHP, Santiago de Cuba. Lanzó 3 temporadas con las Avispas de Santiago de Cuba sin grandes resultados (2-8, 6.70 de efectividad). Estuvo en República Dominicana en 2015, pero regresó a Cuba junto a Florencio Maleta. Apareció nuevamente en la Serie Nacional con las Avispas durante 2018.

NORGE LUIS RUIZ (21), RHP, Camagüey, Triple-A: Oakland Athletics. Fue uno de los mejores lanzadores de su generación en Cuba. Salió en una embarcación junto a Cionel Pérez rumbo a Haití. «Pienso que ha sido el paso más importante que he dado en mi carrera, no son todos los que se atreven a confiar en su talento y abandonar por lo que vives, tu país. Yo en Cuba esperé un contrato por dos años. Tenía varias ligas interesadas en mí, pero nunca se logró; decidí venir a mostrarle al mejor béisbol del mundo que estaba listo para competir allí. Creí que lo correcto era venir para acá», expresó para esta investigación. Tomó su residencia en un tercer país por Bahamas y en diciembre de 2016 firmó con Oakland Athletics por un bono de 2 millones. Durante ese invierno lanzó 14.1 innings con las Águilas Cibaeñas en el béisbol de República Dominicana. Dejó marca de 2-1, 3.77 de efectividad. En 2017 tuvo una temporada imprecisa en ligas menores con promedio de 5-2, 4.37. Tampoco mostró su mejor versión en 2018. Entre Doble-A y Triple-A, posteó 6-10, 4.89, y los contrarios le batearon para .300.

Marcos Sánchez (18), LHP, Habana. Integró el equipo Cuba categoría 11-12 y emigró legalmente. Residió en Brasil con el fin de firmar un contrato profesional. Sin embargo, desde allí se movió a Estados Unidos para insertarse en el béisbol colegial y llegar al draft por esa vía.

Ruden Sánchez* (30), OF, Santiago de Cuba. Regresó a Cuba después de emigrar y se incorporó a la nómina de Santiago de Cuba en la 58 Serie Nacional de 2018. Bateó .262, 6 dobles, 1 triple y 3 cuadrangulares.

Jander Santamaría (24), INF, Isla de la Juventud. Disputó 4 Series Nacionales con los Piratas de Isla de la Juventud, con los que promedió .264 y 4 jonrones en ese lapso. Se acogió al éxodo de los beisbolistas cubanos en el destino común de República Dominicana. El bateador zurdo de poder aún no ha logrado el objetivo que le movió a emigrar.

Ibrain Santana (20), RHP, Matanzas, División de Honor, España. Pasó por todas las categorías del béisbol de Cuba hasta la sub-23. Salió el 11 de agosto de 2015 rumbo a

Costa Rica. «Estuve en una academia entrenando para firmar con una organización de Major League Baseball, pero yo sabía que iba a ser muy difícil por la razón de que no soy un lanzador rápido», dijo para esta investigación. Un amigo y entrenador cubano le propuso irse a España y continuar su carrera en el béisbol ibérico. Santana es ciudadano español y tuvo la facilidad de viajar hasta Miami, Florida, donde los Marlins de Tenerife le hicieron unas pruebas. Finalmente firmó con San Inazio en 2017 y en la temporada de 2018 exhibió marca de 1-2, 6.37 de efectividad. También he recibido varias ofertas de equipos en Francia y Alemania.

YORDANYS SCULL (35), OF, Las Tunas, Liga de Béisbol Italiana. En 14 temporadas con los Leñadores de Las Tunas bateó .286 de average, 1.037 hits y 73 jonrones. Pero a partir del año 2015 buscó nuevas oportunidades en el exterior. Entre 2015 y 2016 jugó en la Serie A, segundo nivel del béisbol en Italia. Tras gestionarse un contrato sin la ayuda de las autoridades cubanas en 2017, debutó en el primer nivel del béisbol italiano con Padule Sesto Fiorentino, con quienes repitió en 2018 y dejó promedio de .291, 30 hits, 5 dobles, 1 triple y 1 cuadrangular.

MAIKEL SERRANO (22), OF, Pinar del Río, Liga Norte de México. Disputó un solo encuentro en Series Nacionales con los Vegueros de Pinar del Río y conectó jonrón. Se asentó en México luego de emigrar de Cuba. Ante la imposibilidad de firmar con un equipo de Major League Baseball, no se amilanó y continuó su carrera en diferentes ligas del mundo. «Lamentablemente me he topado con gente mala que ha afectado mi carrera. Tú sabes que la mayoría de los cubanos salimos con los ojos tapados y me han engañado mucho. A pesar de eso, voy avanzando gracias a Dios», dijo para esta investigación. Arrancó en la Liga Invernal Veracruzana clasificando cuarto en hits (40), segundo en anotadas (25) y quinto en average (360). Se burló de los lanzadores en la Pecos League (Liga Independiente) jugando para California City Whiptails en 2017. Impuso un demoledor ritmo con .372 de average, 10 jonrones y 33 impulsadas en 35 juegos. Participó en los entrenamientos de primavera con los Saraperos de Saltillo de la Liga Mexicana en 2018, pero sus documentos para naturalizarse mexicano llegaron a destiempo. Aun así, se enlistó en la Liga Norte con los Indios de Tecate y bateó .316 en 11 juegos.

Aníbal Sierra (21), INF, Santiago de Cuba, Doble-A: Houston Astros. Apenas bateó .238 de average en 3 temporadas con las Avispas de Santiago de Cuba, aunque eso no impidió que su talento causara la admiración de los Houston Astros en República Dominicana. Firmó en julio de 2016 un contrato de 1,5 millones de dólares con los Astros. Inicialmente el contrato fue pactado en 6 millones. Entre 2017 y 2018, los números de Sierra en ligas menores no han sido sobresalientes. Batea .219/.302/.330, con 14 jonrones y 254 ponches en 239 partidos.

Carlos Sierra (20), RHP, Sancti Spíritus, Doble-A: Houston Astros. Llegó a España en 2015 a través del proceso de la ciudadanía española que obtuvo gracias a uno de sus abuelos paternos. Acumulaba 3 Series Nacionales con los Gallos de Sancti Spíritus. Aprovechó la estancia en España y ese mismo año debutó en la División de Honor de ese país con los Marlins de Tenerife, con quienes lanzó 11-1, 1.47 de efectividad y lideró la liga en victorias, además de propinar 85 ponches en 86 innings. Ha participado con la selección de España en múltiples torneos internacionales; el más encumbrado fue el Clasificatorio al IV Clásico Mundial de Béisbol en Panamá, en 2016. Firmó contrato de liga menor con Houston Astros y en 3 campañas en las menores archiva 5-6, 3.77 y 143 ponches en 140.2 innings.

YAISEL SIERRA (24), RHP, Holguín, Triple-A: Los Angeles Dodgers. Durante 5 temporadas con los Cachorros de Holguín en Cuba promedió 4.35 de efectividad. El derecho demostró ser dominante en 2013 con el oponente bateándole .221. Esa fue su penúltima temporada en la Isla y su actuación propició su participación en los Juegos Centroamericanos de Veracruz (2014) con el equipo Cuba. Sin embargo, antes de salir de la Isla dejó marca de 5-12, 6.10, y el mercado fue excesivamente benévolo con el espigado lanzador. Los Angeles Dodgers tomaron sus servicios por 30 millones de dólares y 6 años, tras el impacto causado con su recta ante los *scouts* en República Dominicana. Como era de esperar en su primera campaña atravesó problemas de descontrol (1.51 de WHIP) y, entre Clase-A avanzada y Doble-A, posteó 6-7, 5.89. La decepción de 2016 se olvidó un año más tarde: inició en Doble-A, Tulsa Drillers, con espectacular balance de 5-0, 2.54 y 64 ponches en 49.2 innings. Solo necesitaba confirmar el salto de calidad en Triple-A, antes de ascender a Major League Baseball, y no pudo ser. En 21.1 innings regresó su descontrol con 15 boletos y efectividad de 4.22. En enero de 2018 fue invitado al campamento primaveral con los Dodgers y enviado a las menores a mediados de marzo. El holguinero no lanzó en ningún nivel de las menores debido a una lesión.

WILLIAM GASTÓN SILVA (19), RHP, Habana. Salió de Cuba en diciembre de 2015. Aún permanece entrenando en República Dominicana y sobrepasa las 90 millas con facilidad. A finales del mes de diciembre de 2018 firmó un contrato con Toronto Blue Jays.

JOSÉ DAVID SILVEIRA (23), INF, Santiago de Cuba. Disputó 3 Series Nacionales con las Avispas de Santiago de Cuba y su average ofensivo fue de .173. Cumplidos tres años de estancia en República Dominicana no ha logrado aún su sueño.

ALAIN TAMAYO* (24), RHP, Granma, Liga Invernal Dominicana. Salió de Cuba en 2015 después de 6 temporadas con los Alazanes de Granma. Las autoridades y el gobierno de Granma le decomisaron la casa que se le había entregado, cuando se conoció del abandono. Luego de seis meses en República Dominicana, exactamente en diciembre de 2015, fue deportado junto al también lanzador Carlos Juan Viera. Sin embargo, Tamayo regresaría por la revancha y, tras completar más de dos años entrenando, en el invierno de 2018 tuvo su oportunidad en el béisbol profesional de Dominicana con los Toros del Este.

MAIKEL TAYLOR (24), RHP, Industriales, Liga Profesional de Colombia. Partió de Cuba por la vía legal junto a Yoandri Portal, Jesús Balaguer y Yosibel Castillo. El grupo de beisbolistas pasó por Colombia y allí aprovecharon para incursionar en la liga profesional de ese país. Taylor lanzó para 0-4, 5.91 de efectividad con los Tigres de Cartagena. Después de atravesar por México arribó a Estados Unidos. El derecho aún no ha perdido las esperanzas por completo. Entre abril y junio de 2018 entrenaba cada mañana en el Tamiami Park, de Miami, luego de largas sesiones de trabajo en las madrugadas.

Randy Terry (24), INF, Mayabeque. Impactó en la 52 Serie Nacional de Cuba (2012-2013) con los Huracanes de Mayabeque, con los cuales exhibió una línea ofensiva de .322/.393/.537, 15 dobles, 2 triples, 9 jonrones y 41 impulsadas. Pese a no alcanzar los mismos números en sus dos últimas temporadas (2013 y 2014), el fornido bateador emigró de Cuba el 1.º de septiembre de 2015 en un vuelo comercial hacia Ecuador. Allí estuvo tres meses y el 26 de noviembre abordó otro vuelo hasta Haití, donde duró seis días para llegar a República Dominicana. Sufrió problemas con los inversionistas y no fue bien manejado. «Sinceramente no me he ido de aquí [República Dominicana] porque es muy triste regresar sin nada. ¿Dos años perdidos? Eso es triste», dijo para esta investigación.

Raymond Tresanco (23), INF, Ciudad Habana. En 2015 jugó el Campeonato Nacional sub-23 con la provincia de Holguín, pese a pertenecer a Ciudad Habana. Cuando llegó a Estados Unidos en noviembre del mismo año tuvo que priorizar la subsistencia por encima de sus aspiraciones deportivas: «El problema es que vine solo y no tengo nadie aquí, por lo que tengo que mantenerme y no hay tiempo para entrenar», expresó para esta investigación.

Bárbaro Urquiola (25), INF, Pinar del Río, Liga Norte de México. Hijo de Alfonso Urquiola. El infielder que se mostró en el primer nivel de Cuba con los Vegueros de Pinar del Río y fue campeón en 2 ocasiones no logró una firma con organizaciones de Major League Baseball. Se asentó en México y se probó en varias ligas regionales como las de Frontera Sur o Quintana Roo. Mientras, se presentaba ante varios *scouts* de Grandes Ligas. En 2018 se movió a la Liga Norte de México con los Freseros de San Quintín y en cuatro encuentros promedió .214, 2 dobles y 1 impulsada.

LUIS ALBERTO VALDÉS (26), INF, Pinar del Río, Triple-A: Detroit Tigers. Regresó de la Serie del Caribe en Puerto Rico (2015), donde fue campeón. Abandonó Cuba el mismo año. Su firma en República Dominicana demoró más de lo pensado. La franquicia de Detroit Tigers le dio un contrato de liga menor y su año 2017 fue discreto entre Clase-A avanzada, Doble-A y Triple-A. Valdés, un genuino bateador, puso línea ofensiva de .225/.272/.296, 9 dobles, 1 triple y 3 jonrones.

OSCAR VALDÉS* (23), C, Industriales. Impactó como receptor de los Leones de Industriales en 2017. Conectó su primer cuadrangular en Series Nacionales de Cuba ante la presencia de su madre en el estadio Latinoamericano. En febrero de 2015 partió de Cuba con una maleta llena de ilusiones y pese a convertirse en agente libre, tuvo que contemplar la opción del regreso. Volvió a Cuba en diciembre de 2016, después de acumular más de un año en República Dominicana. «Regresé porque mi inversionista se quedó sin dinero. En un momento vi que podía lograrlo, pero al final ya las cosas no estaban claras y retorné el 15 de diciembre de 2016», dijo para este libro.

RONNY VALDÉS* (21), RHP, Villa Clara. Es el beisbolista cubano que menos tiempo ha estado en República Dominicana. Salió junto a su amigo y compañero de equipo Eduardo Ferrer en septiembre de 2015, en un vuelo desde La Habana hasta Haití y de allí los cruzaron por la frontera hasta Dominicana. Sin embargo, Valdés no se sintió cómodo y regresó a los dos días a Cuba con el sentimiento de que había tomado una decisión apresurada. Fue cruzado hacia Haití, desde donde retornó a la Isla. Se reincorporó a las actividades del béisbol con los Leopardos de Villa Clara en la 58 Serie Nacional en 2018 y fue elegido al Juego de las Estrellas.

Yunior Valiente (23), OF, Pinar del Río. Disputó 4 campañas con los Vegueros de Pinar del Río en Cuba y luego emigró legalmente por la vía de Haití hasta ser cruzado a República Dominicana, donde estuvo 18 meses presentándose ante varias organizaciones de Grandes Ligas. «Decidí irme porque el mercado estaba malo y ya no era como antes. Los inversionistas estaban perdiendo mucho dinero y no estaban dando las condiciones que dieron al principio», dijo para esta investigación. A finales de 2017 se marchó de República Dominicana hacia Italia. «Venir a Europa a jugar se podría alejar de los sueños de firmar con un equipo de Major League Baseball, pero tampoco lo veo así. Los sueños se acaban cuando ya no tienes esperanzas ni deseos de luchar y conseguir el objetivo de la vida. Lucharé por firmar con alguna organización de Major League Baseball, pero si no puedo sería feliz jugando donde esté. Todos no podemos llegar ni corremos con la misma suerte y el que ama el béisbol es feliz jugando en cualquier parte», agregó.

Miguel Vargas (16), INF, La Habana, Clase-A media: Los Angeles Dodgers. Hijo de Lázaro Vargas. Fue parte integral en el Campeonato Mundial sub-15 que consiguió Cuba en México durante 2014. Tras un corto debut en Series Nacionales bajo el mando de su padre como mánager de los Leones de Industriales, ambos decidieron emigrar de la Isla. En septiembre de 2017 acordó contrato de liga menor con Los Angeles Dodgers por 300 000 dólares. Con solo 18 años desafió el temporal en las menores y bateó .330, 15 dobles, 3 triples y 2 dobles entre nivel Rookie y Clase-A corta. Impulsó 30 carreras y se robó 7 bases durante su debut en 2018.

ONEL VEGA (24), C, Matanzas. Debutó con 17 años en Series Nacionales. Pese a que estuvo casi 6 temporadas en función de reemplazo con los Cocodrilos de Matanzas, en la 55 Serie Nacional, en 2015, explotó con su bate a ritmo de .318 y 10 jonrones. Aprovechó su buen momento para marcharse a República Dominicana y luchar por un contrato de Grandes Ligas. El 24 de noviembre de 2015 salió de Cuba junto a su esposa y fueron cruzados ese mismo día por la frontera de Haití hacia República Dominicana. «Mi historia es bien sencilla como la de cualquier otro. Me engañaron igual que a muchos, y a los diez meses me cansé de las mentiras. Iba a regresar para Cuba, pero se me dio la oportunidad de coger una yola [lancha] hacia Puerto Rico y vine para los Estados Unidos», dijo para esta investigación. El 24 de septiembre de 2016 abordó un vuelo desde San Juan (Puerto Rico) hacia Austin, Texas, donde vive actualmente. Ya cuenta con dos años sin dedicarse al béisbol, envuelto en la desilusión del pasado. «He tenido propuestas para salir a México, Nicaragua y Colombia, pero me decepcioné tanto que las ganas y la voluntad se me fueron quitando con el tiempo. Vivo solo con mi esposa que ha estado conmigo en todo lo que pasó y estamos solos aquí», agregó el talentoso cátcher.

YOSLEY VEITÍA (18), INF, Ciudad Habana. Integró el equipo Cuba para el Campeonato Mundial Juvenil de Osaka,

Japón, en 2015. Ese mismo año debutó en la Serie Nacional con los Piratas de la Isla de la Juventud. El infielder que presenta inmejorables condiciones atléticas y físicas atravesó problemas en México para firmar un contrato profesional. Decidió emigrar a Estados Unidos y se ha mantenido entrenando a la espera de su residencia y alguna oferta para saltar al béisbol profesional.

José Ramón Velázquez (24), OF/INF, Isla de la Juventud, Liga Mexicana de Béisbol. Emigró de Cuba rumbo a México a finales de julio. Recibió la oportunidad con Rojos del Águila de Veracruz en la Liga Mexicana de Béisbol, aunque fue una corta experiencia. Luego de batear .250 (12-3) el conjunto lo liberó.

Yusmel Velázquez Aguilar* (24), RHP, Holguín. Trabajó como abridor de los Cachorros de Holguín durante 7 temporadas en Cuba. En 2013-2014 marcó 9-2, 1.74 de efectividad; y dos años más tarde, 6-2, 2.03. Su recta lateral sostenida entre 90 y 92 millas lo hacía un lanzador complicado. Sin embargo, cuando se marchó de Cuba para radicarse en República Dominicana todo se tornó muy difíci para su futuro. «Ha sido complicado para mí aquí. Fui engañado por las personas que me trajeron, rechazando ofertas de equipos como San Diego Padres, Oakland Athletics y Texas Rangers», dijo para esta investigación. En el invierno de 2018 estuvo en los entrenamientos de los Leones del Escogido de Dominicana, pero no fue incluido en la nómina. En noviembre de 2018 decidió regresar a Cuba. «Me cansé de tantas mentiras y mal manejo. Nada, aquí estoy feliz en familia nuevamente», afirmó.

Raudel Verde (26), INF, Mayabeque, Serie Latinoamericana de Béisbol, en 2018. No brilló dentro del béisbol de

Cuba. Jugó durante 3 temporadas con los Huracanes de Mayabeque y en 90 partidos bateó .277 con 6 jonrones y 20 impulsadas. Quizá muchos hubieran imaginado que Verde no iba a jugar en el béisbol profesional, pero el bateador zurdo se insertó en la Liga Invernal Veracruzana de México. Fue campeón con los Tobis de Acayucan y en 2018 representó a México en la Serie Latinoamericana celebrada en Nicaragua, que reúne a los campeones de Panamá, Nicaragua y Colombia. Bateó .385 en este torneo, a ritmo de 5 imparables en 13 turnos al bate.

Carlos Viera* (27), RHP, Las Tunas, Liga Invernal de Venezuela. Sufrió una deportación a Cuba en diciembre de 2015, junto al granmense Alain Tamayo. «Estaba durmiendo y cuando me desperté la casa estaba rodeada de policía», dijo para esta investigación. El cerrador estrella de los Leñadores de Las Tunas regresó a la Isla y luego de tres meses y medio volvió a salir del país, en un viaje que se financiaría él mismo. Sus problemas no cesaron, pues fue deportado desde República Dominicana hacia Haití en mayo de 2018. Se mantuvo entrenando y en el invierno del mismo año consiguió un contrato con los Tigres de Aragua, en el béisbol invernal de Venezuela.

Yosviel Vilau (22), LHP, Pinar del Río. El zurdo que alcanza las 90 millas con su recta participó en tres Series Nacionales y fue campeón de Cuba en 2014, con los Vegueros de Pinar del Río. Estuvo un tiempo en México y, aunque no se presentó ante los *scouts*, se encuentra a la espera de su residencia para intentar jugar en alguna liga profesional.

Misael Villa* (22), LHP, Artemisa. Con los Cazadores de Artemisa tuvo una brillante campaña de 11-6, 3.08 de efectividad en 2017, lo que le sirvió para integrar el equipo

Cuba para el Torneo de Rotterdam en Holanda. El zurdo se marchó hacia República Dominicana y, tras dos largos años sin lograr el objetivo, decidió regresar a Cuba.

FLAVIO VILLAVICENCIO (25), OF, Ciudad Habana. Llegó a México el 5 de diciembre de 2015. En febrero de 2017 fue invitado a los entrenamientos de primera con los Saraperos de Saltillo de la Liga Mexicana de Béisbol, pero no pudo incluirse en la nómina final del conjunto.

RAFAEL VIÑALES* (23), C, Las Tunas. Salió de Cuba en enero de 2015 y regresó en noviembre del mismo año. «Regresé porque noté que los equipos se habían alejado un poco y no quise estar perdiendo tiempo», aclaró para este libro. En 2017 bateó 15 jonrones y favoreció a los Leñadores de Las Tunas con 80 impulsadas y average por encima de .300. Integró el equipo Alazanes de Granma para la Serie del Caribe en Guadalajara, México, en febrero de 2018.

ASIEL WANTON* (24), LHP, Santiago de Cuba. Se presentó en múltiples oportunidades ante *scouts* de Grandes Ligas. Tras dos años en República Dominicana decidió regresar a Cuba, donde tampoco ha vuelto al béisbol.

SANDY WILLIAMS MENOCAL* (22), INF, Matanzas. Salió del país el 9 de octubre de 2015 hacia República Dominicana. No logró firmar con ninguna organización de Grandes Ligas y regresó a Cuba. Luego buscó suerte por Colombia. «Estoy tratando de jugar aquí en Cartagena y a la vez buscar una firma», dijo para esta investigación en diciembre de 2017. «En Dominicana hay muchos peloteros cubanos y te manejan muy mal», agregó. Sin embargo, las cosas no funcionaron en Colombia tampoco y Menocal volvió a la Isla, donde militó con los Cocodrilos de Matanzas en la 58 Serie Nacional.

YOEL YANQUI (19), INF, Santiago de Cuba, Clase-A media: Arizona Diamondbacks. Salió de Cuba junto al lanzador Carlos González Fong y llegó a República Dominicana. Con sus credenciales de bateador de contacto y velocidad (hizo 6.5 en las 60 yardas), atrajo la atención de Arizona Diamondbacks, quienes lo firmaron por un bono de 50 000 dólares en 2017. Comenzó en Estados Unidos asignado al nivel de Clase-A media con Kane County Cougars. El equipo se encuentra en el condado de Kane, Geneva, Illinois, a unos 35 km de Chicago. Yanqui hizo sentir su ofensiva en 126 partidos de la temporada y promedió .289/.356/.380, con 22 dobles, 4 triples y 5 estacazos más allá del muro. Fue noveno entre los mejores bateadores de la Midwest League, duodécimo en impulsadas y décimo en total de bases recorridas, con 188.

2016

ALFREDO EDUARDO ABALLI (19), CF, Ciudad Habana. Emigró por la vía de México, país al que llegó legalmente y donde se insertó en ligas semiprofesionales.

DELVER ALFONSO (19), LHP, Mayabeque. Luego de participar en una Serie Nacional con los Huracanes de Mayabeque, donde solo lanzó 11 entradas, emigró en 2016 a República Dominicana junto al lanzador derecho Alain Tamayo. Allí se mantiene actualmente, en la búsqueda de un acuerdo con alguna franquicia de Major League Baseball.

LÁZARO ONIEL ALMAGUER (18), RHP, Pinar del Río. Aunque es nacido en Ciudad Habana, debutó en la 55 Serie Nacional con los Vegueros de Pinar del Río. Llegó a México en 2016 junto al también lanzador Daysbel Hernández, aunque sus aspiraciones no se concretaron.

Emilio Almeida (18), C/OF, Villa Clara. Fue elegido el Jugador Más Valioso del V Mundialito Infantil Criollitos de América, celebrado en Venezuela, en 2010. Luego representó al equipo Cuba en el Campeonato Panamericano sub-15 en Barranquilla, Colombia, en 2013; y en el sub-18 en Monterrey, México, en 2016. Cubrió todas las categorías inferiores entre los mejores prospectos del país. Sin embargo, decidió emigrar hacia México, donde nada resultó como imaginaba. «Al principio todo fue muy lindo. Tuve varias presentaciones ante equipos de Major League Baseball», dijo para esta investigación. Sin embargo, aunque estaba en su mejor momento, su representante no concretó ningún acuerdo. «Me fui de esa compañía y estoy buscando otra que me represente. [...] Son las enseñanzas de la vida para lograr mi meta», agregó.

Jesús Reinaldo Amador (28), RHP, Isla de la Juventud. Tiró 7 temporadas en Cuba con los Piratas de Isla de la Juventud y dejó balance de 21-9, 4.55 de efectividad. En su última temporada, en 2015, los rivales le batearon para .239. Salió el 9 de enero de 2016 junto al también lanzador y coequipero Reymundo Vázquez: ninguno de los dos logró el tan ansiado salto al profesionalismo.

Yordan Argüelles* (15), OF, Ciudad Habana. Estuvo con el equipo Cuba en el Mundialito 11-12 de Isla Margarita, en Venezuela, durante 2012. Tras un tiempo en República Dominicana el natural de Guanabacoa, Ciudad Habana, regresó a Cuba.

David Barriel (30), RHP, Santiago de Cuba. Ha lanzado en Brasil con Nikkei Club, aunque en el béisbol de ese país no existe una liga organizada sino copas de corta duración. Actualmente se desempeña como entrenador.

Alexei Bell (32), OF, Santiago de Cuba, Doble-A: Texas Rangers. En enero de 2016 abandonó Cuba de manera legal y esa misma temporada jugó en la Liga Mexicana con los Tigres de Quintana Roo. El recordista de impulsadas (111) para una temporada de 90 juegos en Series Nacionales acordó un contrato de liga menor con Texas Rangers en julio de 2016. En 27 partidos con Frisco RoughRiders, Doble-A, colocó una línea ofensiva de .263/.311/.411, 11 dobles, 1 cuadrangular y 10 impulsadas. Sin embargo, la franquicia texana lo dejó libre en marzo de 2017. Se encuentra a la espera de su residencia en Estados Unidos para decidir si continúa su carrera como jugador o entrenador.

Dairon Blanco (23), OF, Camagüey, Clase-A avanzada: Oakland Athletics. El veloz jardinero de Camagüey firmó con Oakland Athletics por 300 000 dólares. Asignado al nivel de Clase-A avanzada con Stockton Ports, el cubano bateó .291/.342/.406, 13 dobles, 10 triples y 1 cuadrangular. Fue elegido al Juego de las Estrellas de la liga. Ocupó el segundo puesto de la California League en triples y fue sexto en bases robadas, con 22. Los Criollos de Caguas del béisbol invernal de Puerto Rico contaron con sus servicios en noviembre de 2018.

Pedro Bombus (30), OF, Metropolitanos. Salió de Cuba legalmente hacia México. Casi cinco años después de comenzar su carrera en Series Nacionales con los desaparecidos Metropolitanos, el fornido bateador buscaría jugar béisbol a nivel profesional. «Me he mantenido entrenando. Esperando ver si puedo jugar este verano, pero como tuve mis problemas con la persona que me representaba, nadie me ha llamado todavía», dijo para esta investigación en junio de 2016.

YUSNIER CALZADA (21), OF/INF, Ciudad Habana, Liga Meridiana, México. Estuvo con los Rockies de Comisarías en la Liga Meridiana de México durante 2017. Es el nivel más alto (semiprofesional) que ha logrado tocar desde que emigró de Cuba.

JAVIER CAMERO* (26), OF, Industriales. Integró el equipo Cuba juvenil para el Campeonato Mundial de Canadá, en 2008. Estuvo un tiempo fuera de la Isla, pero, tras un período sin lograr el objetivo Major League Baseball, regresó y se reincorporó a los Leones de Industriales en la 57 y 58 Serie Nacional (2017 y 2018, respectivamente).

RAÚL CAMPOS (15), SS, Ciudad Habana, Rookie: Miami Marlins. Él y su hermano Roberto Carlos Campos abandonaron la selección de Cuba en un torneo de Pequeñas Ligas celebrado en República Dominicana, en julio de 2016. Los dos se subieron a un auto asistido por familiares. Dos años más tarde, Raúl firmó un contrato profesional con Miami Marlins en julio de 2018.

ROBERTO CARLOS CAMPOS (16), INF, Ciudad Habana. Él y su hermano Raúl Campos abandonaron el equipo Cuba categoría junior en julio de 2016, mientras participaban en el torneo de Pequeñas Ligas de República Dominicana. Roberto fue el jugador más valioso del torneo y cuando finalizó, se marchó acompañado de su padre. Es uno de los mejores prospectos de su clase.

LÁZARO CANDELARIA* (16), LHP, Pinar del Río. Integró dos equipos Cuba categoría junior: para Islas Margarita, en Venezuela, sub-12; y Aguascalientes, en México, sub-15. Regresó a la Isla en 2017, tras sufrir una lesión en su brazo de lanzar. El prometedor zurdo pasó varios meses en su natal Pinar del Río mientras se recuperaba del brazo y en 2018 volvió a Dominicana, sin cesar en su objetivo de llegar a Grandes Ligas.

YORMAN CANDO (21), LHP, Ciudad Habana. Luego de marcharse de Cuba se insertó en torneos locales en México y en ligas semiprofesionales como la Liga Norte de Quintana Roo, con los Rockies de Cancún.

YEINIER CANO* (22), RHP, Ciego de Ávila. El lanzallamas estaba entre los mejores cerradores de Cuba cuando solicitó su baja de los Tigres de Ciego de Ávila en 2016. En 3 Series Nacionales había brillado como relevista: 20-6, 2.11 de efectividad y average oponente de .222. Su solidez y desarrollo le llevaron a integrar el equipo Cuba para los Juegos Panamericanos de Toronto, en 2015; además, colaboró en el doble campeonato de los Tigres de Ciego de Ávila. Su búsqueda de la firma Major League Baseball ha demorado más de lo pensado desde que emigró, incluyendo un retorno a Cuba y una posterior salida. Se le situó en Guyana y su plan era irse hacia México. En septiembre de 2018 apareció lanzando en la segunda edición de la Liga de Béisbol de Argentina con los Cóndores de Córdoba. En junio de 2019 firmó con Minnesota Twins por 750 000 dólares.

DANIEL A. CASTILLO (15), SS, Granma. Fue determinante en el III Campeonato Mundial sub-15 de Osaka, Japón, en 2016. El granmense bateó .394, 2 dobles y 6 impulsadas (fue tercero del equipo) para contribuir a conquistar la corona. Meses más tarde, buscando el sueño de Grandes Ligas, salió de Cuba por la vía legal, hacia República Dominicana.

[2016 cont.]

Danny Castillo* (20), INF, Granma. Hermano de Daniel Castillo. Regresó a Cuba en 2017, luego de un período de un año en República Dominicana.

Jorge Castro (18), RHP, Industriales. Lanzó 6 entradas con Industriales en la Serie Nacional de 2015-2016. Salió de Cuba rumbo a México junto a Jorge Félix Sabio, pero la persona que lo representó en tierras aztecas demoró el proceso de la agencia libre por más de seis meses. «Me decía que tenía todo listo, que todo era esperar la agencia libre y en los seis meses que estuve en México nunca me llegó», dijo para esta investigación. Los *scouts* que asistían a sus presentaciones viraban la espalda cuando conocían que no era agente libre. Luego Castro fue llevado a Miami por su inversionista y allí rompió los lazos con esta persona. Se insertó en el béisbol colegial buscando con Broward Seahawks la oportunidad de firmar por la vía de draft. «El entrenador de ese equipo no quiso ponerme a lanzar y lo poco que lancé no me alcanzaba para poder entrar al draft», agregó. Dejó el equipo y ahora entrena por su cuenta esperando realizar algún día el sueño de llegar a Grandes Ligas.

Arturo Chapell Drake (17), OF, Matanzas. Fue parte del conjunto de Cuba que se coronó en el Campeonato Mundial sub-15 de 2014, en México. El nombre del matancero apareció en un artículo de la página de ESPN que publicaba una lista de peloteros cubanos extorsionados en 2016. Luego de tantos infortunios, no se ha rendido en busca de su sueño.

Liván Chaviano (16), RHP, Ciudad Habana. Fue el abridor y ganador del partido final del Campeonato Mundial sub-15 en Osaka, Japón, en 2016. Luego de un período de dos años en República Dominicana el derecho aún no ha firmado contrato profesional.

FRANNY COBOS (15), RHP, Ciego de Ávila, Rookie: Houston Astros. Se proclamó campeón mundial sub-15 con el equipo Cuba en Osaka, Japón, en 2016. Un mes más tarde decidió salir de la Isla, con 15 años, para firmar un contrato profesional. Finalmente pactó con Houston Astros por un bono de 125 000 dólares. «Antes del Mundial ya lo tenía pensado, aunque después fue cuando tomé la decisión, una decisión un poco dura, pero era en busca de mis sueños», dijo para esta investigación. Lanzó para 1-2, 0.60 de efectividad en la Liga Dominicana de Verano en 2018, nivel Rookie. Los oponentes le batearon .192.

DAMIÁN CONTRERAS (17), OF, Camagüey. Salió el 16 de septiembre junto a Richard Peña. Se asentó en Venezuela y se halla a la espera de una firma profesional.

JOSÉ DAUDINOT (20), OF, Guantánamo. Participó en el Mundial de Béisbol 15-16 años celebrado en México, en 2011. Además, fue líder en jonrones del II Campeonato Nacional sub-23. Jugó apenas 1 Serie Nacional con los Indios de Guantánamo y en 2015 partió rumbo a República Dominicana, donde aún intenta llegar al profesionalismo.

BRANDO DELGADO* (21), RHP, Industriales. Se proclamó campeón con Ciudad Habana en el Campeonato Nacional sub-23 de 2015. Meses más tarde el lanzador derecho se marchó a República Dominicana, ilusionado con firmar un contrato de Major League Baseball. Sus intentos se frustraron. En 2018 regresó a Cuba y se insertó nuevamente en el béisbol de la Isla.

LIVÁN DELGADO (14), RHP, Ciudad Habana, División de Honor, España. Salió en julio de 2016 hacia España, legalmente.

Nacido en San Miguel del Padrón, el derecho integró el equipo de España para el Campeonato Europeo sub-18. Allí lideró a los lanzadores con 11 entradas sin carreras, 15 ponches y 1 victoria sin revés. Ha lanzado para los Astros de Valencia en la División de Honor del béisbol de España.

DANNEL DÍAZ (19), LHP, Ciego de Ávila. Representó a Cuba en el Campeonato Mundial Juvenil de Osaka, Japón, en 2015. Ni siquiera había lanzado más de 11 entradas en el primer nivel de la Isla con los Tigres de Ciego de Ávila cuando emigró. Aún no ha logrado firmar un contrato profesional.

EDDY DÍAZ (16), SS, Matanzas, Rookie: Colorado Rockies. Fue el segundo cubano firmado por la organización de Colorado Rockies, luego del matancero Yoel Monzón. Talentoso torpedero, acordó por 750 000 dólares. En 2018 fue elegido el Jugador del Año de la franquicia de Rockies en la Liga Dominicana de Verano. El veloz infielder promedió .309 y se robó 54 bases.

HAROLD DÍAZ (17), SS, Ciudad Habana, Rookie: Chicago White Sox. El torpedero capitalino llamó la atención de Chicago White Sox y pactó por 300 000 dólares de bono en el período de firmas internacionales de 2018. Se incorporó a la Liga Dominicana de Verano, nivel Rookie, y bateó .290 con 6 extrabases en 2018.

JORGE DÍAZ (21), LHP, Santiago de Cuba. El relevista zurdo trabajó en 2 Series Nacionales con las Avispas de Santiago de Cuba, donde dejó marca de 0-1, 3.24 de efectividad en 16.2 innings. Intentó pasar al profesionalismo viajando hacia México y estableciéndose en el país azteca, aunque no ha cumplido su objetivo.

YUNIESKI DÍAZ (26), RHP, Isla de la Juventud. Dejó marca de 5-10, 5.03 de efectividad en 2 campañas con los Piratas de Isla de la Juventud en Cuba. Llegó a México el 10 de octubre de 2016. Ha lanzado en varias ligas regionales en su recorrido por el territorio azteca.

Denzel Douglas Hernández (20), C, Ciudad Habana. Integró el equipo Cuba sub-15 que se proclamó campeón en el Mundial de Sinaloa, México, en 2014. Emigró a México y allí permaneció, aunque no se tienen muchas informaciones sobre su caso.

Romario Yobal Dueñas* (19), INF/OF, Pinar del Río. Hijo de Yobal Dueñas. Elegido mejor segunda base de Cuba de la categoría 15-16, no llegó a hacer el equipo nacional pues en 2009 no hubo competencia en el exterior. Estuvo en República Dominicana junto a Geovannys Hernández y Joel Ricardo Pérez, pero los tres regresaron luego de siete meses en aquel país: «Regresamos porque vimos que las cosas se estaban complicando y la verdad antes de irnos o irme con cualquier otro agente como los hay muchos en Dominicana decidí regresar; tú sabes, uno siempre mira la seguridad y no nos convencía mucho cómo se estaban dando las cosas», dijo para esta investigación. Volvió a salir de Cuba hacia Estados Unidos por la vía legal y actualmente se halla enfocado en firmar con una organización de Grandes Ligas.

Ermindo Escobar (24), C, Camagüey, Liga Independiente. Salió por la vía legal de Cuba y aunque no ha logrado firmar con ninguna organización de Grandes Ligas ha continuado su carrera en ligas independientes como la American Association y la Atlantic League. En 2016 estuvo con Joplin Blasters (.202 de average en 27 partidos). En 2017 se uniformó con Cleburne Railroaders (.256 de average, 4 dobles y 1 jonrón en 42 choques) y para 2018 se movió a la Atlantic League con Road Warriors (.217 de average y 4 extrabases en 42 encuentros).

ALEJANDRO ESKENAZI (27), RHP, Ciudad Habana, Liga de Béisbol de Israel. Se inició en el béisbol amateur de Israel, donde jugó en la Liga de Otoño con el conjunto Tel Aviv. En el verano de 2017 participó en el Europeo de Béisbol con la selección de Israel. Ha alternado además como entrenador en las categorías inferiores.

ROLANDO ESPINOSA (15), INF, Ciego de Ávila, Rookie: Houston Astros. Puede jugar el campo corto, la segunda y la tercera bases. Houston Astros le concedió la oportunidad con un bono de 175 000 dólares. Su primera temporada como profesional la pasó en la Liga Dominicana de Verano, donde promedió .170 con 8 extrabases.

HENRY LUIS FABREGAT (20), LHP, Villa Clara. En la 55 Serie Nacional de Béisbol apareció con los Leopardos de Villa Clara con quienes marcó 1-3, 6.48 de efectividad. El natural de Sagua la Grande emigró rumbo a República Dominicana. Aún no ha firmado con ninguna franquicia de Major League Baseball, pero continúa intentándolo.

DEINY FRITZE* (23), SS, Artemisa. En noviembre de 2016 se convirtió en agente libre. Se asentó en República Dominicana y luego de varias presentaciones con organizaciones de Grandes Ligas aún no ha podido firmar con ninguna franquicia.

YASNYER GARAY* (22), RHP, Habana. Tras cumplir una breve estancia en República Dominicana regresó a Cuba junto a Yusnier Rosabal. «La persona que nos sacó de Cuba fue detenida bajo investigación por el caso de los hermanos Gurriel y no teníamos inversionistas todavía por el poco tiempo que llevábamos allá», dijo desde Cuba para esta investigación. Estuvo un mes y medio en República Dominicana hasta que todo se paralizó en febrero de 2016. Mantiene sus esperanzas de jugar béisbol, lo mismo en el exterior que en Cuba, donde se encuentra actualmente.

José Adolis García (23), OF, Ciego de Ávila, Major League Baseball: St. Louis Cardinals. Hermano de Adonis García, firmó con St. Louis Cardinals por un bono de 2,5 millones. Cumplía un contrato en la Liga Profesional de Japón bajo el patrocinio de Cuba Deportes, entidad legal del INDER en Cuba. Sin embargo, el 20 de agosto de 2016 desapareció mientras realizaba una escala en Francia y de allí se trasladó a República Dominicana. Debutó en 2018 en Grandes Ligas, luego de 2 temporadas en ligas menores, donde acumuló 59 dobles, 6 triples y 37 jonrones, con promedio ofensivo de .274.

Adrián Gómez (16), INF, Ciudad Habana. Actualmente el torpedero se halla en Tampa, en el estado de Florida, persiguiendo el sueño de la Major League Baseball. «Estoy entrenando y preparándome para firmar en el próximo draft. Mis preparadores son Ángel López y Yobal Dueñas», expresó para este libro.

Rigoberto Gómez (25), C/2B, Metropolitanos/Isla de la Juventud, Liga Norte de México. Emigró hacia México buscando una oportunidad en su carrera. En 2017 participó con los Centinelas de Mexicali en la Liga Norte de México y en 12 partidos promedió .298/.346/.402, con 3 dobles y 1 triple. No pudo continuar pues salió de la ciudad a realizar un *tryout* y su representante y la gerencia del equipo entraron en discordia, hasta que lo dejaron en libertad. Por otro lado, el agente tampoco concretó su firma con la organización de Major League Baseball que estaba interesada. «No se concretó mi firma por algo parecido, cosas que no dependen de uno pues un equipo llegó a ofrecer y no estuvieron de acuerdo con el precio», expresó para este libro.

Carlos Gómez Roque* (20), OF, Matanzas. Emigró hacia República Dominicana y el tiempo fallido que pasó allí para pasar al profesionalismo lo llevó de vuelta a Cuba. Se reincorporó a la 57 Serie Nacional (2017-2018) con los Cocodrilos de Matanzas.

Daniel González (14), INF, Ciudad Habana. El habilidoso y veloz infielder emigró de Cuba junto a su padre y entrenó en la Academia de Orlando Cabrera en Colombia. Ambos partieron rumbo a Estados Unidos, donde González iniciaría sus avatares en el nivel de High School. El capitalino contribuyó al campeonato estatal de Cottonwood High School de Salt Lake City y espera ávidamente firmar con una organización de Grandes Ligas mediante el draft.

Luis Enrique González (17), LHP, Santiago de Cuba. Salió de Cuba sin siquiera cumplir su etapa juvenil y en busca de una mejor suerte en República Dominicana. Tira cuatro pitcheos: la recta, la curva, la slider y el cambio. La recta le ha llegado hasta las 92 millas con solo 18 años y maneja sus envíos secundarios con destreza. Intenta mejorar cada día la localización. Firmó con Miami Marlins en el verano de 2019.

Luis González Azcuy* (20), OF, Camagüey. Después de 3 Series Nacionales con los Ganaderos de Camagüey (bateó .281 en 68 partidos), emigró hacia República Dominicana y aún no ha logrado su objetivo. Regresó a Cuba en 2019 y jugó la 59 Serie Nacional.

RICHARD GUASCH (18), RHP, Santiago de Cuba, Rookie: Oakland Athletics. Abandonó el equipo Cuba juvenil junto a su compañero Oscar Luis Martén en el Panamericano de la categoría en México. «Fueron cinco angustiosos meses por Centroamérica y sin entrenar», dijo para esta investigación. Reconoce que sus primeros meses en Dominicana fueron idílicos, pero con el paso del tiempo comenzaron las diferencias con los inversionistas dominicanos. Su agencia libre llegó en abril de 2018 y tres meses más tarde firmó con Oakland Athletics por un bono de 125 000 dólares. Ese mismo año impresionó en la Liga Dominicana de Verano con marca de 1-0, 1.16 de efectividad y 27 ponches en 23.1 innings.

ALEXANDER GUERRA (18), C, Granma, Rookie: Chicago Cubs. Estuvo entre los mejores receptores del país y representó a Cuba en el Campeonato Mundial Juvenil de Osaka, Japón, en 2015. Había debutado en la Serie Nacional con los Alazanes de Granma y era considerado uno de los receptores más talentosos del país. Fue atrapado en un primer intento de salida ilegal y suspendido. «Con mi intento de salida de Cuba me sancionaron seis meses sin poder ejercer ningún juego programado por la dirección de béisbol», dijo para esta investigación. Salió finamente de Cuba el 2 de abril de 2016 y se radicó en México. A poco más de cumplirse un año fuera de Cuba firmó un contrato con Chicago Cubs por 250 000 dólares. En el debut de ligas menores en 2018 cumplió las expectativas de cátcher ofensivo con .263/.353/.442, 16 dobles, 2 triples y 3 jonrones entre nivel Rookie y Clase-A corta.

LOURDES GURRIEL JR. (22), OF, Sancti Spíritus, Major League Baseball: Toronto Blue Jays. Integró el equipo

Cuba para el Campeonato Juvenil de Canadá, en 2010. «¡A qué pelotero no le gustaría jugar en la Gran Carpa! Todo el mundo sueña en llegar allí. Gracias a Dios estamos en una época de aperturas, de cambios. Ya por lo menos se está hablando y eso es una puerta más que se abre», dijo para esta investigación en octubre de 2015. En su caso la puerta fue abierta por él mismo cuando el 8 de febrero de 2016 en República Dominicana abandonó junto a su hermano Yulieski Gurriel el equipo de los Tigres de Ciego de Ávila, que representaba a Cuba en la Serie del Caribe. Meses más tarde firmó como agente libre sin restricciones un contrato de 7 años y 22 millones de dólares con Toronto Blue Jays. Le costó tiempo adaptarse al nivel del béisbol en Estados Unidos. En su primer año en las menores, y pese a ser el prospecto no. 73 según la revista *Baseball America*, promedió .229 de average, entre Clase-A avanzada y Doble-A. A finales de año registró 10 extrabases y .291 en la Liga Otoñal de Arizona. Entró a la temporada de 2018 sin lesiones y con promedio superior a .300 en Doble-A. El Yankee Stadium vio su debut en Grandes Ligas el 20 de abril, con 2 imparables y 3 carreras impulsadas. Gurriel Jr. protagonizó una de las historias más entretenidas del año 2018 en Major League Baseball, con un récord de 11 juegos consecutivos pegando 2 o más hits, tope de la franquicia para novato que rompió la anterior marca de 9, en poder de Tony Fernández. Se convirtió en el séptimo beisbolista desde 1900 con 11 partidos multihits y el primero desde el cubano *Tany* Pérez, en 1973. El 22 de septiembre Gurriel Jr. y su hermano Yulieski incluyeron sus nombres en la historia, por ser la primera pareja de hermanos que conectó dos jonrones cada uno en un mismo partido de Grandes Ligas.

YULIESKI GURRIEL (32), INF, Sancti Spíritus, Major League Baseball: Houston Astros. Fue uno de los mejores prospectos de Cuba desde edades tempranas. Su proyección se iba consolidando mientras participaba en el XX Campeonato Mundial Juvenil de Canadá, en 2002. Engrosó el roster del equipo que recuperó la medalla de oro en los Juegos Olímpicos de Atenas, en 2004. Además, estuvo en los tres primeros Clásicos Mundiales de Béisbol (en 2006, 2009 y 2013). El 8 de febrero de 2016 abandonó junto a su hermano Lourdes Gurriel Jr. el equipo de los Tigres de Ciego de Ávila en la Serie del Caribe de República Dominicana. Firmó por 47,5 millones de dólares y 5 años con Houston Astros y en su temporada de 2017 confirmó la veracidad de su talento bateando .299/.332/.486, 43 dobles, 1 triple y 18 jonrones. Ayudó en la consecución de la Serie Mundial de Astros ante Los Angeles Dodgers, con 2 cuadrangulares y 4 impulsadas. Él y su hermano conectaron 2 bambinazos per cápita el 22 de septiembre de 2018 y entraron así en la historia como la primera pareja de hermanos que lo conseguía en Grandes Ligas.

YUNIESKY GURRIEL (34), OF, Sancti Spíritus. Junto a sus hermanos Yulieski Gurriel y Lourdes Gurriel Jr. formó parte del único trío de hermanos que representó a Cuba en un torneo internacional, cuando los tres coincidieron en el Premier 12 de 2015. Dejó la Isla en 2016, meses después de conocerse el abandono de sus hermanos menores en la Serie del Caribe de República Dominicana. El mayor de los Gurriel fue líder de los bateadores de la Canadian-American Association en 2015, mientras representaba a los Quebec Capitales, con average de .374.

Osvanni Gutiérrez (16), RHP, Santiago de Cuba, Rookie: Los Angeles Dodgers. Tuvo una excelente temporada en el Campeonato Nacional sub-15 de 2016. Allí registró efectividad de 2.16, antes de marcharse a República Dominicana. Poseedor de una recta de 93 millas, además de lanzamientos secundarios de calidad, cautivó la atención de Los Angeles Dodgers y firmó por un bono de 600 000 dólares en 2018.

Ariel Hechevarría (22), INF, Ciudad Habana, Liga Paralela de Venezuela. Fue uno de los mejores bateadores de su categoría en Ciudad Habana antes de marcharse de Cuba, junto a Héctor Ponce. Se asentó en Venezuela y luego de dos años aún no ha logrado firmar contrato con un equipo de Grandes Ligas. En 2017 participó en la Liga Paralela, sistema de fincas donde se nutren los equipos de la Liga Profesional de Venezuela. Hizo el roster de los Navegantes del Magallanes, pero no jugó ningún encuentro. Sí disputó el Juego de Estrellas de la liga y pegó cuadrangular. «La etapa fuera de Cuba quizá no ha sido como me la esperaba; imaginaba todo un poco más fácil, pero al igual que en Cuba hay muchas cosas duras», dijo para esta investigación. Cambió de agente a finales de 2018, después de que Eddy Gustavo Frailes, el que lo representaba, rechazara ofertas con equipos de Grandes Ligas para buscar elevadas sumas de dinero, y luego de estafas de su contrato en la Liga Venezolana de Béisbol Profesional. Frailes no le devolvió a Hechavarría documentos vitales como el pasaporte, algo que se estila entre inversionistas y agentes para evitar que el beisbolista se marche con un rival.

Daysbel Hernández (19), RHP, Pinar del Río, Clase-A avanzada: Atlanta Braves. Después de una corta estancia en la Serie Nacional con los Vegueros de Pinar del Río, emigró por medio de una embarcación junto a Lázaro Oniel Almaguer y en 2017 firmó con Atlanta Braves por un bono de 190 000 dólares. Su primera temporada en las menores trascurrió entre Clase-A media y Clase-A avanzada con balance de 2-2, 4.50 de efectividad y 36 ponches en 38 innings.

Geovannys Hernández* (20), INF, Pinar del Río. Emprendió viaje a República Dominicana junto a Romario Yobal Dueñas y Joel Ricardo Pérez. El fornido infielder decidió regresar a Cuba luego de no esclarecerse su situación en Dominicana. Se insertó nuevamente en el béisbol de su provincia Pinar del Río.

Leonel Hernández (18), OF, Ciego de Ávila. Firmó contrato de liga menor con New York Yankees en octubre de 2018. Se convirtió así en el quinto cubano contratado por New York en el período de firmas internacionales de 2018-2019.

Osvaldo Hernández (18), LHP, Artemisa, Clase-A media: San Diego Padres. Participó en el Campeonato Panamericano sub-18 con el equipo Cuba. Lo avalaban sus números de 84 ponches en 68 entradas y efectividad de 0.92 en el último Campeonato Nacional sub-18 en la Isla. Asistió al Panamericano Juvenil en México a finales de año. Regresó a Cuba y se marchó dos días más tarde hacia República Dominicana con su coequipero Roberto Hernández. Firmó por un bono de 2,5 millones de dólares luego de atraer a los *scouts* en República Dominicana y en especial a los de San Diego Padres. En 2018 fue elegido Mejor Pitcher zurdo del Año en la Midwest League, Clase-A avanzada, con balance de 11-4, 1.81 de efectividad.

Reiniel Hernández (27), OF, Pinar del Río. El jardinero de Pinar del Río emigró a México para buscar un contrato de Grandes Ligas. Hasta el momento solo ha estado en circuitos semiprofesionales de México, como la Liga Estatal de Quintana Roo.

Roberto Hernández* (16), RHP, Sancti Spíritus, Rookie: Cleveland Indians. Salió con su padre por la vía legal hacia República Dominicana y en 2017 firmó un contrato de 320 000 dólares con Cleveland Indians. Asistió al Panamericano Juvenil en México a finales de año. Regresó a Cuba de ese Panamericano y dos días más tarde se marchó hacia República Dominicana con su coequipero Osvaldo Hernández. Impactó en la Liga Dominicana de Verano con 2-2, 2.36 de efectividad; así, fue uno de los mejores brazos de su categoría y se ganó una selección al Juego de las Estrellas de la liga nivel Rookie. En octubre de 2018 se convirtió en noticia de primera plana: abandonó su contrato con Cleveland Indians y retornó a Cuba, lo cual lo convirtió en el primer beisbolista desde la década de sesenta que dejaba un acuerdo profesional por regresar a la Isla. Según le afirmó a la periodista Elsa Ramos, regresó por la nostalgia de su familia y de su hijo de dos meses. Las autoridades de la Isla han convenido en reinsertarlo al béisbol. El espirituano no quiso dar declaraciones para esta investigación.

Kevin Infante Fonseca (19), 2B, Holguín, Rookie: Baltimore Orioles. Emigró hacia República Dominicana en diciembre de 2016. Llegó a un acuerdo con Baltimore Orioles por 175 000 dólares en octubre de 2018.

DAINEL JIMÉNEZ (20), RHP, Ciego de Ávila. Emigró de Cuba en enero de 2016 junto a su compañero Yandy Suárez, en una embarcación hasta República Dominicana.

ELEAZAR LAMI* (22), SS, Camagüey. El joven campocorto bateó .206 en 3 Series Nacionales con los Ganaderos de Camagüey, entre 2013 y 2015. Se movió a República Dominicana para intentar un contrato de Grandes Ligas, aunque regresó a Cuba en 2017 sin el objetivo cumplido.

LÁZARO LEAL (20), OF/2B, Pinar del Río, Liga Norte de México. El pinareño ha jugado las 2 últimas temporadas en la Liga Norte de México. «Llegar a firmar en una organización de Grandes Ligas o jugar en la Liga Profesional Mexicana serían sueños hechos realidad», dijo para esta investigación en 2017. En diciembre de 2018 acordó un pacto de liga menor con Chicago White Sox.

REINIER LLANES (28), OF, Isla de la Juventud. En 10 Series Nacionales con los Piratas de Isla de la Juventud bateó .246, 61 dobles, 14 triples y 20 cuadrangulares. Salió de Cuba el 25 de agosto de 2016 en una embarcación, junto a Aleski Perera. No pudo insertarse en el béisbol profesional.

JOSÉ ÁNGEL LÓPEZ (18), RHP, Ciudad Habana. Partió de Cuba el 14 de octubre de 2016 buscando llegar a Grandes Ligas. Actualmente se encuentra en Estados Unidos intentando entrar al draft y hacerse profesional por esa vía.

DORVIS LORNET NAVARRO (15), RHP, Isla de la Juventud. Integró la preselección del equipo Cuba sub-15 que se proclamó campeón mundial en 2015. El zurdo de Isla de la Juventud se halla en República Dominicana.

OSCAR LUIS MARTÉN (18), OF, Santiago de Cuba. Junto a Richard Guasch, recibió llamadas de unos cazatalentos de República Dominicana interesados en sacarlo de Cuba. Ambos decidieron quedarse en México, mientras se desarrollaba el Panamericano Juvenil en octubre de 2016. Luego de abandonar el equipo estuvieron una noche en Saltillo y de allí partieron hacia la capital, donde pasaron tres meses. Atravesaron Guatemala, El Salvador y Panamá, hasta llegar a República Dominicana. Los documentos se les demoraron casi dos años. Martén firmó a principios de 2019 un contrato de liga menor con Houston Astros.

YIMY MARTÍNEZ (18), OF/1B, Ciudad Habana. Emigró a México en 2016. No ha firmado con ninguna franquicia de Grandes Ligas.

EDGAR MARTÍNEZ PALMERO (15), RHP, Ciudad Habana, Rookie: San Diego Padres. En julio de 2017 firmó contrato con la organización de San Diego Padres por un bono de 300 000 dólares. Lanzó para 2-2, 2.01 de efectividad en la Liga Dominicana de Verano, nivel Rookie, en la temporada de 2018.

YANKIEL MAURI* (20), RHP, Sancti Spíritus. Tiró en 2 Series Nacionales con los Gallos de Sancti Spíritus con marca de 4-9, 4.19 de efectividad. El espigado lanzador derecho salió de Cuba el 22 de mayo de 2016 en una embarcación desde Baracoa, en la parte oriental de Cuba. Luego de arribar a Haití se ubicó en República Dominicana. Según cree, el agente que tenía le malogró un contrato con Boston Red Sox, pues solicitó más dinero del que se ofrecía. En 2019 regresó a Cuba para reinsertarse en el béisbol de la Isla.

LUIS ALBERTO MEDINA (19), SS, Artemisa. Integró el equipo Cuba sub-15 para el Campeonato Panamericano de Colombia, en 2013. Allí sobresalió por sus habilidades con el bate y el guante. No obstante, su salto al primer nivel (la 55 Serie Nacional) fue más que complejo con los Cazadores de Artemisa, cuando bateó .147 en 43 encuentros. Decidió emigrar en 2016 y tras asentarse en México ha jugado algunos torneos como la Liga Estatal de Quintana Roo. No ha logrado firmar con organizaciones de Major League Baseball.

Yoandri Medina (18), CF, Ciudad Habana. Salió rumbo a Colombia y tiempo después se movió a República Dominicana, a la expectativa de una oportunidad en el profesionalismo.

Héctor Mendoza (22), RHP, Isla de la Juventud, Triple-A: St. Louis Cardinals. Ayudó en la consecución de la Serie del Caribe en 2015, donde lanzó para los Vegueros de Pinar del Río. Se encontraba cumpliendo contrato en Japón con Yomiuri Giants cuando decidió seguir su camino hacia el béisbol de Estados Unidos y dejar atrás el país asiático. Se radicó en República Dominicana hasta firmar un contrato de 500 000 dólares con St. Louis Cardinals. Luego de una inestable campaña de 2017, con balance de 0-6, 5.54 de efectividad entre Rookie y Clase-A avanzada, recibió una invitación de para los entrenamientos de primavera, como invitado fuera del roster de 40. Fue ubicado en el nivel Doble-A, Springfield Cardinals, y pese a un excelente inicio sus números cayeron cuando no pudo superar el nivel Triple-A y registró 4-4, 5.10 de efectividad entre ambos niveles en 2018.

Luis Robert Moirán (20), OF, Ciego de Ávila, Clase-A avanzada: Chicago White Sox. Es uno de los mejores talentos de su generación en Cuba, con participación en dos

Campeonatos Mundiales de la categoría juvenil: uno en Taiwán en 2013 y el último en Japón en 2015. Luego de que su equipo, los Tigres de Ciego de Ávila, ganara el campeonato en 2015, Moirán no fue incluido en la nómina que viajó a la Serie del Caribe en República Dominicana en 2016, pues su mánager, Roger Machado, esgrimió que el jardinero no había sido titular. En cambio, meses después Moirán integró el equipo Cuba para el torneo de la Canadian-American Association. A finales de año rompió todo tipo de lazos con el béisbol cubano y arribó a Dominicana en la búsqueda de un contrato profesional. Era el mejor prospecto que dejaba la Isla desde Yoan Moncada en 2014. Chicago White Sox lo firmó por 26 millones de dólares en el último período de firmas internacionales, antes del Convenio Laboral de 2017 (que restringía las firmas internacionales a un tope inferior a los 6 millones). El avileño fue invitado a los entrenamientos de primavera en 2018 con el equipo grande, pero su participación se interrumpió luego de una lesión en el pulgar de su mano izquierda. A su regreso fue asignado a las menores y promedió un intermitente .269/.333/.360, 11 dobles y 3 triples, con 52 preocupantes ponches en 50 partidos. En la Liga Otoñal de Arizona con Glendale Desert Dogs bateó .324, 2 dobles y 2 jonrones, además de 10 empujadas. Resultó elegido entre las estrellas del certamen de prospectos más desarrollado en la Major League Baseball.

GERSON MOLINA (19), INF, Ciego de Ávila. Acordó contrato de 175 000 dólares con New York Mets en el verano de 2018. El utility avileño se estableció en República Dominicana desde su salida de Cuba y pudo atrapar la atención de una organización de Grandes Ligas.

Kevin Moreno (16), INF, Artemisa, Rookie: Chicago Cubs. Integró en cinco ocasiones la preselección del equipo nacional en categorías de menores y nunca hizo el grado. En febrero de 2018 acordó por un bono de 35 000 dólares con Chicago Cubs. Fue asignado al nivel Rookie y en 9 partidos solo bateó para .150 (3 hits en 20 turnos).

Juan Carlos Negret (17), OF, Guantánamo, Rookie: Kansas City Royals. Había pactado inicialmente con Atlanta Braves por 1 millón de dólares, pero el trato se suspendió luego de que Major League Baseball detectara violaciones en el mercado de firmas internacionales. Tras el percance, Kansas City Royals negoció un nuevo contrato con el cubano, quien en su primera temporada en Burlington Royals, nivel Rookie, bateó .224 y 9 jonrones, con 60 ponches en 54 encuentros.

Yorlenis Noa (21), LHP, Guantánamo, Rookie: Oakland Athletics. Lanzó con los Indios de Guantánamo las Series Nacionales 54 y 55, con efímera participación. Luego emigró para buscar un camino que lo ligara al béisbol profesional. El zurdo pactó con Oakland Athletics en 2018 y en su primera campaña profesional registró 0-1, 1.04 de efectividad, 48 ponches en 52 entradas, y average oponente de .166 en la Liga Dominicana de Verano.

Malcom Núñez (15), INF, Ciudad Habana, Rookie: St. Louis Cardinals. Fue una de las piezas esenciales en la consecución del Campeonato Mundial sub-15 en Osaka, Japón, en 2016. Firmó un contrato de 300 000 dólares con St. Louis Cardinals luego de ser considerado uno de los mejores bateadores de su edad en todo el béisbol. Apodado el Animal, masacró la Liga Dominicana de Verano con 13 jonrones, .415 de average y 59 impulsadas; ganó la Triple Corona de la liga en su año de debut.

MARIANO ROMNY O'FARRILL (21), RHP, Ciudad Habana. Estuvo en todas las categorías del sistema del béisbol cubano. Integró tres preselecciones del equipo Industriales pero se fue a Matanzas para debutar en Series Nacionales. «Cuando estaba a punto del debut, en un bullpen en el estadio Latinoamericano me contactaron las personas que finalmente me sacaron del país», dijo para esta investigación. Salió de Cuba en enero de 2016. Su vuelo comercial hizo escala en Panamá. Desde allí continuó hacia Haití y en lo que esperaba el trámite para una visa para México esperó un mes y 15 días alojado en un hotel. Una vez en territorio mexicano fue movido por los inversionistas hasta Veracruz. Entrenó cuatro meses en ese lugar sin presentarse ante algún *scout*. «Llegó el día en que los inversionistas hablaron con nosotros que se habían quedado sin dinero», expresó para esta investigación. Sin amparo en un país desconocido, el lanzador se enamoró en la localidad de Monterrey, donde estuvo cuatro meses. Cruzó la frontera de Estados Unidos y empezó a entrenar en New York. Lo contactó un agente y actualmente se encuentra en vísperas de firmar un contrato profesional.

HANSEL OTAMENDI (14), CF, Ciudad Habana. El jardinero se tituló en el Mundial de la categoría sub-15 en Osaka, Japón, en 2016. En marzo de 2019 acordó con St. Louis Cardinals por 170 000 dólares de bono.

ANDY PAGÉS (17), OF, Pinar del Río, Rookie: Los Angeles Dodgers. Firmó con Los Angeles Dodgers por 300 000 dólares en República Dominicana. Pegó 10 jonrones y bateó .229

en su primera temporada de ligas menores, en nivel Rookie.

DARIAN PALMA* (14), OF, Granma. Fue el torpedero titular en el Campeonato Mundial sub-15 de Osaka, en Japón, cuando Cuba se proclamó campeón en 2016. El granmense promedió .324 de average. A su paso por República Dominicana ninguna franquicia de Grandes Ligas le dio un contrato profesional y decidió retornar a la Isla.

RUBÉN PAZ (21), OF, Las Tunas, Liga Meridiana, México. Rompió marca de average para novatos con .361 en su debut con los Leñadores de Las Tunas en Series Nacionales. Iba a ser nombrado el Novato del Año, pero al conocerse de su salida legal hacia México la dirección nacional del béisbol no le entregó dicho premio. «Yo rendí más que muchos jardineros y no me llevaron al equipo Cuba, ni al Juego de las Estrellas, por motivos como ese me decepcionaron y por eso tomé la decisión», dijo para esta investigación. En 2017, una firma de liga menor con Cincinnati Reds se malogró; mientras tanto, Paz prosigue su camino en México a la espera de naturalizarse y debutar en el primer nivel del béisbol azteca.

RICHARD PEÑA (17), OF, Camagüey. Salió de Cuba el 16 de septiembre de 2016 junto a su compañero de provincia Damián Contreras. Integró todas las categorías en su localidad de Camagüey y estuvo en preselecciones de equipos Cuba. Tanto él como Contreras se asentaron en Venezuela de manera legal. Se encuentran entrenando para firmar un contrato con algún equipo de Grandes Ligas.

JUAN XAVIER PEÑALVER* (22), RHP, Industriales. Apareció en 2 Series Nacionales con los Leones de Industriales (5-6, 3.56 de efectividad) antes de buscar un futuro en el béisbol profesional. El veloz derecho no se mantuvo por más de un año en República Dominicana y regresó voluntariamente hacia Cuba. Se incorporó a las filas de Industriales en 2017.

Yosvany Peraza (37), C, Pinar del Río, Serie A2: Liga de Béisbol Italiana. Fue un slugger prodigio desde su irrupción en el béisbol. Participó en los Campeonatos Mundiales Juveniles de 1996 y 1997, año donde logró la Triple Corona. Integró los equipos Cuba para Campeonatos del Mundo de mayores y para dos Clásicos Mundiales en 2009 y 2013. En 18 temporadas con los Vegueros de Pinar del Río pegó 249 jonrones y en su última Serie Nacional fue separado por una supuesta acusación de tráfico de peloteros. Entonces fue suspendido indefinidamente del béisbol en Cuba y no le quedó otra opción que mantener su carrera en el exterior. Acordó 3 temporadas con Castenaso, equipo de la Serie A2 de Italia. En 2016 impactó en el circuito como líder de los bateadores con .489 de average, 6 dobles, 5 jonrones y 21 impulsadas. El corpulento bateador gozó de una buena campaña en 2018, cuando promedió .336 de average, 8 vuelacercas (fue segundo de la liga) y 30 impulsadas. Es reconocido como uno de los bateadores de más fuerza en toda la historia del béisbol cubano.

Aleski Perera (29), RHP, Isla de la Juventud. Salió de Cuba el 25 de agosto de 2016 por la vía ilegal, junto a Reinier Llanes. Llegó a Estados Unidos. Pese a una experiencia de 8 Series Nacionales con los Piratas de Isla de la Juventud, no logró jugar en el béisbol profesional, en parte porque arrastraba desde Cuba una lesión en su brazo de lanzar.

Jaime Pérez (16), OF, Villa Clara, Rookie: Los Angeles Dodgers. En mayo de 2017 acordó un contrato de 200 000 dólares con Los Angeles Dodgers. Tuvo problemas en su primera temporada en la Liga Dominicana de Verano, donde promedió .207 con 8 extrabases; pero en 2018 levantó su rendimiento a .275, 9 dobles, 3 triples y 6 jonrones.

JEFFREY PÉREZ (19), SS/2B, Ciudad Habana, Liga Meridiana, México. Salió de Cuba por la vía legal y se incorporó a torneos semiprofesionales en México, como la Liga Meridiana de Invierno con los Senadores de la Morelos.

JOEL RICARDO PÉREZ* (21), 1B/3B, Pinar del Río. Integró la preselección juvenil del equipo Cuba, antes de intentar firmar con una organización de Grandes Ligas. Estuvo en Dominicana siete meses junto a Romario Yobal Dueñas y Geovannys Hernández, pero luego regresó a Cuba.

DAGNER PINTO (22), C, Mayabeque. Receptor de reemplazo de los Huracanes de Mayabeque durante 3 temporadas en Cuba y con .250 de average en 39 encuentros. Planeaba jugar en el béisbol de Panamá, país por el que pasó a su salida de Cuba en febrero de 2016. El cátcher no logró el sueño del profesionalismo.

YUNIOR PIÑEIRO (16), LHP, Ciudad Habana. Se fue de Cuba el 27 de julio de 2016 rumbo a República Dominicana. «Estoy ahora en Dominicana preparándome para firmar y jugar en Grandes Ligas, que es el sueño de todo pelotero», dijo para esta investigación en febrero de 2017.

JAIRO POMARES (17), OF, Sancti Spíritus, Rookie: San Francisco Giants. El espirituano firmó con San Francisco Giants por un bono de 975 000 dólares en la apertura del mercado de firmas internacionales en 2018.

HÉCTOR PONCE* (24), RHP, Industriales. Salió de Cuba junto a Ariel Hechevarría, pero decidió regresar y reincorporarse a los Leones de Industriales en la 58 Serie Nacional.

Lazaro Livey Ramírez (23), OF, Villa Clara, Liga Norte de México. Fue integrante del equipo Cuba para el Campeonato Mundial Juvenil de Canadá, en 2010. El 23 de junio de 2016 será un día que siempre recordará, pues cambió en un segundo la ilusión por la realidad: ese día abandonó el equipo Cuba que participaba en New Jersey en la Canadian-American Association (Liga Independiente), en calidad invitado. «Fue una decisión que tomé estando fuera de Cuba», dijo para esta investigación. «Me salí de la tienda. Caminé hacia el parqueo y me monté en el auto que me esperaba. Ahí sí ya me puse bien nervioso, pero la verdad no pudiera decirte en qué pensaba», agregó. Se subió en un auto rumbo a Miami. Algunas organizaciones se interesaron por verlo, pero enfrentó problemas con los documentos legales. Promedió .337/.370/.438, 11 dobles y 2 jonrones en la Liga Norte de México con los Tiburones de Puerto Peñasco.

Pedro Reyes (19), RHP, Ciudad Habana. Pasó por todas las categorías del béisbol en Cuba hasta su último año juvenil. Salió de la Isla en febrero de 2016. Estuvo dentro de un grupo de peloteros cubanos en México, junto a Jorge Félix Sabio, Dayán González y Yusniel Aguilar. Tras entrar a territorio de Estados Unidos se incorporó al sistema del béisbol colegial en Miami, Florida, donde lanzó para Miami-Dade College. No fue elegido por ninguna organización en el draft de 2018.

Julio Robaina (15), LHP, Artemisa, Rookie: Houston Astros. Antes de salir de Cuba, asistió al XI Mundialito Criollitos en Venezuela, en 2011, y al Panamericano sub-15 de Aguascalientes, México, en 2015. El nacido en San

Antonio de los Baños, provincia de Artemisa, acordó con la franquicia de Houston Astros por 220 000 dólares. En su primera temporada en las ligas menores dejó balance de 0-4, 6.84 de efectividad. Los rivales solo le batearon para .224, pero su tendencia al descontrol afectó el rendimiento en su debut.

JULIO ENRIQUE ROMERO (16), OF, Ciego de Ávila, Rookie: Los Angeles Dodgers. Impresionó a los *scouts* por su velocidad (marcó hasta 6.2 en las 60 yardas), su brazo y contacto. Los Angeles Dodgers lo contrataron por un bono de 300 000 dólares. «Ya en Cuba no era lo mismo y entonces quise venir a jugar la mayor liga de béisbol del mundo. La Serie Nacional de Cuba ya no es igual», dijo para esta investigación.

LUIS MIGUEL ROMERO (22), RHP, Guantánamo, Doble-A: Oakland Athletics. Antes de emigrar a República Dominicana legalmente disputó 4 Series Nacionales con los Indios de Guantánamo. Firmó con Oakland Athletics un trato de liga menor por 300 000 dólares. En 2018 impactó con Stockton Ports en el nivel de Clase-A avanzada con 13 salvados y efectividad de 1.84. Fue ascendido a finales de campaña al nivel Doble-A.

YUSNIER ROSABAL* (22), OF, Ciudad Habana. Estuvo presente en el conjunto de Ciudad Habana que fue campeón nacional sub-23 en 2015. Tras esa experiencia se marchó de Cuba, como hicieron casi todos los integrantes de ese equipo (Jorge Oña, Josuán Hernández, Brando Delgado, Ariel Hechavarría y otros). Él y Yasnyer Garay estuvieron en República Dominicana alrededor de un mes y medio. Tras ser apresada la persona que los sacó de Cuba –la cual estaba envuelta en el caso de la salida de los hermanos

Gurriel–, Rosabal y Garay debieron regresar a la Isla sin el anhelado contrato profesional.

JORGE FÉLIX SABIO (18), OF, Matanzas. Salió de Cuba junto a Jorge Castro y realizó varios intentos por firmar un contrato profesional durante su estancia en México. Allí participó en presentaciones ante *scouts*, pero no alcanzó ningún acuerdo.

RAÚL FELIPE SALGADO (20), C, Ciudad Habana. Emigró a México en 2016. No ha firmado con ninguna franquicia de Grandes Ligas.

ARLEYS SÁNCHEZ (33), LHP, Industriales, Serie A2: Liga de Béisbol Italiana. Surgió como prospecto zurdo y desde su debut impactó en la Liga Cubana con Industriales. Pese a las lesiones sufridas, integró el equipo Cuba para la Copa Mundial de 2007 y para el Mundial Universitario de 2010. Emigró legalmente hacia Italia y en 2019 lanzó con Bologna Athletics en la Serie A2 del béisbol italiano.

YOSIEL SERRANO (19), RHP, Santiago de Cuba. Integró el equipo Cuba para el Mundial Juvenil de Osaka, Japón, en 2015. El lanzador derecho se marchó de la Isla junto a su compañero en Santiago de Cuba David Rafael de la Tejera. En mayo de 2017 ya era agente libre. Firmó un contrato con Texas Rangers, pero en junio de 2018 fue suspendido por 72 partidos por violar el programa antidopaje de ligas menores.

MANUEL SIO VEGA (22), CF, Matanzas. El jardinero ha buscado en México el sueño profesional. «Nunca me interesó jugar en Cuba. Solo estuve en un Campeonato Nacional 13-14 y luego perdí un poco el estímulo. Ahora me estoy empleando a *full* nuevamente», dijo para esta investigación.

Rey Soria* (23), OF, Matanzas. El jardinero solo asistió en 13 oportunidades al bate en la 55 Serie Nacional con los Cocodrilos de Matanzas, donde tuvo average de .308. Luego decidió partir rumbo a Colombia legalmente. «Estoy buscando una firma acá en Colombia. Llevo dos meses aquí», expresó para esta investigación en enero de 2017. Más tarde regresó a Cuba.

Yaniel Sosa (28), RHP, Sancti Spíritus. Intentó firmar un contrato profesional desde que llegó a Estados Unidos. Pasó por el draft como agente libre internacional, pero probablemente debido a la edad ninguna franquicia lo eligió y decidió apartarse del béisbol organizado.

Adriel Sotolongo (18), C/INF, Ciudad Habana. Integró los equipos de Ciudad Habana desde la categoría 13-14 hasta edad juvenil. Participó en la preselección nacional 15-16. Actualmente se encuentra en República Dominicana a la espera de un contrato profesional.

Yandy Suárez (21), RHP, Ciego de Ávila. Lanzó en 2 Series Nacionales con los Tigres de Ciego de Ávila con registro de 1-0, 1.50 de efectividad en solo 12 entradas. Es un ejemplo de beisbolista que no esperaba acumular horas de vuelo en Series Nacionales. Fue sacado de Cuba en una embarcación en enero de 2016, junto a su compañero Dainel Jiménez.

Luis Enrique Suri (22), 2B, Santiago de Cuba. El infielder santiaguero lleva tres años en República Dominicana y no ha podido firmar contrato profesional.

David Rafael de la Tejera (19), OF, Santiago de Cuba. Abandonó Cuba en diciembre de 2016 y se asentó en República Dominicana, después de atravesar por todas las categorías en el sistema del béisbol en la Isla. Lo escoltó su compañero y lanzador Yosiel Serrano. Salió de Dominicana en 2018 y fue hasta Venezuela para buscar alguna oportunidad en el béisbol de ese país.

Francisco Tellería (24), OF, Cienfuegos. Partió de Cuba luego de 3 temporadas en el béisbol de la Isla con los Elefantes de Cienfuegos, para quienes bateó .242 y 8 jonrones. Hizo el proceso de la residencia en México, pero los documentos demoraron mucho y perdió algunas oportunidades de firmar un contrato profesional con organizaciones de Major League Baseball. El jardinero se trasladó a Estados Unidos, donde mantiene esperanzas de jugar a nivel profesional.

Jonathan Tellería (21), SS, Ciudad Habana, Liga Meridiana, México. Se asentó en México y en la primavera de 2017 estuvo en los entrenamientos de los Bravos de León de la Liga Mexicana de Béisbol. También entrenó con los Tigres de Quintana Roo. El prospecto no logró debutar en el primer nivel y en 2017 se movió a la Liga Meridiana de Invierno, circuito semiprofesional.

Leonardo Téllez (21), OF, Holguín. Disputó la 55 Serie Nacional con los Cachorros de Holguín y bateó .364 en 11 turnos a home. Se asentó en México, donde ha jugado varios torneos locales sin firmar con Major League Baseball o desempeñarse al máximo nivel en tierras aztecas.

Yanier Valdés (21), RHP, Industriales. Actuó como relevista en 2 Series Nacionales con los Leones de Industriales (2-4, 4.09 de efectividad), respaldado por una recta de 90 millas y una slider notable. Sin embargo, la progresión del lanzador derecho se apagó cuando se marchó por la vía legal hacia México. Aún espera por su oportunidad sin representantes ni agentes, para seguir batallando en el béisbol.

ALEXIS VARONA (18), INF, Ciudad Habana. Salió de la Isla el 3 de marzo de 2016 y se asentó en República Dominicana. Representó al equipo Cuba en las categorías sub-11 y sub-15. «Estuve en el Campeonato nacional juvenil, pero tú sabes que todo pelotero cubano quiere jugar en Grandes Ligas. Y tener una mejor vida y garantizar el futuro de la familia, que es lo principal», dijo para esta investigación. En marzo de 2018 aún esperaba el proceso de su residencia haitiana.

REYMUNDO VÁZQUEZ (32), RHP, Isla de la Juventud. Luego de lanzar por 6 temporadas con los Piratas de Isla de la Juventud en Cuba, emigró junto a su coequipero Jesús Reinaldo Amador el 9 de enero de 2016, sin conseguir jugar a nivel profesional.

JOSÉ VERRIER (19), OF, Matanzas, Rookie: Los Angeles Angels. Se radicó en Colombia, donde llamó la atención de los *scouts* de Anaheim. Firmó por un bono de 205 000 dólares con la franquicia de Los Angeles Angels. En 2018 debutó en las menores, nivel Rookie, donde dejó average de .219 y 11 extrabases.

HASUAN VIERA (20), INF/OF, Industriales, Clase-A corta: Texas Rangers. Integró el equipo Cuba sub-18 para el Panamericano de México en 2014. Fue campeón del II Campeonato Nacional sub-23 con Ciudad Habana, integrado por otras jóvenes promesas que decidieron emigrar. Disputó 2 Series Nacionales con los Leones de Industriales, sin adquirir el tiempo de juego necesario para su desarrollo. «Realmente nunca pensé que fuera tan difícil», dijo para esta investigación en referencia a una firma con una organización de Major League Baseball. «El mercado de nosotros los cubanos se ha visto claramente afectado y hemos sido varios los perjudicados, pero soy de los que piensa que, si te apasiona lo que haces, la fe y la confianza en uno mismo mantendrán vivos los enormes deseos de cumplir tus objetivos. Tuve que esperar mucho tiempo, pero con perseverancia, constancia y trabajo duro apareció la oportunidad», agregó tras firmar un contrato con Texas Rangers en 2018. Cuando fue asignado a Spokane Indians, sucursal de Rangers en Clase-A corta, el zurdo bateó .260/.360/.291, 4 dobles y 14 impulsadas.

YANDY YANES* (18), OF, Camagüey. Regresó a Cuba luego de casi dos años fuera de la Isla. En 2018 se incorporó a los Ganaderos de Camagüey en la 58 Serie Nacional de 2018.

CHRISTIAN ZAMORA (15), OF, Ciudad Habana, Rookie: Atlanta Braves. Integró la selección infantil de Cuba en 2011 con 10 años. Decidió buscar oportunidades en el exterior y lo consiguió al firmar contrato de liga menor con Atlanta Braves. Debutó en la Gulf Coast League, nivel Rookie, durante 2018, y bateó .139 en 30 partidos con 3 dobles y 2 cuadrangulares.

YANDIER ZAYAS (22), INF, Sancti Spíritus. Fue el cuarto bate del equipo Sancti Spíritus que obtuvo el subcampeonato en el II Campeonato Nacional sub-23, en 2015. Apareció en 2 Series Nacionales, aunque su participación fue escasa. El slugger salió de Cuba en enero de 2016. Según algunos reportes, había sido aprehendido por una salida ilegal en 2015. Hoy reside en Tampa, Estados Unidos, con el objetivo de firmar un contrato Major League Baseball.

2017

Yorkislandy Álvarez (17), SS, Artemisa. Abandonó el equipo Cuba sub-18 en la Liga Élite Junior de Quebec, durante el mes de julio de 2017. Fue acompañado por el receptor Pablo González. Ambos abandonaron en medio de la noche la residencia donde se encontraban en Montreal y se subieron a una camioneta. Permanecieron por más de seis meses en la región de Ontario, Canadá, y estuvieron bajo la supervisión del entrenador cubano Damián Blen, que había emigrado en los años noventa. El agente Gus Domínguez los representa. Viajaron de Canadá a Guyana, Nicaragua y Costa Rica, en donde entrenan con dos exbeisbolistas cubanos: Julio Villalón y Francisco Santiesteban, quienes residen en Costa Rica. En julio de 2018 Álvarez obtuvo su agencia libre y se movió a República Dominicana en busca de un sueño profesional. Firmó en 2019 con Baltimore Orioles.

Octavio Aulet Aguiar (16), 3B, Ciudad Habana. Representó al equipo de España en el Campeonato Europeo sub-18, de 2018. De España viajó a República Dominicana para buscar la firma con alguna organización de Grandes Ligas.

Heisell Baró (15), RHP, Pinar del Río, Rookie: Los Ángeles Dodgers. Era uno de los mejores lanzadores de la categoría 15-16 años en Cuba y es natural de una provincia con tradición de lanzadores: Pinar del Río. Había acordado con Los Angeles Dodgers tiempo antes de su firma y ahora promete llegar hasta el máximo nivel del béisbol y nutrirse como atleta en ligas menores. El contrato se oficializó en septiembre de 2015 por un bono de 50 000 dólares.

Sadiel Baró (13), OF, Pinar del Río.

Lester Benítez (18), OF, Pinar del Río, Rookie: Detroit Tigers. El pinareño acordó con Detroit Tigers por un bono de

150 000 dólares y consiguió el sueño que buscaba desde que salió de Cuba. El jardinero juega en las tres posiciones del outfield y es una mezcla de velocidad y contacto. «Nos vemos en las Grandes Ligas», dijo para esta investigación.

LEMAY BERNAL (18), INF, Ciudad Habana, Rookie: Chicago White Sox. Salió de Cuba y cumplió la ruta de Guyana a Trinidad y Tobago. Tuvo que regresar a la Isla luego de una prohibición de visas y en poco tiempo volvió directamente hacia Haití, cruzando la frontera de República Dominicana. Firmó con Chicago White Sox por un bono de 250 000 dólares en el período de firmas internacionales de 2018.

ALDAIR CANO* (23), RHP, Ciudad Habana. Integró la preselección de los Leones de Industriales en 2016. Se dirigió a Venezuela para buscar un contrato profesional que nunca llegó. El derecho de San Miguel del Padrón, en Ciudad Habana, terminó regresando a Cuba luego de un periplo por tierras venezolanas.

LUIS MANUEL CASTRO (23), RHP, Artemisa. Fue el primer pelotero que abandonó un equipo Cuba luego de la eliminación de la ley «pies secos, pies mojados» en enero de 2017. El abandono ocurrió durante la visita de la selección nacional al torneo de la Canadian-American Association en 2017. El derecho descolló en su última temporada con los Huracanes de Mayabeque, con marca de 5-3, 2.67 de efectividad.

YAUDIER CASTRO (20), OF, Granma. Emigró a República Dominicana en 2017. Es nacido en la provincia de Granma y desarrolló la mayor parte de su carrera en Las Tunas.

YUDELKIS CHIBÁS (22), RHP, Guantánamo. Estuvo en 2 Series Nacionales con los Indios de Guantánamo (4-5, 5.65

de efectividad) antes de emigrar de Cuba. Se asentó en México, donde no ha podido firmar un contrato Major League Baseball o lanzar en el primer nivel de ese país.

JONATHAN CRUZ (15), RHP, Ciudad Habana.

DEREK ESCOBAR (15), INF, Sancti Spíritus. El habilidoso jugador de cuadro llegó a un acuerdo con los Philadelphia Phillies en noviembre de 2018 por un bono de 150 000 dólares.

EDGAR ESCOBAR (20), RHP, Granma, Rookie: St. Louis Cardinals. Estableció su residencia en Uruguay y de allí viajó hacia Venezuela, donde fue observado por los *scouts* de St. Louis Cardinals. Firmó en mayo de 2018 y se incorporó inmediatamente al nivel de liga Rookie en las menores.

LÁZARO ALEJANDRO ESTRADA (18), RHP, Pinar del Río, Rookie: Toronto Blue Jays. El derecho firmó con Toronto Blue Jays por un bono de 30 000 dólares en febrero de 2018. «Para empezar este contrato está bien. Yo voy por más y luego en el futuro buscaré un bono más grande», dijo para este libro. Deslumbró en el nivel de la Liga Dominicana de Verano, con marca de 3-3, 2.06 de efectividad y 87 ponches en 70 entradas. Los rivales le batearon para .185.

YANQUIEL FERNÁNDEZ (15), OF, Ciudad Habana. Fue parte de un equipo Cuba sub-12 y luego de un tiempo en República Dominicana firmó con Colorado Rockies por una suma de 300 000 dólares.

ISMEL GÁLVEZ (28), OF/INF, Pinar del Río, Liga Alemana de Béisbol. Fue un jugador versátil en 6 Series Nacionales con los Vegueros de Pinar del Río, con los que bateó .242/335/323, 9 dobles, 1 triple y 4 jonrones. En diciembre de 2017 se marchó de Cuba por la vía legal hacia Alemania. Allí disputó varios encuentros en la German-Bundesliga con los Hamburg Stealers.

José Israel García (19), SS, Industriales, Clase-A media: Cincinnati Reds. Estuvo en el Campeonato Mundial Juvenil de Osaka, Japón, en 2015. El torpedero de excelentes atributos debutó con los Leones de Industriales en la 56 Serie Nacional de 2016-2017, con .306 de promedio y 2 dobles en 17 partidos. Sin haber sido muy extenso el proceso de la agencia libre después de emigrar, atrapó la atención de Cincinnati Reds, que lo firmaron por un bono de 5 163 400 dólares. En su temporada del debut en 2018 con Dayton Dragons en Clase-A media, el infielder de 6,2 pies dejó una línea ofensiva de .245/.290/.344, 22 dobles, 4 triples y 6 jonrones. Su punto débil estuvo en el escaso embasamiento (19 boletos) y en el hecho de que tuvo 112 ponches tomados en 125 encuentros.

Kevin José García (18), OF, Ciudad Habana. Destacó en las categorías inferiores de Ciudad Habana. Salió de Cuba el 14 de noviembre de 2017.

Sandro Gastón (15), C, Matanzas. Hermano de Sandy Gastón. El receptor de la provincia de Matanzas se encuentra en República Dominicana apto para buscar una firma en el próximo período de agentes libres internacionales del 2 de julio de 2019.

Sandy Gastón (16), RHP, Matanzas, Rookie: Tampa Bay Rays. Comenzó a cautivar en República Dominicana gracias a la gran velocidad de su recta por encima de las 95 millas. La franquicia de Tampa Bay Rays acordó en noviembre de 2018 un lujoso contrato de 2,6 millones de dólares por el derecho cubano.

Lekiam Gómez (18), LHP, Ciudad Habana. Es un zurdo que excede las 90 millas y que se asentó en Venezuela.

[2017 cont.]

Kevin González (22), OF, Matanzas. Después de 2 Series Nacionales en Cuba con los Cocodrilos de Matanzas, solo 30 turnos al bate y .200 de average, emigró de Cuba legalmente y se asentó en Colombia.

Pablo González (17), C, Villa Clara. Abandonó el equipo Cuba sub-18 en la Liga Élite Junior de Quebec durante el mes de julio de 2017. Fue acompañado por el torpedero Yorkislandy Álvarez. Ambos abandonaron en medio de la noche la residencia donde se encontraban en Montreal y se subieron a una camioneta. Permanecieron por más de seis meses en la región de Ontario y estuvieron bajo la supervisión del entrenador cubano Damián Blen, que había emigrado en los años noventa. El agente Gus Domínguez los representa. Viajaron de Canadá a Guyana, Nicaragua y Costa Rica, en donde entrenaron con dos exbeisbolistas cubanos: Julio Villalón y Francisco Santiesteban, quienes residen en Costa Rica. En julio de 2018 González se movió a República Dominicana.

Eliecer Griñán (21), OF, Ciego de Ávila. Fue elegido el Novato del Año de la 56 Serie Nacional con los Tigres de Ciego de Ávila. El prospecto bateó para .329/.395./485, 14 dobles, 4 triples y 7 jonrones en 3 temporadas. En el transcurso de 2017, antes de salir de Cuba, bateaba .309 de average en 19 juegos con 2 bambinazos y 5 impulsadas. Llegó a República Dominicana en octubre, mediante el procedimiento legal.

Raykel Guillermes (17), SS, Artemisa. Viajó hasta República Dominicana para intentar el sueño de llegar a Grandes Ligas. Se asentó en la ciudad de Bonao junto a un numeroso grupo de cubanos que han logrado firmar contratos profesionales.

Juan Carlos Hernández* (20), RHP, Artemisa. Integró el equipo Cuba sub-15 para el Campeonato Mundial de la categoría en Chihuahua, México, en 2012. En 2017 partió a Colombia legalmente y estuvo un mes intentando buscar un contrato profesional. Causó interés en algunos inversionistas y agentes. Sin embargo, regresó a Cuba y se reincorporó a su provincia de Artemisa. «No me convenció la manera en la que me hablaron. Me habían contado que estafaron a varios cubanos allá y quise regresar», dijo para este libro.

Rubén Hernández (22), RHP, Artemisa, División de Honor, España. Integró el equipo Cuba para el Campeonato Mundial Juvenil de Taiwán, en 2013. En 3 Series Nacionales lanzó para 1-3, 5.61 de efectividad con los Cazadores de Artemisa. El 23 de septiembre arribó a Estados Unidos legalmente y se fue al béisbol de España, en la División de Honor, con los Astros de Valencia durante 2018. Dejó balance de 7-1, 5.08 y 61 ponches en 62 entradas.

Denys Larrondo (14), RHP, Villa Clara, Rookie: New York Yankees. Es uno de los prospectos más aventajados de su clase. Emigró de Cuba en 2017 y un año más tarde firmó un contrato de 550 000 dólares con New York Yankees.

Eduardo León (20), RHP, Villa Clara. Lanzó en 2 Series Nacionales con los Leopardos de Villa Clara. En junio de 2017 las autoridades en la provincia cubana de Villa Clara informaron de la salida legal del lanzador hacia República Dominicana.

Elieser Llorente (15), LHP, Sancti Spíritus. Destacó en el Campeonato Nacional sub-15 con marca de 7-1, donde lanzó para Sancti Spíritus. Luego emprendió el viaje hacia República Dominicana en la búsqueda de lograr una firma profesional.

Henry Luis Llorente (18), 1B, Ciudad Habana. Se encuentra en República Dominicana. Ha participado en varias presentaciones y *tryouts*. Es representado por Action Sport Montreal, agencia que incorpora a beisbolistas y atletas de otros deportes y que radica en Quebec y Montreal, Canadá.

Danny Luaces* (21), OF, Camagüey. Estuvo en Uruguay junto a Lázaro Najarro, Ariel Yera, Karell Paz, entre otros. Regresó a Cuba e integró la nómina de su provincia Camagüey en la 58 Serie Nacional de 2018.

Roylan Machandi (16), INF, Isla de la Juventud. Firmó en 2019 con Houston Astros por 250 000 dólares tras dos años de estancia en República Dominicana.

Michael Mantecón (15), 2B, Artemisa. Integró el equipo Cuba de la categoría 11-12 que se coronó en el Campeonato Panamericano de Puerto Rico. Masacró a los lanzadores de su edad con promedios por encima de .350 antes de salir de Cuba. En marzo de 2019 firmó un acuerdo con Baltimore Orioles.

Kevin Marrero (15), INF/RHP, Sancti Spíritus. Firmó contrato con Minnesota Twins por un bono de 50 000 dólares en el verano de 2019.

Julio Pablo Martínez (21), OF, Guantánamo, Clase-A corta: Texas Rangers. Abandonó el béisbol cubano mientras cumplía un contrato con las Aigles de Trois-Rivieres de la Canadian-American Association (Liga Independiente), en agosto de 2017. Fue perseguido por más de quince *scouts*, agentes, buscones o inversionistas. Finalmente, el 13 de agosto de 2017 decidió desligarse de su contrato y buscó su firma con una franquicia de Grandes Ligas desde

República Dominicana. La organización de Texas Rangers le otorgó un bono de 2,8 millones. Asignado a Spokane Indians, en Clase-A corta, el jardinero acumuló línea ofensiva de .252/.351/.436, 9 dobles, 5 triples y 8 jonrones. Luego mejoró en la Liga Otoñal de Arizona a finales de 2018. Allí bateó .327 con 7 extrabases y 6 impulsadas.

Luis Vicente Mateo* (21), OF, Cienfuegos. Integró el equipo Cuba para el Campeonato Panamericano sub-18 en México, en 2014. Salió de Cuba legalmente después de batear .302, 5 dobles y 3 jonrones en la 55 Serie Nacional con los Elefantes de Cienfuegos. Estuvo unos meses en Uruguay y luego fue trasladado a Venezuela. Fue declarado agente libre en noviembre de 2017 junto a Lekiam Gómez, Edgar Escobar y Yunier Castillo, quienes se encontraban también en Venezuela. Allí engrosó las filas de las Águilas del Zulia, equipo de la Liga Profesional de ese país, pero nunca fue ascendido al primer equipo. Mientras, se mantuvo jugando en la Liga Paralela, especie de Triple-A de Venezuela. «Los Dodgers me quieren firmar, pero no te puedo decir cuánto están ofreciendo. Ellos están en Dominicana y vienen la semana que viene a verme», dijo el infielder para esta investigación en febrero de 2018. Sin embargo, ese año regresó a Cuba.

Ramón Mojena (22), SS, Granma. Participó en el Campeonato Nacional sub-23 con su provincia de Granma. Emigró de Cuba y se instaló en República Dominicana.

David Monzón* (16), LHP, Matanzas. El lanzador zurdo salió de Cuba en marzo de 2017 cuando aún no terminaba su edad juvenil. Fue declarado agente libre en diciembre de 2017. «Hay muchos equipos interesados y preguntando por mí, pero todavía nada», dijo para esta investigación.

Sin embargo, luego de cinco meses en Uruguay y siete en Venezuela, la situación no parecía muy convincente: «Regresé porque ya llevaba un año y dos meses fuera y no vi nada de firmar y me iban a dejar jugar aquí [en Cuba] y quise virar», aseguró en diciembre de 2018.

LÁZARO NAJARRO* (19), LHP, Cienfuegos. El lanzador zurdo formó parte del equipo Cuba para el Campeonato Mundial Juvenil de 2015 en Osaka, Japón. Tuvo una esporádica experiencia en la 55 Serie Nacional con los Elefantes de Cienfuegos, con un balance de 1-1, 9.49 de efectividad. Se involucró en un éxodo que lo llevó a Uruguay. Atravesó por lesiones y problemas con los inversionistas, por lo que decidió regresar a Cuba en diciembre de 2017.

KARELL PAZ (18), OF, Ciego de Ávila. En abril de 2017 partió de Cuba y se ubicó junto a un grupo de beisbolistas en Uruguay. Estaba junto a Lázaro Najarro, Ariel Yera y Danny Luaces, entre otros. Se movió a República Dominicana en 2018.

RAMÓN PEÑA (28), INF, Industriales, Liga Norte de México. Fue lanzador en Cuba con los Leones de Industriales en 2 Series Nacionales (2-1, 3.61 de efectividad). Salió de Cuba legalmente el 22 de mayo de 2017 y se incorporó a la Liga Norte de México, especie de Triple-A del primer nivel en el territorio azteca. Se empleó como jugador de campo con los Algodoneros de San Luis, en la Liga del Norte de México. En 2018 se mantuvo en la misma liga, aunque cambió a los Indios de Tecate, con quienes bateó .320, 7 dobles, 2 jonrones y 21 impulsadas en 57 juegos.

BRAMDON PÉREZ (17), OF, Ciudad Habana, Rookie: Boston Red Sox. Firmó con Boston Red Sox en la ronda 32 (selección 970) del draft amateur de 2018, por un bono de 80 000 dólares. Un año antes había salido de Cuba con la mente puesta en el profesionalismo. Jugó en Miami Beach High School y coronó sus expectativas en junio de 2018.

Frank Pérez (16), OF, Ciego de Ávila, Rookie: Houston Astros. Estuvo en la preselección del equipo cubano para el Mundial sub-15 del año 2016. A última hora lo cortaron del roster final. A un día de salir hacia Panamá y luego hacia Japón, fue informado de que no estaba en ese equipo cubano que finalmente logró el campeonato. «Creo me consideraban un posible emigrante», explicó para esta investigación. Salió de Cuba muy joven, por lo que evadió el horizonte del béisbol cubano: no creyó en la Serie Nacional, ni en madurar en la Isla, ni en hacer el equipo nacional. Solo buscaba la oportunidad del profesionalismo. El avileño realizó su deseo la primera semana de julio de 2018, tras un acuerdo con Houston Astros por un bono de 275 000 dólares. «Es muy difícil dejar a la familia atrás, y mucho más si eres apegado, pero gracias a Dios cumplí mi primer sueño», agregó.

Leodanis Pérez (18), SS/OF, Ciego de Ávila. Transitó por el sistema del béisbol cubano y participó en el Panamericano de la categoría sub 15 en 2015. Capitaneó el equipo de Ciego de Ávila que impuso marca de victorias y 19 triunfos consecutivos en la categoría juvenil durante 2017. Eligió marcharse legalmente de Cuba para buscar un mejor futuro, y llegó a República Dominicana. A principios de 2019 firmó un pacto de 160 000 dólares de bono con Arizona Diamondbacks.

Maikol Pérez (17), OF, Villa Clara. Se marchó legalmente hacia México y entrenó en la academia del club profesional Cañeros de los Mochis.

[2017 cont.]

TOMÁS PÉREZ (16), RHP, Ciudad Habana. Nacido en Ciudad Habana. «No jugué pelota en Cuba. Comencé a jugar pelota aquí en República Dominicana», dijo el derecho para esta investigación.

BÁRBARO ALEJANDRO PIÑERO (18), OF, Isla de la Juventud. Se encuentra en República Dominicana.

MIGUEL PITA (21), OF, Granma. Salió de Cuba el 24 de agosto de 2017. Tras varias presentaciones ante *scouts* en República Dominicana, aún no ha firmado con ninguna organización de Major League Baseball.

LEROY PORTUONDO (21), INF, Ciudad Habana. Salió de Cuba legalmente y cuando no logró firmar se quedó residiendo en República Dominicana. Se dedicó a estudiar Lenguas Extranjeras en la Universidad APEC, en Santo Domingo. «No he pensado en la posibilidad de renunciar al béisbol. Por eso ingresé en el equipo de la universidad», dijo.

ANDY QUESADA* (16), RHP, Matanzas. Estuvo con el equipo Cuba en el Campeonato Mundial sub-15 en Japón, en 2015. En su primer intento por tocar el profesionalismo no tuvo los resultados esperados. El derecho regresó a Cuba y se incorporó a su categoría juvenil en su provincia de Matanzas.

BRYAN RAMOS (15), 3B, Ciudad Habana, Rookie: Chicago White Sox. Natural del municipio Diez de Octubre, en la capital de Cuba, el antesalista sobresalió en los torneos de su categoría, donde bateó .339 con 7 extrabases antes de emigrar a República Dominicana. Firmó con Chicago White Sox por un bono de 300 000 dólares en el período de firmas internacionales de julio de 2018.

DAYRON ALEXIS RIERA* (26), RHP, Guantánamo, Liga Norte de México. Se integró a la Liga Norte de México con los

Algodoneros de San Luis, pero no pudo permanecer por mucho tiempo. Dejó marca de 0-1, 7.20 de efectividad en 15 entradas. Regresó a Cuba tras no encontrar nuevas oportunidades y abrió el primer encuentro de su equipo, los Indios de Guantánamo, en la temporada de 2018.

José Miguel Rodríguez (17), RHP, Holguín. Salió de Cuba a finales de julio de 2017. Se encuentra actualmente en República Dominicana.

Julio César Rodríguez (17), RHP, Ciego de Ávila, Rookie: San Francisco Giants. Había sido el mejor pitcher del Campeonato Nacional sub-18 en Cuba, antes de marcharse de la Isla en 2017. Llegó a marcar 94 millas con su recta. San Francisco Giants le vio potencial de abridor y lo firmó por un bono de 300 000 dólares. Su debut profesional fue más que sólido en la Liga Dominicana de Verano de 2018, con balance de 3-1, 2.20 de efectividad y 15 ponches en 16.1 innings.

Osdany Rodríguez (15), RHP, Villa Clara. Fue el cerrador del Mundial sub-15 que se agenció Cuba en 2016. El lanzador derecho posee las condiciones necesarias para convertirse en profesional.

Osiel Rodríguez (15), RHP, Ciego de Ávila, Rookie: New York Yankees. Salió de Cuba a inicios de 2017, después de integrar el equipo Cuba sub-15, campeón del último Mundial de la categoría en Japón. Allí lanzó para 1.50 de efectividad en 2 aperturas con 14 ponches y 3 boletos. Comenzó a impresionar a los *scouts* en República Dominicana con una recta sostenida de hasta 97 millas. Acordó por 600 000 dólares con New York Yankees en el mercado de firmas internacionales de 2018.

Pedro Santos (17), RHP, Sancti Spíritus, Oakland Athletics. Salió hacia República Dominicana en septiembre de 2017.

El derecho firmó en octubre de 2018 un contrato con la organización de Oakland Athletics.

Johnny Southeran (15), OF, Guantánamo. Salió de Cuba en 2017 hacia República Dominicana para buscar el sueño de las Grandes Ligas. El veloz jardinero, natural de Guantánamo, mantiene las esperanzas de firmar un acuerdo más temprano que tarde.

Félix Stevens (17), OF, Ciudad Habana. A principios de 2019 el jardinero logró la firma profesional con los Chicago Cubs por un bono de 300 000 dólares.

Adrián Taboada (17), OF, Ciudad Habana. Hermano de Andy Taboada. El jardinero se encuentra en República Dominicana.

Andy Taboada (15), OF, Ciudad Habana. Emigró hacia República Dominicana tras descollar en el último Campeonato Nacional sub-15 de Cuba con Ciudad Habana. El jardinero todavía no ha logrado firmar con una organización de Grandes Ligas.

Yuri Torres (21), RHP, Granma. Torres estuvo en 3 Series Nacionales con los Alazanes de Granma antes de emigrar a República Dominicana. Ha participado en varios *tryouts* y presentaciones, y es representado por la agencia Action Sport Montreal.

Jorge Antonio Urguellés (16), OF, Isla de la Juventud. Fue un prospecto con condiciones atléticas desde edades tempranas. Se encuentra en República Dominicana y busca llegar pronto al profesionalismo.

Ernesto Valdés* (22), OF, Matanzas. Se asentó en Colombia junto a Kevin González y Sandy Menocal. Sin embargo, en 2018 decidió volver a Cuba, según aseveró uno de sus compañeros. Regresó parcialmente decepcionado.

Reinaldo Valdivia (21), INF, Ciego de Ávila.

Alfredo Valiente (18), RHP, Guantánamo, Liga Mexicana del Pacífico. Fue dado de alta en octubre de 2018 con los Cañeros de los Mochis en la Liga Mexicana del Pacífico. Pese a no registrar actuaciones, el derecho guantanamero presentó credenciales para imponerse en el béisbol profesional.

Alexander Vargas (15), INF, Matanzas. Firmó un contrato de 2,5 millones de dólares con New York Yankees en el período de contrataciones de agentes libres internacionales de 2018.

Yoelny Vera (25), OF, Guantánamo. Hermano de Yoelkis Vera. El guantanamero emigró de Cuba el 28 de junio de 2016. Alcanzó la residencia en República Dominicana y, tras una desafortunada experiencia de mal manejo de sus inversionistas, se movió hacia México buscando oportunidades en alguna liga del territorio azteca.

Carlos Verdecia (15), SS, Matanzas, Rookie: New York Yankees. A los 12 años ya integraba el equipo de Cuba que se proclamó campeón en el Panamericano de Puerto Rico. En marzo de 2017 salió de la Isla en tanto continuaba consolidándose su talento. Viajó a República Dominicana en compañía de sus padres, algo común en el caso de los beisbolistas menores de edad. «Antes de mí vinieron otros peloteros de mi edad y me hizo nacer la llama de pensar que yo podría firmar en este 2018», dijo para esta investigación. En octubre de 2018 se oficializó su contrato con New York Yankees, franquicia que le otorgó un bono de 325 000 dólares.

Ariel Yera (20), C, Cienfuegos. Fue uno de los dos receptores que representó a Cuba en el Campeonato Mundial

Juvenil de 2015 en Osaka, Japón. Emigró legalmente de Cuba luego de engrosar el roster de los Elefantes de Cienfuegos en la 55 Serie Nacional de 2016. El receptor fue parte de un grupo de peloteros que estuvo en Uruguay y que luego se dividió en dos partes: algunos fueron a Venezuela y otros a República Dominicana. El espigado Yera se trasladó a Quisqueya y firmó un acuerdo con New York Mets.

Raikel Zulueta (17), RHP, Isla de la Juventud. Se encuentra en República Dominicana.

2018

Luis Alarcón (16), OF, Granma.

Brian Alfonso (15), INF, Ciego de Ávila. Hijo de José Ramón Alfonso, antiguo jugador de la provincia de Ciego de Ávila. Se marchó junto a su padre a República Dominicana en busca de un contrato profesional.

Reidel Álvarez (32), OF, Pinar del Río, Liga Norte de México. Ganó 2 campeonatos en Cuba con los Vegueros de Pinar del Río. En 12 Series Nacionales bateó .274. Emigró a México legalmente a principios de 2018 y se incorporó al circuito de la Liga Norte de México con los Rojos de Caborca, donde bateó .143 en solo 6 encuentros.

Yoan Carlos Andrial (17), SS, Holguín. Integró el equipo Cuba que participó en el Campeonato Mundial Juvenil de Thunder Bay, Canadá, en 2017. En 6 turnos al bate no pudo conectar de hit. Emigró de Cuba por la vía legal y luego de una estancia en Haití llegó a República Dominicana.

Sandro Bargalló (17), LHP, Mayabeque. A mitad de 2018 salió de Cuba legalmente y se asentó en República Dominicana. Acordó con Miami Marlins por un bono de 200 000 dólares.

Jonathan Barrios (15), OF, Ciudad Habana.

Lester Beltrán (18), LHP, Ciudad Habana. Integró la nómina del equipo Cuba para el Campeonato Panamericano sub-15 en Aguascalientes, México, en 2015. Salió de la Isla en enero de 2018 hacia República Dominicana.

Greyson Bergery (18), SS, Ciudad Habana.

Víctor Boch (15), OF, Villa Clara. Salió legalmente de Cuba junto a su compañero de provincia, Carlos Crego. Ambos llegaron a República Dominicana horas antes de consumarse el pacto entre Cuba y Major League Baseball.

Ernesto Cabrera (16), OF, Ciudad Habana.

Yiddi Lázaro Cappé (16), INF, Ciudad Habana. Salió de Cuba legalmente a finales de 2018. Su facilidad en el campocorto, lo mismo a la defensa que con el bate en mano, lo deben hacer firmar con alguna organización de Major League Baseball.

Yan Carlos Cepero (17), INF, Ciudad Habana, División de Honor, España. Hijo del exjugador y entrenador de los equipos de la capital Carlos Cepero. Llegó a Viladecans como uno de los prospectos del futuro.

Javier Chacón (15) LHP Ciudad Habana.

Jans Bárbaro Chávez (22), INF, Matanzas. Salió legalmente de Cuba hacia Colombia, junto a Yan Alejandro Pérez, en la búsqueda del sueño de Grandes Ligas. «Ese es mi sueño y no pararé hasta lograrlo», dijo para esta investigación.

Yariel Companionis (16), OF, Ciego de Ávila. Se destacó como bateador en la categoría sub-15 de Cuba e integró varias preselecciones nacionales. En 2018 emigró para hacerse profesional en el futuro.

Carlos Crego (15), INF, Villa Clara. De la localidad de Caibarién, en la provincia de Villa Clara, salió legalmente de Cuba junto a su compañero Víctor Boch.

Oscar Delgado (19), RHP, Pinar del Río. Transitó por todas las categorías del béisbol en su provincia Pinar del Río. Antes de marcharse a Estados Unidos participó en el Campeonato Nacional Juvenil. El derecho buscará un contrato de Grandes Ligas, lo mismo desde el draft que como agente libre.

Dayron Durán (23), RHP, Matanzas. Estuvo con el equipo Cuba en su gira por la Canadian-American Association en junio de 2017. En esa campaña puso destacados números de 5-0, 2.58 de efectividad con los Cocodrilos de Matanzas. Luego de un periplo en Canadá, el derecho partió hacia República Dominicana para buscar el sueño de las Grandes Ligas.

Roy Echemendía (21), OF, Ciego de Ávila. Promedió .278/.350/.343, 4 dobles, 1 bambinazo y 13 impulsadas con los Tigres de Ciego de Ávila. Comenzó a prepararse en Miami junto al entrenador Ricardo Sosa.

Sixto Echemendía (17), C, Ciego de Ávila. Cátcher suplente del equipo Cuba sub-15 que se proclamó en el Mundial de la categoría en Japón, en 2016. No abandonó el país el mismo año de esa victoria, como muchos de sus compañeros, sino que esperó 24 meses más. «Me daba un poco de miedo y a la vez sentí nostalgia», dijo para este libro. Partió hacia República Dominicana el 6 de septiembre de 2018 junto a su compañero Alex Adán Hidalgo.

Juan Carlos Estrada (20), C, Santiago de Cuba. En noviembre de 2018 partió de Cuba hacia República Dominicana junto a su compañero de equipo Eric Marlon Serrano por la vía legal. Ambos habían participado en la 58 Serie

Nacional y Estrada tuvo 9 turnos con las Avispas de Santiago de Cuba y average de .333.

Yuliot Fabregat (16), INF, Ciego de Ávila. Llegó a República Dominicana en noviembre de 2018 a través de la vía legal.

Osmany Fleitas (16), SS, Matanzas. Firmó con Oakland Athletics en 2019.

Yadián Fumero (16), C, Ciudad Habana. Salió de Cuba en enero de 2018 y se asentó en República Dominicana, representado por Action Sport Montreal.

Alain González (18), INF, Las Tunas. Salió de Cuba en enero de 2018 y se asentó en República Dominicana, representado por Action Sport Montreal.

Maiko Govante (13), OF, Ciudad Habana. Posee un poder notable para su categoría. Perteneció a equipos nacionales desde los 10 años. Emigró de Cuba junto a Brandon Mayea, últimos (junto a Víctor Boch y Carlos Crego) en salir de la Isla luego del acuerdo de Major League Baseball con la Federación Cubana de Béisbol.

Diego Granado (21), RHP, Las Tunas. Fue relevista por 4 temporadas con los Leñadores de Las Tunas. El derecho emigró a principios de 2018 hacia República Dominicana para buscar el sueño de muchos beisbolistas: llegar a Grandes Ligas.

Sandry Hernández (15), INF, Ciego de Ávila. Estuvo en la preselección del equipo Cuba al Campeonato Mundial sub-15 de agosto, celebrado en Panamá. Firmó con Colorad Rockies por 120 000 dólares en el verano de 2019.

Alex Adán Hidalgo (17), INF, Ciego de Ávila. Fue líder de los bateadores en el Campeonato Nacional sub-15 de Cuba, en 2017. Emigró a República Dominicana, legalmente, en septiembre de 2018, junto a Sixto Echemendía.

[2018 cont.]

LIONAR KINDELÁN (21), INF, Santiago de Cuba. Hijo de Orestes Kindelán. El inicialista fue líder de jonrones (11) e impulsadas (45) en el último Campeonato Nacional sub-23. Realizó un viaje por vías legales hacia República Dominicana y mientras las autoridades cubanas afirmaban que se encontraba de visita en Quisqueya, el slugger cambió la dirección y se decidió a buscar una firma en Major League Baseball. «Estoy tranquilo, solo queda esforzarse y tener fe en Dios», dijo para esta investigación. El 30 de mayo recibió la agencia libre y ha estado preparándose y acudiendo a presentaciones, la mayoría en Miami, Estados Unidos, ante *scouts* de Grandes Ligas.

JULIO LEÓN (27), OF, Pinar del Río, Liga Norte de México. Emigró legalmente de Cuba a principios de 2018, para abrirse nuevas posibilidades en su carrera. Con los Vegueros de Pinar del Río, si bien participó en 5 Series Nacionales, no contó con el necesario juego cotidiano para establecerse en la liga. Debutó en la Liga Norte de México con los Rojos de Caborca y bateó .305, 4 dobles y 12 empujadas, antes de atravesar por una lesión.

JOSUÉ LOMBA (23), C, Ciudad Habana. Salió de Cuba el 4 de octubre de 2018. Durante 2018 integró la nómina de los Vegueros de Pinar del Río, aunque es nacido en Ciudad Habana.

LUIS MADRAZO (19), RHP, Las Tunas. Emigró hacia República Dominicana a finales de 2018. Ha tenido varias presentaciones ante *scouts* y generado interés para lograr una firma profesional.

JORGE WILLIAM MARCHECO (16), RHP, Granma. Integró la selección nacional para el Panamericano sub-15 de Cartagena de Indias, Colombia, en 2017. Se encuentra en República Dominicana, adonde llegó en el último trimestre de 2018.

Brandon Mayea (13), SS, Ciudad Habana. Fue elegido el Jugador Más Valioso del Campeonato Nacional sub-12 de 2017 con Ciudad Habana. Integró los equipos Cuba desde los 10 años. Junto a Maiko Govante y Víctor Boch, fue uno de los últimos beisbolistas que arribaron a República Dominicana luego del acuerdo entre la Isla y Major League Baseball, el 19 de diciembre de 2018.

Leam Méndez (18), RHP, Ciego de Ávila.

Patrick Meriño (20), C, Santiago de Cuba. Hijo de Rolando Meriño. Transitó por el sistema de béisbol de Cuba y llegó hasta la Serie Nacional con las Avispas de Santiago. Abandonó la Isla en agosto de 2018 y se asentó en República Dominicana. Firmó con Tampa Bay Rays por 375 000 dólares en 2019.

Víctor Mesa Jr. (16), OF, Matanzas, Rookie: Miami Marlins. Hijo de Víctor Mesa. Integró el equipo Cuba para el Mundial sub-15 de Osaka, Japón, en 2016. Allí se proclamó campeón. En 2017 asistió al Campeonato Mundial en Thunder Bay, Canadá, y bateó .320 con 1 doble. Salió de Cuba en mayo de 2018 junto a su hermano Víctor Víctor. El explosivo bateador zurdo y su hermano recibieron la agencia libre en septiembre y en octubre Víctor Mesa Jr. fue firmado por Miami Marlins, con un bono de 1 millón de dólares.

Víctor Víctor Mesa (21), OF, Matanzas/Industriales, Miami Marlins. Hijo de Víctor Mesa, uno de los mejores peloteros en la historia del béisbol en Cuba. Integró los equipos nacionales de Cuba en todas las categorías y participó en el Campeonato Mundial Juvenil de Taiwán en 2013 y en el

IV Clásico Mundial de Béisbol en 2017. En mayo de 2018 salió de Cuba con destino a Haití y se asentó en República Dominicana, donde la agencia libre no demoró mucho tiempo (algo común en los beisbolistas que tienen asegurados pactos millonarios). El 22 de octubre la organización de Miami Marlins oficializó la firma de los hermanos Mesa. Víctor Víctor pactó por un bono de 5,25 millones de dólares.

Lázaro Montes (15), INF, Ciudad Habana.

Bryan Montiel (18), INF, Ciudad Habana.

Cristian Jesús Moré (17), OF, Villa Clara. Se clasificó tercero entre los mejores bateadores del Campeonato Nacional Juvenil en 2018 con average de .374 y 1 cuadrangular. A mitad de año salió de Cuba y se asentó en República Dominicana. Bateador de contacto veloz, llamó rápidamente la atención de los Chicago Cubs, quienes le otorgaron un bono de 400 000 dólares a principios de 2019.

Yordan Nodal (15), LHP, Cienfuegos, Rookie: Houston Astros. Firmó un contrato con los Astros de Houston, luego una estancia de un año y dos meses en República Dominicana, adonde llegó legalmente.

José Amaury Noroña (21), OF, Matanzas. Fue integrante del equipo Cuba para el Campeonato Mundial Juvenil de Osaka, Japón, en 2015. El jardinero siempre fue considerado un prospecto del país en categorías inferiores, pero nunca obtuvo el tiempo de juego necesario con los Cocodrilos de Matanzas en la Serie Nacional. Emigró en agosto de 2018.

Cristian Onofre (16), SS, Holguín.

Joel David de Paula (20), RHP, Industriales. Brilló en el último Campeonato Nacional sub-23, con balance de 8-4,

1.13 de efectividad, unido a un juego sin hit ni carrera que lanzó en el torneo. Gozaba de una experiencia previa en Series Nacionales con los Leones de Industriales. En agosto de 2018 salió de la Isla para buscar un puesto en las Grandes Ligas.

Aniel Peña (17), RHP, Mayabeque. Abandonó el equipo Cuba en el Campeonato Panamericano sub-18 de Panamá, en noviembre de 2018.

Ernesto Peña (18), RHP, Sancti Spíritus. Salió de Cuba en abril de 2018. Actualmente se encuentra en República Dominicana.

Daniel Pérez (18), OF, Ciudad Habana. Representó al equipo de España en el Campeonato Europeo sub-18, de 2018. Luego participó en el Mundial de la categoría en 2019. Ha jugado con el F.C. Barcelona en la División de Honor de España.

Jairo Pérez (17), INF, Villa Clara. A principios de 2018 participó en el Campeonato Nacional Juvenil con Villa Clara. En agosto emprendió viaje a República Dominicana.

Yan Alejandro Pérez* (21), C, Matanzas. Salió de Cuba en compañía de Jans Bárbaro Chávez. Según este último, Pérez afrontó problemas familiares y decidió regresar a la Isla.

Leodan Ramírez (15), RHP, Guantánamo.

Raiko Ramírez (15), INF, Matanzas.

Kendry Yoelvis Rojas Fiss (15), OF, Ciego de Ávila.

Yendry Rojas Fiss (15), INF, Ciego de Ávila.

Yolbert Sánchez (21), SS, Industriales. Estuvo en el Mundial Juvenil de Osaka, Japón, en 2015. Era el torpedero titular de los Leones de Industriales hasta el momento de abandonar Cuba. Salió en una embarcación rumbo a México junto a su compañero Jorge Tartabull.

Raico Santos (24), OF, Granma. Primo de Roel Santos. En 2 ocasiones (2016 y 2017) fue campeón de Cuba con los Alazanes de Granma. Bateó .354 de promedio ofensivo en la primera etapa de la 57 Serie Nacional en 2017 y capturó 37 boletos (.489 de OBP). Su rendimiento no fue el mismo en la segunda etapa, al concentrarse más la calidad: .254, con 9 extrabases. Es un legítimo robador de bases: 9 en 11 intentos, y puede jugar los tres jardines. Fue dejado fuera del equipo Granma que representó a Cuba en la última Serie del Caribe; sin embargo, sí estuvo en el Pre-Mundial sub-23 de Panamá, celebrado en noviembre de 2017.

Emmanuel Sardiñas (15), OF, Matanzas.

Eric Marlon Serrano* (22), INF, Santiago de Cuba. En noviembre de 2018 partió de Cuba hacia República Dominicana junto a su compañero de equipo Juan Carlos Estrada por la vía legal. Ambos habían participado en la 58 Serie Nacional de Béisbol y Serrano presentó línea ofensiva de .263/.364/.491, 2 dobles, 1 triple y 3 cuadrangulares para las Avispas de Santiago de Cuba.

Luis Dariel Serrano (23), INF, Sancti Spíritus. Impactó con su poder en Series Nacionales cuando registró, con solo 20 años, 9 cuadrangulares y 27 impulsadas en 2015 para los Gallos de Sancti Spíritus. En un partido conectó 3 bambinazos. En 2016 ya estaba entre los 25 mejores prospectos de Cuba, aunque su progresión se vio interrumpida por una naciente enfermedad de epilepsia y por una sanción de dos años cuando las autoridades le impidieron su salida del país en enero de 2017. «En enero [de 2017] intenté salir legal del país con mi pasaporte y mi visa para que un amigo me ayudara con mi enfermedad, pero las autoridades me negaron la salida», dijo para esta investigación. La medida disciplinaria fue reducida y en 2018 volvió a los terrenos. Cuando promediaba .270, 6 dobles, 2 jonrones y 12 impulsadas quedó fuera del equipo debido a una indisciplina. Llegó a República Dominicana en octubre para finalmente intentar una firma profesional.

Ruben Soto (24), 1B, Isla de la Juventud. Salió de Cuba en julio de 2018 rumbo a Francia y desde el país europeo llegó hasta Haití, para luego ser cruzado por la frontera hacia República Dominicana.

Jorge Tartabull (25), OF, Isla de la Juventud/Industriales. El jardinero zurdo promediaba .372 en la temporada de 2017-2018. Salió de Cuba en una embarcación rumbo a México, junto a su compañero Yolbert Sánchez. Entre la espera de los trámites por la agencia libre y la residencia, se mantuvo activo en la Liga Meridiana de Invierno, circuito semiprofesional de México.

Javier Terán (18), LHP, Matanzas. El 21 de julio de 2018 emprendió un viaje legal hacia República Dominicana para intentar cumplir el sueño de firmar un contrato profesional y llegar algún día a Grandes Ligas.

Jorge Torres (23), LHP, Granma. Actuó como relevista para los Alazanes de Granma en 6 Series Nacionales. En 2018 decidió partir a República Dominicana en busca del sueño de la Major League Baseball.

Rolando Torres Pinto (18), INF, Artemisa.

Michel Triana (19), SS, Villa Clara. Integró el equipo Cuba que participó en el Campeonato Mundial Juvenil de Thunder Bay, Canadá, en 2017. Allí promedió .233, 2 dobles y 4 impulsadas. Antes, había salido a un torneo Criollitos en Venezuela y al Panamericano de México en 2016. El fornido jugador representaba el relevo en su provincia y era interés de la Comisión Nacional. Puede jugar la tercera base, además del campo corto y la inicial. En 24 turnos en la 57 Serie Nacional con Villa Clara, mostró una potencial estela de talento con .263 de average (19-5), 1 doble, 1 jonrón, 2 impulsadas y 5 boletos. En septiembre de 2018 partió de Cuba y se estableció en República Dominicana. Bajo la dirección del agente Carlos Paulino firmó un contrato de 1,3 millones de dólares con Cincinnati Reds.

VÍCTOR TRIANA (14), INF, Villa Clara.

DANNY ANDRÉS TURIÑO (18), INF, Ciego de Ávila. Emigró de Cuba en noviembre de 2018 por la vía legal y con destino a España. Piensa incursionar en el béisbol ibérico como trampolín para firmar un acuerdo con una organización de Grandes Ligas.

RONALD VALDÉS (18), C, Artemisa. El receptor de Bauta en la provincia de Artemisa registró su primera experiencia internacional con el equipo Cuba para el Campeonato Panamericano sub-15 en Aguascalientes, México, en 2015. Tres años después emigró a República Dominicana.

LUIS JAVIER VEGA (17), RHP, Matanzas. El lanzador matancero, dueño de una recta de 93 millas, fue contratado por Houston Astros en 2019.

YORKS VEITÍA (18), OF, Villa Clara. Se encontraba en Costa Rica junto a Yorkislandy Álvarez y Pablo González. A finales de 2018 se movieron a República Dominicana con el objetivo de encontrar mayores oportunidades de llegar al béisbol profesional.

YOSVER ZULUETA (20), RHP, Villa Clara. Fue elegido refuerzo de los Alazanes a la segunda fase de la 57 Serie Nacional en 2017, con quienes se proclamó campeón. Promediaba 1.96 de efectividad en la 58 Serie Nacional con los

Leopardos de Villa Clara. Presentaba balance de 4 victorias y 4 derrotas, pero los rivales solo le bateaban para .199. El veloz y prometedor derecho abandonó Cuba en octubre de 2018. Ha topado rectas de hasta 95 millas. Firmó contrato con Toronto Blue Jays en 2019.

Bibliografía consultada

ACKERMAN, HOLLY & JUAN M. CLARK: *The Cuban Balseros: Voyage of Uncertainty*, Policy Center of the Cuban American National Council, Miami, 1995.

ANDERSON, CURTIS: «Cuban Players: We Paid Thousands for Journey to US Baseball», Associated Press, February 14th, 2017, <https://www.usatoday.com/story/sports/mlb/2017/02/14/cuban-players-we-paid-thousands-for-journey-to-us-baseball/97909020/> [16-2-2019].

ALGER, TYSON: «Hillsboro Hops: From Cuba to Hillsboro, Perez-Ramos Has Sights on MLB», <https://www.oregonlive.com/hillsboro-hops/2013/08/hillsboro_hops_from_cuba_to_hi.html> [16-2-2019].

ALONSO, YONDER: «Letter to My Younger Self», <https://www.theplayerstribune.com/en-us/articles/yonder-alonso-athletics-letter-to-my-younger-self> [16-2-2019].

ÁLVAREZ, CARLOS MANUEL: «René Arocha: Stay on Top of the Ball», <https://oncubanews.com/opinion/columnas/esta-boca/rene-arocha-stay-on-top-of-the-ball/> [16-6-2019].

ARANGURE, JORGE, JR.: «What Happens to the Cuban Baseball Players Who Never Make It», <https://www.vice.com/en_us/article/z4d5mx/

what-happens-to-the-cuban-baseball-players-who-never-make-it> [16-2-2019].

Associated Press: «Contreras Granted Free Agency», *The Journal News*, December 19th, 2002, p. C5.

__________: «Cuba Bans 3 Players for Fixing», *The Des Moines Register*, September 27th, 1964, p. 8.

__________: «Cuban Outfielder Despaigne Re-Signs with Chiba Lotte», <https://www.usatoday.com/story/sports/mlb/2014/12/11/cuban-outfielder-despaigne-re-signs-with-chiba-lotte/20233065/> [8-8-2019].

__________: «Memories of Defector Still Live», *The Tennessean*, August 10th, 1991, p. 3C.

Batterson, Steve: «Bandits Outfielder Makes Sacrifices to Play Baseball», <https://qctimes.com/sports/baseball/professional/minor/midwest-league/bandits-outfielder-makes-sacrifices-to-play-baseball/article_615a6f76-78fa-11df-87b3-001cc4c03286.html> [16-2-2019].

Baxter, Kevin: «Cuban Defector Eyes Pro Career», <https://www.cubanet.org/htdocs/CNews/y01/may01/22e6.htm> [16-2-2019].

__________: «Cuban Defector Pursues Dream», <https://insidecostarica.com/special_reports/2004-03/cuban_defector_dreams.htm> [16-2-2019].

__________: «Paying Price for Baseball: Three More Cubans Decide to Leave Families Behind», <https://www.latimes.com/archives/la-xpm-1992-10-20-sp-518-story.html> [16-2-2019].

Bernreuter, Hugh: «Los Angeles Dodgers Prospect Yadir Drake Remains Cuba's International Man of Mystery», <https://www.mlive.com/loons/2015/04/los_angeles_dodgers_prospect_y.html> [16-2-2019].

Bishop, Greg: «Mariners' Betancourt Can't Leave Journey from Cuba Behind», <https://www.seattletimes.com/sports/mariners-betancourt-cant-leave-journey-from-cuba-behind/> [16-2-2019].

BJARKMAN, PETER C.: *Cuba's Baseball Defectors. The Inside History*, Rowman & Littlefield, Maryland, 2016.

BJARKMAN, PETER C. y BILL NOWLIN (eds.): *Leyendas del béisbol cubano: el universo alternativo del béisbol*, Society for American Baseball Research, Phoenix, 2016.

BLUM, VANESSA: «Sports Agent Accused of Paying for Smuggling of Cuban Players», <https://www.sun-sentinel.com/news/fl-xpm-2006-11-01-0610310536-story.html> [16-2-2019].

BOLCH, BEN: «Mariners Reinstate Minor Leaguer», <https://www.latimes.com/archives/la-xpm-2004-jan-22-sp-minors22-story.html> [16-2-2019].

__________: «Player Could Face Charges», <https://www.latimes.com/archives/la-xpm-2003-aug-20-sp-minors20-story.html> [16-2-2019].

BOWMAN, MARK: «Documentary Stirs Emotions for Cadahia», <http://wap.mlb.com/atl/news/article/200908136406170?locale=es_CO> [16-2-2019].

BRANCH, BRUCE: «2 Cuban Refugees Cut by Peaches», <https://www.washingtonpost.com/archive/sports/1980/07/09/2-cuban-refugees-cut-by-peaches/0a025f97-5c02-449c-b24d-b5d01012bcb1/> [16-6-2019].

BRUBAKER, BILL: «Orioles Still Have Hopes of Harvesting a Crop of New Cuban Talent», *The Courier-Journal*, May 14th, 1980, p. 11.

BRUDNICKI, ALEXIS: «Cuban-Born Raynel Delgado Ready to Bury Cuban National Team in World Cup», <https://www.baseballamerica.com/stories/cuban-born-raynel-delgado-ready-to-bury-cuban-national-team-in-world-cup/> [16-2-2019].

BRYCE, CHARLES: «San Angelo Colts: Best Seat in Town», <http://archive.gosanangelo.com/news/local/san-angelo-colts-best-seat-in-town-ep-506764326-354621901.html/> [16-2-2019].

CANSECO, JOSÉ: *Juiced: Wild Times, Rampant' Roids, Smash Hits and How Baseball Got Big*, Regan Books, New York, 2005.

Capital Gazette: «Sports Briefs: Academy Hosting Alumni Hoops Game», <https://www.capitalgazette.com/cg2-arc-0b6db8c1-1e80-5af5-ba4b-78640cc744c9-20120127-story.html> [16-2-2019].

Carrigg, David: «For Young Players It's Makes It to the Major Leagues or Bust», *Edmonton Sun*, August 15th, 2000.

Castro, Fidel: «Discurso en la clausura de la plenaria nacional de los Consejos Voluntarios del INDER», <http://www.fidelcastro.cu/es/discursos/discurso-pronunciado-en-la-clausura-de-la-plenaria-nacional-de-los-consejos-voluntarios> [6-6-2019].

Coffey, Wayne: «Under Father's Proud Gaze», *The New York Daily News*, June 19th, 1994.

Cortés, Yesme: «Nunca me arrepentiré de haber salido de Cuba», <https://www.eleconomista.com.mx/deportes/Nunca-me-arrepentire-de-haber-salido-de-Cuba-20140813-0138.html> [16-2-2019].

Cuban-Play: «Yozzen Cuesta pasa de Canadá a EE. UU.», <https://cuban-play.com/yozzen-cuesta-pasa-de-canada-a-eeuu-2553/> [16-2-2019].

«Cuban Refugee Signs with Indians» (editorial), *Florida Star*, September 1st, 1962, p. 7.

Curry, Jack: «Baseball: A Left-Handed Complement; Teams Save Spot for Rare Pitchers, Turning Old Discards into Keepers», <https://www.nytimes.com/1999/05/10/sports/baseball-left-handed-complement-teams-save-spot-for-rare-pitchers-turning-old.html> [16-2-2019].

De Lama, George: «Reds Looking at 30 Cubans inside Camp», *Chicago Tribune*, May 8th, 1980, p. 21.

De Malas, Daniel: «Listado de todos los peloteros que se han ido de Cuba en el 2015», <http://www.beisbolencuba.com/foros/serie-nacional-de-beisbol/listado-todos-peloteros-cuba-2015.html> [16-2-2019].

Díaz, David: «Yosvani Almario: del anonimato a firmar por los Yankees de Nueva York», *Crono Deportes*, 21 de junio, 2016.

Diaz, Ralph: «Tigers are Still Waiting for Cuban Investment to Pay Off as Promised», *The Tampa Times*, July 22nd, 1980.

Diunte, Nick: «Hector Maestri, Cuban Pitcher for Both Washington Senators Teams, Dies at 78», <https://www.baseballhappenings.net/2014/02/hector-maestri-cuban-pitcher-for-both.html> [16-2-2019].

__________: «Paul Casanova: Everyone's *Hermano*», <https://www.lavidabaseball.com/paul-casanova-everyones-brother/> [16-2-2019].

Dominguez, Eddie: «Another Cuban Baseball Player Defects», <https://apnews.com/068137947e74389a5e0153ba70992b77> [16-2-2019].

__________: *Baseball Cop: The Dark Side of America's National Pastime*, Hachette Books, New York, 2018.

Domínguez, Fernando: «Cuban Faced with Toughest Decision», <https://www.latimes.com/archives/la-xpm-1995-01-20-sp-22426-story.html> [16-2-2019].

Dow, Bill: «Chico Fernandez Paved Way with Tigers as Team's First Latino Position Player», <https://www.freep.com/story/sports/mlb/tigers/2015/08/01/detroit-tigers-chico-fernandez-first-latino-player/31009435/> [16-2-2019].

Duchaine, Gabrielle & Simon-Olivier Lorange: «La longue cavale de deux espoirs Cubans», <http://plus.lapresse.ca/screens/f15a6348-d846-43b7-aa4b-85ceb5057757__7C___0.html> [16-2-2019].

Dunnam, Ted: «Ben Pardo Named Athletic Director for PISD», <https://www.chron.com/neighborhood/pearland/news/article/Ben-Pardo-named-athletic-director-for-PISD-9309409.php> [16-2-2019].

Ebro, Jorge: «El cubano Juan Yasser Serrano firma con los Cachorros por $ 250,000», <https://www.elnuevoherald.com/deportes/beisbol/article2003511.html> [16-2-2019].

__________: «Lanzador cubano firma pacto con los Marineros de Seattle», <https://www.elnuevoherald.com/deportes/article3596433.html> [16-2-2019].

__________: «Peloteros cubanos se acercan al sueño de Grandes Ligas desde Costa Rica», <https://www.elnuevoherald.com/deportes/beisbol/article32647539.html> [16-2-2019].

__________: «Prospecto cubano firma con los Cachorros de Chicago», <https://www.elnuevoherald.com/deportes/beisbol/article200344694.html> [16-2-2019].

Eden, Scott: «The Lost Prospects of Cuba», *ESPN.com*, June 20th, 2017, <http://www.espn.com/espn/feature/story/_/id/19678696/mlb-prospects-cuba-trapped-dream> [16-2-2019].

Eskenazi, Gerald: «Sidelines: Fast-Pitch Defection; Softball Pitcher Leaves Cuba for Miami», <https://www.nytimes.com/1991/12/16/sports/sidelines-fast-pitch-defection-softball-pitcher-leaves-cuba-for-miami.html> [16-2-2019].

Estévez, Mayli: «Las razones del éxodo de deportistas cubanos», <https://www.tremendanota.com/por-que-desertan-los-deportistas-cubanos/> [8-7-2019].

Fehrman, Craig: «The Enigma of Mr. 105», <https://www.cincinnatimagazine.com/features/the-enigma-of-mr-1053/> [16-2-2019].

Feinstein, John: «Cuban Refugees Eye Chance to Play Major League Ball», *Asbury Park Press*, May 30th, 1980, p. 10.

Figueredo, Jorge: *Who's Who in Cuban Baseball 1878-1961*, McFarland, North Carolina, 2003.

Gaceta Oficial de la República de Cuba, Ministerio de Justicia, La Habana, n.º 44, 16 de octubre de 2012.

GALLAGHER, DANNY: «Former Expo Nelson Santovenia Teaching Tools of the Trade in Tigers System», <http://baseballhotcorner.com/former-expo-nelson-santovenia-teaching-tools-of-the-trade-in-tigers-system/> [16-2-2019].

GARCILAZO, MIGUEL: «A Gift from Cuba», *Daily News*, February 20th, 1994, p. 5.

GARDNER, MICHELLE: «Crash Sidelines Pitcher», <https://www.sun-sentinel.com/news/fl-xpm-1995-04-21-9504201502-story.html>, April 21st, 1995.

GOLDBERG, STAN: «Touching All the Bases: Baseball Has Been a Better Life», <https://www.fredericknewspost.com/archives/touching-all-the-bases-baseball-has-been-a-better-life/article_9d3088e1-0c73-5f89-b947-953e66fa084d.html> [16-2-2019].

GONZÁLEZ, GASPAR: «El lanzador», *Miami New Times*, 18 de abril, 2002.

GONZÁLEZ, JOSÉ ELÍAS: *Majá. Testimonio*, CreateSpace Independent Publishing Platform, South Carolina, 2017.

GONZÁLEZ ECHEVARRÍA, ROBERTO: *The Pride of Havana. A History of Cuban Baseball*, Oxford University Press, New York, 1999.

GRILLO, MIGUEL: «Ángel Scull», <http://lagdelgrillo.blogspot.com/2016/03/angel-scull.html> [16-2-2019].

HERNÁNDEZ, LOU: *The Rise of the Latin American Baseball Leagues, 1947-1961. Cuba, the Dominican Republic, Mexico, Nicaragua, Panama, Puerto Rico and Venezuela*, McFarland, North Carolina, 2011.

HUANG, MICHAEL: «Borges Happy to Have Chance with Cubs», <http://wap.mlb.com/chc/news/article/20100415932332 2/?locale=en_US> [16-2-2019].

ISRAEL, DAVID: «Gomez Longed for New Life, Big Leagues», *The Minneapolis Star*, June 2nd, 1980.

JAMAIL, MILTON H.: *Full Count: Inside Cuban Baseball*, Southern Illinois University Press, 2000.

__________: *Venezuelan Bust, Baseball Boom*, University of Nebraska Press, 2008.

Jennings, Chad: «Baseball Beat: Miranda's Long Trip Ends with Yankees», <https://web.archive.org/web/20100602022031/http://www.lohud.com/article/20100530/SPORTS01/5300475> [16-2-2019].

Jiménez Enoa, Abraham: «8 cosas que Raúl Castro hizo en sus 12 años como presidente de Cuba y a las que su hermano Fidel se negó durante casi medio siglo», <https://www.semana.com/mundo/articulo/8-cosas-que-raul-castro-hizo-en-sus-12-anos-como-presidente-de-cuba-y-a-las-que-su-hermano-fidel-se-nego-durante-casi-medio-siglo/564039> [28-6-2019].

Johns, Walter L.: «De La Hoz is Tabbed Future Infield Hope for Cleveland», *Reading Eagle Sunday*, March 20th, 1960, p. 57.

Johnston, Joey: «National Preseason Honor Doesn't Faze University of Tampa 2B Laz Rivera», <https://www.tampabay.com/sports/baseball/college/national-preseason-honor-doesnt-faze-university-of-tampa-2b-laz-rivera/2312321/> [16-2-2019].

Kahn, Alex: «Rough Times Continues for Rojas», *The Windsor Star*, April 24th, 1970.

Katz, Jesse: «Escape from Cuba: Yasiel Puig's Untold Journey to the Dodgers — The Shocking Saga of Major League Baseball's Most Controversial Player», <https://www.lamag.com/longform/escape-from-cuba-yasiel-puigs-untold-journey-to-the-dodgers/> [16-2-2019].

Katz, Jonathan M.: «Cuban Star Eyes MLB while Waiting in Dominican Rep.», *Associated Press*, September 21st, 2007, p. B4.

Kirshenbaum, Jerry: «Scorecard, Freedom», <https://www.si.com/vault/1980/05/19/824665/scorecard> [17-6-2019].

Kubatko, Roch: «M. Rodriguez Gets Offer», *The Baltimore Sun*, March 13th, 2005, p. 4E.

Kuttler, Hillel: «A Jewish Cuban Pitcher Gets a Firm Grip on Life in Israel», <https://www.timesofisrael.com/a-jewish-cuban-pitcher-gets-a-firm-grip-on-life-in-israel/> [16-2-2019].

Lapointe, Joe: «A Cuban with Clout», *The New York Times*, May 7th, 1984, p. 4C.

Lewis, Michael: «Commie Ball: A Journey to the End of a Revolution», <https://www.vanityfair.com/news/2008/07/cuban_baseball200807> [16-2-2019].

Martín Llanes, Marcos: *Cojímar: la Patria Chica de Ernest Hemingway*, Libros en Red, Buenos Aires, 2006.

Martínez, Leticia: «En vigor normas jurídicas sobre los ingresos de atletas, entrenadores y especialistas del deporte», <http://www.granma.cu/cuba/2014-03-31/en-vigor-normas-juridicas-sobre-los-ingresos-de-atletas-entrenadores-y-especialistas-del-deporte> [8-8-2019].

Martínez, Marino: «Manuel Hurtado, una leyenda del béisbol cubano», <https://www.elnuevoherald.com/ultimas-noticias/article2023182.html> [16-6-2019].

Milian, Jorge: «Cuban Defector Ready to Make Big-League Pitch», *Fort Lauderdale Sun-Sentinel*, July 13th, 1991, p. 11.

__________: «Cuban Pitcher who Defected has a Second Thoughts», *Fort Lauderdale Sun-Sentinel*, July 28th, 1991, p. 8.

__________: «Draft A Mixed Blessing for Brothers», <https://www.sun-sentinel.com/news/fl-xpm-1995-06-02-9506020049-story.html> [16-2-2019].

Mitchell, Fred: «Palmeiro's Roots Modest as His Dad», <https://www.chicagotribune.com/news/ct-xpm-2005-08-11-0508110257-story.html> [16-2-2019].

Morejón, Jorge: «La familia es lo primero», <https://espndeportes.espn.com/noticias/nota?pagina=tierra-prometida12072010&s=bei&type=column&fbclid=IwARoEiEtu9R4Tg435alNPYFH62prJbBOe4bFaohfsas8PJk2LjzdlRHmWUMc> [23-6-2019].

Mott, Geoff: «Great Lakes Loons Manager Juan Bustabad is Ready for First Season in Midland», <https://www.mlive.com/saginaw_sports_extra/2008/04/great_lakes_loons_manager_juan.html> [16-2-2019].

Nester, Mike: «The Cubs and Cuba», <https://247sports.com/mlb/cubs/Article/The-Cubs-and-Cuba-105187863/> [16-2-2019].

New York Times News Service: «Cuban Baseball Rocked by Gambling Scandal», *The Morning Call*, September 29th, 1964, p. 9.

Newberg, Jamey: «Moo-LAAA», <http://www.newbergreport.com/article.asp?articleid=784> [16-2-2019].

Niubó Alemán, Thaimí: «Entrevista a Nachi Suárez», <https://www.facebook.com/notes/municipio-regla-cuba/entrevista-a-nachi-suarez/474063769299846/> [16-6-2019].

Nobles, Charlie: «Cuba's Top Junior Pitcher Defects During Tournament», <https://www.nytimes.com/1996/08/12/sports/cuba-s-top-junior-pitcher-defects-during-tournament.html> [16-2-2019].

__________: «5 Cubans In Search of a Club», <https://www.nytimes.com/1993/06/02/sports/5-cubans-in-search-of-a-club.html> [16-2-2019].

Olney, Buster: «Baseball: Yankees Notebook; Team Says Morales Lied about Age», <https://www.nytimes.com/2001/07/16/sports/baseball-yankees-notebook-team-says-morales-lied-about-age.html> [16-2-2019].

Pascual, Andrés: «El último campeonato de beisbol profesional cubano», <https://beisbol007.blogia.com/2011/112105-el-ltimo-campeonato-de-beisbol-profesional-cubano-8207-.php> [6-6-2019].

Patterson, Nick: «Merchants Drop Frogs», <https://www.heraldnet.com/sports/merchants-drop-frogs/> [16-2-2019].

Peña, Brayan: «The Window», <https://www.theplayerstribune.com/en-us/articles/brayan-pena-cuba-catcher> [16-2-2019].

Pressley, Anne Sue: «Five More Baseball Players Leave Cuba», <https://www.washingtonpost.com/archive/politics/1998/08/15/five-more-baseball-players-leave-cuba/3d213859-4227-4e73-9442-d76095bc3b8a/> [16-2-2019].

Ramírez, José & Rory Costello: «Jackie Hernández», <https://sabr.org/bioproj/person/887d2ec2> [16-2-2019].

Rangel, Luis: «El cubano Noel Argüelles quiere ser rey entre los Reales», <https://www.elnuevoherald.com/deportes/beisbol/article2003543.html> [16-2-2019].

Reed, Ed: «Cuban Pitcher's Long Road Goes through Lee», *News Press Fort Myers*, August 17th, 2001, p. 5C.

Richardson, Shandel: «Father's Sacrifice Makes Way for UM's Harold Martinez», <https://www.sun-sentinel.com/sports/fl-xpm-2010-05-15-fl-harold-martinez-um-0516-20100515-story.html> [16-2-2019].

Rofes, Rafael: «Ángel Mario Tamayo: "Hasta las Grandes Ligas no paro"», *Crono Deportes*, 1ro de junio, 2014.

Rojas, Enrique: «¿Otro millonario?», <https://www.espn.com.mx/noticias/nota?s=bei&id=659764&type=story> [16-2-2019].

__________: «Quieren saltar al profesionalismo», <https://www.espn.com.mx/nota?id=340413> [16-2-2019].

«Rolando Pino, Show Them – 20», <http://www.greatest21days.com/2016/11/rolando-pino-show-them-20.html> [16-2-2019].

Romero, Francys: «2015: récord de migración del béisbol cubano», <https://oncubanews.com/deportes/2015-record-demigracion-del-beisbol-cubano/> [9-7-2019].

Russo, Frank & Gene Racz: *Bury my Heart at Cooperstown, Salacious, Sad and Surreal Deaths in the History of Baseball*, Triumph Books, Chicago, 2006.

Sabatelo, Nick: «Can-Am Baseball: Can-Am League Helps Lost Players Find their Way», <https://www.njherald.com/article/20070523/SPORTS/909018668> [16-2-2019].

Sainsbury, Bo: «Patience Pays Off for Cubs' Zamora», *The Daily Herald*, July 8th, 1974.

Sanders, Jeff: «Report: Padres, Cuban Pitcher Nearing Deal», <https://www.sandiegouniontribune.com/sports/padres/sdut-padres-cuban-odrisamer-despaigne-arruebarrena-2014apr02-story.html> [16-2-2019].

Saslow, Eli: «¿Estás seguro que estás preparado para todo esto?», <https://www.espn.com.mx/beisbol/beisbolexperience/nota/_/id/3044133/beisbol-experience-estas-seguro-que-estas-preparado-para-todo-esto> [9-7-2019].

Serrano, Ignacio: «El Emergente. Héctor Martínez: venezolano y grandeliga», <https://www.elemergente.com/2013/04/el-emergente-hector-martinez-venezolano.html?m=0> [16-2-2019].

Shafer, Jacob: «Maikel Jova's Death-Defying Journey to US a Success, Far from MLB Limelight», <https://bleacherreport.com/articles/2659056-maikel-jovas-death-defying-journey-to-us-a-success-far-from-mlb-limelight> [16-2-2019].

Slusser, Susan & Demian Bulwa: «The Amazing Saga of Yoenis Céspedes», <https://www.sfchronicle.com/sports/cespedes/> [8-7-2019].

Smith, Mike: «U-M Baseball: A Melting Pot of Goals, Dreams», *The Miami News*, May 19th, 1981.

Smith, Wayne: «The Cuban Democracy Act no Way to Solve Problems», *The Tampa Tribune*, August 25th, 1992, p. 103.

Soldevilla, Dionisio: «Cargos criminales por tráfico humano en caso de Lazarito Armenteros», <https://www.espn.com.mx/beisbol/mlb/nota/_/id/2723692/cargos-criminales-por-traficohumano-en-caso-de-lazarito-armenteros> [26-7-2019].

«Sorpresas en el equipo cubano de béisbol para los Juegos del ALBA», <http://www.juventudrebelde.cu/deportes/2011-07-12/

sorpresas-en-el-equipo-cubano-de-beisbol-para-los-juegos-del-alba> [8-8-2019].

Stone, George: *«Muscle», a Minor League Legend,* Infinity Publishing, Pennsylvania, 2003.

Strauss, Ben: «Major League Baseball Wants to Let Cuban Players Sign Directly with Teams», *The New York Times,* March 2nd, 2016, p. B11.

__________: «Star Brothers Are Apparently the Latest to Defect from Cuba», *The New York Times,* February 8th, 2016, p. B7.

Taft, Jay: «RiverHawks Slugger Sabates Cherishes Freedom in New Home», <https://www.rrstar.com/article/20090702/NEWS/307029879> [16-2-2019].

The New York Times: «Cuba Wants Reds to Go Baseball», *The Daily Oklahoman,* November 30th, 1964, p. 23.

Topkin, Marc; Dave Scheiber & Damian Cristodero: «LaMar Issues Apology to Fans», *Tampa Bay Times,* October 7th, 2005.

Torres, Adry: «Un cubano promueve el crecimiento del béisbol en Gran Bretaña», <https://www.espn.co.cr/beisbol/nota/_/id/2798559/un-cubano-promueve-el-crecimiento-del-beisbol-en-gran-bretana> [16-2-2019].

Torres, Ángel: *La leyenda del* béisbol *cubano 1978-1997,* Ángel Torres Publishing Company, Los Angeles, 1997.

Tusa, Alfonso: «Sandy Amorós, un héroe de la Serie Mundial de 1955, fue degradado por Fidel», <http://jonrondentrodelcampo.blogspot.com/2013/04/sandy-amoros-un-heroe-de-la-serie.html> [16-2-2019].

University of Texas Rio Grande Valley Athletics: «Getting to Know Norberto López», <https://goutrgv.com/news/2012/8/9/BB_0809125143.aspx> [16-2-2019].

Wells, Martin: «Ambidextrous Pitcher Gives His Team an Edge», <https://bleacherreport.com/articles/2372030-ambidextrous-as-pitcher-pat-venditte-uses-special-glove-on-the-mound> [16-2-2019].

Wheeler, Brad: «Leafs Win Opener», <https://www.theglobeandmail.com/sports/leafs-win-opener/article4117517/> [16-2-2019].

Zamorano, Abraham: «Cuatro travesías extraordinarias de cubanos a EE. UU.», <https://www.bbc.com/mundo/noticias/2014/08/140825_cuba_balseros_insolitas_az> [24-6-2019].

Sitios web consultados

Béisbol Cubano: <http://www.beisbolcubano.cu/>
Baseball de Cuba: <https://www.baseballdecuba.com/>
Baseball It: <https://www.baseball.it/>
Baseball Reference: <https://www.baseball-reference.com/>
British Baseball Federation: <https://www.britishbaseballfederation.com/>
Crono Deportes: <https://cronodeportesonline.com>
Fangraphs: <https://www.fangraphs.com/>
Federación Belga de Béisbol: <http://www.kbbsf-frbbs.be/>
Federación Francesa de Béisbol: <https://ffbs.fr/>
Federación Suiza de Béisbol: <https://www.swiss-baseball.ch/>
Liga Mexicana de Béisbol: <https://www.milb.com/mexican>
Mister Baseball: <https://www.mister-baseball.com/>
MLB: <https://www.mlb.com/>
Pelota Cubana: <https://pelotacubanausa.com/>
Real Federación Española de Béisbol y Sóftbol: <https://www.rfebs.es/>
Swing Completo: <https://swingcompleto.com/>

Índice

Ingram Content Group UK Ltd.
Milton Keynes UK
UKHW040611240323
419098UK00002B/285